CHEFS-D'ŒUVRE DU GÉNIE HUMAIN

Les grandes réalisations techniques
à travers les âges

PARIS - BRUXELLES - MONTRÉAL - ZURICH

CHEFS-D'ŒUVRE DU GÉNIE HUMAIN

Les grandes réalisations techniques
à travers les âges

est publié
par SÉLECTION DU READER'S DIGEST

Conseiller de la rédaction : Guy Rachet.

Les textes des articles ont été écrits par : Robert Bornecque,
André Coutin, Robert Delort, Jean-Paul Desroches, Paul Faure,
Serge Fleury, Louis Frédéric, Pierre Grimal, Bernard-Philippe Groslier,
Philip Jodidio, Roger Joussaume, Roger Lacasse,
Bertrand Lemoine, Jacques Levron, Claude Mignot, Aline de Nanxe,
Guy Rachet, Jean-Louis Rieupeyrout, Jean-Paul Roux, Jean-Pierre Sodini,
Jacques Soustelle, Hélène Trocmé, May Veber, Simone Waisbard.

Les textes du dictionnaire sont de Pierre Piffaretti.

PREMIÈRE ÉDITION
Deuxième tirage

© 1986, Sélection du Reader's Digest, S. A.,
212, boulevard Saint-Germain, 75007 Paris.

© 1986, N. V. Reader's Digest, S. A.,
12-A, Grand-Place, 1000 Bruxelles.

© 1986, Sélection du Reader's Digest (Canada), Limitée,
215, avenue Redfern, Montréal, Québec H3Z 2V9.

© 1986, Sélection du Reader's Digest, S. A.,
Räffelstrasse 11, « Gallushof », 8021 Zurich.

ISBN 2-7098-0195-7

PRÉFACE

Il arrive à chacun de regretter de n'avoir qu'une vie. Cette nostalgie-là se guérit d'un bon livre et, plus particulièrement, par les moments passés en compagnie des Chefs-d'œuvre du génie humain. Cet ouvrage parle au voyageur de voyages, à l'architecte de prouesses techniques, à l'amateur d'histoire de l'histoire des monuments, celle qui capte dans leur grandeur — et parfois dans leur naïveté — les rapports que l'homme entretient avec ses plus hautes ambitions. L'esthète y trouvera une série d'images qui sont autant de rêves éveillés, d'illuminations.

Beaucoup d'entre nous connaissent l'un ou l'autre des 54 sites présentés ici. L'un retrouvera, entre les lignes, les secousses régulières (dues à un mauvais revêtement) qui ébranlent la voiture traversant le pont de Brooklyn. L'autre revivra un après-midi passé sur les marches vertigineuses du temple maya de Tikal ; il se souviendra d'avoir vu sur ces pierres un lichen d'une tonalité vert-de-gris si subtile qu'il eût souhaité le détacher et le rapporter en Europe, tel un Alexander von Humboldt, pour compléter l'art de peindre, qui resterait, sans cette nuance, inachevé. D'autres encore auront vécu à Épidaure, à Chartres, voire à Himeji, ces instants de découverte et de premières impressions qui nous accompagnent la vie durant. Pour eux, ce livre ramènera à la mémoire et à la sensibilité, intacts, des moments de bonheur.

Mais, à tous, il apportera beaucoup plus : autant de vies et de voyages que de lectures. Qui d'entre nous peut espérer visiter la Grande Muraille de Chine et le canal de Suez, Stonehenge et Chéops, la Villa Hadriana et Mohenjo Daro, Brasilia et l'opéra de Sydney, la Baie James et le Tadj Mahall ? Nous voyageons, mais le livre voyage plus vite que nous, plus loin, plus souvent. Le livre nous donne plus encore. Comme Homère et Marco Polo, il nous raconte. Et nous adorons les histoires. Celle de cette « fin de janvier 1099, où Raymond de Saint-Gilles, en route vers Jérusalem, avait enlevé le petit château de montagne tenu par des guerriers kurdes au service de l'émir d'Homs » (dans le chapitre sur le Krak des chevaliers). Ce ciel, « subitement sillonné par des dizaines d'hélicoptères et des hydravions : sur terre, 83 hommes travaillent de 12 à 14 heures par jour, 7 jours par semaine, dans un désert blanc, immobile, majestueux et angoissant : aucun signe de vie, pas un animal » (dans le chapitre sur la Baie James).

Variété et sens du récit ne sont que deux facettes de cet ouvrage. Sa première originalité tient au domaine de l'architecture. Aucun autre, dans l'édition française, ne dresse ainsi l'inventaire des conquêtes techniques, des progrès architecturaux de l'humanité à travers les siècles. Sans vouloir systématiser ou entrer dans des exposés qui ne concerneraient que les spécialistes et les ingénieurs, Chefs-d'œuvre du génie humain propose, thème par thème, des « études de cas » qui rapprochent les routes royales des Incas et les tunnels alpins, la Villa Hadriana et l'Alhambra, l'opéra de Sydney et le World Trade Center. Le lecteur passera sans effort des ponts suspendus aux forteresses médiévales, des péristyles romains au tracé de la voie royale des Incas. Autant d'époques, de projets, de problèmes et de solutions. Aussi refermera-t-on ce livre bien heureux de savoir que l'expression « culture générale » a encore un sens.

L'Éditeur

TABLE DES MATIÈRES

Photos des doubles pages d'ouverture des chapitres : *Pages 8 et 9 : Carcassonne ; en médaillon, château d'Himeji. Pages 42-43 : Pont de Brooklyn ; en médaillon, pont romain d'Alcantara. Pages 142-143 : Pyramide de Chéops ; en médaillon, le Tadj Mahall. Pages 174-175 : Château de Versailles ; en médaillon, palais de l'Alhambra. Pages 212-213 : Venise ; en médaillon, place des Trois-Cultures, à Brasilia. Pages 248-249 : Opéra de Sydney ; en médaillon, le Colisée. Pages 276-277 : Barrage d'Itaipu ; en médaillon, barrage de l'Escaut oriental (Plan Delta).* **Photos de couverture :** The Professor's Dream, *tableau de C. R. Cockerell ; en médaillon, la grande nef de la gare d'Orsay.*

FORTIFICATIONS

LA GRANDE MURAILLE
Frontière entre l'Empire chinois et le monde barbare

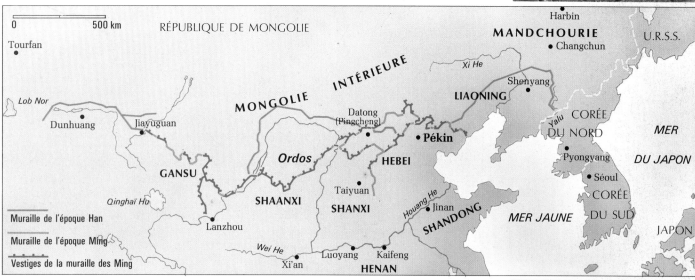

La Grande Muraille apparaît comme la manifestation la plus universellement reconnue du génie chinois. Devenue symbole de l'Empire du Milieu, elle résume l'immensité tout en donnant corps au passé. De l'océan au désert, au ras du ciel, elle coïncide avec l'horizon, apparaissant comme la plus grande violence jamais faite à l'espace.

Une telle entreprise s'explique d'abord par le contexte géoclimatique. Aux confins nord-ouest de l'Extrême-Orient, depuis la fin du néolithique, s'affrontent deux mondes : celui de la steppe, avec ses étendues clairsemées, et celui de la Chine, avec ses champs verdoyants. À ces deux univers correspondent deux formes de société: les tribus de pasteurs qui nomadisent avec leurs troupeaux en zone semi-aride et les collectivités paysannes sédentaires qui, elles, tirent leurs ressources de l'agriculture.

Au cours des temps historiques, leurs oppositions ne feront que croître: ainsi les premières attaques de cavaliers-éleveurs sur les domaines cultivés apparaissent dès le Ier millénaire avant notre ère. Ces razzias compromettent gravement l'établissement de la paysannerie dans la partie septentrionale de la Chine.

À mesure que les différents États chinois s'organisent, une tactique offensive et défensive s'élabore. Afin de repousser les nomades, certains de ces États ne se contenteront pas seulement de conduire des actions vigoureuses, ils se doteront d'un réseau de postes d'observation pour parer à d'éventuelles attaques. Des tours de guet sont alors édifiées, puis reliées par des remparts. L'érection de ces premiers murs s'inscrit dans un contexte de grands bouleversements dus au développement de la métallurgie du fer, où les plus ambitieuses de ces « cités-états » commencent à guerroyer entre elles pour des questions territoriales — cette époque troublée est d'ailleurs nommée période des Royaumes Combattants (475-221 av. J.-C.), qui, pour se protéger les uns des autres, élèveront des fortifications aux points stratégiques.

La Grande Muraille trouve sa source dans ces divers ouvrages bâtis presque simultanément en des lieux parfois très éloignés, mais ce stade précurseur n'est guère évoqué habituellement dans l'histoire officielle. En effet, la tradition préfère en attribuer la construction *ex nihilo* au premier unificateur de la Chine, Qin Shi Huangdi (221-210 av. J.-C.). Il en aurait conçu l'idée afin d'unir les différents États en un seul empire. Mais comme tous les héros de l'histoire chinoise, son personnage sert à cristalliser des faits qui ne lui appartiennent pas en propre. Image du souverain fondateur d'empire, il a le pouvoir de clore l'espace. Sa

La Grande Muraille apparaît comme une chaîne ininterrompue qui relie l'océan au désert sur plus de 6 000 km. Elle épouse les reliefs, tirant parti des accidents du terrain. Courant au sommet des cimes, comme ici au nord-ouest de Pékin, elle ressemble à un chemin de ronde flanqué tous les 200 ou 300 m de tours de guet.

muraille court sur les cimes et retient le visible, scellant sa puissance en même temps qu'elle censure l'horizon. Elle devient le moyen de fixer les frontières, marquant de façon définitive la séparation entre le monde civilisé et l'univers barbare. Elle est ce glaive acéré qui défie les regards ennemis et cette corde musicale qui répand l'harmonie sur les Cent Familles. Si, en effet, au-dehors, elle tient en respect les ennemis, au-dedans, elle stimule les vertus nationales que suppose la convergence de tant d'efforts généreux. Sa réalisation n'est envisageable qu'au prix de dépenses inouïes ; elle nécessitera une main-d'œuvre considérable. Plusieurs chroniques nous informent sur ses chantiers, et notamment les *Mémoires historiques* de Sima Qian.

L'entreprise va s'étendre sur une douzaine d'années, la durée même du règne du Premier Empereur. Son véritable maître d'œuvre, le général Meng Tian, commence par pacifier le Nord-Ouest, puis prend la direction des travaux. Pour mener à bien cette opération, il disposera au total de 800 000 hommes : 300 000 soldats et 500 000 paysans. Sa muraille est connue sous le nom de la « Grande Muraille de dix mille lis ». À l'ouest, elle commençait au Gansu, quelque part vers l'actuelle cité de Lanzhou ; elle longeait ensuite par l'extérieur la boucle des Ordos, puis bordait le Hebei, encadrant le Liaoning pour s'achever à l'entrée de la presqu'île coréenne.

La dynastie des Han (206 av. J.-C. - 220 apr. J.-C.) va reprendre l'œuvre de Qin Shi Huangdi. Dai Wenbao cite une supplique adressée à l'empereur Wen (180-157 av. J.-C.) par un ministre qui dépeint la situation : « Les Xiong-nu [Huns] vivent de viande et de fromage, se vêtent de peaux, n'ont ni maison ni champs. Ils parcourent la steppe comme les bêtes ou les oiseaux, ne s'arrêtant que là où se trouvent herbe et eau, faute desquelles ils reprennent leur course. Aujourd'hui, ils ont leurs pacages et leurs terrains de chasse devant Yandai, Shangjun, Beidi, et Longxi, guettant l'occasion de pénétrer chez nous à la moindre réduction de nos troupes. Votre Majesté s'inquiète des désordres à nos marches. Il serait avantageux d'y expédier des soldats sous les ordres de généraux et de fonctionnaires pour tenir ces régions, et d'y implanter leurs familles qui y cultiveraient des céréales et se tiendraient prêtes à une attaque éventuelle des Xiong-nu. Bâtissons aussi de hauts murs avec des fossés et renforçons les arrières avec des rochers et autres obstacles. Aux points et passages stratégiques, nous pourrions fonder des bourgs d'un millier de feux chacun. »

On comprend, d'après ce texte, comment s'exerce alors la défense, à la fois en prenant

appui sur les lieux et sur les hommes. La Grande Muraille épouse effectivement le terrain en suivant les accidents du relief. Mais elle ne se contente pas d'être un parcours fortifié, elle est étayée par des défenses locales implantées dans des sites clef, constituant les maillons d'une chaîne ininterrompue reliée dès cette époque à l'administration centrale.

Au milieu du ve siècle, sous les Wei du Nord, on décide de rebâtir la Grande Muraille. En 446, 300 000 ouvriers sont mobilisés dans les alentours de la capitale Pingcheng, l'actuelle Datong, au Shanxi. Les annales mentionnent plusieurs requêtes du même genre que celle adressée préalablement au souverain Wen des Han. Elles insistent toutes sur la nécessité de restaurer cette ligne de fortifications. Sous les Qi du Nord, en 555, un million d'hommes seront enrôlés pour une nouvelle réfection des édifices. Les Sui (580-618), qui succèdent aux Qi, reprendront à leur compte ces travaux et les mèneront à leur terme. Dès 583, sous l'empereur Wen, des chantiers s'ouvrent à nouveau tout le long de la Muraille. Une année plus tard, près de 200 000 hommes seront recrutés à plein temps pour rebâtir les forts. Son successeur, l'empereur Yang, intensifiera le rythme en levant, entre 607 et 609, 2 000 000 de paysans. Il achèvera l'ouvrage avant la fin de son règne.

La dynastie Sui fut condamnée à la brièveté, et les Tang, qui lui succèdent à partir de 618, délaissent ce système de défense édifié pourtant avec tant d'efforts. L'empereur Taizong, au cours de la première moitié du viie siècle, laissera se délabrer le grand mur, allant jusqu'à abolir les patrouilles chargées de sa surveillance. La Chine des Tang se sent forte et étend sa suprématie culturelle sur une grande partie du monde asiatique. Elle fonde sa sécurité sur sa cavalerie. Ce sont les 700 000 chevaux des haras impériaux qui lui permettent de mater les nomades si besoin est. Mais aux ixe et xe siècles, l'inquiétude se fait jour à nouveau sur les marches du Nord-Ouest.

La Grande Muraille que nous voyons aujourd'hui se déroule sur plus de 6 000 kilomètres, du fleuve Yalu, à l'est, à la passe de Jiayu, à l'ouest. Elle date en grande partie de la période Ming (1368-1644). La prise du pouvoir par une dynastie nationale après la domination mongole s'accompagne d'un retour aux immenses chantiers du passé. L'empereur et les lettrés ne tardent pas à tirer la leçon de près d'un siècle d'occupation étrangère et voient dans la reprise de ces fortifications un moyen efficace de mettre fin définitivement aux incursions nomades. Pour être plus à même de mener cette politique, on décide de déplacer la capitale de Nankin à Pékin. À pied d'œuvre, le pouvoir va conduire une série de raids offensifs pour assurer la sécurité de l'empire. À cinq reprises, les armées Ming engageront des campagnes dans la steppe, qu'elles incendieront sur des centaines de kilomètres dans l'espoir d'en finir à jamais avec les hordes barbares.

Néanmoins, la Grande Muraille restait la clef de la défense. Le système Ming, achevé vers 1500, varie beaucoup d'un secteur à l'autre. Il est tributaire de la nature du sol, du matériau disponible sur place et des restaurations successives. Il semble que le secteur ouest revête plutôt l'aspect d'un haut talus bordé de douves, tandis que dans la région de Pékin il est fait appel à des techniques de fortification très élaborées.

Les bâtisseurs s'en tiendront toujours aux ressources locales. À l'ouest, dans le désert, la muraille est constituée de couches de sable alternées avec des cailloux, ces matériaux étant liés par des branches d'épineux. Dans la boucle des Ordos, il s'agit de *hangtu*, c'est-à-dire de terre damée en couches régulières serrées entre des coffrages. Souvent, une sorte d'argile blanche est ajoutée pour renforcer la cohésion de l'ensemble. Dans les régions montagneuses, et plus particulièrement au Hebei, un soubassement de pierres monolithiques est posé sur un blocage damé, le tout étant recouvert de plusieurs épaisseurs de grandes briques. L'introduction de la chaux dans le mor-

L'architecture de la Grande Muraille varie beaucoup suivant les lieux. À la frange du désert, c'est un simple mur édifié selon une technique plurimillénaire, celle de la terre damée : des couches d'argile mélangée à divers ingrédients sont coulées et tassées dans un coffrage de bois.

Les lignes de défenses : du mur d'Hadrien au mur de l'Atlantique

À l'égal des Chinois, les Romains, pour défendre leur empire contre les barbares, élaborèrent tout un ensemble de défenses, les *limes,* le long de leurs frontières. Il s'agissait d'une ligne continue de fortins et de camps fortifiés reliés par une route stratégique ; entre ces points forts s'élevaient parfois des murs. Ces fortifications formaient un tout hétérogène, conception et matériaux variant selon la nature du terrain et des régions. Un des éléments le plus spectaculaire et le mieux conservé de ces *limes* est le mur que l'empereur Hadrien fit construire à partir de 122 dans le nord de l'Angleterre.

Il faut ensuite attendre le XVIIᵉ siècle pour retrouver un ensemble de fortifications frontalières d'une certaine ampleur. En France, Vauban entreprend un immense programme : il ne s'agit plus d'élever des murailles continues, mais de construire des places fortes (plus d'une centaine en tout) aux points stratégiques des frontières, tant du côté continental que sur les côtes.

Après la Première Guerre mondiale, l'idée d'une ligne défensive frontalière continue revient en force. Entre 1930 et 1940, l'Europe se couvre de barrières dont les plus célèbres sont la ligne Maginot en France et le *Westwall* ou ligne Siegfried en Allemagne. La première, achevée en 1936, est destinée à couvrir l'Alsace et la Lorraine. Cette ligne de défense composée de puissants ouvrages reliés entre eux par des casemates bétonnées, le tout uni par un réseau de galeries souterraines, s'arrêtait à Montmédy, sa conception présupposant la neutralité de la Belgique. Le *Westwall,* édifié entre 1936 et 1939 sur la rive du Rhin, était constitué d'une série très dense de petits fortins disposés, au contraire de la ligne Maginot, sur plusieurs kilomètres de profondeur.

Le mur d'Hadrien, haut de 4,60 m et large de 2 à 3 m, s'étendait sur plus de 100 km de l'embouchure de la Tyne au golfe du Solway. Il était pourvu, tous les milles romains, d'un fort abritant une petite garnison ; entre chaque fort se dressaient deux tours servant essentiellement au guet.

Enfin, autre réalisation d'envergure, le mur de l'Atlantique, élevé par l'occupant allemand, entre 1941 et 1944, sur le littoral depuis la Norvège jusqu'au golfe de Gascogne. Cordon plus ou moins dense, selon les régions, de casemates en béton, il était destiné à repousser toute tentative de débarquement anglo-américain. Mais le projet était trop ambitieux ; malgré un travail intensif, exécuté par une énorme main-d'œuvre (plus de 175000 ouvriers réquisitionnés), la fortification ne put être achevée : au lieu de 15000 ouvrages prévus, 3700 seulement étaient achevés en 1943.

Aucune de ces défenses ne fut réellement efficace : la ligne Maginot fut contournée par l'offensive allemande, le *Westwall* et le mur de l'Atlantique ne résistèrent pas longtemps dans une guerre essentiellement de mouvement où le nombre et la densité des bombardements aériens jouèrent un rôle de premier plan.

tier au début des Ming permit d'augmenter sensiblement la résistance des édifices. Quant au Nord-Est, région de forêts, les planches de chêne et de pin y constituent le matériau le plus employé.

La construction de tels ouvrages était fondée essentiellement sur l'exploitation de l'énergie humaine, ainsi que les chiffres préalablement mentionnés nous le suggèrent. Pierre, brique ou bois étaient acheminés le plus souvent à dos d'homme jusqu'aux murs en cours d'édification. La hotte, la palanche et la brouette pouvaient permettre le transport de matières relativement pondéreuses. Dans certains cas, il était nécessaire d'utiliser la traction animale, ânes et surtout mulets aidaient les hommes et les machines à hisser de lourds fardeaux vers les hauteurs. Souvent, pour atteindre les cimes escarpées, on était obligé de niveler des accès. Pour beaucoup de constructions on avait recours à des échafaudages en bambou, des systèmes de noria à élévation permettaient de monter le mortier dans des paniers. Briques, tuiles et chaux étaient fabriquées dans des fours généralement établis sur place. Des commissaires affectés aux travaux géraient ces chantiers d'une main de fer.

Quant à l'économie du projet lui-même, elle repose sur trois types de structures : le mur, le bastion et la tour de guet. Le principe du mur est d'épouser le relief et de renforcer les avantages naturels. Il reste toujours en contact étroit avec le lieu à la fois par sa morphologie et par le matériau trouvé sur place. Dans le voisinage de Pékin, l'élévation moyenne du mur est d'environ 8 mètres. Quant au chemin de ronde qui court au sommet, il est large de 5 mètres et repose sur un soubassement au fruit assez accentué. Une ligne de créneaux se dresse en direction du nord-ouest avec des ouvertures régulièrement espacées. Ce mur est renforcé de bastions. Au Hebei, on en dénombre environ un tous les 200 ou 300 mètres. Il s'agit de sortes de plates-formes surélevées comportant plusieurs niveaux, souvent deux ou trois, et couronnées d'une terrasse bordée de merlons. La hauteur habituelle de ces édifices avoisine les 12 mètres. Ces bastions sont en saillie et constituent autant de points forts qui, en temps de paix, sont des lieux de repos et, en cas de conflit, permettent l'approche de l'ennemi, le tir à bout portant et, sous les Ming, le tir au canon. Aux endroits stratégiques, ces bastions peuvent être agencés en véritable citadelle murée et flanquée de tours d'angle ; y séjournent alors des garnisons qui peuvent se porter très rapidement en différents points en cas d'alerte.

L'alarme est généralement donnée par les observateurs qui patrouillent sur les tours de guet. Ces dernières ressemblent à des bastions isolés, et sont placées en avant-poste sur des points élevés. La moindre chose suspecte est signalée par des fumées le jour et des feux la nuit. Les guetteurs se relaient vingt-quatre heures sur vingt-quatre. Ils ont entre autres à leur disposition une mire et un bâton gradué pour évaluer les distances. Afin de faciliter leur tâche, en amont de ces tours, l'espace est fréquemment dégagé et le sol semé de trappes pour piéger les intrus.

Dès que l'alarme est déclenchée, en cas d'un important mouvement de troupes, le message circule de tour en tour jusqu'à la plus proche garnison. Les garnisons communiquent alors entre elles par des messagers à cheval qui galopent sur des voies rapides spécialement aménagées. Si besoin est, l'information parvient jusqu'au palais, et l'empereur est en mesure de diriger lui-même les opérations. Ainsi, sous les Ming, plus de 1000000 de soldats sont déployés sur 6000 kilomètres et enrôlés dans cette mission défensive, de l'océan Pacifique au désert de Gobi.

La Grande Muraille est à la fois ce fantastique monument, le seul, dit-on, visible de la lune, et cette imposante collectivité d'hommes toute bruissante d'armes, qui va se relayer deux millénaires durant pour le maintien de la paix au sein de l'Empire du Milieu.

JEAN-PAUL DESROCHES

LE KRAK DES CHEVALIERS

En Orient, un chef-d'œuvre de l'architecture militaire occidentale

Au miroir des croisades et de l'installation consécutive des Francs en Terre sainte peut se lire le reflet des grands mouvements qui ont, pendant des siècles, animé en profondeur la société occidentale. On a pu y déceler d'abord les effets de la poussée démographique, en cours dès le XIᵉ siècle, qui a mobilisé et acheminé vers la Palestine, à travers la Chrétienté, la Méditerranée, le Proche-Orient byzantin et islamique, des dizaines, voire des centaines de milliers d'Occidentaux : parmi eux, des milliers de chevaliers, seigneurs ou cadets de famille turbulents, partis vers les mirages orientaux, vers les gloires et richesses à acquérir par le combat.

Même s'il ne faut pas surestimer ce goût de l'aventure et le rôle des cadets du fait d'un droit d'aînesse qui ne s'était pas encore imposé, du moins doit-on souligner l'importance de ces chevaliers, fer de lance de la conquête, et celle de leur armement ou de leur lourde cavalerie, apte à leur assurer, dans les débuts, une certaine supériorité sur des guerriers musulmans plus légèrement armés ; et surtout à un moment où les querelles entre Turcs seldjoukides et Égyptiens affaiblissaient grandement l'islam au Proche-Orient (fin du XIᵉ siècle).

Les républiques italiennes en pleine expansion virent rapidement l'intérêt que représentait pour elles l'accès des Occidentaux à la

« région des isthmes », où convergeaient, de l'océan Indien, l'Inde, l'Indonésie, la Chine…, les épices, parfums, denrées précieuses venues par le golfe Persique et les voies caravanières ou par la mer Rouge et le transit égyptien.

Ajoutons l'appel — et l'appui — de l'Empire byzantin face au péril turc, la récente christianisation de la Hongrie, qui rendait plus sûres les routes de terre, tandis que les transbordements ou débarquements étaient facilités par la maîtrise des détroits et de la Méditerranée par la chrétienté byzantine ou occidentale ; même les abords de la Terre sainte étaient encore peuplés de communautés chrétiennes, certaines épanouies en royaumes, comme celui de Petite Arménie…

Mais toutes ces conditions, favorables à un type particulier d'expansion à la fin du XIᵉ siècle, ne sauraient expliquer directement les croisades, qui restent un phénomène essentiellement religieux, marqué du signe de la croix, dirigé, avec l'aide et l'accord de la papauté, vers les lieux de la Passion du Christ à conquérir, à garder, voire à reconquérir. Cet esprit de croisade s'est développé au cours du XIᵉ siècle marqué par le millénarisme, la peur du Dieu infiniment juste, la « hantise » du salut et des péchés que peuvent racheter des pèlerinages passant par Constantinople — dépositaire d'insignes reliques — et gagnant la Jérusalem terrestre que beaucoup ne différenciaient point de la Jérusalem céleste.

Ces pèlerinages pacifiques, groupant de nombreux Occidentaux et des richesses collec-

Or l'autre grand pèlerinage, à l'autre bout de l'Occident, celui de Saint-Jacques-de-Compostelle, avait, grâce aux moines cluniens, canalisé et opposé à l'islam hispanique les chevaliers occidentaux dans les « précroisades » de la Reconquista ; comme dans les combats des Normands de Sicile contre les musulmans, les guerriers de la croix étaient gratifiés d'importants privilèges spirituels...

Bref, l'appel lancé en 1095 à Clermont, au cœur de la France, par le pape Urbain II tombait dans une société d'autant plus apte à le recevoir qu'il en était une des émanations. Mais la fondation du royaume de Jérusalem, de la principauté d'Antioche, des comtés de Tripoli et d'Édesse et le maintien pendant deux siècles des Francs au Proche-Orient posent de nouveaux et difficiles problèmes.

autant de fiefs pour supporter la charge d'équiper et d'entretenir un chevalier ? Il y eut au plus 700 fiefs dans la principauté d'Antioche, 500 dans le royaume de Jérusalem, 100 dans le comté de Tripoli. Mais, au total, il y eut très peu de colons occidentaux, et la plupart de ceux qui s'établirent en Orient habitèrent les villes et facilitèrent le commerce caravanier et l'arrivée dans les ports des flottes italiennes. L'argent circulant, l'économie monétaire, les profits des intermédiaires ou des producteurs permirent de payer les chevaliers, dont le fief était alors une solde, ou des mercenaires souvent turcs que l'on appelait turcoples. Mais cet argent, dont une partie venait directement d'Occident, et ces recrues autochtones et soudoyées n'étaient pas suffisants devant des musulmans très nombreux, dont les défaites

Sur son éperon dominant la plaine de la Boquée, le Krak déroule sa double enceinte. On reconnaît dans la première les grosses tours rondes des chevaliers et la lourde tour rectangulaire construite après la conquête par le sultan Kelaoûn ; dans la deuxième, l'énorme massif du « donjon » unissant les plus hautes tours et protégeant le côté le plus vulnérable, celui du plateau.

tivement importantes, ont pu attirer les Bédouins pillards du désert. S'organisèrent alors des pèlerinages armés, comme celui de Gunther, évêque de Bamberg, qui groupait, dit-on, sept mille personnes et qui fut amené à se défendre avec succès à Ramla en 1066.

Tout d'abord, le lent essor démographique que continue à connaître l'Occident aux XIIᵉ et XIIIᵉ siècles installe la population excédentaire sur place (par des défrichements considérables) ou sur ses marges immédiates par la poussée germanique vers l'est ou la poussée franco-espagnole vers le sud. Certes, de l'argent, des pèlerins, des guerriers continuent à gagner la Terre sainte, mais beaucoup repartent leur vœu accompli, et les effectifs des colons et des chevaliers à demeure restent squelettiques. La totalité des « mobilisables » des quatre États latins ne dépassa jamais 2 000 chevaliers et 15 000 piétons. D'ailleurs, y avait-il suffisamment de paysans autochtones ou de colons regroupés en seigneuries formant

n'étaient jamais définitives et dont l'union retrouvée accroissait la force ; ainsi quand Saladin réunit l'Égypte et la Syrie, et reprit Jérusalem (1187).

La Terre sainte, pour être défendue et pour survivre, avait donc besoin d'une armée permanente et d'argent que seul l'Occident pouvait en dernier ressort lui fournir. L'armée, ce furent les ordres militaires, surtout Hospitaliers et Templiers ; l'argent, ce fut la solde de mercenaires ou de chevaliers, et surtout ce furent ces énormes forteresses entre lesquelles pouvaient circuler et sur lesquelles s'appuyaient les forces d'intervention. Les plus importantes furent celles des ordres militaires dont le krak des Chevaliers de l'Hôpital, redécouvert à la fin du XIXᵉ siècle et surtout dégagé et restauré par les soins des archéologues et architectes français, au temps du mandat sur la Syrie et le Liban (et l'État de Lattaquié), entre les deux guerres mondiales.

Le Krak est l'un des grands châteaux forts du monde franc. Il est trois fois plus étendu que Château-Gaillard, cinq fois plus que le Steen de Gand et beaucoup plus cohérent, ramassé, ordonné que, par exemple, en France du Sud, le quadruple château de Lastours ou les deux châteaux superposés du vertigineux Peyrepertuse. C'est non seulement un château géant, mais c'est aussi un château modèle et même le château par excellence.

Combat entre cavaliers sarrasins (à gauche) et cavaliers francs (à droite). Cette enluminure, extraite d'un manuscrit du XIVᵉ s., représente un des épisodes de la bataille de Hattin. Cette bataille, très mal engagée le 3 juillet 1187 par le roi Gui de Lusignan sur les conseils du grand maître du Temple et contre l'avis de Raymond III de Tripoli, aboutit au massacre presque total de l'armée franque par les troupes de Saladin.

Son nom, qui au départ s'écrivait Crad, ou Crat, ét correspondait au mot Hisn el *Akrad* (forteresse des *Kurdes*), fut assimilé au mot *karka*, dont le nom, signifiant en syriaque « forteresse », se retrouvait au kérak de Moab, autre grand château non loin de la mer Morte et de Montréal.

Sa situation était éminemment stratégique ; il garde une trouée, qui donnait aux musulmans accès à la large et fertile plaine s'élargissant jusqu'à la mer et s'étendant de Tripoli à Tortose. Le site est remarquable : un éperon à 650 mètres d'altitude dominant une plaine féconde, la Boquée, aux riches cultures et nourrissant de nombreux troupeaux.

Le Krak est donc un château par essence stratégique, intégré dans un système général de défense, mais cela n'exclut pas que, comme beaucoup d'autres, il a été soutenu par des impératifs économiques ou sociaux, l'intérêt de son plat pays, les colons qu'il a pu attirer par la sécurité qu'il leur offrait, l'occasion aussi que lui fournissait le château « kurde » déjà existant. Son plan d'ensemble reflète des influences ou propose des solutions très diverses. Il se présente partiellement comme un château de campagne, en pays ouvert, puissamment défendu de tous les côtés, suivant un plan castral comparable aux édifices byzantins ou omeyyades : rectangulaire autant que le permet le relief, avec double enceinte, cette ample caserne pouvant abriter deux mille (?) guerriers était parfaitement adaptée à une stratégie active, à lancer des raids, à empêcher l'ennemi de trop approcher ses machines de siège, et il est à bien des égards comparable à celui, récemment fouillé, de Belvoir, construit sur la route de Damas à partir de 1168 par les Hospitaliers. En revanche, occupant un éperon comme Saphet, Montfort ou le kérak de Moab, il répartit ses défenses suivant les avantages du site et les masse surtout sur le front sud. Il devient ainsi le château quasi inexpugnable mais aussi purement défensif correspondant à la stratégie passive qui s'est peu à peu imposée au cours du XIIIᵉ siècle.

Reflet de cette évolution mais aussi champ d'essai de techniques pionnières, le Krak utilise des procédés savants et éprouvés — comme les portes de flanc et à plusieurs mètres du sol, les chicanes, les couloirs et cheminements voûtés dans les épaisses courtines — à côté d'adaptations récentes — comme les mâchicoulis sur arc brisé de la poterne primitive (que l'on retrouve à Château-Gaillard), les bretèches de pierre, le glacis triangulaire en

avant du front le plus vulnérable — et de solutions à la fois sophistiquées et esthétiques — comme l'insertion parfaite des tours dans les talus, l'utilisation du grand appareil lisse et même du grand appareil à bossages. Sa rampe voûtée, sans cesse perfectionnée, est à la fois un chef-d'œuvre de réalisation et un résumé de tous les moyens de défense envisageables concentrés sur quelques dizaines de mètres. Dans cet ensemble à la fois puissant et harmonieux, on n'a négligé ni les détails utiles et astucieux (comme l'utilisation de la citerne en douve de protection du côté sud), ni la solution du « donjon », non plus isolé au centre de l'enceinte mais démesurément épaissi en trois formidables tours, incorporées et serties dans les courtines, défendant le point faible.

C'est sur la fin de janvier 1099 que Raymond de Saint-Gilles, en route vers Jérusalem, avait enlevé le petit château de montagne tenu par des guerriers kurdes au service de l'émir d'Homs. Mais ce n'est qu'en 1110 que l'infatigable Tancrède reprend le futur Krak et l'abandonne au comté de Tripoli. Dès 1115, l'émir d'Alep s'arrête sous ses murs. En 1142, Raymond de Tripoli le confie ainsi que Montferrand aux chevaliers de l'Hôpital.

C'est pour des raisons multiples, dont les tremblements de terre (en 1157, 1170, 1201 et 1203), et non pour les dommages résultant d'attaques toujours repoussées (1115, 1163, 1167, 1180, 1188, 1205-1206...) que le Krak fut sans cesse restauré et amélioré.

Des sommes considérables y furent englouties, provenant certes des nombreux revenus que les Hospitaliers percevaient en Occident, mais également des libéralités de tout genre accordées sur place par les comtes de Tripoli ou les princes d'Antioche, les droits sur la circulation des marchandises, auxquels s'ajoutaient les remises de dîmes ou les dons accordés au nom du pape ou des grands seigneurs de passage. Les principaux furent ceux de Ladislas de Bohême et surtout d'André de Hongrie qui lui avait affecté un revenu de 100 marcs à prendre sur ses salines de Szalas (janvier 1218). Ainsi fut constituée et conservée la « clef de la terre chrétienne ».

Le château venait à peine d'être réparé du tremblement de terre de 1157 qu'en 1163 le sultan Nur ed-Din, prédécesseur de Saladin, vint l'assiéger avec une troupe nombreuse : celle-ci, par une chaude journée, faisait la sieste sous ses tentes établies dans la Boquée, quand vers midi surgirent les croisés francs, commandés par Hugues le Brun, seigneur de Lusignan, et Geoffroi Martel, frère du comte d'Angoulême, que renforçait un corps de templiers. Cette bataille dite de la Boquée, représentée (?) dans l'église des templiers de Cressac (Charente), se solda par le carnage des musulmans endormis, la déroute de Nur ed-Din sautant à moitié nu sur son cheval, et la capture de nombreux prisonniers.

Le Krak avait ainsi joué le rôle pour lequel il avait été conçu : arrêter sous ses murs et fixer une armée musulmane, la mettant à la merci d'une attaque éclair, qui en cas d'échec se serait soldée par le repli sans trop de risques à l'abri des puissants remparts.

Le 30 mai 1188, Saladin, qui avait détruit entièrement l'armée chrétienne à Hattin, conquis Jérusalem, Sidon, Beyrouth, Tortose, enlevé d'assaut l'immense et admirable Saone, se présenta devant le Krak ; prudent, le sultan campa non dans la plaine, mais sur la colline

C'est par une longue rampe voûtée, franchissant la double enceinte, que l'on accédait à la cour centrale ; mais le cheminement était très surveillé : herses, assommoirs, archères, bretèches, châtelets étaient autant d'obstacles pour l'ennemi. La célèbre chicane en épingle à cheveux se trouve au milieu du parcours.

voisine ; puis, après avoir longuement examiné et jaugé pendant un mois la forteresse, il décida de ne pas tenter l'aventure.

La troisième croisade avec Richard Cœur de Lion rendit courage aux chrétiens devant les musulmans, dont l'agressivité et la pugnacité devaient se trouver affaiblies par la mort de Saladin (1193). Le Krak redevint le point de départ d'opérations offensives qui, pas très

bien menées, prouvèrent amplement que cette forteresse devait progressivement se cantonner dans son rôle défensif.

Le XIIIe siècle vit ainsi des alternances de défaites ou de victoires : certes, l'émir d'Alep est à nouveau arrêté en 1218 ; en 1229, les Francs razzient les alentours de Montferrand, et, de 1230 à 1233, tandis que l'empereur Frédéric II a récupéré Jérusalem, les forces fournies par l'Hôpital, le Temple, les rois de Chypre et de Jérusalem, la principauté d'Antioche, soit plusieurs centaines de chevaliers et plusieurs milliers de sergents à cheval et de piétons contraignent l'émir de Hama à payer le tribut qu'il devait aux Hospitaliers.

Cependant, à partir de la désastreuse bataille de Forbie et de la reprise de Jérusalem par les musulmans (1244), malgré les efforts de Saint Louis, roi de France, les revers s'accumulent sous les murs du Krak, dont la garnison n'ose secourir le plat pays ravagé par les Turcomans au service de l'émir d'Alep (1252). Ailleurs, la situation n'est pas meilleure, d'autant que Baybars, qui, partant de Syrie,

s'est emparé de l'Égypte, ravage la principauté d'Antioche, dont, après Césarée et Jaffa, il prend enfin la capitale (1268). Les plaines de la Boquée et d'Akkar sont alors dévastées, les populations emmenées en esclavage, les rares sorties venant du Krak repoussées. Il est vrai que le château n'a plus qu'une cinquantaine de chevaliers et quelques dizaines de sergents. Dès que se répand la nouvelle de la mort de Saint Louis, Baybars accourt du Caire, via Damas, ravager le territoire de Tripoli, arracher Chastel Blanc aux Templiers, et mettre le siège devant le Krak au début de mars 1271.

La garnison est réduite à quelques dizaines de chevaliers et autant de sergents, renforcée de montagnards réfugiés, mais elle est très entraînée, disciplinée ; elle connaît parfaitement sa forteresse, les couloirs voûtés dans les courtines, les passages entre les enceintes : les guerriers peuvent en quelques instants se masser sur les points chauds. Ils sont également bien équipés et armés. Enfin, ils sont bien approvisionnés : peut-être, vu leur faible nombre, ont-ils largement les cinq ans de vivres que l'on prêtait à Margat ; ils détiennent en effet dans leur grand magasin huile, vin, pain, viande séchée ; ils disposent du four double dans la salle de 120 mètres, et par-dessus tout de son puits profond de 29 mètres qui leur assure de l'eau en abondance tandis qu'aqueduc et gouttières maintiennent le niveau de la citerne du grand Berquil.

En face d'eux, une armée fort nombreuse, probablement plusieurs milliers d'hommes, puisqu'à celle, permanente et excellente, des mamelouks se sont joints les contingents de Saone (devenue Sahyoun), d'Homs et des Assassins (Haschichin) de la Montagne. Certes, beaucoup ne sont pas là pour le corps à corps et l'assaut, mais les cavaliers rapides et légers courent la campagne, et nombreux sont les servants d'armes de jet perfectionnées (mangonneaux), maniables et précises, les sapeurs experts à miner et à ruiner les grosses tours, plus ceux qui balancent les béliers, ceux qui lancent le feu grégeois...

Au total, le Krak est capable de résister longtemps, mais aucune force d'intervention n'est disponible pour le dégager : y en aurait-il une qu'elle serait durement interceptée par la cavalerie mamelouke. Il est donc condamné si Baybars veut et peut y mettre le prix et le temps nécessaire. Or ce dernier n'a guère plus de moyens que jadis Saladin : son seul (grand) avantage est la faiblesse numérique de la garnison, car ses ressources propres ne sont pas inépuisables : les contingents des émirs viennent pour la saison, attendent un butin rapide, sont prompts à se démobiliser. Par-dessus tout, Baybars ne saurait démolir pierre à pierre un château dont il veut devenir possesseur et qu'il aura donc à réparer. L'assaut doit être fortement et vivement mené, sinon les pertes des musulmans et les dégâts à la forteresse seront trop considérables.

Nous sommes partiellement renseignés sur l'assaut, tant par les chroniques arabes que par l'archéologie. Baybars attaqua sur plusieurs fronts, arriva à ouvrir une brèche le deuxième jour, probablement à droite du saillant 11, et

Le premier château chrétien fut construit dès 1110 : une enceinte à
saillants carrés, constituée par deux murs parallèles, abritant des salles
voûtées, délimite la grande cour centrale. Cette enceinte s'appuie sur la
masse très élevée de P, avec talus, grand mâchicoulis sur arcs brisés,
accessible par la salle haute. À la base de cet ouvrage, de flanc, une
poterne est ménagée à plusieurs mètres au-dessus du sol.

Côté ouest, entre les murs, une seule salle de 120 mètres de long, dans
laquelle se trouvaient le grand puits de 27 mètres, le double four
superposé, douze latrines, et contre laquelle se plaquait la grand-salle de
27 × 9 mètres où se réunissaient les chevaliers. Côté est, la chapelle dont
le chevet constitue l'un des saillants de l'enceinte ; la nef, détruite par le
tremblement de terre de 1170, fut agrandie vers l'ouest lors de sa
reconstruction quasi immédiate.

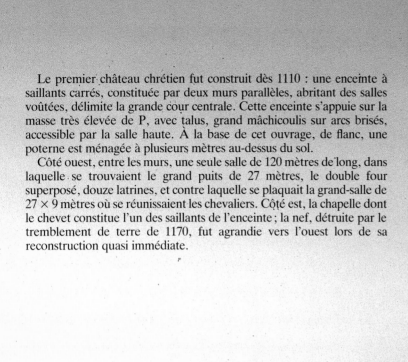

*Depuis les fouilles et le repérage de P. Deschamps et F. Anus, il est obligatoire de
reprendre leur système de désignation : lettres majuscules pour l'enceinte primitive
(XIIᵉ siècle) et ses amplifications postérieures (fin XIIᵉ-courant XIIIᵉ) ; chiffres arabes
pour la deuxième enceinte (extérieure). Les lettres minuscules servent à des
désignations ponctuelles.*

a. *Rampe couverte.* **b.** *Chapelle (transformée au XIIIᵉ siècle).* **c.** *Grand-salle des
Chevaliers.* **d.** *Galerie gothique (milieu du XIIIᵉ siècle).* **e.** *Dernier état de l'esplanade
couvrant la salle aux gros piliers (magasins).* **f.** *Citerne-douve ou « grand Berquil ».*
g. *Talus extérieur.* **h.** *Glacis triangulaire.* **G.** *Massif protégeant la dernière chicane de
la rampe et l'accès à la cour centrale.* **H.** *Massif couvrant l'accès à la cour centrale.* **I,
J, K.** *Ensemble méridional dit « donjon » regroupant les trois plus fortes tours (36 m
de haut, au-dessus du grand Berquil, et jusqu'à 8,80 m d'épaisseur à la base) ; la tour
K contient la salle ronde où se tenait le « Maître de l'Hôpital » et l'échauguette d'où
jaillissait l'étendard.* **M.** *Massif pentagonal, de très bel appareil, l'une des plus
récentes constructions des Hospitaliers en appui du massif sud-est, du grand Berquil*

Vers la fin du XIIe siècle et le tout début du XIIIe, on construisit l'enceinte extérieure dont les épaisses courtines courent sur plus de 700 mètres. L'enceinte primitive fut remaniée en largeur et en hauteur, et les tours carrées servirent de base à des tours arrondies. L'une d'elles fut réaménagée pour accueillir le « logis du Maître ».

Le front sud fut renforcé d'énormes tours et d'un mur double. L'ensemble forme le « donjon » à 3 étages, défendu tant vers l'intérieur que vers l'extérieur, quasi inexpugnable. Les talus, qui font office de contreforts et dont la masse défie les tremblements de terre, sont ici hauts de 26 mètres et dominent la citerne du « grand Berquil », alimentée par aqueduc et canalisations, réserve d'eau pour hommes, bétail et chevaux,

mais aussi obstacle supplémentaire sur le côté le plus vulnérable. Par la suite fut construit sur de lourds piliers, au-dessus de la cour et supportant l'esplanade sud, un grand magasin avec ses pressoirs, ses 142 jarres de vin ou d'huile, ses 4 citernes, ses réserves de pain, de farine et de viande.

Le châtelain Nicolas Lorgne, futur grand maître de l'Hôpital, fit édifier une astucieuse et forte barbacane. Mais surtout l'accès principal, la rampe voûtée, fut définitivement organisé. Une archère la prenait en enfilade ; sa voûte était percée d'assommoirs ; passant à travers plusieurs salles à archères ou mâchicoulis, elle était semée de portes épaisses et tronçonnée par 4 herses. Elle menait soit à la base de la deuxième enceinte, soit dans la cour centrale.

et de la chicane de la rampe. **P.** Massif rectangulaire, vraisemblablement sur les restes du château kurde, gardant la poterne à chicane accédant à la cour centrale.

1. Tour-moulin. **2, 3, 4, 5.** Tours semi-circulaires de l'ouest, invisibles sur notre dessin où elles se trouvent masquées par l'enceinte centrale (elles apparaissent sur la photo de la page 15). **6 et 8.** Tours du sud, minées lors de l'attaque de Baybars. **7.** Emplacement de la tour ajoutée par Kelaoûn à la fin du XIIIe siècle lorsque les musulmans voulurent renforcer le côté sud, et qui n'existait pas à l'époque à laquelle se situe la reconstitution. **9 et 10.** Tours encadrant la terrasse, remaniées après 1271. **11.** Entrée principale et début de la grande rampe couverte. **12 et 13.** Saillants de part et d'autre de la barbacane dite « de Nicolas Lorgne », aménagée dans le troisième quart du XIIIe siècle.

le troisième jour enleva une barbacane, probablement celle de Nicolas Lorne, entre les tours 12 et 13. L'entrée en force des agresseurs entre les deux enceintes, sans défense contre les ouvrages aux mains des hospitaliers, ne leur aurait au mieux livré que les tours de l'ouest (1, 2, 3, 4, 5), mais elle se serait heurtée d'un côté aux grosses tours du sud (6 et 8) et au grand Berquil, renforcé par les pluies diluviennes ; de l'autre, à l'énorme complexe oriental constitué autour de la rampe (tours 10 et 9,

bâtiments G, M et H) : au centre, au massif P. C'est donc sur ces points que portèrent vraisemblablement les attaques suivantes : les tours 6 et 8 furent tellement endommagées par les mines qu'il fallut par la suite reconstruire l'une et remparer l'autre. Quant aux deux barbacanes, emportées finalement l'une le 15 et l'autre le 30 mars, il s'agit probablement non des petites poternes du sud, entre les tours 8 et 9 et à la base de la tour 8, détruite, mais de la grande poterne intérieure P ou de la double

barbacane constituée autour de la rampe et de son accès à la cour centrale. Toujours est-il que la deuxième enceinte était à son tour forcée et que les assaillants avaient accès au cœur de l'ouvrage.

Mais les pertes avaient été énormes, et les hospitaliers s'étaient réfugiés dans le colossal donjon triple des tours I, J, K ; protégé des mines par son talus, par le roc, par le grand Berquil, et par l'incroyable épaisseur de ses murs, battant aussi bien l'extérieur que l'inté-

Les grands ordres militaires

C'est vers 1070 que, autour du couvent amalfitain de la Latine, fut bâti et consacré à saint Jean Baptiste un hôpital destiné à loger et à soigner les pèlerins occidentaux en Terre sainte, dont les religieux se constituèrent en ordre vers 1112-1115 (privilèges de Pascal II).

C'est en effet vers cette époque (1115-1116) que Hugues de Payns fut frappé par l'insécurité qui régnait sur les routes et qui mettait les pèlerins en grand danger d'être enlevés comme esclaves, dépouillés ou tués. Avec Geoffroi de Saint-Omer, il fonda alors en 1119 une association destinée à « garder les chemins par où passaient les pèlerins », qui reçut du roi de Jérusalem un « habitacle » dans le temple de Salomon.

En 1128, saint Bernard, tout d'abord assez méfiant, consentit à rédiger la règle de la « Milice des pauvres chevaliers du Christ », sanctionnée par le concile de Troyes. Par la suite naquirent encore l'ordre de Sainte-Marie des Teutoniques, au début (1143) contrôlé par les Hospitaliers et destiné à soigner les pèlerins germaniques, puis devenu autonome dès l'arrivée des croisés de Barberousse, sans compter l'ordre espagnol de Saint-Jacques de l'Épée, qui s'établit un court instant dans la principauté d'Antioche, et les Anglais de Saint-Thomas martyr d'Acre.

Malgré les prescriptions de leur règle et leurs vœux de chasteté, pauvreté, obéissance qui les apparentaient aux moines bénédictins et surtout aux chanoines augustiniens, ces ordres militaires frappent par leur nouveauté : tout autant que l'idéal de combat (dans une religion de paix et d'humilité), la stricte hiérarchie militaire et la réunion, dans une même ensemble aux mains des clercs, des trois ordres de la société : chevaliers (nobles), chapelains (prêtres) et sergents (bourgeois ou paysans).

Le succès de ces ordres fut immédiat et à la tâche d'escorter, de défendre ou de soigner les pèlerins s'ajouta peu à peu ce rôle d'armée permanente, entraînée, disciplinée, appuyée sur les énormes châteaux que leurs ressources permettaient d'entretenir, ou de construire.

Si, après la reprise de Jérusalem par Saladin (1187), ces ordres militaires surclassèrent les seigneurs installés en Terre sainte qui, avec les croisés de passage, avaient fourni jusqu'au désastre de Hattin la masse de l'armée franque, c'est que leurs richesses comme leurs effectifs ne dépendaient que partiellement des conditions locales.

Les milliers de Francs restés sur le champ de bataille de Hattin ou de Forbie (1244) ne pouvaient être et ne furent pas remplacés. Templiers ou Hospitaliers pouvaient, eux, faire appel à leurs frères disponibles qui étaient en réserve dans les commanderies d'Occident. De la même manière leurs ressources ne provenaient

pas du seul Orient latin. Certes le fructueux trafic, la banque, le transfert de fonds d'Occident, les compensations, le crédit consenti en Orient supposaient bien un puissant établissement en Terre sainte. Mais en Angleterre, en France, en Espagne, dans l'espace germanique, dans toute la Chrétienté, ces ordres possédaient de nombreuses commanderies qui centralisaient les revenus de propriétés foncières remarquablement gérées, sans cesse augmentées par les donations ou les legs pieux, les profits commerciaux ou le crédit. La vie de ces moines soldats n'en était pas moins austère et rude. Les chevaliers du Temple dormaient en cellule et les sergents en dortoirs. Leurs exercices fréquents, alternant avec les prières, les autorisaient à prendre deux repas par jour ; mais ils devaient s'abstenir de viande trois fois par semaine et observer deux carêmes, un avant Noël et un avant Pâques. La discipline était stricte, et les punitions sévères. Rien ne prouve l'homosexualité obligatoire ou les doctrines ésotériques et hérétiques qu'on leur prêtait.

Les ordres militaires ont certes permis aux États chrétiens de survivre un bon siècle, mais

ils ont aussi contribué par certains côtés à les affaiblir. Dépendant du seul pape, ils étaient de fait des religieux tout à fait indépendants du clergé local : leur grand maître était pratiquement souverain vis-à-vis des laïcs, même princes ou rois. Les rivalités étaient fréquentes entre les différents ordres ; en 1168, les Templiers refusèrent de participer à l'expédition d'Égypte entreprise à l'instigation de l'Hôpital. Au XIIIe siècle, les Teutoniques soutinrent l'empereur excommunié Frédéric II, les Templiers le combattirent, les Hospitaliers restèrent neutres. Par la suite, les Templiers soutinrent les Vénitiens, et les Hospitaliers les Génois...

Après la prise d'Acre (1291), les Hospitaliers se replièrent sur Chypre, puis Rhodes, Malte (1530) et enfin Rome (1800) où ils sont encore. Les Teutoniques fondèrent un État germanique et chrétien, de la Prusse à l'Estonie, jusqu'à la sécularisation par le margrave de Brandebourg (1525), et ont survécu jusqu'à nos jours autour de Vienne.

Quant aux Templiers, le roi de France Philippe le Bel parvint à les faire supprimer par le pape en 1312.

Peinture murale de l'ancienne chapelle des templiers de Cressac (Charente). Il s'agit peut-être d'une représentation du départ des chevaliers pour la bataille de la Boquée, où, en 1163, des croisés poitevins et charentais, renforcés par des Templiers, écrasèrent l'armée de l'émir Nur-ed-Din sous les murs du Krak.

Au cœur du Krak, en contrebas, la cour sur laquelle donne la grand-salle bordée d'une galerie gothique (à gauche). Au fond, le porche ouvrant vers la chapelle. Au premier plan, l'esplanade bâtie sur les lourds piliers du magasin où l'on entreposait les vivres et qui fermait la cour au Sud. L'ensemble est dominé par les tours de l'enceinte intérieure.

rieur, où les assaillants pouvaient mal se déployer et installer leurs machines, ayant probablement de nombreuses provisions, ce donjon pouvait tenir longtemps, même contre les puissants mangonneaux. Baybars ne put se résoudre à risquer un assaut incertain pour un prix de toute manière trop élevé : il préféra recourir à un stratagème et fit rédiger un faux, enjoignant, au nom du commandeur de Tripoli, de rendre le donjon. C'est ainsi qu'il entra en possession d'un Krak qui n'avait subi que quelques dégâts. Son successeur, Kelaoûn, en 1285, renforça la première enceinte (celle qui avait supporté l'essentiel du choc) d'une grosse tour carrée, fortifiant encore le côté sud et, la même année, après concentration à Damas de nombreux moyens, il s'attaqua à Margat, dernier château des Hospitaliers. Au bout de cinq semaines d'assaut, le scénario se répéta. Kélaoûn, comme Baybars, ne voulant pas détruire la forteresse qu'il convoitait, proposa une capitulation honorable : les derniers défenseurs furent autorisés à se replier sur Tortose et Tripoli. La Terre sainte se trouvait alors réduite à quelques places sur le littoral. La dernière, Saint-Jean-d'Acre, fut prise en 1291.

Les puissantes fortifications et les ordres militaires avaient retardé de plus d'un siècle l'irrésistible reconquête musulmane.

Robert DELORT

21

LE GRAVENSTEEN

À Gand, une forteresse du XIIe siècle

L e château des comtes de Flandre, à Gand, porte la date de 1180 inscrite dans le mur du châtelet d'entrée avec la mention: « Philippe, comte de Flandre et de Vermandois, fils du comte Thierry et de Sibille, a fait élever ce château. »

Avant 1180, divers châteaux ou ensembles fortifiés s'étaient déjà succédé sur le même site; après cette date, d'autres bâtiments, aujourd'hui disparus, ont pu y être adjoints. Mais par-dessus tout, l'histoire du château est indissociable de celle de l'admirable ville qu'il a rassemblée sous ces murs, surveillée, combattue, protégée.

Les fouilles les plus récentes laissent supposer que le site était occupé dès l'époque romaine. Mais c'est dans le courant du VIIe siècle que, à la limite de la plaine maritime et des collines intérieures, entre les bras de la Lys ou de l'Escaut, s'installèrent le monastère de Saint-Pierre et l'abbaye de Saint-Bavon, et peut-être un point fort sur une petite butte au sol renforcé de clayonnages et défendu par une palissade.

Une fois que l'on a franchi l'enceinte extérieure, on arrive au pied du massif donjon. Couronné de créneaux et cantonné de tourelles, il fut bâti à la fin du XIIe s. sur des fondations datant du XIe. On aperçoit, à droite, la galerie romane, logis du châtelain, et, à gauche, les élégants appartements du comte; ces deux bâtiments, destinés à l'accueil plus qu'à la défense, ont été construits au début du XIIIe s.

Sur cette gravure du XVIIe s., on distingue aisément les constructions qui existent encore aujourd'hui : la porte et le châtelet d'entrée, l'enceinte à tourelles, le donjon et, derrière, les appartements du comte, dont on aperçoit les pignons et le toit. La galerie romane est reconnaissable à ses fenêtres arrondies, mais elle a changé, et les bâtiments qui l'encadraient ont disparu, de même que la châtellenie (au fond à gauche).

S'agit-il des restes du campement normand de 879 utilisant un site défensif apte à constituer une base de départ pour aller piller de riches contrées? S'agit-il d'une motte pourvue d'une tour de bois pour surveiller au contraire les envahisseurs vikings, ou tout autant pour garder les paysans d'un grand domaine? Au pied du point fort, au moins un *portus*, endroit de transit et de commerce, tout près d'une mer qui avançait beaucoup plus vers le sud qu'à l'époque actuelle; c'est là que les Frisons remontant l'Escaut apportent des laines d'Angleterre, du plomb, des draps. Le comte Baudouin le Chauve (879-918) édifie avec son fils Arnulf le Grand (918-965) un *castrum* au-dessus de la ville cléricale et d'un nouveau *portus*. C'est le château, qui, gardant le gué de la Lys, semble avoir fait se déplacer l'agglomération, située jadis beaucoup plus près du confluent avec l'Escaut. Combien de « châteaux » y eut-il à la suite ou à côté? Il est bien difficile de répondre quand on apprend par hasard qu'en 839 il y avait déjà un « nouveau » château et que l'on ignore son emplacement; et quel était celui enlevé avec la ville par l'empereur Henri II en 1006, mais qui résista victorieusement en 1020 lors de l'attaque suivante?

C'est probablement vers la fin du XIe siècle que fut élevé le premier donjon en pierre (calcaire du Tournaisis), sur deux étages portés par des murs de 2 mètres de large. Cet ouvrage comprend un certain nombre de réalisations pionnières : cheminées et conduits de fumée dans l'épaisseur des murs, escalier en pierre, latrines, meurtrières, etc. La forte couche archéologique qui accompagne ses restes atteste la présence de divers bâtiments non conçus pour la défense. La motte portant le donjon, exhaussée peu après jusqu'au premier étage, subit les assauts des partisans de Thierry d'Alsace (1128).

Enfin, un nouveau donjon fut édifié sur l'ancien et fut entouré par une enceinte ellipsoïdale. L'œuvre de Philippe d'Alsace, au retour de sa croisade de 1177, est l'accomplissement de techniques nées en Occident, même si elles se sont répandues simultanément en Orient et si certaines rappellent les châteaux de Terre sainte. La superficie de 0,5 ha est un peu inférieure à celle de Château-Gaillard (0,85), cinq fois moindre que celle du Krak (2,5). Mais la disproportion disparaît si l'on considère que le Krak, dans sa première enceinte, n'atteint pas 0,6 ha.

En revanche, les plans sont très différents : l'enceinte unique entoure ici un donjon isolé, au centre; le Krak a son « donjon » excentré sur l'enceinte. Ce qui frappe à Gand, ce sont d'abord ces vingt-quatre tours semi-cylindriques, parfois polygonales, qui s'élèvent à environ 10 mètres, et ce parapet crénelé qui court au-dessus de la courtine. Bretèches et échauguettes sont massivement employées, et certaines, trop lourdes, ont dû être soutenues par un contrefort massif; l'architecte, pour passer du cylindre de la tour au parallélépipède rectangle du contrefort, a dû utiliser des petites voûtes de décharge (les trompes). Quant aux merlons, ils étaient complétés par des volets en bois mobiles, des mantelets protégeant les archers des flèches extérieures. Reste que l'enceinte est un peu basse par rapport au donjon, dont elle ne protège pas les ouvertures.

L'entrée est puissamment défendue, non seulement par la double porte, mais surtout par le châtelet (dont les voûtes comportent deux « assommoirs », technique alors d'avant-garde). La chicane n'est pas utilisée au maximum (on aurait pu penser à un corridor coudé entre porte extérieure et châtelet); du moins la porte intérieure du châtelet est-elle largement décalée par rapport à celle du donjon. Le donjon lui-même présente extérieurement des contreforts correspondant à des arcs de décharge à l'intérieur, et surtout montre un mâchicoulis comparable à celui du Krak et parmi les tout premiers observables en Occident (mais n'est-ce pas un artifice dû à la restauration?).

Les raisons qui ont fait bâtir un tel château tiennent d'abord à la puissance des comtes de Flandre, maîtres d'un comté riche et peuplé, très largement autonome par rapport au roi de France, disposant de vingt à vingt-cinq châteaux et de centaines de chevaliers devant le service militaire. Intervenaient également la richesse arrogante des patriciens de la ville et les tumultes populaires qui pouvaient naître au sein de la nombreuse et laborieuse main-d'œuvre utilisée par l'industrie drapière. C'est en Flandre que se tissent les draps les plus beaux et les plus chers, en particulier à Gand, la ville par ailleurs la plus étendue de l'Europe médiévale et, avec environ 50000 habitants, la plus peuplée du Nord après Paris.

Or les comtes de Flandre soutenaient tantôt les métiers de la laine (comme Guy de Dampierre en 1280), tantôt les patriciens et les partisans du roi de France (comme Louis de Nevers en 1338), et ils avaient besoin d'un solide point d'appui où séjourner à l'occasion et d'où ils pourraient aussi contrôler une ville particulièrement remuante. Les conflits, à Gand, furent de fait très nombreux: Jacob Van Artevelde souleva contre le comte francophile tous les métiers vivant de la laine, qu'aurait ruinés la guerre avec l'Angleterre, leur principal fournisseur : il fut tué en 1345, non sans avoir pris d'assaut le château en 1338. Mais son fils reprit la lutte, jusqu'à son écrasement à Rozebeke (1382). Puis ce fut le conflit avec Philippe le Bon (1449-1453), avec Charles le Téméraire (1469), avec sa fille Marie (1477) et son gendre Maximilien (1482-1492), ou encore avec son arrière-petit-fils, pourtant illustre enfant de Gand, l'empereur Charles Quint (1539-1540), dont le fils, Philippe II d'Espagne, après d'atroces guerres de Religion et le passage du sinistre duc d'Albe, fait proclamer la « pacification » de Gand (1576) qui libère les futures Provinces-Unies.

Émanation et propriété du comte, le château a surtout été le siège du pouvoir, c'est-à-dire qu'il a hébergé, au moins temporairement, son seigneur et plus continûment les instruments de son pouvoir : sa monnaie, ses troupes, sa justice. La fonction résidentielle du donjon n'est pas évidente : ses grandes salles superposées peuvent certes servir pour les fêtes et les réceptions, mais c'est plutôt la « galerie romane » qui semble destinée plus à l'accueil qu'à la défense, avec ses élégantes fenêtres romanes encadrées de colonnettes. Ce bâtiment a été probablement réservé au châtelain (chef de la garnison). En effet, le comte pouvait disposer des appartements comtaux, beaucoup plus vastes, datant eux aussi du début du XIIIᵉ siècle et élevés de quatre étages sur une cave peut-être antérieure. Mais le comte quitta le château dès qu'il put acquérir la Cour des Princes, où il s'installa à la fin du XIVᵉ siècle, pour ne revenir que de manière très épisodique pour les tournois ou la session du septième chapitre de la Toison d'or (1445).

L'atelier de monnayage attestait sur un point majeur l'autorité souveraine du comte. Le roi de France avait le monopole de la frappe en son royaume, et le comte ne pouvait battre monnaie qu'en dehors de la France, sur les terres impériales d'outre-Escaut (fin XIIIᵉ siècle), mais le puissant Louis de Mâle, vers 1353, osa établir dans son château un atelier qui fonctionna pendant deux siècles, tandis que peu à peu déclinait le rôle militaire.

On imagine à peu près la garnison dans cette caserne fortifiée, à la fois base d'intervention dans la ville ou dernier réduit de la défense. Mais on peut difficilement chiffrer les effectifs hébergés et éventuellement utilisés. Si nous comptons les emplacements de combat (112 aux échauguettes, courtine, tours, plus 27 au châtelet), nous aboutirions au chiffre énorme de 139 combattants possibles. Énorme quand on pense au Château-Gaillard réunissant exceptionnellement 200 hommes. Énorme aussi comparé aux effectifs réels. En 1302, le château est pris : 7 personnes étaient là — 4 sergents, 1 gardien, 1 geôlier et le portier ; en 1338, il n'y avait guère que 20 hommes d'armes quand Artevelde s'en empare... Mais le château aurait pu abriter une grande garnison, avec ces vastes cheminées pour faire la cuisine, cette cave spacieuse, ce très beau bâtiment semi-enterré, cellier à provisions et peut-être écurie pour les montures des chevaliers ou des sergents. Il faut aussi évoquer les nombreux baraquements ou bâtiments de bois dont on a trouvé des traces au sol.

Le pouvoir judiciaire du comte était de deux ordres, féodal et public. Le tribunal féodal (dit de l'Oudburg, du « vieux bourg ») fut établi par Philippe d'Alsace : il était placé sous la présidence du vicomte, à ciel ouvert, et à l'extérieur du château, puis à l'intérieur de l'enceinte (XVIᵉ siècle), dans le bâtiment dit « châtellenie », aujourd'hui détruit.

Le comte était aussi justicier suprême dans son comté, passible du seul appel devant le parlement de Paris. Mais l'union de la Flandre et de la Bourgogne se fit autour de Philippe le Hardi (1384), qui était à l'époque le maître à Paris en raison du jeune âge de son neveu Charles VI. Rien ne s'opposait à ses réformes de la Cour de justice de Flandre (1386) et à la création de la Chambre du conseil en Flandre, installée à Lille (où demeura la Chambre des comptes), mais dont le tribunal gagna Gand en 1407 et s'installa définitivement dans les appartements comtaux du château en 1489. Ce Conseil de Flandre jugeait certains cas en première instance (lèse-majesté, faux monnayage, droit de propriété) : il était plus spécialisé dans les appels, ou encore dans la proclamation des lois, des ordonnances, des traités, appliqués après lecture dans la grande salle du donjon et enregistrement.

Les deux cours de justice prononçaient des peines et les faisaient exécuter : elles possédaient sur place les prisons (au châtelet), les cachots (oubliettes au sous-sol des appartements comtaux), les salles de mise à la question et de torture. Les châtiments, généralement publics, avaient lieu devant la porte, à l'extérieur, entre les « bailles » : fustigation, marquage au fer rouge, mutilation, décollation à l'épée...

Séparé de la ville par son enceinte et ses fonctions, le château en faisait pourtant partie intégrante, et des grappes de maisons s'accrochèrent aux puissants murs extérieurs : après la Révolution, la réunion à la France et la suppression des tribunaux d'Ancien Régime, les habitations civiles débordèrent même dans l'espace intérieur et le colonisèrent. Une filature de coton les suivit, entourée des masures de son personnel. Cependant, à la suite du Blocus continental, grâce à la qualité du lin roui dans l'eau de la Lys, grâce à l'introduction par Liévin Bauwens de machines filant le coton, la ville secouait sa somnolence postmédiévale, faisait creuser le canal de Terneuzen (1827) qui la reliait directement au nouvel Escaut accessible aux forts bateaux et connaissait un essor économique remarquable. Or sa richesse augmentait au moment où la Belgique, devenue indépendante, était plus sensible à la grandeur passée des régions qui l'avaient constituée et participait au mouvement, général en Occident, tendant à respecter et à honorer les monuments historiques. La ville acquit le châtelet en 1872, l'État acheta le château (1886-1887), et l'ensemble reçut les fonds considérables nécessaires à sa restauration et à son aménagement en musée. Nouvelle fonction, pédagogique certes, mais qui met l'accent plus sur l'antique rôle répressif (instruments de torture) que sur la perfection des fortifications et sur le devenir d'un château féodal noyé dans un tissu urbain.

Robert DELORT

La vie seigneuriale au Moyen Âge

Officier de bouche, à la fois échanson et écuyer tranchant; il était chargé de verser à boire à la table du seigneur et de découper la viande.

Costumes du XVe s. Ce riche seigneur et sa dame portent la traditionnelle houppelande en étoffe tissée d'or et doublée de fourrure.

Les nobles par la naissance ou par la chevalerie font partie de l'ordre de ceux qui combattent, guerriers entretenus par des paysans qu'ils passent pour protéger et dont ils sont seigneurs fonciers. Ils sont généralement au service d'un plus grand seigneur (comte, châtelain...) qui leur a attribué, en échange d'un serment de vassalité et de prestations militaires, un fief.

Ces nobles se caractérisent par leur habitation, la richesse de leur costume, l'abondance de leurs repas, l'importance des relations avec leur lignage ou avec leurs semblables, par les sentiments qu'ils expriment (courtoisie) et par leurs occupations.

Leur demeure est le château du seigneur ou le leur propre. Ils y disposent généralement d'une grande salle, dans le donjon, où le seigneur peut recevoir, rendre la justice, ou tout simplement manger, deviser, voire coucher avec ses hommes. S'y trouvent la grande cheminée et de rares meubles, surtout des bancs, coussins, huches; la table est une planche que l'on « dresse » sur des tréteaux quand on en a besoin. Les chambres sont de petites pièces (parfois dans les tours) non chauffées, mal éclairées.

Le luxe est nécessaire au noble pour asseoir son prestige, son autorité et exhiber sa « générosité » en donnant à profusion. Il a table ouverte aux gens de passage, aux vassaux venus accomplir la garde, participer aux conseils... Le repas dure longtemps et comprend de nombreux plats apportés « couverts » des cuisines.

On prend les mets avec les doigts dans des écuelles, sur une nappe simple à laquelle tout le monde s'essuie; entre les plats se déroulent diverses attractions : jongleurs, musiciens, montreurs d'ours, récitants, chanteurs, troubadours diffusant les gestes des preux ou les romans de chevalerie.

Le noble s'habille mieux, plus cher, est à l'origine de modes concernant moins la forme que la matière du costume: lourds et coûteux draps de Flandre (Gand, Ypres) ou de Brabant (Bruxelles), fourrés de pelleteries. Il se doit de vêtir son entourage avec des « livrées » de draps et de fourrures. Le comte de Flandre a chaque année près de 200 personnes « à ses robes », le roi de Navarre 400, le pape, vers l'an 1350, plus de 1500, et deux fois par an!

La mode est une des expressions de la mentalité seigneuriale, tout comme la « courtoisie », qui présente la dame comme un seigneur réclamant hommage, fidélité, dévouement, ou la mystique de la chevalerie, qui justifie et sanctifie la principale fonction du noble : le combat.

Il s'y entraîne en permanence et d'abord par la pratique de la chasse. Chasser signifie aussi que l'on en a le droit et les moyens: chiens, chevaux, oiseaux dressés, rabatteurs, armes perforantes ou de jet. On consomme la viande rouge et sanglante, élément du prestige alimentaire et de la force physique.

La préparation au combat se fait aussi par le « béhourd », où deux cavaliers essaient de se

Dame à sa lecture. Détail de lettre ornée extraite du livre la Cité des dames, de Christine de Pisan, célèbre femme de lettres du XVe s.

Scène de festin (XVe s.). Les convives sont d'un seul côté de la table; chacun dispose d'un couteau et du pain de tranchoir, mais pas de fourchette.

désarçonner; la quintaine présente aux charges de cavalerie un mannequin solidement ancré sur un pieu; les joutes et les tournois voient s'affronter des groupes de chevaliers. Enfin, c'est la guerre elle-même, contre des paysans, des villes, des ennemis du seigneur, du souverain ou de la foi.

Sur la fin du Moyen Âge, la noblesse, qui a vu se dévaluer et diminuer considérablement les revenus de ses propriétés foncières tandis qu'augmentaient ses dépenses, a tendance à se mettre davantage au service du grand seigneur qui l'emploie à la cour comme conseiller de justice, gouverneur, capitaine, ambassadeur et, bien sûr, comme combattant soldé.

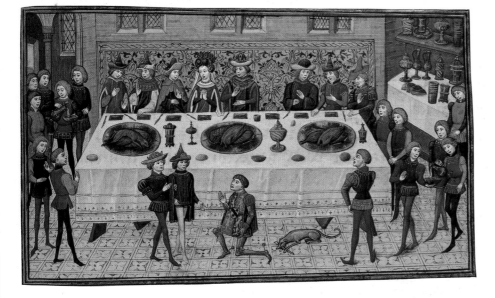

CARCASSONNE

Les grandes heures
d'une Cité forte

a grande route qui, depuis des siècles, unit l'océan Atlantique à la Méditerranée longe vers le nord, entre Toulouse et Narbonne, une large plaine alluviale, où coule l'Aude, cours d'eau pyrénéen qui se jette dans la Méditerranée entre Béziers et Narbonne. Vers le sud, on aperçoit les Corbières, petite chaîne détachée des Pyrénées. Plus proche, une croupe abrupte, assez vaste, qui paraît d'autant plus élevée qu'elle se dresse au-dessus de la plaine. C'est sur cette croupe qu'a été construite la Cité de Carcassonne. Le sol même en a été tellement bouleversé depuis quinze siècles qu'il n'a pas été possible d'y retrouver des traces d'un habitat préhistorique. Mais, dans les environs, on a découvert des vestiges de l'époque néolithique et de l'âge du bronze.

Les Romains avaient naturellement établi un camp à cet endroit, l'oppidum de Carcaso, mais l'histoire des fortifications de la Cité ne commence vraiment qu'avec les Wisigoths. Déjà établis en Gaule et en Espagne, les Wisigoths s'installent dès 462 tout au long des Pyrénées et dans la province romaine de Narbonnaise. Ils fortifient l'oppidum en l'entourant d'une enceinte, qui subsiste encore partiellement. Une simple levée relie le site aux contreforts des Pyrénées, une levée qu'on peut aisément détruire; l'enceinte se dresse alors isolée au-dessus de la plaine. Dès la fin du Ve siècle, le roi Euric fait construire une

Devant la face sud du puissant château comtal, flanquée de la ronde tour Saint-Paul (à droite), se détache la tour de justice. Cette dernière fait partie de l'enceinte intérieure de la ville, tout comme la façade ouest de la citadelle, dominée par la tour Pinte, haute et rectangulaire.

première ligne de murailles ponctuées de tours percées d'étroites baies. La Cité change de caractère : alors qu'à l'époque gallo-romaine le camp est réservé aux soldats, les habitations s'étendent maintenant jusqu'à la plaine.

Malgré les restaurations, on peut encore voir aujourd'hui de nombreux vestiges de ces remparts. Les tours sont reliées entre elles par des courtines hautes de 4,50 à 6 mètres sur le front déjà défendu par sa position naturelle, de 7 à 8 mètres ailleurs. L'épaisseur des murs ne dépasse pas 4 mètres. L'espacement entre chaque tour est de 20 à 35 mètres.

Ces murailles résistèrent aux assauts des rois francs, devenus catholiques alors que les Wisigoths avaient embrassé l'hérésie arienne. Clovis tenta vainement le siège de la Cité en 508. Après la conversion du roi des Wisigoths Reccared Ier au catholicisme, une première cathédrale s'éleva en dehors des murs.

Le roi franc Gontran tente une seconde fois, entre 585 et 589, de prendre la Cité, devenue la clef de l'ancienne Narbonnaise, désormais nommée Septimanie. Il échoue. Les Francs et les Wisigoths finissent par se réconcilier et s'unissent pour combattre un nouvel ennemi venu d'Espagne : les Arabes. Ceux-ci ont franchi les Pyrénées et détruisent dès 713 les faubourgs de Carcassonne et la cathédrale. Il ne s'agit que d'une razzia. Les Arabes reviennent en 725, mettent le siège devant la Cité et enlèvent celle-ci d'assaut. La victoire de Charles Martel à Poitiers en 732 sauve l'Occident chrétien et oblige les Arabes à repasser les Pyrénées en abandonnant Carcassonne quelques années plus tard. Charlemagne ayant repoussé les limites de l'empire franc au-delà des Pyrénées, la Cité devient un comté. Au début du xe siècle, un évêque décide de transférer le siège de l'évêché du faubourg, où il se trouvait, à l'intérieur des remparts.

La décomposition de l'empire carolingien après la mort de Louis le Pieux favorise la création du régime féodal. Des seigneurs plus énergiques, plus actifs que d'autres constituent des fiefs. Deux dynasties se succèdent à Carcassonne au xe et au xie siècle; elles restent

La porte Narbonnaise est, avec la porte d'Aude, le principal accès à la Cité. Nous ne voyons ici que les tours de la deuxième enceinte, mais il ne faut pas oublier l'avant-porte extérieure, le profond fossé et la porte barbacane Saint-Louis de la première enceinte, qui constituaient un considérable ensemble défensif des côtés est et sud-est. L'accès est protégé par deux herses puissantes et indépendantes qui descendent entre les vantaux. Quand les herses étaient levées et les portes ouvertes, une énorme chaîne restait tendue entre les deux tours. Cette porte était en fait un véritable châtelet autonome, avec un puits, des caves à provisions, des salles pourvues de cheminées et servant à la cuisine ou au repos nocturne. La garnison pouvait disposer d'une grande salle sous les toits, suffisamment élevée pour avoir droit à des fenêtres regardant vers l'extérieur et permettant le guet. Les toits, comme ceux des autres tours, étaient une merveille de charpente; on discute encore pour savoir s'ils étaient couverts de tuiles plates ou d'ardoises comme aujourd'hui.

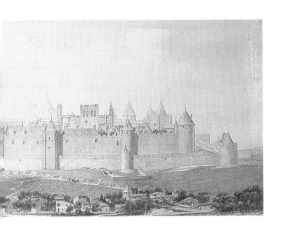

Projet de restauration de Carcassonne (côté ouest) par Viollet-le-Duc. L'architecte voulait reconstituer la ville telle qu'elle aurait dû être. Il y ajoute des châtelets, reconstruit la barbacane, qu'il flanque d'une entrée fortifiée, et surélève les tours, qu'il couvre à nouveau de toits pointus.

assez obscures. Mais voici qu'à la fin du xie siècle une autre dynastie s'impose, qui va rester maîtresse de la Cité pendant plus de deux siècles. Déjà vicomtes de Béziers, ses membres ajoutent à leur titre celui de vicomtes de Carcassonne : ce sont les Trencavel. En langue d'oc, ce surnom signifie « Tranche bien » ou, si l'on préfère, « Tranche énergiquement ».

Carcassonne connaît une incontestable prospérité au cours du xiie siècle. Les Trencavel l'embellissent de nombreuses constructions. S'élèvent successivement un nouveau château, mieux défendu, relié selon l'usage aux fortifications de la ville, la cathédrale dédiée à saint Nazaire et le palais épiscopal. Certains remparts sont renforcés.

Il n'est pas nécessaire de décrire dans le détail le château édifié par les sires de Trencavel et complété au xiiie siècle sous les règnes de Saint Louis et de ses successeurs. Datant des Trencavel, les façades ouest et sud sont situées à l'opposé de la porte Narbonnaise. Disposition traditionnelle : le château, dernier refuge des assiégés, doit être aussi éloigné que

possible des portes qui donnent accès à l'intérieur de la Cité. Il comporte plusieurs tours, dont les deux principales encadrent la poterne. Le rez-de-chaussée était occupé par les hommes d'armes; l'étage noble, réservé aux seigneurs, se trouvait au-dessus. Un escalier à vis permettait d'accéder à cet étage, ainsi qu'au second, qui communiquait directement avec le chemin de ronde de l'enceinte extérieure.

Autre témoignage de la richesse économique de cette période, les faubourgs commencent à se peupler et forment deux agglomérations : le Bourg et le Castellar.

C'est sur cette cité florissante et active que va s'abattre la guerre des Albigeois. Le meurtre du légat pontifical Pierre de Castelnau, le 14 janvier 1208, soulève l'indignation générale de la noblesse de tout le nord du royaume. A l'appel d'un puissant seigneur d'Ile-de-France, Simon de Montfort, une véritable croisade est organisée contre les hérétiques. Les croisés s'emparent de Béziers et y massacrent indistinctement catholiques et albigeois. Sur la route de Toulouse, la Cité de Carcassonne leur barre le chemin.

Le vicomte Raymond-Roger de Trencavel répare hâtivement les fortifications. Les faubourgs de la ville sont également munis de bons remparts. Les croisés établissent leur camp le 1er août 1209. Après un premier échec, ils s'emparent du Bourg. Les habitants de celui-ci et ceux du Castellar se réfugient à l'intérieur de la Cité. Le Castellar pris, les croisés donnent l'assaut. Une grêle de pierres et de traits les obligent à se retirer. On amène alors les lourdes machines de siège, tandis que les mineurs commencent à saper la base des murailles. Dans la Cité surpeuplée, la puanteur est devenue accablante et la famine règne ; bientôt l'eau manque. Raymond-Roger comprend que toute résistance est vaine. Il engage des négociations avec le légat Arnaud Amaury, chef spirituel de la croisade. Celui-ci accorde la vie sauve aux habitants à condition qu'ils quittent la ville pieds nus et en chemise. Quant à Raymond-Roger, il est jeté dans un cul-de-basse-fosse. C'était le 15 août 1209. La Cité devient le quartier général des croisés.

La guerre des Albigeois va se poursuivre jusqu'en 1229, date de la signature du traité de Paris qui réunit le Languedoc à la couronne. Un sénéchal est alors nommé. Son premier soin sera d'élever de nouvelles fortifications en avant de la vieille enceinte wisigothique. Des ingénieurs apporteront leurs soins à la protection des portes, en particulier de la porte Narbonnaise, de la porte du Bourg et de la porte Saint-Nazaire, qui donne accès à l'Aude.

En 1240, la guerre va reprendre une fois encore. Les héritiers de Raymond-Roger veulent reconquérir leurs terres. Depuis 1229, la Cité et ses abords se sont reconstruits et

Le sénéchal qui a victorieusement résisté à Trencavel commence par faire dégager entièrement la colline. Le Bourg et les faubourgs sont rasés, leurs habitants contraints de s'établir sur la rive gauche de l'Aude, qui deviendra la ville basse et connaîtra rapidement un grand essor. Quelques courtines des précédentes fortifications sont conservées. On construit la tour de la Vade, une des plus belles de la nouvelle enceinte ; d'abord isolée, elle sera ensuite réunie à celle-ci. Ces travaux s'achèvent en 1260. Pendant toute la fin du règne de Saint Louis et sous celui de Philippe le Hardi, de nouvelles tours sont construites, la porte Narbonnaise est refaite et la tour du Tréseau vient compléter le système défensif. A l'intérieur de la Cité, on termine la cathédrale Saint-Nazaire. S'élèvent alors le transept et surtout le magnifique chœur gothique.

peuplés. Le Bourg a même reçu de nouveaux remparts. Mais de très nombreux habitants restent secrètement attachés à l'hérésie cathare.

En septembre 1240, Raymond II Trencavel marche sur Carcassonne. Le chef albigeois installe ses forces tout autour de la Cité. Avec ses pierriers et ses mangonneaux, il fait pleuvoir les projectiles sur les murs. Enfin, il tente l'assaut. C'est un échec. Pendant quelques semaines, Trencavel poursuit le siège. Mais une armée royale approche de la Cité. Les albigeois risquent d'être pris à revers. Trencavel abandonne la partie.

Carcassonne ne sera jamais plus assiégée ; toutefois, les ingénieurs militaires ont compris que les fortifications sont encore insuffisantes. Ils vont y remédier.

La technique de l'architecture militaire à cette époque est bien définie. On élève deux enceintes concentriques assez distantes l'une de l'autre pour que, la première ayant été prise, les assiégés puissent continuer à combattre sur la seconde un ennemi qui se trouve alors en terrain défavorable.

Au début du XIVe siècle, la Cité est à la fois une ville administrative, religieuse, et surtout militaire : un arsenal où l'on entasse des armes ; les tours servent de caserne à la garnison.

La guerre de Cent Ans se déroulera loin des remparts de Carcassonne. En 1453, le maréchal de Montpezat fait garnir les tours de canonnières ; il convient en effet d'adapter les défenses anciennes aux nouvelles armes de guerre. Elles ne serviront pas. Pendant les guerres de Religion, la place restera longtemps en état d'alerte ; on redoutait un coup de main des huguenots désireux de délivrer leurs coreligionnaires entassés dans les prisons.

Peu à peu, les administrations civiles abandonnent la Cité pour s'établir dans la ville basse. L'évêché s'installe dans celle-ci en 1745. Vidée de ses habitants, la ville médiévale n'est plus qu'un corps sans âme.

Pendant la Révolution et l'Empire, la Cité ne subit aucun dommage, les soldats veillent attentivement aux édifices qu'ils occupent, mais laissent peu à peu se dégrader les tours et les remparts, qui ne servent plus à rien. Aussi

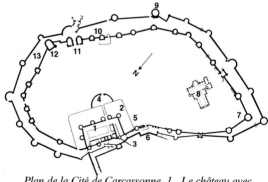

Plan de la Cité de Carcassonne. 1. Le château avec, au centre, sa cour d'honneur. 2. Au sud, la tour Saint-Paul. 3. À l'ouest, la tour Pinte. 4. La grande barbacane de l'est couvrant le château du côté de la ville. 5. La tour de Justice. 6. La porte d'Aude avec ses doubles chicanes. 7. La tour Mipadre. 8. L'église Saint-Nazaire. 9. La tour de la Vade. 10. Les lices hautes. 11. La porte Narbonnaise, protégée par la barbacane Saint-Louis et son avant-porte. 12. La tour du Tréseau, la plus forte de la deuxième enceinte. 13. Les lices basses.

les habitants ne se privent-ils pas de venir chercher des pierres, et les remparts se transforment en carrière. Bien pis, en 1807, l'État vend la belle tour du Tréseau à l'hôpital de la ville pour en tirer les matériaux destinés à sa construction. L'opinion publique s'émeut, la vente est annulée, mais une partie de la tour est déjà détruite.

Dès 1835, Prosper Mérimée, nommé depuis peu inspecteur général des monuments historiques, attire l'attention sur la grandeur et

Vue du sud-ouest, la Cité déroule ses enceintes depuis le château comtal à gauche jusqu'à la grosse tour de la Vade (à l'extrême droite), presque entièrement détachée de l'enceinte. Derrière la tour Mipadre, couverte de tuiles (au centre) se dresse l'église Saint-Nazaire.

l'importance de la Cité de Carcassonne. Neuf ans plus tard, Viollet-le-Duc, qui a déjà commencé la restauration de plusieurs églises, s'attache à celle de la cathédrale Saint-Nazaire. Ce qui n'empêche pas un décret de 1850 d'ordonner la destruction complète des remparts. De vigoureuses protestations s'élèvent. Le décret est annulé et, en 1852, Viollet-le-Duc reçoit mission de rétablir la place forte dans son état ancien.

Il y consacrera le reste de sa vie. A sa mort, en 1879, les travaux de restauration sont loin d'être terminés. Ils se poursuivront pendant encore de longues années.

On a souvent reproché à Viollet-le-Duc d'avoir voulu reconstituer la Cité au temps de sa plus grande splendeur. Trop de tours, trop de courtines ont retrouvé leur aspect primitif. Aujourd'hui les architectes agiraient avec plus de discrétion. Mais on doit lui savoir gré de s'être attaché à cette œuvre monumentale. Car c'est bien grâce à lui que l'on peut, aujourd'hui encore, admirer cette étonnante ville fortifiée.

JACQUES LEVRON

Machines et techniques de siège

La construction des remparts qui entourent les villes ou les forteresses féodales répond à un dessein bien précis : mettre les populations et leurs biens à l'abri d'un éventuel ennemi. En conséquence, les hommes chargés d'élever ces enceintes n'ont cessé d'en perfectionner les défenses afin de pouvoir soutenir victorieusement un siège.

Par malheur, les attaquants ont, de leur côté, amélioré leurs techniques et utilisé de nouvelles machines destinées à affaiblir les plus solides murailles et à donner l'assaut : les mangonneaux, les trébuchets et les tours mobiles.

Le mangonneau est dérivé de la catapulte, déjà connue des Grecs et des Romains. Son nom vient d'ailleurs du grec *magganon*. On le voit apparaître dès le XIe siècle et il sera utilisé jusqu'au milieu du XVe. Son principe est simple : il s'agit d'une machine à lancer des pierres. Sur une plate-forme de bois munie de quatre roues, on monte un bâti portant une longue tige qui s'achève par un poids pouvant atteindre parfois plusieurs tonnes. Dans la catapulte, c'était une corde tressée qui, en se relâchant, lançait des pierres. Dans le mangonneau, c'est un ressort qui se détend quand on libère l'énorme poids. En effet, à l'extrémité d'un bras articulé, on a placé le projectile, qui vient frapper de plein fouet la muraille. Le maniement du mangonneau exige plusieurs hommes.

Le trébuchet est un mangonneau perfectionné. A la poche qui loge la pierre on a substitué une sorte de cuilleron. Celui-ci comporte une longue flèche articulée sur un affût fixe. En libérant le contrepoids de plus en plus lourd, les tireurs projettent sur les remparts des pierres qui les affaiblissent.

Ces machines de siège ne parviennent guère à entamer l'énergie des assiégés. L'attaquant se sert donc d'autres techniques et, très tôt, il emploie la sape, principalement utilisée pour ruiner les tours des citadelles.

Les soldats chargés de cette tâche creusent de profondes tranchées qui parviennent à passer sous les fossés des remparts. Pour éviter les flèches que les assiégés leur décochent des

créneaux ou des archères, les sapeurs se mettent à couvert à l'aide de branchages. Parvenus au pied des murailles, ils les attaquent à coups de barre de fer, ruinant progressivement leurs fondations. Un tel travail est long et pénible. Les machines de siège ne suivent pas toujours l'armée assaillante. Il faut les faire venir, et parfois de très loin. Mais ces délais n'ont guère d'importance. Le temps travaille pour les assiégeants. En effet, en cas de guerre, les paysans, les habitants de tous les villages voisins se réfugient à l'intérieur du château. Ce sont autant de bouches à nourrir. C'est bientôt la famine. La résistance diminue. Le moment est venu pour l'adversaire d'en finir.

C'est alors qu'entrent en jeu les tours d'assaut. Il s'agit d'échafaudages en bois, sur une plate-forme à quatre roues et comportant des échelles qui permettent d'atteindre d'étage en étage le sommet des murailles adverses à la hauteur du chemin de ronde. Les combattants se précipitent à travers les créneaux. L'attaque a souvent lieu de nuit, mais le guetteur donne l'alerte. Le combat s'engage. Nombre d'hommes s'écrasent lourdement dans les fossés !

Les tours d'assaut présentent un grave défaut : elles sont aisément inflammables. Pour en éviter l'incendie, on couvre leurs parties supérieures de peaux de bêtes qui laissent place aux seules échelles. Ces peaux, on les appelle « la chatte ».

Pour échapper aux pillages, aux viols et aux incendies qui suivent les assauts victorieux, le commandant de la place préfère souvent négocier la capitulation. Quand celle-ci est obtenue, il fait « battre la chamade ». Désarmés, les soldats sont renvoyés. Les chevaliers restent captifs jusqu'au paiement de leur rançon.

Le 26 août 1346, à la bataille de Crécy, les Anglais utilisent pour la première fois des pièces d'artillerie, des bombardes dont le seul bruit suffit à effrayer la chevalerie française. Une arme nouvelle est née. Il faut transformer machines et techniques de siège. Dès le XVe siècle, on trouvera la parade en établissant devant les remparts de longues terrasses munies de canons ou en construisant à l'intérieur des châteaux des rampes qui permettent de hisser les pièces d'artillerie au sommet des tours. A toute arme offensive nouvelle finit toujours par répliquer une arme défensive qui en détruit les effets. Voilà une constatation bien consolante...

La tour d'assaut montée sur roue est poussée contre la muraille sur un plancher posé sur le fossé préalablement comblé. Les peaux de bêtes fraîchement écorchées la préservent à peu près du feu. Les assaillants grimpent aux échelles pour se rassembler au sommet sur le pont-levis de la tour, qui est déjà baissé.

Le trébuchet sert à lancer des projectiles contre les murailles pour les affaiblir. Sur un affût fixe est monté un bras articulé, muni d'un contrepoids, au bout duquel pend la poche à projectiles.

SACSAHUAMÁN

Au cœur des Andes, la mystérieuse citadelle des Fils du Soleil

À 3 700 mètres d'altitude et à 1 kilomètre du cœur du Cuzco, dominant l'antique capitale des Incas, les trois remparts cyclopéens de Sacsahuamán, étagés en dents de scie, reproduisent le zigzag fulgurant d'Illapa, le dieu éclair. Vraisemblablement, ils symbolisaient aussi la puissante mâchoire du puma légendaire qui inspira le plan de cette cité sacrée entre toutes. Puma dont la « tête » reposait sur la cime du Huamán, le faucon totémique des Fils du Soleil et de la Lune.

« Trophée de leurs trophées, l'œuvre majeure et la plus superbe qu'ordonnèrent de faire les Incas pour montrer leur pouvoir et majesté », s'exclamera le grand chroniqueur Garcilaso de la Vega, stupéfié par sa démesure. Au point que les conquistadors l'estimè-rent davantage « l'œuvre de démons réalisée par enchantement » que celle d'hommes aux mains nues. À moins qu'ils n'aient su, avec de mystérieux sucs d'herbes, « ramollir » le roc en pâte épaisse et la mouler aux dimensions voulues...

« Sans fer ni acier, ni bœufs ni chariots, qui d'ailleurs n'y auraient pas suffi », levés en masse durant soixante ans, vingt mille ou trente mille Indiens taillèrent, traînèrent avec de grosses cordes en fibre d'agave ou avec des lanières de cuir de lama, puis empilèrent d'énormes blocs asymétriques mais qui coïncident admirablement. Si précisément encastrés, enchâssés avec un art de joaillier, qu'on ne peut glisser la plus fine pointe d'épingle dans ce puzzle de géants! Autre performance incroyable, beaucoup de ces roches colossales venaient de 10 ou 15 lieues. Telle la Sayusca, cette Pierre Fatiguée qui, pleurant le sang, ne parvint jamais à destination. Elle écrasa des centaines d'hommes, les uns la tirant, les autres la poussant sur des pentes abruptes, lorsqu'ils laissèrent échapper ce poids fabuleux : près de 1 000 tonnes! Peut-on mieux imaginer la longue marche de celle que les Espagnols prétendirent avoir été amenée de Quito, maintenant capitale de l'Équateur? Et le patient travail pour l'arracher à la carrière, et le long cheminement à travers des sierras hautes de 6 000 mètres? Et combien de bras dut-il falloir pour soulever ces masses, les tailler, découper, limer et polir avant de les emboîter aussi étroitement!

Si, au XVIᵉ siècle, une bonne centaine de chroniqueurs s'extasièrent à l'unanimité

Les murailles défendant, au nord, la forteresse de Sacsahuamán : trois remparts successifs, au tracé en crémaillère, s'élèvent en terrasse avec le terrain. L'appareillage cyclopéen est composé de blocs si énormes (plusieurs centaines de tonnes) et si parfaitement jointoyés que les premiers conquistadors qui la découvrirent qualifièrent la forteresse « d'œuvre de démons ».

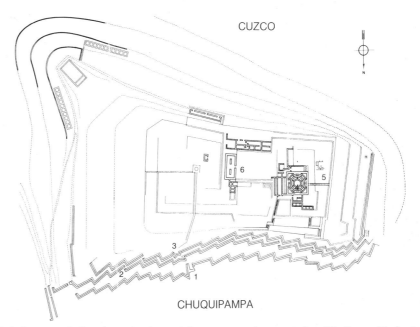

Plan de la forteresse de Sacsahuamán. Au nord, les remparts et leurs portadas : Tio Puncu (1), Acahuana Puncu (2) et Viracocha Puncu(3). À l'ouest, la Tour Ronde, Muyoc Marca (4), où logeait le souverain, et, de part et d'autre, les torreones, Sallac Marca (5) et Paucar Marca (6) qui abritaient la garnison.

devant le chef-d'œuvre des Incas, tous restent dans le flou quant à ses véritables auteurs. Selon les témoignages, Manco Cápac, fondateur de ce qui allait devenir le formidable empire du Tahuantinsuyo, en aurait eu l'idée initiale vers le XIᵉ siècle. À moins que ce ne soit le célèbre Pachacutec qui en ait modelé la maquette quand il refit le Cuzco au XVᵉ siècle, ordonnant d'amasser sur le site une grande quantité de pierres « afin de surpasser le Coricancha », l'étincelant temple de l'Or. Ou bien son fils, le dixième roi, Tupac Yupanqui qui, « se souvenant que son père appelait le Cuzco la Ville-Puma — la « queue » étant à Pumachupan et le « corps » représenté par la vaste place cérémonielle de Huacaypata — décida de « construire la tête » qui lui manquait. Par ailleurs, une vieille tradition affirme que, durant trois règnes consécutifs, les souverains vinrent en surveiller les progrès du haut de la plate-forme rocheuse entaillée d'une Silla del Inca, un siège pyramidal de roc qui couronne la colline en face du monument.

Quatre architectes royaux s'y firent un inoubliable renom : Huallpa Rimachi, Acahuana, Inca Maricanchi et Calla Cunchuy. Toutefois, comme le deuxième s'était déjà illustré sur les

Les armées de l'Inca

Pour conquérir un empire immense et le défendre, les Incas créèrent une armée professionnelle toute-puissante.

Bien entraînés dès l'adolescence, enrégimentés par groupes de 10 à 10 000 hommes âgés de vingt-cinq à cinquante ans, tenus à un service militaire périodique, combattant par roulement sous des bannières distinctives, dirigés par leurs chefs respectifs, les guerriers de l'Inca, commandant suprême, étaient toujours prêts à répondre à son appel.

Obéissant aux ordres de l'apusquipay, général en chef muni de l'étendard impérial, et de capitaines, tous appartenant à la parentèle « solaire », les effectifs pouvaient atteindre 200 000 hommes, exonérés du travail de la terre et de tribut. Des gens de service, y compris les vivandières, les accompagnaient, portant charges, équipement, vivres et litières des officiers, effectuant les tâches secondaires.

Recrutées dans chacun des quatre « quarts du monde » du Tahuantinsuyo, les troupes étaient réunies au Cuzco, autour de la Pierre de la Guerre gainée d'or. Puis chaque légion partait, idoles en tête, vers le champ de bataille qui correspondait, terrain et climat, à son habitat d'origine.

La stratégie inca prévoyait la reconnaissance prudente du territoire à soumettre. Avant l'attaque, toujours diurne, les dieux interdisant toute lutte de nuit, l'Inca mandait une ambassade auprès de l'ennemi pour tenter de le convaincre de renoncer au combat. Il lui offrait de riches présents, quelques « femmes choisies » de son gynécée, lui garantissait le respect de ses us et coutumes ainsi que des croyances et des divinités locales, pourvu qu'il adorât le Soleil-Père. En cas d'échec, l'armée entrait en action, dans un tintamarre de cris sauvages, au son rauque des pututos et des horripilants runa tinya, les « tambours humains » faits d'ennemis « désossés », vidés, et bourrés de paille et de cendre, « comme vivants, qui se battaient le ventre avec leurs propres mains ».

Les armes de jet comptaient, pour l'offensive à distance, la fronde, le propulseur à dard, l'arc et la flèche, le lasso à trois boulets qui s'enroulait autour des jambes et les paralysait. Défensives, la massue de pierre étoilée, la lance et la pique de bois dur, la hache de bronze décidaient du corps à corps. Pour se protéger, tous portaient, matelassés d'épais coton, un cabasset de bois, une tunique en laine de lama, un plastron et un bouclier oblong en cuir de taruka, le petit cerf des Andes.

Apo Camac Inca, à la tête de ses guerriers, attaque les Indiens du Chili. Gravure tirée de la chronique de Huamán Poma de Ayala (1600).

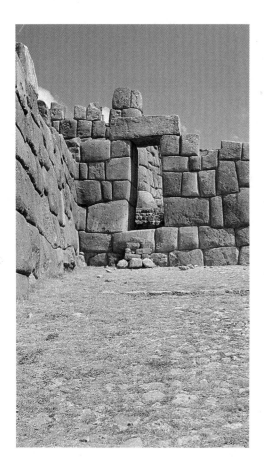

Perspective de la première muraille défensive avec l'une des portadas *principales, par laquelle en temps de conflit armé « sortait de la forteresse un Inca de sang royal comme messager de guerre du Soleil » (d'après Garcilaso de la Vega, dans ses* Comentarios Reales *1609).*

hautes rives du lac Titicaca en bâtissant Tiahuanaco cinq siècles plus tôt, la question se pose de savoir si Sacsahuamán ne date pas de l'époque mégalithique, bien avant les Incas, qui n'auraient fait en réalité que compléter et embellir, au cours de quatre périodes consécutives, « l'une des merveilles du monde ».

Une énigme encore : s'agissait-il uniquement d'une forteresse ? Le mot ne fut employé qu'après la conquête espagnole. Et Cieza de León précise alors que les Incas la désignaient auparavant comme « la Royale Maison d'armes du Soleil », où se trouvait « un temple des oraisons et des sacrifices ». « Parthénon indien », ce dernier n'a été restitué à nos regards émerveillés qu'en 1933 par Luis Valcarcel, qui dut déblayer une couche de 4 mètres de terre avant de voir apparaître l'ancien secteur religieux autrefois décrit par Garcilaso. Dix étroits et longs logements en gradins à l'usage des grands prêtres du rituel solaire communiquent par des marches de pierre et des portes en trapèze, l'élégant label de l'architecture inca.

Plus récemment, en 1965, Chavez Ballon a exhumé deux autres salles situées à l'entrée de la forteresse. Les murs en polyèdres d'andésite sombre en sont si soignés qu'il s'agirait de Huamán Cancha, l'Enceinte du Faucon, où l'Inca régnant donnait le pagne d'homme aux

adolescents nubiles de sa noble parentèle. Deux momies de jeunes gens, assises dans de hautes jarres, des objets d'or, des barres de *champi* (alliage d'or et de cuivre), des marteaux de pierre ont été également retrouvés.

Autre incertitude, l'ouvrage fut-il achevé vers 1500 par Huayna Cápac, ou bien était-il toujours en chantier lorsque, peu de temps avant l'arrivée de Pizarro et des mercenaires de Charles Quint, la sanglante rivalité qui opposa Huascar et Atahualpa, les fils de l'Inca, facilita la tâche du conquistador, provoquant ainsi la fin dramatique de l'Empire du Tahuantinsuyo ?

Du côté de la ville, la cime de Sacsahuamán s'élève si abruptement au-dessus du ravin où bondit le río Saphy que la protection est ici suffisante. En outre, une paroi de grands monolithes polis, biseautés et bombés, unis au moyen d'une glaise collante qui disparaît en séchant, s'incruste dans le flanc de la colline. Mais au bas du versant opposé, où s'étend la vaste esplanade sablonneuse de Chuquipampa, le Champ des Lances, il est évident qu'un adversaire aurait pu aisément attaquer l'entrée du Cuzco. Raison pour laquelle furent dressés les trois monstrueux redents que Hiram Bingham, le découvreur de Machu Picchu en 1911, a qualifiés d' « œuvre la plus grandiose de l'homme antique en Amérique ».

S'élevant en terrasse avec le terrain, chaque muraille se déploie sur plus de 400 mètres. L'ensemble atteint une vingtaine de mètres de haut. Au premier plan, la ligne brisée du rempart, qui compte quarante-six angles alternativement saillants et rentrants, est réellement colossale. L'un des blocs angulaires, équarri et arrondi, dépasse 8 mètres de hauteur ! Large de moitié, épais de presque autant, il pèserait au moins 400 tonnes !

Le deuxième feston crénelé pose un nouveau problème : trente-six « tubulures » le traversent de part en part, sur 3 mètres de profondeur. Servaient-elles à drainer les eaux de pluie ou bien étaient-ce des « canaux phoniques » permettant de transmettre de bouche à oreille et d'un bastion à l'autre, les ordres militaires ? Selon que ces conduits se situent dans la partie supérieure ou à la base de la muraille, les deux hypothèses sont valables. Le troisième redent est un peu moins élevé.

Des *portadas* monumentales à double jambage trapézoïdal s'ouvraient dans chaque rempart. À présent béantes, elles se fermaient jadis à volonté par une volumineuse pierre « mouvante ». Des trois ouvertures principales, Tio Puncu, la Porte de Sable, borde l'esplanade, Acahuana Puncu pérennise le nom de son bâtisseur et Viracocha Puncu fut dédiée au dieu éponyme venu du lac Titicaca. Derrière chaque *portada* grimpe un escalier intérieur qui mène à un chemin de ronde encaissé, bordé d'un parapet de 1 mètre de surélévation pour que s'y retranchent en cas d'alarme les guerriers et qu'ils puissent combattre « à l'abri plutôt qu'à découvert ».

Au-delà des trois remparts, sur une place triangulaire, Muyoc Marca, la Tour Ronde, qui formait l'œil magique du Puma, se dressait dans une enceinte carrée de 22 mètres de côté.

La base, faite de trois anneaux concentriques en pierres taillées compartimentés de bassins « radiaires » en demi-lune, dessine comme un cadran astronomique. L'anneau central renfermait un puits « de beaucoup et très bonne eau » distribuée dans toute la forteresse. Eau qui venait de loin sous terre, probablement par un système hydraulique de siphon connu des anciens Péruviens. Mais sans que nul, hormis l'Inca ou les membres de son Conseil suprême, « sache d'où ni par où, afin qu'elle ne puisse être coupée ni empoisonnée ». Car c'est dans ce *torreón* principal que logeait le souverain, sa cour et ses « femmes choisies », lorsqu'il montait à Sacsahuamán.

Les parois de Muyoc Marca étaient décorées d'oiseaux, d'animaux et de plantes d'or et d'argent. À la lueur des torches de résine, des services de vaisselle aussi précieuse étincelaient dans le trapèze des niches intérieures. Le sol devait être dallé de granit rouge, lustré comme du marbre, récemment exhumé. Rouge telle la fine poudre de cinabre, fard récupéré dans l'un des compartiments du *torreón* et qui servait aux impressionnants tatouages de guerre ou de fête de l'Inca et des siens.

Sallac Marca et Paucar Marca, la Rude et la Belle Hauteur, les deux autres *torreones* situés aux angles de la place, abritaient trois mille hommes de garnison, tous des nobles. Un « capitaine général » de sang royal les commandait, aidé de « lieutenants » et de « ministres » chargés de l'instruction des

« Si le peuple n'a pas d'occupation, faites-lui transporter une montagne d'un endroit à un autre. Ainsi l'ordre régnera dans l'empire » (Huayna Capac). L'Inca Urcon fut ainsi chargé de faire transporter sur des lieues de distance d'énormes blocs lithiques. L'un d'eux, trop gros, fut abandonné en chemin ; de là vient la légende de la « Pierre Fatiguée ».

Du Cuzco à Machu Picchu, un chapelet de places fortes

Trois cents sites aujourd'hui archéologiques ont déjà été recensés dans l'orbite du Cuzco. Imprenables, beaucoup intéressaient, sur plus de 100 kilomètres de long, la protection de la capitale inca et de la vallée sacrée du Vilcanota. Tout de suite derrière Sacsahuamán, Puca Pucara, la Forteresse Rouge, forme le premier poste de guet et de contrôle du chemin de l'Antisuyo vers les forêts tropicales de l'Amazonie. L'ouvrage veillait sur les sources d'eau froide et chaude qui alimentaient le majestueux Bain de l'Inca de Tampu Machay, où le couple royal procédait à des ablutions lustrales avant l'union rituelle. Il gardait aussi la pampa des lamas sacrificiels et l'imposant amphithéâtre elliptique de Kenko, creusé de dix-neuf sièges monolithiques, situés un peu au-delà.

À 3 500 mètres d'altitude et à 30 kilomètres du Cuzco s'élève Pisac, l'une des villes impériales les plus importantes, dominant un val tapissé d'une végétation exubérante et jouissant d'un climat si doux que les souverains se le réservèrent en exclusivité. Surplombant les abîmes, de nombreux édifices résidentiels, en petits blocs de granit rosé ou vert de gris, sont enserrés dans une haute muraille. Temples, bastions, miradors, gnomon solaire et l'enfilade des greniers à grain s'y succèdent.

40 kilomètres plus loin, Ollantaytambo suspend ses terrasses fortifiées aux contreforts vertigineux de la Cordillère couronnée de glaciers éblouissants. Postes de garde, prisons, « hospice » pour les guerriers blessés, maison des vierges, trônes de pierre, observatoire astronomique, chambres à momies sont dominés par les gigantesques Miroirs du Soleil, six énormes dalles de porphyre gris accolées à la verticale. C'est d'Ollantaytambo qu'après avoir défié et dérouté les conquistadors Manco Inca disparut sans laisser de traces jusqu'à l'introuvable Vilcabamba.

Sur le versant opposé court la Chaussée Royale, flanquée d'une véritable constellation de cités « perdues » et retrouvées aux noms imagés. Pour ne mentionner que les principales : d'abord, au niveau du río, la *huaca* de

Porte cyclopéenne de la forteresse de Ollantaytambo qui défendait sur le chemin du Cuzco à Machu Picchu l'entrée de la vallée sacrée de l'Urubamba. Les tenons en relief pourraient avoir servi au levage des monolithes les plus encombrants.

Llactapata, sanctuaire qui se dresse en contrebas de la plate-forme sentinelle de Qoriwayrachina et de Qente, la cité du Colibri. Puis, pendues aux précipices entre 3 000 et 4 000 mètres, s'échelonnent Runkurakay, « en forme d'œuf », muré de remparts, Sayakmarca, longue cité « inaccessible » depuis le col de Warmiwañuska, la Femme Morte. Viennent ensuite Phuyupatamarca et ses *torreones* « au-dessus des nuages », Intipata, « où se pose le Soleil ». Et finalement, la plus fabuleuse de toutes, la ville féerique, morte avec les dieux précolombiens, défiant une géographie apocalyptique, Machu Picchu, célèbre « gratte-ciel » des Incas. Inexpugnable derrière ses orgueilleuses *portadas* en trapèze ; comme ses satellites au bout de voies acrobatiques, coupées de gammes d'escaliers « volants » et de tunnels, qui serpentent parmi la fantastique pyramide des *andenes,* les jardins « suspendus » des Incas, depuis le torrent furieux jusqu'aux nues !

1533. Ils étaient moins de deux cents, qui, parvenant en vue de l'impériale cité inca, se heurtèrent aux gigantesques remparts de Sacsahuamán. Tous les « reporters » de l'audacieuse cavalcade au fil des sierras exprimèrent leur admiration devant cette forteresse de titans. Et leur surprise face à « tant de gens qui, d'où que l'on regarde, formaient une masse vivante » !

En 1536, au cours du siège du Cuzco par les armées de Manco, la bataille engagée par les frères Pizarro contre les dix-sept mille Indiens retranchés dans la forteresse tint de l'épopée. Pendant l'assaut final, Juan Pizarro reçut en plein front une pierre lancée par un jet de fronde. Il mourut trois jours plus tard de sa blessure. Quant à Hernando, il évita de justesse la massue de pierre que lui jeta du haut du *torreón* principal le chef inca qui le défendait et qui se précipita dans le vide plutôt que de se rendre aux Espagnols.

Manco Inca, l'un des derniers souverains, fut emprisonné dans Sacsahuamán, mais il en sortit par la ruse : qu'on le laisse aller dans la vallée sacrée où l'on célébrait des fêtes à la mémoire de Huayna Cápac, son père, et il en rapporterait la statue d'or grandeur nature !

Quelques années après, alors que la dissension opposait les conquérants, Diego de Almagro, s'emparant de nuit du Cuzco tenu par Hernando Pizarro, l'y fit enfermer. Mais à son tour, il y sera maintenu en captivité par Gonzalo Pizarro. Enfin, en 1572, le jeune Tupac Amaru, le Brillant Serpent, dernier des Incas, sera retenu à Sacsahuamán avec toute la famille royale avant d'être décapité sur l'ordre de Francisco de Toledo, le vice-roi espagnol.

Un long silence s'empare ensuite des vestiges. Jusqu'en 1930, où le gouvernement péruvien ressuscita l'Inti Raymi, la grande fête du Soleil. Depuis, chaque année, au solstice de l'hiver austral, le 24 juin, des milliers d'Indiens, autant qu'autrefois de bâtisseurs, et des milliers de touristes venus de tous les pays envahissent les ruines où se déroule, au son ivre et ensorcelant des *quenas,* les petites flûtes de bambou, un spectacle multicolore resurgi du fond des âges. Cinq cents figurants miment l'Inca vêtu d'or et de plumes chatoyantes, les grands prêtres et les prêtresses hiératiques, font le simulacre d'immoler un lama roux pour lire les augures dans ses entrailles encore palpitantes... Jusqu'à ce que la nuit andine rallume la danse rituelle des étoiles toujours vénérées.

Pourtant, depuis plus de quatre siècles, la majestueuse forteresse « édifiée pour l'éternité », que n'étaient pas parvenus à entamer les assaillants, les violents séismes et les chercheurs d'or, n'a cessé d'être démantelée pierre après pierre. D'abord pour que les Indiens rebelles ne puissent s'y retrancher. Puis pour bâtir les églises churrigueresques du Christ et les riches palais à l'andalouse des familles espagnoles qui accoururent coloniser le pays des Incas. Après que la chute de Sacsahuamán eut dramatiquement sonné le glas du millénaire empire du Tahuantinsuyo.

recrues et de l'approvisionnement en armes, vivres, vêtements et sandales en fibres ou en cuir, lacées avec des liens en laine.

Plusieurs petits lamas et des joyaux d'or massif, un plat d'argent serti d'un décor géométrique en nacre et une riche ceinture longue de 3 mètres sur 2 centimètres de large, récemment trouvés, font écho à la fable selon laquelle « les statues d'or très fin des Incas » — jamais débusquées, mais qui furent admirées par María de Esquivel, une grande dame espagnole mariée à don Carlos Inca — seraient cachées dans de mystérieuses *chinkanas*. Ces dédales souterrains qui reliaient entre eux les *torreones* aboutissaient, plus bas et plus loin, au sous-sol du Coricancha. En 1875, George Squier, le diplomate américain amateur d'antiquités qui parcourut les Andes et compara Sacsahuamán au Colisée, se risqua dans ces labyrinthes « travaillés avec grand art ». Ils s'entrecroisent en tous sens « avec tant de ruelles et de passages... de tours et détours et

de portes contrariées que, faute d'attacher en y entrant un peloton de gros fil déroulé au fur et à mesure afin de pouvoir se guider et revenir sans s'égarer », on n'en pouvait ressortir. Ce qui se produisit maintes fois. On raconte encore au Cuzco l'aventure de deux étudiants de la ville qui les explorèrent, écoutant même la messe dite au-dessus d'eux dans le chœur de l'église Santo Domingo, érigée sur l'ancien temple de l'Or. L'un d'eux y périt d'inanition. Le second n'en revint que huit jours après, serrant dans sa main un épi de maïs d'or pur, mais à moitié fou. À la suite de tels accidents, le préfet San Román décida de faire obstruer l'accès des *chinkanas*... Quels « trésors » dissimulent-elles, peut-être à jamais ?

Après qu'ils eurent investi Cajamarca, où ils capturèrent traîtreusement Atahualpa, après qu'ils eurent pillé le fastueux sanctuaire côtier de Pachacamac, aux portes de Lima, les conquistadors s'élancèrent vers le Cuzco en

SIMONE WAISBARD

HIMEJI
Forteresse du Japon féodal

Q uand on longe en train la côte de la mer Intérieure, en partant de Kôbe vers Shimonoseki, on est tout à coup surpris de voir émerger à Himeji, parmi un océan de toits multicolores, la blanche et élégante silhouette d'un château. Se découpant sur le ciel, celui-ci semble d'autant plus immense que ses murs apparaissent éblouissants sous le soleil et que ses toitures superposées lui confèrent l'allure d'une pyramide élancée. C'est le château du Héron Blanc (Shirasagi no Jô), aussi appelé château de l'Aigrette Blanche (Hakurôjô), une des plus célèbres des forteresses japonaises. De loin, cependant, il ressemble plus à une résidence princière qu'à un ouvrage défensif tel que nous le concevons en Occident. Pourtant, c'est bien le donjon d'un château fort qui surgit d'entre les pins, tel qu'il fut conçu et construit entre les années 1609 et 1617 par le seigneur Ikeda Terumasa qui, sous les ordres du shôgun Tokugawa Ieyasu, contrôlait alors la province de Harima.

Ce n'est qu'en s'approchant qu'on peut se rendre compte de sa fonction militaire. Le donjon principal (Dai Tenshu, « Grand Protecteur céleste »), juché au sommet de la colline Himeyama s'élevant solitaire dans la plaine, domine celle-ci et la cité qui s'y étend. Et il faut franchir des douves, de formidables remparts, d'innombrables murailles et maintes cours étagées avant de pouvoir atteindre, après de multiples détours, le pied de ce grand donjon.

Le premier fortin fondé vers 1350, par Akamatsu Sadanori, sur le site de Himeji, fut le théâtre des incessantes luttes de clans qui caractérisaient le Japon féodal. En effet, après la chute du Bakufu (gouvernement militaire) de Kamakura, en 1333, le pays s'était trouvé plongé dans une suite ininterrompue de guerres civiles qui semblaient ne jamais devoir se terminer. Divisé en un grand nombre de provinces, de seigneuries et de fiefs tenus par des chefs de guerre ou daimyô, le Japon, désuni, ne connut plus alors que de brèves périodes de paix. Chaque daimyô voulait acquérir la supré-

Vue sud-ouest du château. Le plan d'eau est constitué par une ancienne douve, longue de plus de 100 m, destinée à amener au plus près de l'enceinte intérieure approvisionnements et matériaux. Les murs peints en blanc ont valu à cette forteresse, l'une des rares dont les bâtiments principaux ne furent pas détruits au cours des guerres de clans, l'appellation populaire de château du Héron Blanc.

Le donjon (tenshû) vu du sud. Le soubassement de pierres empilées, haut de plus de 15 m, constituait un obstacle formidable pour les assaillants éventuels parvenus dans la cour intérieure. L'entrée de ce donjon, située à l'ouest, était protégée par une tour annexe à trois étages, reliée à la tour centrale par une galerie surmontant une porte massive.

matie et se poser en homme fort auprès du shôgun de la famille des Ashikaga résidant à Kyôto, qui n'était guère qu'un fantoche incapable d'imposer son pouvoir. L'empereur n'avait plus qu'un rôle passif. Aussi, afin de protéger les routes, les défilés, les cités et les ports, chaque seigneur se mit-il à édifier sur ses terres, en des lieux élevés, des sortes de forteresses qui ne lui servaient qu'en temps de crise aiguë. On les dotait de défenses adaptées au terrain, on y entassait des provisions, des armes, des réserves diverses. Il s'agissait d'ailleurs le plus souvent de monastères bouddhiques ou de temples que l'on entourait de levées de terre et de palanques entre lesquelles on élevait des miradors pour mieux surveiller les alentours. Ces fortins de montagne *(sanjô)* étaient bien défendus, les palissades étaient parfois renforcées par des empilements de pierres. Leurs portes, massives, étaient protégées par des courtines formées d'alignements de boucliers en bois, ce qui suffisait généralement à leur défense, les troupes combattant alors à pied ou à cheval et ne possédant qu'un armement simple : sabres, hallebardes, arcs...

Vers la fin du XVe siècle, certains de ces fortins furent modifiés de manière à pouvoir abriter des familles entières, des sectes religieuses et même des armées. Les enceintes furent donc considérablement allongées, dou-

blées ou triplées. Le daimyô, abandonnant son palais habituel trop vulnérable, s'y fit aménager une résidence et construire une tour d'observation qui, elle-même fortifiée, pouvait servir de refuge ultime. C'est ainsi qu'à partir des années 1450, la guerre étant devenue un phénomène endémique, le Japon se couvrit de milliers de ces forteresses.

Mais un siècle plus tard, deux événements vinrent bouleverser la vie politique et la stratégie. Tout d'abord, en 1543, l'apparition des premières armes à feu, apportées par deux marchands portugais naufragés : ces arquebuses furent vite imitées et fabriquées en nombre. Ensuite, l'ascension vers le pouvoir de grands chefs de guerre qui firent des efforts désespérés pour unifier le Japon sous leur joug : Oda Nobunaga (1534-1582), puis Toyotomi Hideyoshi (1536-1598), enfin Tokugawa Ieyasu (1542-1616), qui réussit à ramener la paix.

L'unification du pays ne se fit cependant pas sans de nombreuses batailles et prises de châteaux. Suivant l'exemple d'Oda Nobunaga, qui en 1575 s'était fait construire sur les bords du lac Biwa, à Azuchi, non loin de Kyôto, un château-tour d'une architecture particulière, avec un *tenshu* de sept étages aux appartements somptueusement décorés, les chefs de clans élevèrent alors, sur tous les points stratégiques des régions qu'ils contrôlaient, des châteaux forts dotés de donjons résidentiels et entourés de formidables remparts de pierre protégés par des douves.

Un homme de guerre et architecte remarquable, Katô Kiyomasa (1562-1611), participa à la réalisation de la plupart des grands châteaux de cette époque, et ses services furent utilisés surtout par Hideyoshi et Ieyasu. Hideyoshi, après avoir conquis la forteresse de Himeji en 1577 et ainsi assuré son autorité sur la région, fit agrandir cet ouvrage de défense. Puis il se mit en devoir d'édifier une puissante forteresse à Ôsaka, faisant venir par bateau des îles proches d'énormes blocs de pierre pour renforcer les remparts. Enfin, il fit construire à Fushimi, près de Kyôto, un autre splendide donjon, dans le style d'Azuchi, pour en faire sa résidence. Cependant, si ces nouveaux châteaux pouvaient résister à l'assaut des cavaliers et au tir des arquebuses, ils devaient souvent être la proie des flammes.

Après la bataille de Sekigahara, en 1600, qui vit l'avènement de Tokugawa Ieyasu, le château de Himeji fut confié au seigneur Ikeda Terumasa, qui fit réédifier le donjon principal, et qui changea le nom primitif de Himeyama pour celui de Himeji. Par la suite, les shôguns Tokugawa le donnèrent en garde à de nombreuses familles de nobles qui leur étaient inféodées.

Reconstruite en temps de paix et n'ayant eu à subir aucun siège important, cette forteresse demeure l'un des témoins les plus achevés de l'art militaire de son époque, bien que ses fortifications extérieures aient disparu, englobées dans les constructions urbaines. Couronnant l'éperon nord de la colline, le donjon principal, à cinq étages de toits superposés et à sept étages intérieurs, se dresse à environ 27 mètres au-dessus de son soubassement de pierre ; sa base mesure 30 mètres sur 25. Il est flanqué à l'ouest par un donjon subsidiaire à trois étages de toits, qui lui est réuni par une galerie couverte à deux étages. Deux autres tours étaient reliées entre elles et à la tour ouest par des galeries similaires déterminant des cours fermées. Ces donjons, construits en bois et en plâtre, et couverts de toits multiples se chevauchant, s'élèvent sur de hautes assises de pierre, aux angles renforcés et aux pentes inclinées. Des séries de terrasses, bordées de murs en pierres sèches surmontés de murs en plâtre et de tours d'angle (sumi-yagura), délimitaient d'autres cours.

Au pied du donjon se trouvait le hon-maru, où demeuraient le seigneur et sa famille. Ce logis était entouré par le ni no maru (deuxième enceinte), occupé par les officiers, et par le san no maru (troisième enceinte), où étaient logés serviteurs et soldats. Des cours protégées, à l'est comme à l'ouest, permettaient aux troupes de se préparer à effectuer des sorties offensives. Enfin, au sud-ouest, une vaste cour était destinée à servir de refuge aux gens de la ville et aux paysans des alentours ; elle abritait aussi les demeures des artisans qui travaillaient au château. De très larges douves ceinturaient l'ensemble, au pied d'abrupts remparts de pierre surmontés de murs et de tourelles. Toutes les terrasses étaient bordées de pins formant un rideau qui cachait à la vue des assaillants les mouvements des défenseurs, et protégeait ceux-ci des traits. Les murailles étaient défendues par des « hourds », utilisés pour faire pleuvoir des pierres sur ceux qui tentaient de les escalader. Enfin, des meurtrières, triangulaires, carrées ou rectangulaires, permettaient aux défenseurs de tirer sur les ennemis. À l'intérieur des cours, tout un système de chicanes, de portes en tenaille, de courettes aveugles, de passages protégés, formait un labyrinthe sur lequel donnaient vingt et une portes, afin de tromper plus sûrement l'envahisseur. Chaque tourelle avait non seulement un rôle défensif, mais un usage déterminé : entrepôts, prisons pour les otages, salles de cérémonies, sanctuaires, ou même, parfois, résidences de nobles personnages. C'est ainsi qu'une tour située au sud-est du donjon principal était réservée aux samouraï qui se suicidaient, et que la tour dominant, au nord, la cour de l'ouest fut la résidence de Senhime,

Le château de Himeji au début du XVIIᵉ siècle

Cette peinture en vue cavalière représente le château de Himeji vers 1617, à peu près à l'époque où il fut achevé. La forteresse s'étend sur une longueur de 600 mètres environ du nord au sud, et 500 à peu près de l'est à l'ouest. Les différentes enceintes enfermant les cours s'élèvent progressivement du sud vers le nord où, sur un éperon rocheux, se dresse le donjon, protégé du côté nord (invisible ici) par une falaise abrupte dont l'approche est défendue par une double ligne de douves. Au pied du donjon, on distingue l'enceinte centrale, quartier résidentiel du seigneur, le daimyô.

Les autres enceintes abritaient de nombreux bâtiments (ateliers divers, temples, logis pour les vassaux de haut rang, les samouraï ordinaires, les artisans et leur famille) groupés autour de places d'armes et agrémentés de jardins. Certaines des plus grandes tours d'angle servaient d'habitations aux hôtes de passage. La tour érigée au nord de l'enceinte de l'ouest, dite du boudoir (Keshô Yagura), fut la résidence de Senhime, une des petites-filles du shôgun Tokugawa Ieyasu, épouse d'un des daimyô du château. Le Hara-kiri maru était un bâtiment destiné à loger des otages et servait également aux cérémonies du sepuku, ou suicide rituel des guerriers.

L'ensemble est conçu de telle sorte que les alignements de bâtiments, de tourelles et de murs forment un labyrinthe dont les issues étaient facilement défendables, les samouraï pouvant à tout moment encercler les assaillants ainsi pris au piège et les cribler de flèches et de balles du haut des murs. Des arbres nombreux plantés sur les terrasses formaient un véritable écran protecteur qui dissimulait les mouvements

1. Enceinte centrale (Hon no maru). 2. Donjon principal (Tenshû). 3. Fort de l'ouest (Nishi no maru). 4. Enceinte de l'est (Higashi no maru). 5. Enceinte de l'ouest (Ni no maru). 6. Quartier où étaient logés serviteurs et soldats (San no maru). 7. Bassin réservoir. 8. Tour du boudoir (Keshô Yagura). 9. Hara-kiri maru. 10. Temple. 11. Tour d'angle (Yagura). 12. Douves extérieures. 13. Faubourg (Jô ka machi).

des défenseurs aux yeux de l'ennemi. Dix mille à quinze mille soldats pouvaient prendre place en cas de nécessité à l'intérieur de ce périmètre et assurer une défense efficace, à tel point que ces forteresses avaient la réputation d'être imprenables. Cependant, en 1615, une forteresse semblable, plus vaste encore, celle d'Osaka, succomba à la suite de deux sièges successifs, les assaillants ayant réussi à combler les douves.

une des épouses d'un fils de Hideyoshi, qui devint par la suite celle d'un des seigneurs de Himeji, de la famille des Matsudaira. Car Himeji-jô, on l'a vu, changea souvent de maître.

La plupart des châteaux forts japonais furent détruits ou incendiés au cours des guerres et lorsque Tokugawa Ieyasu, devenu shôgun, décida, en les faisant démolir, d'abaisser la superbe des daimyô. Seuls furent épargnés les châteaux des seigneurs qui s'étaient ralliés à lui et qui firent dès lors de ces forteresses le siège de leur gouvernement provincial. Tout au début du XVIIᵉ siècle, le Japon comptait encore plus d'un millier de châteaux, plus ou moins fortifiés ou luxueux, selon l'influence de leur propriétaire ou son désir d'ostentation. Il n'en reste plus guère que deux cents environ. Mais peu d'entre eux sont complets ou originaux. Tous les châteaux encore debout ont été construits entre 1550 et 1650 et présentent approximativement le même plan, modifié selon qu'il s'agit d'un château de montagne (sanjô), de plaine (hirajô), ou combinant les deux, comme celui de Himeji. Ils n'ont plus eu d'utilité militaire après l'introduction des canons et, la paix revenue, ont été transformés en palais. L'intérieur de leurs donjons était en bois et leurs étages, soutenus par d'énormes piliers, n'étaient accessibles que par d'étroits escaliers, de manière à en faciliter la défense. Les charpentes des toits étaient conformes aux modes de construction alors en usage dans les temples bouddhiques et les palais. Les pignons étaient souvent luxueusement ornés de motifs dorés représentant des poissons, dont le rôle magique était de prévenir les incendies. Le château d'Edo (Tôkyô), qui devint la résidence des shôguns Tokugawa, fut édifié de 1593 à 1636 sur ce schéma général et, bien que son tenshu ait été détruit par le feu en 1657, il en demeure encore quelques tours d'angle et les formidables douves, alimentées en eau par la mer proche. Les ponts qui franchissaient celles-ci étaient en bois, afin de pouvoir être aisément détruits en cas de siège, ou bien ils étaient repliables.

Certains châteaux avaient des dimensions colossales, comme celui d'Odawara, aujourd'hui détruit, dont les défenses extérieures mesuraient 10 kilomètres de longueur et avaient été renforcées par 51 fortins annexes. Le grand château d'Ôsaka, construit de 1583 à 1586, reconstruit en 1931 en ciment armé, abrite maintenant un musée. Celui de Kyôto, transformé en palais, a perdu son donjon. Celui de Hiroshima, élevé de 1589 à 1593, n'a pas résisté au bombardement du 6 août 1945. D'autres, comme ceux de Nagoya, de Wakayama, de Matsumoto, de Hirosaki, de Hikone, encore préservés, restent tout à fait remarquables. Cependant, de tous, le plus beau et le mieux conservé — il a été restauré en 1963 — demeure celui de Himeji, qui dresse toujours sa haute silhouette blanche au-dessus de la plaine, admirable symbole d'un Japon féodal à jamais disparu.

Louis FRÉDÉRIC

Armes et armures des samouraï

Jusque vers le milieu du XVIᵉ siècle, les samouraï n'employaient au combat que le sabre et l'arc, considérés comme des armes nobles. Malgré l'apparition des arquebuses européennes en 1543, les armes blanches continuèrent d'être utilisées par tous ceux qui appartenaient à la classe des *bushi*, ou guerriers. Le sabre devint l'insigne distinctif de leur position sociale, et cette arme, souvent transmise de génération en génération, finit par représenter l'âme même du samouraï. La froideur de l'acier, la pureté du métal, l'intransigeance de son fil et la beauté de sa lame « en feuille d'iris » symbolisèrent alors le code de comportement du guerrier, code non écrit qui, au XVIIᵉ siècle, sera appelé le *bushidô*, la « voie du guerrier ».

Il existait alors de nombreux types de sabres, plus ou moins longs ou ornés, selon l'usage auquel on les destinait. Tandis que les nobles de la cour arboraient un très long sabre courbe appelé *tachi*, les samouraï de rang ordinaire passaient dans leur ceinture deux sabres, le *katana*, ou sabre de combat par excellence, que l'on maniait à deux mains, et le « sabre compagnon », le *wakizashi*, plus court et trapu. Ces sabres, dont l'acier était le secret de forgerons-sorciers, avaient parfois des fourreaux artistement décorés et possédaient des gardes en fer ouvragé, souvent de grande valeur, les *tsuba*. Les religieux guerriers et les femmes portaient parfois aussi des sabres, mais plus petits, appelés *aikuchi* ou *tantô*. Les femmes cachaient dans leur kimono une sorte de long poignard sans garde, le *kaiken*, qui leur servait à se défendre ou à se suicider.

L'arc en bambou laqué, dissymétrique et très long (plus de 1,80 m), envoyait de lourdes flèches à la pointe lancéolée ou fourchue. Sa portée était relativement faible (environ 100 m), et sa précision aléatoire. Mais on ne s'en servait guère que pour engager le combat, qui se poursuivait au sabre. Religieux, fantassins et femmes (qui parfois participaient à la guerre pour la défense des maisons) utilisaient plus volontiers des lances, dont une, au long fer en forme de faux, le *naginata*, fait encore l'objet d'un sport d'entraînement féminin.

Tous les guerriers avaient soin de revêtir une armure, plus ou moins décorée selon leur rang. Ces *gusoku* (ou *yoroi*) se composaient principalement d'un corselet rigide en fer laqué, auquel venaient s'attacher les manches de tissu renforcées de petites languettes de fer ou de cuir et qui se prolongeaient par des sortes de gantelets. À ce corselet pendaient des protections articulées formant une sorte de jupe. Des jambières protégeaient tibias et genoux. Sur sa tête, le samouraï posait un casque volumineux, aux ailes largement débordantes pour protéger les épaules des coups de sabre, muni d'un protège-nuque articulé. Un motif, par exemple des cornes de dragon, ornait la partie frontale du casque dont le bol était constitué par des lamelles de fer rivées entre elles et laquées. Un masque en fer laqué, très souvent effrayant, attaché au casque par des cordons, donnait un aspect terrifiant au samouraï ainsi affublé. Les guerriers de rang inférieur ne portaient qu'un chapeau de cuir bouilli laqué de noir.

Curieusement, l'apparition des armes à feu ne provoqua aucun changement dans ce harna-

Armure complète de samouraï de haut rang. D'une hauteur de 160 cm, elle est constituée de plaquettes de fer laqué, lacées entre elles par des cordonnets de soie tressée noire ; malgré son importance, elle ne pesait guère plus de 10 kg. Il s'agit d'une armure d'apparat du XVIIIᵉ siècle qui n'a probablement jamais servi sur un champ de bataille.

chement. Mais il prit alors de plus en plus une fonction décorative. Son efficacité ne demeurait que lors des rencontres individuelles au sabre. Les arquebuses se répandirent rapidement, mais elles ne subirent guère de modifications jusqu'au début du XIXᵉ siècle. Quant aux canons, fondus en fer ou en bronze et très décorés, ils ne furent jamais que de petit calibre.

Il est assez étrange de constater que les Japonais, qui élaborèrent des stratégies raffinées pour les combats, n'apportèrent au cours des siècles que très peu d'attention aux techniques. Ils ne changèrent jamais leurs arcs, ni ne firent usage des bombes à main que les Mongols avaient utilisées contre eux lors de leurs deux tentatives d'invasion du Japon, en 1274 et 1281. De même, ils ne conçurent jamais d'engins de siège. Ce qui n'est pas la moindre des contradictions de ce peuple étonnant.

NEUF-BRISACH
Une place forte de Vauban, modèle d'architecture classique

Depuis 1639, la ville de Breisach, sur la rive droite du Rhin, était devenue forteresse française et point de départ très avantageux pour toute opération militaire dans l'Empire germanique. Mais au traité de Ryswick (1697), Louis XIV dut rendre cette place à l'empereur et raser les maisons et les fortifications situées dans les îles du Rhin. L'empereur, à son tour, possédait une entrée facile en Alsace. Le roi

envoya aussitôt Vauban sur place pour examiner le problème. Le commissaire général aux fortifications (c'était son titre) hésita un moment à faire de Colmar une ville forte. Mais afin de profiter de l'appui du fort Mortier, bâti sur la rive française, il choisit un emplacement situé à 1 200 toises (2,4 km) de cet ouvrage, se mettant ainsi hors de portée des feux de Breisach, tout en restant assez près du Rhin. Le 20 juin 1698, Vauban soumit au roi trois

projets, accompagnés des plans et devis nécessaires et de leur estimation. Le 6 septembre suivant, Louis XIV choisit le projet le plus complet et le plus coûteux (plus de 4 millions de livres) en raison de l'intérêt majeur du lieu. Refusant les noms proposés par Vauban (Brisack-le-Roi ou Louis-Brisack), le souverain appela la nouvelle place Neuf-Brisack (dont l'orthographe fut changée en Neuf-Brisach au XIXe siècle seulement).

Vue aérienne de Neuf-Brisach. Malgré la végétation envahissante, on distingue encore très bien la première enceinte formée de bastions détachés et de tenailles, et composant une étoile avec, au creux des branches, les demi-lunes dont le réduit est séparé. Puis l'enceinte intérieure et ses tours bastionnées enserrant la ville.

Plan en élévation d'une échauguette. Ces petites tours de pierre posées en encorbellement aux angles saillants des courtines servaient de postes de surveillance et de combat.

Un immense chantier s'ouvrit alors, dirigé par Tarade, directeur des fortifications d'Alsace, assisté d'une cohorte d'ingénieurs militaires ; de nombreux entrepreneurs se partagèrent les diverses adjudications. Des carrières furent ouvertes dans la région de Rouffach et de Pfaffenheim, et un canal (aujourd'hui canal Vauban) permit le transport commode des pierres. Quantité d'ouvriers furent embauchés, et leurs effectifs s'enrichirent de détachements de soldats et de corvées de paysans. On imagine l'activité qui régna sur les lieux

Tandis que la ceinture des fortifications se fermait autour de la ville, des maisons s'élevaient à l'intérieur selon les alignements prescrits. Des habitants, par contrainte ou par l'attrait des privilèges accordés, ne tardèrent pas à affluer : on comptait 1 500 âmes dès 1703, sans parler des troupes de garnison. Malheureusement, les eaux qui croupissaient dans les excavations du chantier provoquèrent une grave épidémie (328 morts en 1703). On accusa « le mauvais air causé par le remuement des terres » ! L'essor de la nouvelle ville en fut

Vauban

Né en mai 1633 à Saint-Léger, dans l'élection de Vézelay, en Bourgogne, Sébastien Le Prestre est le fils d'un modeste noble rural. Après des études avec son curé, puis à Semur-en-Auxois (dessin, mathématiques), il s'engage par hasard dans l'armée de Condé, en révolte contre le roi — c'est la Fronde. Capturé, il est vite « récupéré » par l'habile Mazarin, qui s'y connaît en hommes. Désormais, Vauban passe le plus clair de son temps à assiéger ou à défendre des villes — il finira maréchal de France. Il acquiert ainsi une expérience incomparable qui, jointe au bon sens, à l'observation et à la réflexion, va lui permettre de perfectionner les méthodes de défense comme celles d'attaque.

Il fournit des projets de fortifications dont beaucoup ont été réalisés. Sa première œuvre, très admirée, est la citadelle de Lille, conçue en 1667. Envoyé par Louvois, et accessoirement par Colbert, à travers tout le royaume, il multiplie les devis pour améliorer les places existantes comme pour en créer de nouvelles. Citons au moins parmi ce qui subsiste, outre la citadelle de Lille, les enceintes et citadelles de Besançon, de Montlouis et de Saint-Martin-de-Ré, l'enceinte de Briançon, les petites places de Blaye ou d'Entrevaux, les tours de Camaret et de Saint-Vaast-la-Hougue, les forts de Barraux et de Prats-de-Mollo.

La supériorité de Vauban dans ce domaine tient surtout à son sens du terrain, à l'analyse serrée des avantages dont on doit priver l'ennemi et de ceux qu'il convient d'utiliser au maximum. Jamais chez lui de théorie, mais l'exigence du travail bien fait et le souci du détail. Il multiplie ses conseils aux maçons, aux charpentiers, et demande un travail « qui sente son bon ouvrier ».

Pour ses contemporains, Vauban est surtout un preneur de villes. Il organise d'une façon très nouvelle les méthodes de siège, obtenant le maximum d'efficacité des moyens mis en œuvre tout en épargnant les vies humaines. Circulant sans cesse, il est l'homme qui connaît

Sébastien Le Prestre de Vauban, maréchal de France. Portrait à la sanguine, par Rigaud.

le mieux le royaume, aussi écrit-il force mémoires, souvent très judicieux, sur les sujets les plus divers : bonne exploitation des forêts, recensement des populations, navigation fluviale, mise en valeur des colonies, élevage des cochons, etc. Il souhaite la création d'une noblesse fondée sur le mérite. Il suggère ainsi d'utiles réformes, mais n'est guère écouté. Il encourt même la censure du ministre (atténuée par Louis XIV) en publiant sa *Dîme royale* sans autorisation. S'étonnant que la France, pays le plus peuplé d'Europe et le mieux doué, ne soit pas le plus riche, il avait mis en accusation dans cet ouvrage le système fiscal et ses inégalités criantes ; et en proposait un autre, d'ailleurs non dénué d'utopie.

Il meurt à Paris le 30 mars 1707, ayant accompli une œuvre immense.

durant quelques années. Rythmée par le tambour, la journée commençait avant le lever du soleil. Les baraquements et les tentes s'animaient d'abord, puis le bruit des outils et le grincement des tombereaux commençaient à retentir. La fumée des fours à chaux signalait au loin le chantier. Marquée par trois pauses d'environ une heure, la journée de travail durait jusqu'au coucher du soleil et variait donc avec les saisons.

ralenti, puis la pénurie financière et la sécurité retrouvée incitèrent à suspendre les travaux sans réaliser tous les ouvrages et tous les bâtiments prévus initialement.

Vauban n'a pas inventé la fortification bastionnée et enterrée. Mais par son expérience et sa réflexion, il est parvenu à l'utilisation la plus habile du terrain et à la meilleure adaptation possible des ouvrages selon leur destination.

Dans le site de Besançon, où les collines permettaient à l'ennemi de dominer la ville, il avait imaginé en 1684 des tours bastionnées, ouvrages voûtés qui procuraient un abri sûr et qui fournissaient des feux efficaces. Il avait aussitôt adapté ces tours aux enceintes de Belfort et de Landau en les plaçant au cœur — on disait « à la gorge » — des bastions qu'il détachait en avant. Les coupures et les ouvrages à prendre se trouvaient ainsi multipliés, et la résistance prolongée d'autant. Cette formule fut appelée plus tard le second système de Vauban, expression abusive, car il continua le plus souvent à dessiner des places munies de bastions ordinaires.

Pour l'enceinte de Neuf-Brisach, Vauban reprit les tours bastionnées et les bastions détachés, les « tenailles », qui couvraient la courtine entre les bastions et les demi-lunes, mais il subdivisa ces dernières en leur donnant

un « réduit ». C'est ce qu'on a qualifié de troisième système, lequel ne fut jamais employé ailleurs qu'à Neuf-Brisach. Ajoutons que chaque courtine présente deux ressauts qui fournissent des flancs supplémentaires garnis d'embrasures d'artillerie.

Il est certain que ce dispositif présente de grands avantages que Vauban n'avait pas manqué de détailler au roi, mais l'immense surface de terrain ainsi occupée, l'ampleur des travaux de terrassement et de maçonnerie nécessaires ne pouvaient convenir qu'à des places de toute première importance.

Construit sur un terrain rigoureusement plat, Neuf-Brisach s'articule suivant un plan d'une parfaite symétrie. L'enceinte dessine un octogone dont les sommets sont occupés par les tours bastionnées, pentagones réguliers dont quatre faces forment saillie. Mais en avant de cette figure simple, le jeu des fossés et

des ouvrages qui s'y répartissent — tenailles, bastions détachés, demi-lunes — dessine une première couronne à seize pointes, qui devient une immense étoile avec les facettes géométriques des glacis gazonnés. La ville elle-même obéit à un tracé orthogonal en damier, tout à fait habituel à Vauban. Les maisons se groupent en îlots carrés ; la suppression des quatre îlots du centre donne le large dégagement de la place d'armes, au milieu de la composition. La vue de ce plan, d'une perfection mathématique évidente, donne à elle seule une incomparable satisfaction d'esprit.

L'organisation du détail est tout aussi rationnelle. De l'extérieur, l'assiégeant ne voit que des talus gazonnés dans lesquels les boulets s'enfoncent sans rien détruire. Les défenseurs, bien à l'abri derrière leurs parapets, dominent légèrement le terrain qu'ils surveillent. Selon l'immuable principe du « commandement », chaque ligne d'ouvrage plonge sur l'intérieur de celle qui la précède : si l'ennemi commence à prendre pied dans les fortifications, il se trouve sans protection sous le tir des défenseurs. Comme toujours dans les places conçues par Vauban, les portes sont particulièrement étudiées. Les routes d'accès traversent en chicane les demi-lunes, si bien que la porte ne se découvre qu'au dernier moment. Trois coupures successives, franchies par des ponts-levis, font obstacle à toute approche. La porte elle-même cache derrière le tablier du pont relevé deux battants doublés de fer ; suit un long couloir coupé par des « orgues », sorte de herse perfectionnée, et fermé par de nouveaux battants. Les défenseurs ne restant pas inactifs, on conçoit que l'on ait rarement attaqué une ville par ses portes ! Les activités urbaines sont également localisées d'une manière logique ; la vie religieuse et l'administration trouvent place au centre, les forces combattantes à la périphérie.

Aujourd'hui, la ville et ses défenses ne se présentent plus tout à fait comme à l'origine. Déclassées en 1948, les fortifications ont été recouvertes par une « forêt vierge » qui en masque les volumes et en dégrade les maçonneries. Un début de défrichement, bien insuffisant, est intervenu depuis une vingtaine d'années, notamment sur le front de la porte de Colmar. Neuf-Brisach a d'autre part subi plusieurs sièges, en 1814, 1815, 1870 et 1945. Les deux derniers, accompagnés de violents tirs d'artillerie (et de bombardements aériens en 1945), ont causé de très graves destructions dans la ville, où les maisons anciennes sont devenues rares. Les fortifications eurent moins à souffrir, mais durant la période allemande, deux des quatre portes furent détruites pour faciliter les accès dans la cité. Heureusement, un état des lieux particulièrement précis est fourni par le plan en relief exécuté peu après la

FIGURE 1.

Ce dessin de l'Atlas de Masse, collaborateur de Vauban, représente une place forte en construction. La demi-lune (au centre) et le bastion inférieur sont en cours de réalisation. La préparation du glacis est commencée (à droite). On procède au tracé des futurs ouvrages (en bas à gauche).

Du château fort à la place bastionnée

Châteaux forts et enceintes de villes du XIVe siècle ne différaient guère des constructions similaires de l'antique Mésopotamie, deux mille ans plus tôt. Et voici qu'en deux siècles, le XVe et le XVIe, tout va changer. Des murs d'épaisseur moyenne et le plus élevés possible assuraient aux archers de la défense les meilleures conditions de tir. Des tours, rondes ou carrées, fournissaient les possibilités de flanquement nécessaires. L'apparition de l'artillerie à feu déclencha une mutation radicale, sinon au début, du moins quand on remplaça les boulets de pierre par des boulets de fer, propulsés par une poudre mieux dosée.

On commença par jucher des canons sur les tours, d'où le tir plongeant était peu efficace. Il fallut donc ouvrir des embrasures aux étages inférieurs, tout en épaississant les murs, qui s'élevèrent moins haut. Ainsi apparurent les « tours à canons » dont les exemples sont nombreux : Fougères, Mont-Saint-Michel... La forteresse de Salses (fin du XVe siècle), avec sa faible hauteur et ses murs énormes (10 m à la base), marque une étape dans cette adaptation.

Mais l'utilisation des pièces enfermées dans des casemates restait difficile en raison de la fumée qu'on n'arrivait pas à évacuer. Très tôt, on imagina de poster les canons à l'air libre, derrière de puissants parapets, sur des plates-formes basses situées entre les murailles et les fossés : les pièces fournissaient alors un tir rasant très efficace. Selon la forme et l'emplacement de ces types d'ouvrages, on parlait de fausses braies ou de boulevards (châteaux de Collioure, de Bonaguil, du Plessis-Bourré).

Les guerres de siège que se livraient les cités italiennes furent l'occasion de rapides progrès dans l'art de la fortification. On considère généralement que le plus ancien bastion fut édifié par l'architecte Sanmichelli à Vérone en 1527. Mais en peu de temps, on vit de nombreux bastions protéger les points faibles des enceintes urbaines médiévales. Enfin des systèmes bastionnés complets entourèrent des agglomérations : Navarrenx (1543), Vitry-le-François (1545), Rocroi (1554), Saint-Paul-de-Vence, etc.

La forteresse de Salses. En cette fin du XVe s., le plan reste celui d'un château fort à tours rondes, donjon et barbacane. Seules les dispositions prises pour utiliser l'artillerie sont une nouveauté.

Comment définir un bastion ? Il s'agit d'un vaste ouvrage d'un dessin généralement pentagonal, avec ou sans orillons débordants (un bastion à orillons a la forme d'un as de pique). Une muraille de maçonnerie, l'escarpe, limite le bastion vers le fossé. Cette escarpe — qui peut avoir jusqu'à 20 mètres de haut — est garnie intérieurement d'un terre-plein terrassé dont le relief superficiel dessine les parapets destinés à couvrir les défenseurs.

Dans la seconde moitié du XVIe siècle, les Hollandais, luttant contre les Espagnols pour leur indépendance, édifièrent des fortifications constituées surtout par des ouvrages en terre qu'ils protégèrent par de très larges fossés inondés, au milieu desquels émergeaient comme des îles des ouvrages avancés fort efficaces qui sont les ancêtres des demi-lunes et autres contre-gardes. Ces pièces allaient très vite faire partie de la panoplie ordinaire des ingénieurs.

On conçoit que, par l'ampleur des travaux exigés, l'énormité des surfaces à acquérir, le prix de l'artillerie qui devait les garnir, les nouvelles fortifications coûtaient des fortunes. Bientôt, seuls les souverains furent en mesure d'en supporter les frais : les places fortes cessèrent alors de parsemer le territoire pour se concentrer le long des frontières. En France, Henri IV, aidé de Sully, créa de façon organisée un corps d'ingénieurs du roi, parmi lesquels on compte Errard de Bar-le-Duc, le premier auteur français d'un livre sur la fortification. Errard, puis de Ville et Pagan proposèrent chacun des améliorations de détail, en particulier sur la forme des bastions. Le grand mérite de Vauban fut ensuite non pas d'inventer la fortification moderne, mais de l'adapter au terrain de la façon la plus adéquate.

fondation de la ville pour figurer dans la galerie créée par Louis XIV et Louvois. Ces maquettes donnent un panorama « à vue d'oiseau », comme disait Vauban, d'une force d'évocation très exceptionnelle.

A l'entrée principale de la ville, la porte de Colmar dresse son majestueux frontispice dessiné par Jules Hardouin-Mansart, l'architecte de Versailles. Des pilastres à bossages portent l'entablement dominé par un fronton central. Au-dessus du cintre de la porte, se devinent les contours des armoiries royales, bûchées sous la Révolution. Les vases à feu et les trophées qui couronnaient la corniche ont disparu. Les proportions sont robustes et équilibrées, l'épiderme rose violacé du grès des Vosges offre des nuances très douces. La porte de Belfort, elle, ne débouche plus que sur un escalier de bois mais elle a conservé intacte sa composition de colonnes pleine d'un vigoureux élan, due également à Hardouin-Mansart.

Malgré la luxuriante végétation, les fossés et les ouvrages avancés qu'ils entourent dessinent toujours les alignements calculés par Vauban. Certes, il ne s'agit plus, comme pour les portes, de pierre de taille, mais seulement de moellons réguliers, aux joints de mortier plus épais qui cernent chaque bloc de mailles blanches. Ce détail n'empêche pas les surfaces de s'ajuster en plans rigoureux. La plupart des angles étaient couronnés d'échauguettes dont seuls subsistent les culs-de-lampe sculptés d'étendards. L'accent de leur silhouette pittoresque, surmontée d'une fleur de lis dorée, ne relève plus les horizontales infinies des parapets.

Dans la ville, la place d'armes a conservé ses deux puits et la plupart des bâtiments qui l'entouraient. Le plus ancien est l'arsenal, restauré après la guerre qui l'avait gravement endommagé. Sa porte monumentale s'ouvre au fond d'un élégant hémicycle, à un angle de

la place. Sur le côté opposé se dressent deux édifices construits au XVIIIe siècle : l'église, à la façade un peu lourde, dominée par une courte tour, et surtout l'hôtel de ville, merveille de simplicité et d'heureuses proportions sous son immense toit de tuiles en écaille ; seul un petit avant-corps à refends, coiffé d'un fronton et barré d'un balcon de fer forgé, donne un accent aristocratique à ce bâtiment au demeurant assez rustique.

Étonnant chef-d'œuvre, Neuf-Brisach mériterait le titre de reine des places fortes. Vauban y fit preuve d'un génie à la fois ample et méticuleux, saisissant l'ensemble comme le détail. Cette enceinte d'un nouveau type suscita l'admiration chez ses contemporains. Évocatrice et belle, la place de Neuf-Brisach est tout à la fois une leçon d'histoire et une œuvre d'art.

ROBERT BORNECQUE

VOIES DE COMMUNICATION

LES VOIES ROMAINES

Le premier réseau routier moderne

Avant Rome, il existait un ensemble de voies de communication à travers les régions destinées à devenir partie intégrante de l'empire. C'était en général des chemins de terre battue, frayés par les hommes au cours des millénaires pour les besoins du commerce ou de la chasse; mais à part quelques grandes routes, comme celle qui reliait Sardes, en Asie Mineure, à Suse, sur la frange occidentale du plateau iranien, construite par les rois achéménides de Perse aux VIᵉ et Vᵉ siècles av. J.-C., elles n'étaient conçues ni systématiquement ni rationnellement. Rome va organiser cet ensemble, l'étendre, et il deviendra la base des réseaux routiers modernes.

Déjà au Vᵉ siècle av. J.-C., alors que Rome n'était encore qu'une petite cité du Latium harcelée de toutes parts par des peuples belliqueux, les Romains avaient édicté dans la loi des Douze Tables des règlements relatifs aux routes. Dès le siècle suivant, ils étendent leur mainmise sur le Latium et commencent à construire des routes au départ de Rome.

En 312 débutent les travaux de la via Appia, qui va rejoindre le golfe de Naples à Puteoli (actuelle Pozzuoli) et de là traverse le sud de la botte italienne jusqu'à Brindisi, porte de la Grèce sur la mer Adriatique. Ainsi se développe un réseau qui couvre d'abord l'Italie: via Aurelia, Claudia, Cornelia, Cassia, Flaminia, Salaria, Tiburtina, Labicana, Latina.

Avec les conquêtes, Rome étend son réseau routier hors de l'Italie : en Gaule, en Ibérie, en Afrique, de la Tingitane (Maroc) à l'Égypte, dans l'Orient romain, de la Grèce à la Palestine, enfin au-delà du Rhin jusqu'au limes lui-même, qui relie la mer du Nord à la mer Noire.

Ce réseau serré de voies qui unissaient les villes de l'empire remplissait tout d'abord une fonction stratégique. Par ces routes, les légions pouvaient se rendre rapidement sur les lieux où il fallait mater une rébellion ou sur une frontière menacée par des hordes barbares. Au cœur de la *Pax romana*, ce fut aussi un

Au Proche-Orient, où le développement d'un réseau routier moderne n'a pas été aussi important qu'en Europe, les voies romaines sont généralement bien conservées. Ainsi en est-il de celle qui conduisait d'Antioche, capitale de la Syrie romaine, à Alep, et dont il reste d'importants tronçons, surtout dans des régions presque désertiques. Dans la partie que l'on voit ici, l'érosion éolienne des terres alentour a mis en valeur le revêtement : dalles bien taillées, délimitées par des pierres de bordure.

prodigieux agent civilisateur : grâce à elles se diffusaient les idées et les cultes ; et elles favorisaient les relations commerciales entre les provinces et avec les nations non soumises. Par là, les poteries sigillées gauloises de l'Allier étaient acheminées jusqu'en Maurétanie, en Dacie, en Syrie ; les verreries alexandrines parvenaient jusqu'aux confins de l'Inde, la soie de Chine arrivait de Palmyre pour atteindre les divers marchés : Alexandrie, Corinthe, Rome.

de Tebessa à Carthage, près de 7 mètres, et celle de Philippeville à Constantine 7,20 m. Le fond de cette tranchée était revêtu d'un radier, le *statumen*, formé de pierraille ou de gros gravier. Ce radier peut présenter deux couches successives ou des pierres disposées en hérisson, ou même n'être constitué que de terre. Au-dessus est disposé le *rudus*, qui sert de support au *nucleus*. Destiné à recevoir le dallage, ce dernier est composé généralement

sur 70 à 90 centimètres de large et de 50 à 65 centimètres d'épaisseur. Certaines de ces dalles pèsent jusqu'à 1,7 t.

À proximité comme à l'intérieur des villes, les chaussées étaient généralement bordées de hauts trottoirs ; en pleine campagne, les deux côtés étaient souvent limités par une suite de dalles placées de chant ou par de grosses pierres. La surface de la route était légèrement bombée afin que les eaux de pluie soient

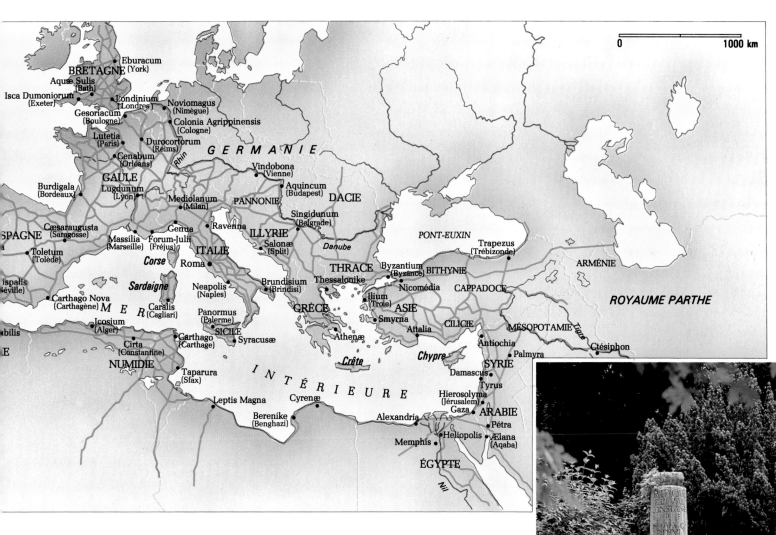

La route romaine s'est voulue un défi à l'espace et au temps. De ces centaines de milliers de kilomètres de routes on retrouve les vestiges près de deux mille ans plus tard !

Leur tracé et leurs diverses structures nous sont assez bien connus grâce aux « itinéraires » antiques transmis par le Moyen Âge, ainsi qu'à ce que nous dit Vitruve et aux fouilles faites sur l'étendue de l'ancien empire romain.

On construisait les voies dallées, à l'appareil rigide, en creusant d'abord une tranchée qui pouvait atteindre jusqu'à 80 centimètres de profondeur, sur une largeur variable. Le minimum, selon la loi des Douze Tables, était de 8 pieds — soit environ 2,40 m — pour les lignes droites, du double lorsque la route devenait sinueuse. Dans la réalité, compte tenu de la nature du terrain et de l'intensité du trafic, ces dimensions étaient largement dépassées. La via Appia mesure environ 4,50 m dans ses parties droites, 6,10 m dans les lacets ; la voie

de tuiles broyées mêlées à de la chaux ou fait de sable incorporé à de la terre glaise, ou bien encore remplacé par d'autres matériaux sans béton, parfois de simples pierres épannelées au marteau et recouvertes d'argile et de brique pilée. Par-dessus le nucleus, de larges pierres quadrangulaires ou polygonales assemblées géométriquement forment le dallage, dont les interstices trop larges sont comblés par de petites pierres. Les dalles sont en grès, en calcaire dur, en basalte, en lave, en granit, selon la région, et de taille variable : sur la voie qui passait à Mâcon, certaines, épaisses de 7 centimètres, mesurent 0,30 m sur 0,20 m, mais elles pouvaient atteindre 1,40 m de long

Ancêtres de nos bornes kilométriques, des bornes semblables à celle-ci, dressées tous les milles romains (d'où leur nom de borne milliaire), jalonnaient les voies de l'empire.

rejetées sur les côtés et s'écoulent dans des fossés de bordure où elles étaient évacuées.

Ces routes sont souvent pourvues de deux larges ornières parallèles, profondes d'une quinzaine de centimètres, intentionnellement creusées pour éviter que les roues ne glissent sur la pierre. Leur écartement varie selon les régions, probablement en fonction des véhicules utilisés : 1,20 m environ dans les Ardennes, les Vosges, le Jura ; 1,40 m environ en Savoie et à Pompéi ; 1,60 m environ à Seyssel et à Alésia. Les traces d'outils en fer ayant servi à tailler ces ornières sont souvent apparentes. À ces rainures stabilisatrices, particulièrement utiles dans les régions montagneuses, s'ajoutaient souvent des séries de stries transversales espacées de 25 centimètres, point d'appui permettant aux chevaux, aux bœufs et aux mulets d'y assurer leurs pas.

Nous savons que vers 170 av. J.-C. les routes qui traversaient les villes devaient être pavées, tandis que dans la campagne elles pouvaient être simplement sablées. La via Appia elle-même ne fut pavée que progressivement.

Les routes légères sont les plus nombreuses, car elles exigeaient moins de matériaux et de travail. Leurs structures sont très diverses, leur épaisseur variant en moyenne de 15 à 30 centimètres. Elles peuvent présenter une épaisse couche de gravier, ou un lit de pierre entre deux couches de sable, ou encore des pierres disposées parfois en hérisson et recouvertes de gravier ou de matériaux divers (pierres concassées, sable, terre battue).

Les réparations successives et les remaniements au cours des siècles ont multiplié les niveaux des routes. Ainsi, vers Viselay, en Haute-Saône, on a pu compter dans certaines parties jusqu'à neuf couches d'une épaisseur de 2,72 m, sans compter les couches supérieures disparues.

Les ingénieurs romains construisaient les voies sur les coteaux plutôt que dans le fond des vallées pour éviter les inondations, et de préférence en ligne droite. Ils n'hésitaient d'ailleurs pas à recourir aux divers travaux d'art lorsque l'exigeait la configuration du terrain.

Ainsi en Angleterre, dans la région de Rochester, la route qui passait dans la vallée de Medway était établie sur un ensemble compact de matériaux destinés à consolider le sol instable : pilotis enfoncés dans le sol supportant un épais lit de cailloux, un niveau de marne pilée, un autre de cailloux concassés, enfin une couche de graviers mêlés à de la terre noire supportant le pavage.

Le service des postes

Bien avant les Romains, on communiquait déjà par l'envoi de missives acheminées par des voyageurs ou des messagers qui pouvaient pour cela parcourir des milliers de kilomètres. Dans l'Orient antique, la Grèce ou l'Égypte pharaonique, souverains et particuliers s'écrivaient. On a retrouvé de nombreuses correspondances officielles entre chancelleries, écrites sur des tablettes d'argile ou sur papyrus, qui paraissent être parfois des exercices de style des scribes égyptiens du Nouvel Empire. Mais ce sont les Romains qui ont organisé de véritables services postaux grâce à leur remarquable réseau routier.

Le *cursus publicus,* qui n'avait, il est vrai, que peu de rapports avec notre poste moderne, apparaît comme une institution d'État à caractère officiel. Tout au long des routes étaient établis des relais et des *mansiones,* véritables hôtels réservés aux courriers de l'État, aux fonctionnaires impériaux et hauts magistrats munis d'une autorisation. On doit à Auguste, dans les dernières décennies précédant le début de notre ère, l'organisation de relais pour les courriers impériaux afin que nouvelles et ordres puissent circuler rapidement d'une extrémité à l'autre de l'empire. Un siècle et demi plus tard, Hadrien (117-138) doubla ce service de cavaliers d'une poste à chars et à charrettes.

Ce *cursus publicus,* poste au sens classique du terme, était utilisé non seulement par les messagers chargés de lettres, mais aussi par les gouverneurs qui se rendaient dans leur province, les collecteurs d'impôts, les officiers de légions ralliant leurs cantonnements et, sous le règne de Constance II (337-361), par les évêques et les prêtres qui rejoignaient leur diocèse ou allaient à des conciles. Préfets du prétoire ou maîtres des offices délivraient les autorisations pour utiliser le *cursus publicus.*

Les *mansiones* se développèrent bientôt en véritables hameaux. Outre l'auberge, en effet, on construisit des communs, des écuries, des magasins, des thermes, voire des basiliques — salles d'audience où les fonctionnaires itinérants tenaient leurs tribunaux. Quarante chevaux devaient en principe être en permanence à la disposition des voyageurs. Il fallait de vastes écuries et des palefreniers, qui, avec les charrons, les charpentiers et le personnel domestique, avaient là leurs logements et leurs ateliers. Dans les magasins furent entreposés les vivres et les biens nécessaires à l'entretien de tout ce personnel, ainsi que les impôts payés en nature (grains et autres produits) par les paysans.

Ces lieux devinrent parfois des marchés, ce qui incita à la construction de magasins, de boutiques, d'auberges pour les voyageurs particuliers, qui n'avaient pas droit au *cursus publicus.* Et bien sûr nombre de *mansiones* reçurent de petites garnisons de gendarmerie pour assurer la sécurité des routes et surveiller le trafic.

Le développement de ce dernier, favorisé par cette institution, conduisit Théodose, à la fin du IVe siècle, à réglementer les charges des divers véhicules dans le but de ménager les routes, dont l'entretien était onéreux. Ainsi la charge de la *birota,* véhicule léger à deux roues, fut limitée à 200 livres romaines (environ 66 kg) ; la *verseda,* char de messager à deux roues tiré par deux chevaux, à 300 livres (environ 99 kg) ; les véhicules couverts de voyage ou de charge, comme la *raeda* ou le *carpentum,* étaient limités à 1 000 livres (330 kg), et ceux à quatre roues, *angaria, clabula,* à 1 500 livres (495 kg). On voit que les charges utiles tolérées n'atteignaient même pas la demi-tonne.

De ces stations, on n'a guère retrouvé de traces ; mais des villages, voire des villes, qui en sont issus en ont parfois conservé la marque antique dans leur nom : de *mansio* viennent notre mot « maison » et sans doute des noms comme La Chapelle-au-Mans, en Saône-et-Loire, Montmançon et Magny-Lambert, en Côte-d'Or, Maisons-Laffitte dans la région parisienne, et nombre de toponymes dans lesquels entrent les mots Mesnil, Mas, Mée, Meix...

Ce bas-relief datant du Ier s. de notre ère représente l'un des chars à quatre roues qui assurait le trafic sur les voies romaines pour le cursus publicus. *Ce véhicule, ancêtre de la malle-poste, était fermé et pourvu d'une fenêtre ; le cocher se tenait au-dehors sur un banc, à l'avant.*

L'aménagement d'un réseau routier exige la construction d'ouvrages d'art : tunnels, murs de soutènement, ponts, etc. Les Romains nous en ont laissé de nombreux témoignages. Les ponts, en particulier, ont bien résisté au temps, tel celui-ci, long de 68 m, haut de 14 m et large de 4,25 m, qui franchit le Coulon près d'Apt; des ouvertures au-dessus des piles permettent l'écoulement des eaux en période de crue.

l'avait accompli, du gouverneur de la province, de la municipalité qui avait financé les travaux. Dans certaines régions de la Gaule orientale, les distances étaient mesurées en lieues *(leugae)*, mesure celtique.

Tout au long de ces voies furent installés des relais *(mutatio)*, des gîtes d'étape *(mansio)*, des auberges *(taberna)*, où l'on servait à manger, et des constructions officielles destinées à

Coupe d'une voie romaine

Sur le fond de la tranchée, un lit de pierres disposées en hérisson forme un radier, le *statumen*. Au-dessus, les pierres plates servent d'assise au *rudus*, constitué, dans cet exemple, de deux couches de pierrailles, les unes grossièrement concassées, les autres broyées. Sur le *rudus* est déposé un mortier, le *nucleus*, composé de graviers et de terre glaise ou de tuiles pilées et de chaux. L'ensemble est fortement compacté avant de recevoir un revêtement de dalles de pierre, maintenu sur les côtés par des dalles de bordure. Le bombement de la forme permet un bon écoulement des eaux fluviales qui étaient collectées dans des fossés aménagés de part et d'autre de la chaussée.

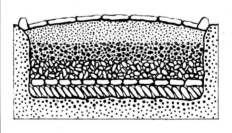

On construisait aussi des murs de soutènement, tel celui de la via Appia dans la vallée d'Aricie, fait de blocs de pépérin, long de 197 mètres et haut de 11. Afin de permettre l'écoulement des eaux de la montagne qui domine la route, il est percé à sa base de trois tunnels voûtés. En montagne, on entaillait la roche pour construire la route, et un tablier de bois élargissait souvent la voie. Il existe quelques exemples de tunnels, mais ils sont en général peu longs.

En revanche, les Romains sont parvenus à une grande perfection technique dans la construction des ponts. Avant eux, pour traverser un cours d'eau, on se servait de barques ou l'on faisait un long détour jusqu'à un gué. Construits le plus souvent entièrement en pierre, beaucoup de ponts romains ont subsisté jusqu'à nos jours. Le nombre d'arches et leur largeur varient : de une arche (Saint-Martin à Aoste, el-Kantara en Algérie) à une soixantaine (pont de Merida en Espagne). Haut de 54 mètres et large de 5, le pont d'Alcantara, construit en 106 apr. J.-C. sur le Tage, présente six arches en plein cintre dont les plus larges mesurent l'une 36 mètres et l'autre 34.

Les bornes milliaires disposées à chaque mille romain sont les ancêtres de nos bornes kilométriques. Pour l'Italie, le point de départ était une colonne revêtue de bronze doré, d'où son nom de *milliarium aureum*, et située au centre de Rome, près du temple de Saturne. Pour les routes transversales et provinciales, le milliaire initial était placé au centre de la ville principale d'où partait la route. Sur chaque borne étaient inscrits le nombre de milles, les noms de l'empereur régnant, du magistrat qui avait ordonné le travail de construction ou de réparation de la chaussée, de la légion qui

La via Appia antica, ou voie Appienne, est la plus ancienne du monde romain. Commencée en 312 av. J.-C. pour relier Rome à Capoue, elle fut prolongée jusqu'à Brindisi. On en voit ici un tronçon en excellent état, au sud de la capitale italienne, où, de chaque côté de la voie, sur plusieurs kilomètres, se dressent encore un certain nombre de mausolées et de tombes, quelques-uns monumentaux.

fournir le *cursus publicus*, la poste impériale, l'un des organes essentiel du gouvernement.

Les curateurs des routes, magistrats responsables de leur entretien qui accordaient l'autorisation d'entreprendre des travaux sur la voie publique, exerceront cette fonction jusqu'à la fin du IVe siècle, c'est-à-dire presque jusqu'à la fin de l'empire romain d'Occident.

GUY RACHET

Après leur conquête du royaume Colla, vers le XVᵉ siècle, les Incas construisirent ou améliorèrent, en Bolivie, les routes empierrées qu'empruntent toujours les Indiens Aymaras, portant la plupart du temps leur fardeau sur le dos.

Chemins et routes royales incas
Centres précolombiens
Limite présumée de l'empire
Villes modernes

0   500 km

Maule, et jusqu'à Tucumán. Unissant ce que sont aujourd'hui la Colombie, le Chili et l'Argentine, à travers l'Équateur, le Pérou et la Bolivie. Et que, raccordé à une gigantesque « toile d'araignée » de voies secondaires transversales reliant les hauts sommets enneigés aux luxuriantes jungles tropicales d'Amazonie, vers l'est, et aux interminables déserts côtiers, vers l'ouest, le réseau routier précolombien dessert un territoire de 2 600 000 kilomètres carrés en défiant partout une géographie surhumaine, et qu'il totalise près de 40 000 kilomètres. « Battant de loin en longueur, témérité et qualité, les fameuses voies romaines », dira Alexandre von Humboldt au XIXᵉ siècle.

Bien que sans la roue et sans les animaux de trait, ces chemins n'aient été destinés qu'au piéton et au lama, « aucune des sept merveilles du monde ne se fit avec autant de difficultés et

NAN CUNA
La route du Soleil inca

L e cœur de Francisco Pizarro bat la chamade lorsque, le 13 mai 1532, de sa caravelle, il découvre au-delà des plages blafardes du Pacifique le vertigineux écran pétrifié des Andes qui, note Pedro Sancho son secrétaire, « paraît inaccessible à l'oiseau ». Ne lui faudra-t-il pas le franchir pour prendre l'Inca ? Et par là même le rutilant empire du Tahuantinsuyo, « où il y a tant d'or dans les Maisons du Soleil que quatre ans ne suffiront pas pour tout ramasser ! »

À peine débarqué, trois jours après, Pizarro n'en croit pas ses yeux. Alors qu'en Europe, à l'époque, on tombe d'ornières en fossés, il

avance commodément « sur un chemin fait à la main, bien construit, en beaucoup d'endroits pavé, large de quinze pieds [environ 5 m], bordé des deux côtés de fortes parois plus hautes qu'un homme, très propre et ombragé d'arbres chargés de fruits et de papegais ».

Dès lors, tous les chroniqueurs qui relateront la conquête du *Pirú* se griseront de phrases grandiloquentes pour traduire leur émerveillement tout au long de l'inimaginable *Nan Cuna*, le Chemin de Temps des Incas. Encore ignorent-ils alors que les audacieuses chaussées royales courent depuis le 2ᵉ parallèle de latitude nord jusqu'au 35ᵉ sud. S'étirant sur 5 000 kilomètres, du río Ancasmayo au río de travail », constate le chroniqueur Zarate. Ajoutant qu'ils étaient « si bien aplanis et empierrés qu'une charrette y pouvait facilement passer ». Voire « six cavaliers de front sans se toucher », précise de Soto.

Chef-d'œuvre d'ingénierie, le Nan Cuna permettait au Quechua des cordillères de « donner la main » au Colla de l'altiplano et au Yunga du littoral — si l'Inca les y autorisait, car, hormis ceux qui étaient nantis d'un brin de laine cramoisie de la coiffure impériale, nul n'y pouvait transiter. Il joua un rôle économique et stratégique essentiel dans la civilisation, l'administration et l'hégémonie d'un empire immense.

Que ce soit pour gouverner ou conquérir de lointaines provinces et que s'y déplacent rapidement des légions armées ou des fonctionnaires, pour y répartir les récoltes communautaires, pour que les marchands commercent sur les pittoresques *catus* régionaux, pour que les *mitimaes* aillent coloniser en famille et les pèlerins consulter un oracle en cortège, pour que les grands prêtres et les vierges du culte solaire portent des offrandes aux temples d'or du dieu père, le Nan Cuna, la route du Soleil, passait partout ! En témoignent de nos jours encore les momies qui trônent sur des pics et des volcans dépassant 6 000 mètres d'altitude.

Au XVIe siècle, Cieza de León, qui chevaucha sur la route des Incas, l'estima « supérieure à celle qu'Hannibal fit dans les Alpes. Comment et de quelles façons les Indiens procédèrent-ils pour faire d'aussi grands et longs chemins, au prix de quelles fatigues et instruments purent-ils niveler les montagnes et trouer les roches ? Oh ! combien davantage on aurait fait l'éloge des autres rois qui ont gouverné la terre s'ils avaient su faire un chemin comme celui-ci, le plus grandiose et long du monde ! » s'exclame-t-il. Tandis que l'un de ses compagnons jure que « digne d'être vu, il n'y avait rien dans toute la chrétienté qui puisse en égaler la magnificence ».

Pour défier les lois de la pesanteur et de l'équilibre d'une géographie verticale, les Incas durent faire montre d'un génie créateur à toute épreuve, y compris celle du froid polaire des cimes et l'étuve de l'Enfer Vert. Rien ne les rebuta jamais. Ni les dunes mouvantes, ni les abîmes insondables, ni les cols englacés, ni les marécages des pampas, ni la profondeur des gorges.

Si la « rose des vents » fleurissait au Cuzco, d'où partaient en aspe les quatre grands chemins menant aux quatre *suyos* cardinaux, deux longues voies parallèles et longitudinales s'étiraient, l'une au fil accidenté des sierras, l'autre à travers les sables arides et les oasis côtières. Toutes deux aussi rectilignes que possible et bifurquant à angle droit.

Adapté au relief, le chemin des Andes mesurait généralement de 4 à 6 mètres de large, se réduisant à moins de 1 mètre ou même à des dalles « volantes » clouées en ligne oblique au-dessus du vide, où poser un seul pied à la fois. Dans les gorges, d'agressifs « escaliers du ciel » s'élevaient par des arpèges de marches à pic jusqu'aux nues. Taillées à vif dans le roc ou serties dedans, on peut en

CORE ON · MAIOR · IMENOR
HATVNCHASQVICHVRV
MVLLO · CHAS QVI · CVRACA ~

Le mullo chasqui, *messager qui annonçait son approche en soufflant dans un strombe nacré, assurait au pas de course les communications orales à travers la cordillère des Andes. Des feuilles de coca, tirées de sa besace rayée, lui donnaient une vigueur et une endurance à toute épreuve.*

montagne faisait obstacle, plutôt que de la contourner, un tunnel la perforait, entaillé de banquettes, de niches à idoles propitiatoires, de fentes filtrant air et lumière. Ailleurs, jetés sur des lagunes glauques, des pontons de balsa assuraient le passage.

Bordant le chemin, un caniveau d'eau pure pour se désaltérer, l'ombrage léger des *molles*, faux poivriers aux grappes de baies roses, les figues sylvestres piquées aux palettes épineuses de vertes cactées, une borne de lieue en lieue qui marque la distance, d'énormes *portadas* enjambant en trapèze la chaussée pour en monter la garde agrémentaient le voyage.

Un peu moins étendue au niveau des vagues, la seconde voie inca courait sur presque 3 000 kilomètres vers le sud, tel un ruban clair, droit au but depuis le port de Tumbes.

Le chemin royal qui part de Machu Picchu en direction du Cuzco fut exploré en 1968 sur une cinquantaine de kilomètres. Ce tronçon mène à 3 630 m d'altitude, à Phuyupatamarca, que le touriste peut atteindre à pied, rêvant à Pachacutec qui parcourut cette route en litière il y a 500 ans.

compter plus de six cents consécutives, comme sur le Huayna Picchu, qu'au siècle passé le marquis de Wavrin qualifia de « marchepied de la mort ». Avec çà et là des paliers et des sièges en pierre où se reposer, un mirador d'où contempler un panorama majestueux. Et si la

Large en moyenne d'une dizaine de mètres, elle s'évasait parfois de plus du triple, ainsi pour entrer, telle une avenue cérémonielle, dans Chanchán, la riche capitale chimú. Abritée de caroubiers dans les vallées, de hauts pieux de ce bois rouge la jalonnaient, qui permettaient d'éviter de se perdre quand les sables éoliens l'envahissaient avant que l'en déblaient les gens des villages proches. En outre, de massifs blocs de *tapia* — terre moulée avec de la paille hachée — l'encadraient, colorés de dessins de monstres, d'oiseaux, de poissons, de grecques, « pour qu'en les regardant le voyageur passe le temps ». Des pierrées

Depuis la frontière équatorienne jusqu'au río Maule, dans le Chili central, le chemin côtier s'allonge sur des centaines de lieues de désert. Délimité par des lisières de pierres oxydées, il était jadis régulièrement balayé pour débarrasser la chaussée de l'amoncellement des sables éoliens.

y amenaient l'eau des torrents descendus des Andes à portée de bouche du passant assoiffé qui pouvait ainsi se désaltérer.

Plusieurs chroniqueurs parlent de « différentes routes », ou *Inca Nan*, tracées « par différents rois » dont elles pérennisaient le nom. Anello Oliva relate ainsi que Mayta Capac, le quatrième souverain, fit « en peu de jours construire la chaussée de Cuntisuyo, la première de tout le Pérou en petites et grandes pierres ». Et que, follement épris de Paccha Duchicela, la fille du roi des Cañaris, Huayna Capac ordonna de faire les deux fameux chemins de la sierra et des llanos « afin d'aller à Quito chaque fois qu'il lui plairait ». Garcilaso de la Vega expliquera que ce furent « les *curacas* et les principaux corvéables » qui les réalisèrent sur l'ordre de cet Inca. Qui fit par ailleurs prolonger jusqu'aux rives du Marañón la route de la coca, de la quinine et des pépites d'or « grosses comme des citrouilles ». Ne freinant son élan qu'obligé par les Aguarunas, féroces chasseurs de têtes. Prolongeant aussi vers le nord la route des fruits de mer, du sel, de l'or blanc (le platine), des émeraudes et des perles fines. Et vers le sud celle qui, coupant

les monumentales et insolites pistes de Nazca, se rendait au Chili, où les deux chaussées se rejoignaient.

Son père, Tupac Yupanqui, laissa son renom au chemin royal de Vilcashuamán, large de 14 mètres. Son grand-père, le célèbre Pachacutec, pétrit de ses doigts des maquettes de villes, de routes et de ponts. Il aurait fermé la voie qui, par le fond de la Vallée sacrée du Vilcanota, menait à Machu Picchu, pour dérouler sur les crêtes un chemin mystique, réservé à l'élite et à la caste sacerdotale, qui unissait le Cuzco aux secrètes cités des dieux.

Par Huamán Poma de Ayala, nous apprenons que « chaque chemin royal avait ses *guamani* qui veillaient à son entretien ». Ils résidaient et exerçaient leurs fonctions dans les maisons de juridiction de chaque province. Un « *capacnan guamanin* chargé des six importants chemins » commandait ces contrôleurs, administrait tous les chemins principaux avec leurs embranchements respectifs.

Par le réseau infini de ces si bons chemins indispensables à des communications rapides d'un bout à l'autre d'un empire dilaté à l'extrême, les *chasquis*, de jeunes et vigoureux athlètes spécialement entraînés à la course tout terrain à toute altitude, se déplaçaient « avec la vélocité d'un faucon en vol » ou d'un chevreuil, en un temps record. Alors qu'un cavalier espagnol tardait douze à treize jours pour trotter de Lima au Cuzco — environ 1000 kilomètres —, les agiles messagers de l'Inca, se relayant, n'en mettaient que trois ou

Devant le grand pont de Guambo, tristement célèbre pour avoir causé la mort de nombreux Indiens employés à sa construction au-dessus du torrent, le chaca suyuyoc, *Acos Inca, administrateur général des ponts impériaux, surveillait et contrôlait périodiquement le trafic.*

Les audacieux ponts suspendus des Incas

Seuls les torrents furieux qui roulent au creux de profonds cañons auraient pu arrêter les Incas. Pourtant, trois siècles avant qu'on y songe en Europe, les souverains du Cuzco imaginèrent des ouvrages d'art aussi originaux que téméraires : des ponts suspendus en lianes tressées qui fascinèrent et épouvantèrent à la fois les cavaliers espagnols, leur faisant « tourner la tête » quand, secoué par un vent violent, un de ces ponts-hamacs se mouvait dangereusement. D'autant plus « qu'aussi forts soient les câbles de soutien », épais comme le mollet ou la cuisse d'un homme, voire comme son corps ou celui d'un bœuf, le pont « fait au centre une courbe effrayante vers le bas et remonte jusqu'à l'autre bout » ! Et qu'une dentelle de cordes plus fines unissant ces câbles forme une rampe et un

tablier tout ce qu'il y a de plus fragile. À l'instar « des pièces de bois rondes rattachées entre elles » qui soutenaient un aussi rustique qu'aléatoire « plancher » de branchages. Miguel de Estete affirme en 1533 que « les chevaux refusaient de s'y engager ». Et Francisco Lopez de Gomara que « beaucoup d'Espagnols attrapaient la nausée, les passant à quatre pattes ». Alors que les plus courageux pariaient gros « à qui les franchiraient au galop ».

Le plus célèbre de ces ponts « de filet » torsadé en fibres d'agave fut le Chaca Apurimac enjambant le río des Oracles, « celui qui parle comme un stentor », aux eaux rugissant entre deux murailles de roc. Eugène de Sartiges, qui s'y risqua en 1835, ressent que « le poids d'une personne suffit à le faire trembler comme une escarpolette. Il n'y a pas une semaine où il n'arrive quelque accident ». Construit vers 1350 par Inca Roca, qui s'y engagea avec ses douze mille guerriers, plusieurs fois emporté, brûlé et rénové, ce pont séculaire, « long de deux cents pas » (soit environ 85 m) d'après Cieza de León, ne fut délaissé qu'en 1890. Un autre ouvrage du même style surnommé la Litière de Cordes, suspendu sur le río Pampas par Yahuar Huacac, aurait été plus long encore : 100,30 m. Mais il disparut beaucoup plus tôt.

Comme les chemins du Soleil, chaque ouvrage d'art était confié à la surveillance d'un *chaca suyuyoc*. Lui-même placé sous la direc-

tion d'un administrateur général des ponts royaux. Des gardiens *quipucamayocs* contrôlaient le trafic et tenaient le compte exact de tout ce qui transitait, vérifiant la probité et la célérité des porteurs. Ils recouvraient un droit de péage consistant en cordages, joncs séchés, paille d'*ichu* et feuilles de maguey, matériaux nécessaires à l'entretien et aux réparations constantes des passerelles.

D'autres ponts existaient, également renommés, les *rumi chaca,* ou ponts de pierre. Tel celui de Chavín jeté sur le río Mariash et fait de quatre larges dalles accolées, longues de 6 mètres, posées sur des assises en maçonnerie. Ou le pont de Pachacutec, qui, modernisé, enjambe de nos jours l'Urubamba, dans la Vallée sacrée. Solidement planté sur d'énormes blocs entassés au milieu du río afin d'en briser le courant en le déviant vers les bords.

Enfin, en certains endroits absolument infranchissables, l'Inca ou les voyageurs utilisaient l'aventureux système de la *oroya :* un solide panier d'osier qui coulissait sur un câble sans fin, enroulé aux piliers dressés de chaque côté d'une gorge, d'une crevasse ou d'une fissure, dues aux fréquents séismes.

Oroya et *chaca* des temps révolus, et qui, alors que l'homme a marché sur la lune, sont toujours en usage en Équateur, en Bolivie et au Pérou. Là où, l'Inca à jamais disparu, aucune route moderne n'a encore réussi à pénétrer.

Le célèbre pont suspendu du Grand Oracle de l'Apurimac, long de 85 m, s'effondra en 1890. On pensait que c'était le dernier de ce type. Toutefois, lors d'un vol de reconnaissance, en 1971, fut repéré un « pont de paille » qui semblait à l'abandon. On découvrit qu'un groupe d'Indiens le reconstruisait régulièrement. Leur méthode est la même que celle qu'utilisaient les Incas. La première opération consiste à haler, à l'aide de lignes porteuses, puis à tendre au-dessus de l'Apurimac 6 gros câbles (photos ci-contre à gauche), qui sont faits de près de...

... 7 000 m de corde filées par les femmes et les enfants et tressées par les hommes avant d'être amarrées de chaque côté de la gorge. Puis, tandis que les femmes, sur place, continuent à préparer les cordages nécessaires, les hommes, après avoir posé le plancher du pont, procèdent à l'élaboration des garde-fous (photo ci-dessus). Le pont est terminé (photo ci-contre). Il n'aura fallu que 14 heures de travail aux chacacamayocs (gardiens du pont) pour accomplir cette tâche, perpétuant ainsi une tradition instituée cinq siècles plus tôt par l'Inca.

quatre. Si bien que le juriste Juan de Matienzos, informant le roi d'Espagne « que l'Inca étant au Cuzco savait ce qui se passait à trois cents lieues dans la semaine grâce à ces Indiens *chasquis* », lui recommandait pour la sécurité de la terre comme pour faire parvenir les réponses cet « usage très nécessaire ».

Toujours prêts à partir, se tenant sur le qui-vive tout le long des chemins dans de petites huttes de pierre au toit de joncs espacées en fonction du relief et de la distance à couvrir, nourris par l'État, dirigés par un prince de la parentèle royale, porteurs des ordres impériaux, les *chasquis* étaient choisis parmi les plus endurants des fils des seigneurs notoirement fidèles au monarque régnant. Chacun de ces « facteurs » annonçait son approche au suivant en soufflant dans le *pututo* qu'il tenait d'une main, serrant dans l'autre la sacoche qui contenait le message noué sur les cordelettes en laine d'un *quipu*. Si l'ordre à transmettre était oral, le porteur le répétait, courant auprès de son remplaçant jusqu'à ce que ce dernier le sût de mémoire. Ou bien juste le temps de lui remettre tel ou tel envoi. C'est ainsi qu'à Cajamarca l'Inca Atahualpa put manger du poisson frais pêché à Huanchaco sur le Pacifique, qui lui parvenait en moins de vingt-quatre heures.

À 270 km de Lima, le grand relais de Tambo Colorado qui servit de quartier général à Tupac Yupanqui durant sa conquête de l'État indépendant des Chinchas. Le chemin inca traverse ce majestueux complexe qui couvre 12 ha entre le piémont andin et la vallée en grande partie désertique du río Pisco.

En litière à travers les Andes

Qu'il fût en vacances, en affaires ou en guerre, qu'il partît faire une cure thermale, bâtir un temple ou une forteresse, qu'il allât s'incliner devant une divinité, l'Inca visitait son empire

L'Inca Tupac Yupanqui et la coya Mama Oclло se promenant à travers l'empire en quispirampa, *la brillante litière au dais de plumes d'ara en forme de parasol. Pour les Indiens Collas de Carabaya, c'est un honneur suprême de porter ainsi le couple royal.*

toujours porté dans une superbe litière. De bois précieux, celle-ci était sculptée d'un soleil d'or, incrustée de serpents ondulés et d'une lune d'argent.

Assis à l'intérieur sur un siège d'or adouci de peaux de vigognes, la *coya,* son épouse, quelquefois en vis-à-vis, s'il voyait au-dehors à travers les larges mailles des courtines tissées, il était caché sous un dais multicolore en plumes de perroquet d'où tintinnabulaient des pendeloques de gemmes irisées qui le rendaient invisible au regard des foules.

À moins que précédé et suivi de cinq mille guerriers aux tuniques en damier, coiffé d'un casque emplumé, debout sur une *pillcorampa,* « litière colorée » spécialement portée par des Andamarcas, Soras ou Parinacochas, sus à l'ennemi ! il ne lançât des boulets d'or.

Quand, hiératique, orné des insignes royaux, bannière au poing, il se promenait lentement en *quispirampa,* la « litière brillante », les Rucanas honorés du titre de *Incap chaquin* — les « pieds de l'Inca » — le transportaient sur leurs rudes épaules. Des joueurs de flûte de bambou l'escortaient, faisant chanter et évoluer ses danseurs. Des nains bouffons, des princes et les plus jolies princesses, les membres du Conseil impérial, une innombrable suite de hauts dignitaires et de chefs l'accompagnaient dans toute sa pompe et majesté. Ainsi que, « tout nus pour démontrer sa grandeur et son pouvoir », quelques *chunchos,* des « sauvages » capturés dans les forêts chaudes.

L'Inca emmenait avec lui les deux mille favorites de son gynécée, dans de légers hamacs pendus à deux longs bâtons. Et de nobles *orejones* aux lobes d'oreille distendus par de lourds rouleaux d'or, dont les litières étaient peintes et historiées de leurs exploits que proclamait un héraut sur leur passage.

Pour des sorties plus courtes, la *chinchirampa* suffisait, en bois gris ou marron, portée par les Indiens de Carabaya. Sous leurs pas, les jeunes filles des villages voisins répandaient des fleurs parfumées devant la litière.

De-ci, de-là, les porteurs gravissaient, sans incliner la litière, les gradins de pierre d'un reposoir afin que l'Inca puisse se réjouir en admirant « le paysage enneigé des sierras qui percent le ciel et les vallées du cœur de la terre ». Devant le souverain, les *pichanacuynan,* « nettoyeurs du chemin », se hâtaient de le balayer « pour qu'il n'y ait aucune pierre ni herbe née » ou le moindre brin de paille folle. « Quand l'Inca passait, même les feuilles mortes qui tombaient des arbres n'étaient consenties », raconte Morua. Qu'un porteur glissât ou butât sur un caillou lui valait la pire disgrâce ; qu'il tombât lui coûtait la vie...

À l'allure de 4 lieues quotidiennes, l'Inca Viracocha mit trois années pour parcourir son empire. C'est dans une litière bleue chapée d'or, conduite par quatre-vingts de ses capitaines, qu'Atahualpa apparut pour la première fois aux conquistadors à Cajamarca. Là, qu'outre l'or apporté par quinze mille lamas, arrivèrent en litière encore les plus lourds trésors de la fabuleuse rançon promise à Pizarro : l'équivalent de quelque 20 millions de dollars-or actuels !

Celui qui portait le plus souvent le Fils du Soleil était tenu pour le mieux estimé. Salué de clameurs à faire vibrer l'écho des montagnes et tomber les oiseaux des nuages, l'Inca bien vivant avançait triomphalement. Mais c'est en litière aussi qu'il effectuait son ultime voyage. Ainsi en fut-il pour la momie de Huayna Capac, qui, laissant son cœur à Quito, fut ramené au Cuzco au son assourdissant des tambours mouillés et des lugubres lamentations de son peuple, peu avant la découverte du Pérou.

Nous apprendrons encore qu'empanachés de plumes blanches, armés d'une fronde et d'un casse-tête, travaillant par tours de quinze jours ou d'un mois, les *chasquis* formaient deux catégories. « Les *hatun chasquis* ou grands messagers à trompe de calebasse, chargés du transport des choses lourdes de journée en journée. » Et les « *churro mullo chasquis* à trompette de corail, placés de demi-lieue en demi-lieue de façon qu'ils puissent avancer légèrement et sans fatigue, d'un pas toujours égal, assurant les communications dans tout le territoire ». Capables de couvrir les 1 600 kilomètres séparant le Cuzco de Quito ou des provinces chiliennes du Sud en moins de dix jours (en cinq jours d'après certains récits) ou de parcourir en une seule journée ce qui en exigeait sept fois plus, ces champions du marathon inca recevaient du roi des surnoms imagés : *Ayapuma*, *Ayahuamán* ou *Ayacondor*, « tous très estimés ».

Le long du Nan Cuna, les *tambos*, vastes bâtiments monolithiques fortifiés et compartimentés autour d'un patio carré et d'un parc à lamas et alpacas, se dressaient toutes les 3 ou 4 lieues. « De nombreuses ruines attestent l'ancienne magnificence de ces caravansérails d'Amérique », écrit en 1851, dans la *Revue des Deux Mondes*, le jeune vicomte Eugène de Sartiges, qui avait exploré le Pérou précédemment.

De nos jours, on peut encore dénombrer sur la côte sud les deux cent soixante-dix chambres à greniers souterrains du *tambo* de Chala. Et admirer Tambo Colorado, avec ses murailles d'adobe ajourées peintes de rouge, de vert et de blanc, où, s'y délassant, Pachacutec trouvait un bain rituel, des gens de service et des « femmes choisies » de « rechange ».

Toujours bien pourvus, « et plus qu'il n'en fallait », les *tambos* et les *korpahuasis* — de dimensions moindres — étaient approvisionnés en abondance de tributs apportés par les populations locales. Bourrés jusqu'à la toiture de victuailles fraîches ou déshydratées et de *chicha* fermentée, de mantes, tuniques et sandales, de laine et de coton filés prêts au tissage, d'armes et d'outils, de cordages et de bois à brûler, de fards de guerre et d'ornements de toutes sortes... Au point qu'en 1547, lors de la lutte qui opposait Pizarristes et Almagristes, Pedro de la Gasca, envoyé comme pacificateur, put subsister durant sept semaines au *tambo* de Jauja grâce aux quinze mille charges de maïs qui nourrirent sa milice, charges stockées quelques années auparavant par les Incas. Et que les autorités espagnoles, en comprenant l'utilité, dressèrent la liste complète des *tambos* royaux, promulguant une ordonnance pour leur conservation.

Mais la gloire de ces chemins impérissables, de ces profitables *tambos* et de ces prestes *chasquis* dont les descendants courent aujourd'hui encore par les sommets les plus oubliés des Andes revient-elle vraiment aux seuls Incas ? Les archéologues ont retrouvé des vestiges indéniables des âges précolombiens. Car Mochicas et Chimús des bords de mer ouvrirent bien avant les Incas la route des déserts. Leurs céramiques nous montrent des *chasquis* masqués d'une tête de colibri, le dos paré d'ailes en plumes, filant comme le vent entre les sables. Les gens de Chavín et de Tiahuanaco sillonnèrent de chaussées empierrées la Cordillera Blanca et les hautes *punas* désolées du lac Titicaca. Ainsi il est manifeste que les Incas ne firent que reprendre, compléter et perfectionner le système routier et postal le plus sophistiqué de notre planète ! Toutefois, ce sont finalement ces chemins incomparables, jugés « l'œuvre la plus stupéfiante et utile construite par la main de l'homme » et qui « avantageaient les travaux d'Égypte », qu'empruntèrent les conquistadors, les moines-soldats et les inquisiteurs, les caravanes de lamas transportant la fabuleuse rançon d'or et de trésors d'Atahualpa, Carvajal, le Démon des Andes, à la recherche d'El Dorado, et Orellana découvrant le fleuve des Amazones, quelques corsaires et les Libérateurs, Simón Bolívar, Sucre et San Martín, puis les savants voyageurs des siècles plus récents — avant que la moderne et belle Panaméricaine en suive de nombreux tronçons, unissant les républiques du Nouveau Monde. Ce sont ces chemins qui, facilitant la brutale irruption des Pizarro, trahirent et perdirent tragiquement le légendaire empire des Incas.

SIMONE WAISBARD

LE PREMIER TRANSCONTINENTAL

L'épopée du « cheval de fer »

Leland Stanford, gouverneur de la Californie et président de la Central Pacific Railroad Company (la C. P., comme on disait alors), conclut ainsi son allocution : « Maintenant, messieurs, avec votre aide, nous allons poser la dernière traverse et le dernier rail, puis chasser l'ultime tire-fond. » En réponse, Glenville M. Dodge, ingénieur en chef de la Union Pacific Railroad Company (la U. P.), exalta la victoire remportée à Promontory Point (Utah), en ce jour du 10 mai 1869, sur l'immensité du continent. Lyrique, il termina en s'écriant : « Voici la route de l'Inde ! » Applaudissements, vivats et marche militaire jouée par une fanfare régimentaire. Puis silence. Stanford saisit des deux mains la massette d'argent destinée à enfoncer le tire-fond d'or offert par la Californie. Il le manqua avec une détermination égale à celle de Thomas Durant, vice-président de la U. P., qui rata le tire-fond d'argent du Nevada. Hilarité énorme et générale devant ce double gag terminant la formidable épopée ferroviaire du siècle : la construction du Transcontinental qui reliait l'Est et l'Ouest des États-Unis.

Sur sa voie désormais unie, les deux locomotives — la Jupiter de la C. P. et la n° 119 de la U. P. — glissèrent doucement l'une vers l'autre, jusqu'à faire se toucher leurs chasse-pierres respectifs. Photo. À San Francisco, Bret Harte, le conteur de la ruée vers l'or, composa un poème de circonstance : « Que se dirent les locomotives, Alors que leurs mécaniciens les poussèrent face à face, front contre front, sur une ligne unique, Avec la moitié d'un monde derrière chacune d'elles ? Voici ce qu'elles dirent : Jamais entendu et jamais lu. »

Sacramento, Californie, 8 janvier 1863 : la date est historique, mais le ciel s'en moque. Il a plu toute la matinée, en prélude au pâle soleil de midi. L'American River, enflée par les eaux descendues de la sierra Nevada, est sortie de son lit. Une levée tente de la contenir. Au bout de celle-ci, une foule assemblée devant une estrade décorée aux couleurs de l'Union (car la guerre de Sécession fait rage dans l'Est) écoute le discours de Charlie Crocker. Superintendant de la nouvelle compagnie ferroviaire (la Central Pacific) placée sous sa direction — à titre égal avec ses associés Huntington, Hopkins et Stanford, présents à ses côtés —, il dit toute l'importance de la cérémonie de ce jour : la première pelletée de terre de la future voie ferrée destinée à franchir la sierra en direction de l'est. Là-bas, on ne sait encore ni où ni quand, elle devra rencontrer celle de la U. P. se dirigeant vers l'ouest. Leland Stanford confirme ce propos en saisissant la pelle qu'on lui tend. Comme la boue est partout, on avance un chariot plate-forme, rempli de terre sèche qu'il retourne symboliquement.

Les difficultés seront énormes pour la C. P., qui devra affronter la gigantesque barrière de la sierra Nevada. C'est-à-dire pousser sa voie sur un tracé dont le profil passera de 100 mètres d'altitude, à Sacramento, à plus de 2000 mètres sur la ligne de partage des eaux. Cela par un dédale de gorges, à franchir par des ponts, et de chaînons, à percer d'une quinzaine de tunnels. Question d'organisation, de main-d'œuvre et d'argent.

L'organisation ? On tirera de la montagne le bois, la terre et la pierre, mais les rails, le matériel roulant, les outils arriveront de l'Est par bateau jusqu'à San Francisco, par le cap Horn. Il y faudra des semaines. La main-d'œuvre ? On a embauché les déçus de la ruée vers l'or, ceux qui attendent leur nouvelle chance. L'argent ? La loi sur les chemins de fer (Railroad Act), signée du président Lincoln en juillet 1862, le dispensera à la C. P. et à la U. P. en fonction du relief, donc de la difficulté de la tâche. À savoir : 16000 dollars par mile (1,6 km) en plaine, 32000 dans les collines et 48000 dans la montagne. Cela à partir du 64ᵉ kilomètre (40 miles), construit et financé par le seul produit de la vente des actions proposées au public... Qui renâcle à les acheter. D'ici là, chaque compagnie devra agir par ses propres moyens. C'est bien là le problème. Il sera permanent, car, outre les nécessités financières de l'entreprise en elle-même, les quatre directeurs de la C. P. *(the Big Four)* songent déjà à leur propre intérêt. Comme leurs confrères et rivaux de la U. P.

Mais cela est une affaire de coulisses et ne nous regarde point ici. Il y a assez à voir sur le grand théâtre de la sierra Nevada, vers laquelle la ligne grimpe, péniblement, jour après jour. Grâce aux Chinois embauchés par Crocker pour pallier les désertions des ouvriers blancs à l'approche des mines d'argent de Virginia City, là-haut dans la montagne... Les Chinois. On les appelle les *Celestials* (les Célestes). On les surnomme les *Chinks* (disons : les Chinetoques). Ils s'en moquent. Ils vivent entre eux, en un camp distinct de celui des Blancs. On le reconnaît à sa propreté. Ils travaillent. Obstinés, méthodiques, minutieux, consciencieux. Précieux infiniment. À tel point que, durant l'été 1865, ils composent les neuf dixièmes des équipes engagées à l'assaut de la sierra. Pour eux, les tâches les plus dures, avec leurs dangers.

Une équipe de l'Union Pacific posant des rails dans le Nebraska. Selon un témoin « chaque équipe exécute l'opération en moins de 30 secondes; ainsi on pose 4 rails à la minute ». Au plus fort du travail, on posait de 3 à 8 km de rails par jour.

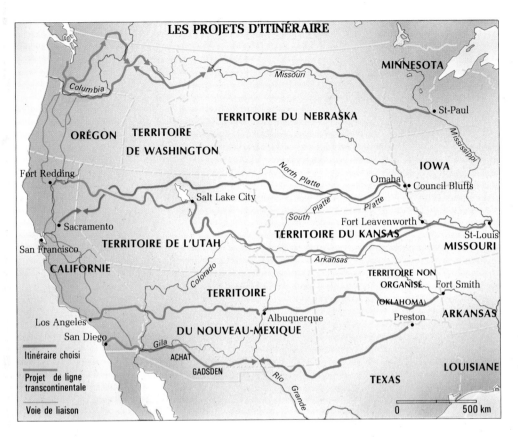

LES PROJETS D'ITINÉRAIRE

Itinéraire choisi

Projet de ligne transcontinentale

Voie de liaison

0   500 km

En mai 1866, le relevé topographique amène la ligne au pied d'une falaise abrupte, surplombant de 400 mètres la gorge de l'American River. Un obstacle si formidable, si impressionnant qu'il mérite le surnom de cap Horn. Impossible à contourner. Il faut entamer son sommet pour y glisser la voie ferrée. Un travail de titans qui effraie même Crocker. Pas les Chinois. N'ont-ils pas construit la Grande Muraille? Il faut attaquer le granit au-dessus du vide? Le Céleste prend alors place dans une nacelle descendue par un treuil installé au sommet de l'éperon. Au pic, il creuse peu à peu, un trou ici, un trou là, pour y déposer des charges de nitroglycérine dont ses frères, là-haut, composent le mélange. Pas un Blanc ne s'y risquerait. Les Chinois, si. Parfois, une formidable explosion roule en écho par la gorge de la rivière. À son volume sonore, les ouvriers d'en bas se disent que les Chinois, ces chimistes amateurs, ont commis une petite erreur de dosage ou que l'un d'eux a glissé en transportant la nitro. Le travail continue. Le Cap Horn est vaincu.

Comme le Summit Tunnel, à plus de 2000 mètres d'altitude, durant l'hiver 1866-1867. À 147 kilomètres de Sacramento. 500 mètres de granit à forer au pic et à la poudre noire. Huit mille hommes au travail qui font les 3 × 8, et

les Chinois en première ligne. Ceux, du moins, qui peuvent résister au froid, les autres ayant été ramenés à San Francisco. Pendant ce temps, on travaille déjà au remblai et à la pose de la voie sur le versant oriental. Entre les blizzards (il y en eut quarante-quatre cet hiver-là), locomotives et wagons sont hissés par les passes enneigées sur des traîneaux de madriers ou sur des troncs d'arbres. Hommes et bêtes s'épuisent à ce labeur dans le monde glacé de la sierra. Au printemps 1867, la fonte des neiges provoque des glissements de terrain qui emportent des sections entières de la ligne déjà posée. On se remet à la tâche, mais en construisant des galeries de bois pour protéger la voie contre ce danger. À la fin de cette même année, le rail de la C.P. pénètre au Nevada. L'ingénieur Gray, un spécialiste de l'Est en visite sur le chantier, ne cache pas son admiration devant la qualité du travail accompli : « Le remblai et les parties mécaniques sont de bonne construction (...). Les traverses de bois rouge sont unies par un rail fixé sur des plaquettes de métal. Locomotives, wagons et machinerie sont de premier ordre et du meilleur matériel, le tout bien entretenu. Avec quatorze mille hommes au travail, la C.P. descend les coulées à l'est de la Truckee River et [va] déboucher dans le désert. »

Fin 1868, la tête de ligne approchait de la frontière de l'Utah, où l'on prévoyait sa ren-

Photo prise à Green River dans le Wyoming en 1868 (ci-dessus). Rivalisant de vitesse avec la C.P. pour poser les voies, la U.P. a dressé un pont provisoire en bois qui sera remplacé par un ouvrage en maçonnerie déjà en construction.

Pont-tréteau construit par la Central Pacific à 90 km de Sacramento sur le versant occidental de la sierra Nevada. La photo prise en 1877 montre les Chinois travaillant au renforcement de la base dans le lit du torrent, la construction initiale ayant été rapide et quelque peu négligée.

Faute d'avoir décidé d'un point de rencontre, lorsque l'U.P. et la C.P. se rejoignirent, elles continuèrent leur tracé parallèlement l'un à l'autre. Quand les deux équipes se trouvèrent à la même hauteur, il y eut des accidents, aucune des deux n'avertissant l'autre de la mise à feu de ses charges explosives. Dessin de A. R. Waud (ci-dessous).

contre avec celle de la U.P. Où et quand ? Personne n'aurait pu encore le dire.

Le démarrage effectif de la Union Pacific eut lieu à Omaha (Nebraska), le 10 juillet 1865. La guerre de Sécession s'était terminée en avril, comme la vie du président Lincoln. La U.P. se lançait dans l'aventure ferroviaire transcontinentale avec trente mois de retard. Un handicap sérieux que les premiers travaux n'annoncèrent pas comme devant être comblé de sitôt. Au contraire. Les actionnaires et la presse s'irritèrent de leur lenteur initiale. Contre quoi les directeurs de la compagnie invoquèrent les difficultés matérielles et les embarras financiers. En mai 1866, un remaniement de personnel amena l'ex-major général Glenville M. Dodge au poste d'ingénieur en chef et les frères Casement à ceux de directeurs techniques.

Enfin, l'entreprise se réveilla. Lentement, d'abord. Le temps de mettre au point l'organisation du ravitaillement en matériel de son chantier mobile, alors avancé à 240 kilomètres d'Omaha. Accroché à la rive occidentale du Missouri, ce lotissement longtemps modeste était devenu en quelques années la porte d'entrée des plaines du Nebraska pour les traverses, les rails, le matériel roulant et l'outillage nécessaire à la compagnie. Pour les hommes aussi, Irlandais récemment immigrés et Américains blancs ou noirs démobilisés. Ils composaient, en premier, les équipages des

tête de ligne poursuivait sa conquête de l'espace. Obstinée, patiente, laborieuse et militairement organisée.

Loin en avant, à plusieurs jours de marche parfois, les topographes. Derrière eux, les niveleurs, qui construisent le remblai, et, éventuellement, les pontonniers. Puis les attelages de chevaux ou de mules transportent les traverses depuis les immenses dépôts qui jalonnent la route. Après leur mise en place inter-

pour y recevoir une nouvelle charge (...). Sur les pas de la première équipe viennent les jaugeurs, les chevilleurs et les visseurs. Ils vont aussi vite. Il leur faut trois coups pour chasser un tire-fond. Il y a 10 tire-fond par rail, 400 rails au mile, 1 800 miles jusqu'à San Francisco. »

Sur la voie ainsi fixée s'avance le « train de travail » composé d'une locomotive et de quelques wagons. L'un renferme l'outillage,

lourds convois de chariots acheminant la totalité des marchandises vers la tête de ligne. Alors qu'en octobre 1866 celle-ci venait d'atteindre le 100e méridien, point remarquable situé à 395 kilomètres à l'ouest d'Omaha, on estima que la pose d'un mile de voie ferrée exigeait le concours de quarante véhicules. Au long de la ligne progressivement construite s'échelonnaient des villes-champignons, ramassis de constructions de panneaux de bois préfabriqués alternant avec des tentes. Des repaires pour une population de rencontre, cosmopolite et rugueuse, qui se déplaçait en suivant le chantier, d'où le nom d'« enfer sur roues » donné à ces éphémères localités, turbulentes et mal famées. Au-delà, dans l'immensité de la plaine vide du Nebraska puis du Wyoming, la

viennent les poseurs de rails. Un journaliste de *Fortnightly Review* écrit : « Poser la voie de la U. P. est une science. Un wagon léger chargé de rails et tiré par un seul cheval galope vers la tête du remblai. Deux hommes saisissent les extrémités d'un rail et marchent. Le reste de l'équipe s'en empare par deux. Ils le portent au pas de course vers l'avant. Au commandement, le rail tombe à sa place d'un côté tandis que la même opération s'exécute, grâce à une seconde équipe, de l'autre côté. Il faut moins de trente secondes pour décharger un rail, de sorte que quatre rails tombent en une minute (...). Dès que le wagon est vide, on le bascule sur le côté de la voie pour permettre au suivant de passer, puis on le remet sur les rails, et c'est un spectacle que de le voir voler vers l'arrière

Construction du Transcontinental sur les Grandes Plaines (dessin par A. R. Waud). Représentation du chantier : au premier plan, les soldats et un des convois de chariots servant au transport des équipements et du ravitaillement des équipes. A l'arrière plan, le « train de travail » (work train) avec ses ateliers, son dortoir et son réfectoire.

l'autre une forge, et les suivants présentent l'aspect de vastes caisses roulantes à un étage où s'abritent, ici, la cuisine et le réfectoire (cent vingt-cinq écuelles métalliques fixées sur de longues tables munies de bancs), là, un dortoir. Des plate-formes chargées de rails, de tire-fond, de plaquettes de fixation en acier, d'outillage divers terminent ce convoi. Quand, à partir de la fin de 1867, le travail s'accélère, le *work train* s'enrichit de nouveaux wagons de service : une boulangerie, une boucherie de détail (alimentée par le troupeau de bovins qui suit le chantier), un magasin d'alimentation, une bourrellerie, un bureau du trésor et une armurerie destinée à l'entretien des mille fusils dont l'ingénieur Dodge a doté cet imposant convoi. Précaution nécessaire depuis que la ligne s'enfonce au cœur du pays des Sioux, des Cheyennes et des Arapahos.

Hostiles au « cheval de fer » qui pénétrait leurs territoires d'où il chassait le bison, harcelés au Kansas depuis le printemps 1867 par la campagne du général Hancock et du major général G. A. Custer, les Indiens des Plaines centrales reportèrent leur colère contre la Union Pacific, au Nebraska. Au matin du 6 août 1867, à un kilomètre de la station de Plum Creek (à 211 km d'Omaha), ils déboulonnèrent puis enlevèrent un rail. Le train de marchandises n° 21 dérailla, catastrophe qui coûta la vie à quatre cheminots, dont le mécanicien et le chauffeur. Les Cheyennes embusqués se livrèrent au pillage du chargement, puis se replièrent. Ils n'étaient plus là lorsque arrivèrent les secours conduits par l'ingénieur en chef Dodge.

À la suite de cette tragédie, ce dernier intervint auprès du général Sherman, qui détacha cinq cents fantassins et cavaliers pour protéger les topographes aventurés en zone dangereuse et le chantier lui-même. Dodge écrit : « Nous allions au travail au rythme des tambours, avec nos hommes en armes. Ils formaient les faisceaux pour être prêts à la moindre alerte. Le train de travail commandé par John Casement pouvait armer mille hommes en un clin d'œil. »

À la fin de l'année 1868, la ligne de la U. P. franchit la frontière Wyoming-Utah, cela au prix d'un effort constant encouragé par les frères Casement selon un barème de primes destinées à stimuler les hommes. Quand, en mars 1869, le président Grant entre à la Maison-Blanche, il exige que les dirigeants des deux compagnies engagées dans cette folle compétition s'accordent sur un point de rencontre. Ce fut Promontory Point, à 34 kilomètres au nord d'Ogden (Utah). Quand les deux voies se rejoignirent, on fit les comptes : la C. P. avait posé sa ligne sur 1 100 kilomètres depuis Sacramento ; celle de la U. P. s'allongeait sur 1 740 kilomètres depuis Omaha. Désormais, les 2 840 kilomètres du premier Transcontinental reliaient l'Est à l'Ouest.

Le poète Walt Whitman chante : « Je vois sur mon propre continent le chemin de fer du Pacifique franchissant toute barrière. Je vois des trains sans fin serpentant au long de la [rivière] Platte en transportant passagers et marchandises (...) Jetant un pont sur trois ou quatre mille miles d'un voyage terrestre, reliant la mer de l'est à celle de l'ouest. »

Le 15 mai 1869, un premier train annonçant un service régulier circule entre Chicago et Sacramento.

Affiche publicitaire de la Union Pacific annonçant l'ouverture de la ligne transcontinentale par la route de la vallée de la Platte River (Grandes Plaines). « Direct pour San Francisco, en moins de 4 jours », y est-il proclamé! (ci-contre).

Lithographie de Currier and Ives (page suivante). Représentation idyllique de la vie dans l'Ouest : paysages paisibles, pionniers heureux et laborieux. Image génératrice de rêve, mais ce peuple rêvait assez pour entreprendre l'impossible !

D'un transsibérien à l'autre

C'est en 1891 que le tsar Alexandre III lança le chantier du transsibérien, dont la main-d'œuvre était composée pour l'essentiel de relégués et de forçats. La construction d'une voie unique légère nécessita peu de travaux de terrassement, si bien que la progression fut relativement rapide. Il fallut moins de dix ans pour relier, avec une voie longue de 9 600 kilomètres, la Baltique au Pacifique. Le plus important ouvrage d'art de la ligne fut le pont sur l'Ob à Novossibirsk, construit en 1897. Le relief abrupt autour du lac Baïkal n'en permit pas tout de suite le contour et, au début, la traversée s'effectua par ferry pendant l'été et par des voies temporaires posées sur la glace en hiver.

Un embranchement à Oulan-Oude prolongeait la voie à travers la Mandchourie et permettait ainsi de relier Pékin aux villes d'Europe occidentale. Le périple de Marco Polo se trouvait désormais à la portée de tout un chacun (à condition bien sûr qu'il en eût les moyens) en moins de deux semaines. Sur ce trajet, qui fut et reste de nos jours le plus long du monde, un ou plusieurs déraillements causés par une rupture de voie relevaient de la routine. L'allure étant faible, ces incidents de parcours n'entraînaient

guère d'autres dommages que matériels ou horaires. Les voitures en opération sur la ligne offraient un service de haute qualité non dépourvu d'un charme désuet. Outre les wagons-lits de la CIWL, on pouvait y trouver une voiture-bains avec baignoires en porcelaine, un gymnase, une bibliothèque, un salon avec piano et même... une église complète avec son clocher. Mais en 1904-1905, lors de la guerre russo-japonaise, les convois civils durent laisser la place aux convois militaires pour l'approvisionnement et l'envoi de renforts à la garnison russe isolée dans Port-Arthur.

En 1914, l'achèvement d'une ligne plus septentrionale évitant la Chine à partir de Tchita permit de rester sur le territoire russe jusqu'à Vladivostok. Il ne fut donc plus nécessaire d'affecter des gardes cosaques à la lutte contre les brigands de Mandchourie.

À partir de 1939, la ligne transsibérienne fut à double voie sur toute la longueur de son parcours, de Moscou au Pacifique, ce qui représenta un atout précieux pour l'U.R.S.S., pendant la guerre. Dès cette époque les trains quittaient Moscou les mardi, jeudi, vendredi et dimanche à 17 heures pour arriver, en principe, à Vladivostok

neuf jours plus tard à 13 h 45. Les correspondances permettaient alors de gagner Pékin le dixième jour à 18 h 40 et Shanghai le onzième autour de 7 h 00.

Presque inchangé dans son tracé depuis le début du XXᵉ siècle, le transsibérien aura connu au cours de la dernière décennie sa plus grande révolution avec la mise en service imminente du Baïkalo-Amourskaïa Maguistral, plus connu sous son abréviation de BAM. Cette nouvelle ligne double le tracé initial sur une longueur de 3 150 kilomètres, de Oust-Kout sur le fleuve Léna à Komsomolsk sur l'Amour, en passant par les villes pionnières de Tynda et d'Ourgal dans l'Extrême-Orient soviétique. Une telle entreprise, appelée sans exagération le « chantier du siècle », est le fruit du travail de 150 000 ouvriers et ingénieurs. Afin de mettre en valeur cette région aux ressources considérables, il aura fallu construire 9 tunnels (dont un de 15 km), 126 grands ponts ou viaducs sur des fleuves ou des défilés, et enfin 3 300 installations artificielles diverses. Les obstacles naturels à surmonter étaient en rapport avec les dimensions du projet, sols gelés en permanence, taïga, forêts, marécages, tremblements de terre...

La jonction à Promontory Point, Utah, le 10 mai 1869. Au centre, se serrant la main, les ingénieurs Samuel Montague, de la C.P., et Grenville Dodge, de la U.P. Les deux rails ont été posés à 12 h 47 (heure locale); au même moment la nouvelle était transmise par télégraphe au monde entier.

La neige fut pour les premiers trains une épreuve redoutable, surtout dans la traversée de la sierra Nevada. En cas de voie bloquée, une seule méthode : décrocher la locomotive et la lancer à vive allure sur les congères. Si l'opération échouait, il fallait attendre un train de secours.

Par la suite, chaque jour a le sien, dans chaque sens : le Pacific Express vers l'ouest et l'Atlantic Express vers l'est. De Chicago, les voyageurs gagnent Council Bluffs, sur le Missouri, par l'une des trois lignes traversant l'Iowa. Là, un ferry les transborde sur l'autre rive, à Omaha (le pont n'existera qu'en 1872), où un omnibus à chevaux les conduit à la station de la U.P. À raison d'une moyenne horaire de 32 kilomètres, le Pacific Express les dépose à Sacramento quatre à cinq jours plus tard. Le temps des diligences de John Butterfield est décidément révolu.

La traversée ferroviaire du continent ne devint un plaisir réel qu'avec l'apparition des wagons de luxe, les Silver Palace de la C. P. et les Pullman Palace de la U. P. En 1870, un

Les grands trains de luxe

Le service de luxe à l'usage du public fit son apparition en 1864 aux États-Unis, où George Mortimer Pullman lança la voiture Pioneer sur le Chicago Alton & Saint Louis. Quelques années plus tard, G. M. Pullman mit en service sur cette même ligne la première voiture-restaurant sous le nom de Delmonico, fameux restaurateur new-yorkais d'origine suisse. La qualité du service offert à bord des voitures Pullman dépassait celle des meilleurs hôtels, et l'on rapporte que leur personnel était très recherché des grands établissements et même par la Maison-Blanche.

A l'instar de la compagnie Pullman, d'autres sociétés se créèrent, dont la plus célèbre fut dirigée par Webster Wagner avec l'appui du commodore Vanderbilt, le « roi des chemins de fer ». Cette société tint une place prépondérante dans l'est des États-Unis à la fin du XIXe siècle. Mais peu à peu, Pullman et ses successeurs rachetèrent les entreprises rivales, et dès 1927 la compagnie jouit d'un quasi-monopole de l'hôtellerie roulante en Amérique.

Les trains de luxe apparurent plus tard en Europe. C'est le Belge Georges Nagelmackers qui fut à l'origine de cette épopée en fondant à Bruxelles, en 1876, la Compagnie internationale des wagons-lits et des grands express européens (CIWL). La CIWL mit en service des lignes européennes continentales qui ne tardèrent pas à devenir légendaires. Ainsi le P & O Express qui offrait aux voyageurs britanniques la liaison terrestre entre Calais et Brindisi, d'où partaient les paquebots de la Peninsula & Oriental Shipping Company à destination de l'Inde. Ou bien encore, outre le Transsibérien Express, le plus renommé des trains européens d'avant la Première Guerre mondiale, le Saint-

Une des premières voitures-lits créées par Pullman vers 1859. De jour, les couchettes supérieures étaient remontées contre le plafond ; au niveau inférieur, le lit se transformait en fauteuils confortables.

Pétersbourg-Vienne-Nice-Cannes, fréquenté par l'aristocratie et la haute société déclinante de Russie et d'Europe centrale. Mais surtout l'Orient-Express, dont le premier voyage eut lieu le 4 octobre 1883, au départ de Paris vers les minarets de Constantinople... la future Istanbul. L'Orient-Express était un véritable chef-d'œuvre : décoration luxueuse et raffinée, sièges de cuir gaufré d'or, parois intérieures de teck et d'acajou, incrustées de marqueterie, pâte de verre de Lalique et literie en soie. Ce train qui franchissait de nombreuses frontières devint rapidement le mode de transport favori des grands personnages de l'époque : hommes politiques, milliardaires, princes russes, actrices, espions... Aussi fut-il à l'origine d'une riche inspiration romanesque, du *Meurtre de l'Orient-Express* d'Agatha Christie à la *Madone des sleepings* de Maurice Dekobra pour ne citer que les plus fameux.

Voiture moderne du Transcontinental. Le confort s'est amélioré depuis le XIXe s. : vue panoramique, sièges pivotants réglables. Le décor a bien changé, tout est pratique et fonctionnel. Il est vrai que la durée des voyages a été singulièrement écourtée.

voyageur décrit le « train-hôtel » : « Chaque mercredi, un train-hôtel de la C.P. et de la U.P. quitte la côte du Pacifique pour Chicago, un voyage de cent trente-trois heures (...). Notre train comprend trois Pullman Palace (salons et wagons-lits), quatre wagons-lits Silver Palace, deux wagons ordinaires de voyageurs et un fourgon (...). Dans quelques-uns des Pullman, il y a des pianos et des orgues, de sorte que les dames musiciennes peuvent jouer en cours de route. Ces wagons sont chauffés en hiver par des tuyaux disposés sous les fauteuils et conservant la chaleur en permanence (...). Quand il gèle en altitude dans les montagnes, ces wagons sont aussi agréablement chauds qu'un boudoir princier. »

Confortable pour les gens aisés ou pénible pour les autres, pour les immigrants en particulier, le voyage par le Transcontinental n'en constituait pas moins le triomphe d'une gigantesque aventure, génératrice de nouveaux lendemains dans l'histoire du continent américain du Nord.

Jean-Louis RIEUPEYROUT

LE CANAL DE SUEZ

D'un projet contesté
à une réalisation incontestable

e 17 novembre 1869, le yacht impérial *l'Aigle*, avec à son bord l'impératrice Eugénie, prenait la tête d'une flottille de quatre-vingts navires de toutes nationalités et ouvrait solennellement le canal de Suez au commerce maritime. Cette journée mémorable marquait l'aboutissement de quinze années d'efforts acharnés et le triomphe de l'incroyable ténacité d'un homme, Ferdinand de Lesseps.

L'isthme de Suez, large de 112 kilomètres à vol d'oiseau, au relief peu accentué, constitue un obstacle apparemment dérisoire sur la route la plus courte entre l'Europe et l'Extrême-Orient. Il est donc naturel que l'on ait songé très tôt à le traverser par un canal. La branche orientale du Nil, qui passe à une centaine de kilomètres de la mer Rouge, offrait d'ailleurs une voie encore plus facile, pratiquement de niveau. Dès 1700 av. J.-C., il existait un canal d'eau douce à petit gabarit partant de la région du Caire pour aboutir près de Suez. L'ouvrage fut définitivement abandonné en 750 de notre ère.

Ce n'est que mille ans plus tard, vers la fin du XVIIIe siècle, que l'on se pencha, cette fois-ci sérieusement, sur la question. L'ingénieur Gratien Lepère,

compagnon de Bonaparte pendant l'expédition d'Égypte (1798-1801), fut chargé d'une étude. Il conseilla de reprendre le tracé de l'Antiquité via le Nil, mais il commit une erreur fondamentale en croyant, selon des mesures erronées, que le niveau de la mer Rouge était situé à 9,90 m au-dessus de celui de la Méditerranée. Venu trop tôt, le projet n'eut pas de suite. D'autres études furent entreprises au cours de la première moitié du XIXe siècle, notamment par Enfantin et son club des Saint-Simoniens, ainsi que par des ingénieurs français au service du vice-roi d'Égypte, Linant bey et Mougel bey. Elles permirent d'affiner le projet, mais n'aboutirent pas non plus.

Les vice-rois d'Égypte Méhémet Ali, Ibrahim pacha et Abbas pacha, qui s'étaient succédé de 1804 à 1854, ainsi que leur suzerain ottoman, la Sublime Porte, n'avaient guère montré d'enthousiasme, ou avaient même été franchement hostiles à la création d'un canal maritime international sur leur sol. Cet ouvrage touchait de trop près aux intérêts des grandes puissances. Techniquement, il subsistait encore beaucoup d'inconnues. Enfin, il n'était pas démontré que le projet fût économiquement viable. On savait

qu'il coûterait environ 200 millions de francs or, que la durée des travaux serait d'au moins six ans, mais le trafic attendu et les péages perçus seraient-ils suffisants pour assurer un revenu en rapport avec le capital investi ? Les grands banquiers en doutaient. Les milieux maritimes, traditionnellement conservateurs, n'étaient guère convaincus de l'utilité du canal en raison des difficultés de la navigation pour les gros voiliers en mer Méditerranée et en mer Rouge, alors que les vents alizés de l'Atlantique et de l'océan Indien offraient des conditions plus favorables. L'acheminement rapide des passagers et de la poste par transbordement terrestre entre les villes d'Alexandrie et de Suez paraissait amplement suffisant. Un chemin de fer était prévu dans ce but par les Anglais, et il entra effectivement en service en 1858.

Pour venir à bout de tous ces obstacles, il fallut l'irrésistible poussée du progrès industriel au cours des années 1840 et 1850, l'avènement en Égypte d'un homme éclairé, Saïd pacha, et surtout un animateur de génie, Ferdinand de Lesseps.

Né en 1805 dans une famille dont les fils se vouaient traditionnellement à la carrière diplomatique, Lesseps avait été vice-consul au Caire de 1832 à 1837. Durant ce séjour, il s'était intéressé à la question du canal et tenu informé des études déjà faites. Il s'était surtout lié d'amitié avec le jeune prince Saïd, futur héritier du trône.

Devenu vice-roi en 1854, Mohammed Saïd invita son ami au Caire, et c'est au cours d'un entretien décisif, le 7 novembre 1854, que Lesseps obtint l'acte de concession que d'autres, moins heureux ou moins habiles, avaient vainement sollicité. Le canal de Suez était né.

D'emblée, cet acte affirmait le caractère « universel » de la nouvelle voie maritime. Nulle discrimination entre les nations, en temps de paix comme en temps de guerre, ne serait admise pour l'exercice du droit de passage, et les droits de péage seraient strictement les mêmes pour tous. Le capital devait être réparti dans le monde entier, aucune puissance n'en détenant la majorité. En contrepartie de son abandon partiel de souveraineté, l'Égypte recevait en priorité 15 pour 100 des bénéfices de l'exploitation.

Lesseps et son ami Saïd avaient cherché par avance à désarmer les critiques que leur initiative hardie ne devaient pas manquer de susciter. Les plus redoutables émanèrent du gouvernement anglais dirigé par lord Palmerston, qui fut jusqu'à sa mort, en 1865, un farouche adversaire du canal. On ne voyait pas d'un bon œil à Londres une œuvre d'inspiration française venir bouleverser les routes traditionnelles de la puissance maritime britannique. Les intrigues auprès de la Sublime Porte afin d'empêcher la ratification de la concession accordée par le vice-roi constituèrent longtemps une sérieuse menace.

Cependant, les études définitives avaient été lancées aux frais des fondateurs. Les conclusions furent soumises à une commission scientifique internationale, qui, le 2 janvier 1856, approuva le tracé direct à travers l'isthme, évalua le montant des dépenses à 200 millions de francs, fixa la durée de la concession à quatre-vingt-dix neuf ans et préconisa un statut de neutralité absolue.

L'approbation du gouvernement de Constantinople se faisait attendre. Après deux ans de vaines démarches et une épuisante campagne d'explications à travers toute l'Europe, Lesseps, fort de l'appui de Saïd,

décida de passer outre. Le 15 décembre 1858, il fonda la Compagnie universelle du canal de Suez, au capital de 200 millions. La souscription des actions rencontra un grand succès en France, mais à l'étranger l'échec fut total. Finalement, 52 pour 100 du capital fut placé en France, 44 pour 100 auprès du gouvernement égyptien, et 4 pour 100 dans tous les autres pays. Le canal perdait de son caractère international pour devenir franco-égyptien.

Les travaux pouvaient enfin commencer, et le premier coup de pioche fut officiellement donné le 25 avril 1859, à l'emplacement du futur port sur la Méditerranée, qu'on appela Port-Saïd. En partant de ce point, il s'agissait de construire un canal de 161 kilomètres, large de 52 mètres, profond de 8, accessible aux plus gros navires de l'époque. Il fallait excaver 100 millions de mètres cubes, dont plus de la moitié sous l'eau, construire un port sur la Méditerranée, aménager celui de Suez sur la mer Rouge, creuser un canal pour amener l'eau du Nil sur le chantier, créer deux villes, Port-Saïd et Ismaïlia. Énorme programme, pour lequel on se donnait six années.

Heureusement, les conditions géographiques et géologiques étaient relativement favorables, les deux tiers du canal passant par des terrains sableux ou argileux avec peu de roche dure, situés pratiquement au niveau de la mer ou dans des dépressions asséchées qu'il suffisait de remplir. Le seuil le plus élevé n'avait

Un pétrolier traversant à nouveau le désert, en 1977, peu après la réouverture du canal, fermé à la suite de la guerre des Six Jours. Depuis un siècle le canal a été amélioré à plusieurs reprises : son tirant d'eau est passé de 22 à 67 pieds et sa largeur de 52 à 365 m.

que 19 mètres d'altitude. Mais l'installation, la coordination et le ravitaillement des chantiers en plein désert, l'importance des déblais sous l'eau n'en posaient pas moins des problèmes formidables. Ceux-ci furent au début nettement sous-estimés, et les travaux démarrèrent assez lentement.

Travaux de percement du canal vers 1863. Malgré leur nombre, les 25 000 fellahs composant la main-d'œuvre ne purent tenir les délais prévus. Mais la mise en service des dragues à vapeur assura la relève.

Une technologie d'avant-garde

À partir de 1864, le chantier du canal de Suez réunit la plus grosse concentration de matériel d'excavation jamais vue à l'époque. Le retrait de la main-d'œuvre par le gouvernement égyptien fut en définitive bénéfique pour l'entreprise, car on peut affirmer que sans l'utilisation de ces machines, alors toutes récentes, l'affaire se serait terminée par un retentissant fiasco.

En 1868-1869, la puissance totale en service atteignit environ 15 000 chevaux-vapeur, consommant 20 à 30 000 tonnes de charbon par mois.

Le matériel d'excavation proprement dit consistait en 80 dragues à godets, en grande majorité flottantes, quelques-unes étant installées sur des voies ferrées parallèles à la berge.

La pièce essentielle d'une drague à godets est une chaîne sans fin portant les godets d'extrac-

1859, elle passa commande de 24 petites dragues à des ateliers français et belges. La capacité des godets était de 100 litres, la profondeur de travail pouvait atteindre 2,50 m, la machine à vapeur développait une puissance de 16 à 18 chevaux. Le rendement théorique était de 1 000 mètres cubes par jour pour une consommation de 800 kilos de charbon. En fait, on resta très loin des performances annoncées, il n'y eut jamais plus de 6 à 8 machines en service et le rendement ne dépassa pas 5 000 à 10 000 mètres cubes par mois. C'était donc un semi-échec, mais l'expérience acquise était précieuse. On s'était rendu compte qu'il fallait un matériel beaucoup plus robuste et puissant.

Aussi, en 1862, 20 grandes dragues identiques furent commandées par moitié aux Forges et chantiers de la Méditerranée et aux Établisse-

ments Ernest Gouin. Cette fois, toutes les pièces étaient largement dimensionnées. La capacité des godets était de 220 à 230 litres, le tourteau supérieur montait à 8,5 m afin de faciliter l'évacuation des déblais, la puissance développée était de 34 chevaux. Ces dragues se révélèrent parfaitement adaptées à leur tâche. Il y a en eut jusqu'à 60 en service, auxquelles vinrent s'ajouter 14 petites dragues de 20 à 25 chevaux.

L'entreprise Borel et Lavalley fut la principale utilisatrice de ce matériel. Elle avait mis au point des couloirs d'évacuation pouvant atteindre 70 mètres, dans lesquels le transit des déblais était facilité soit par une chaîne racleuse sans fin, soit par un simple courant d'eau. Le personnel de conduite, exclusivement européen, stimulé par des primes, obtenait des rendements étonnants, jusqu'à 70 000 mètres cubes en un mois, autant qu'avec le travail de 2 500 fellahs. Au milieu du désert, en détournant le canal d'eau douce, l'entreprise n'hésita pas à créer une série de petits lacs artificiels afin de constituer des points d'attaque pour des dragues flottantes, qui étaient amenées en pièces détachées et montées sur place.

L'entreprise Couvreux utilisa de son côté des excavatrices terrestres à godets de son invention. Identiques dans leur principe, ces machines étaient montées sur une voie ferrée et attaquaient directement la berge du canal en se déplaçant parallèlement à celui-ci. Ces engins, très modernes pour l'époque, eurent un grand succès et furent réutilisés ultérieurement sur d'autres chantiers en France et en Europe centrale.

tion et montée sur une poutre appelée élinde. L'élinde plonge dans l'eau, à l'avant du chaland porteur, les godets raclent le sol et viennent déverser les déblais à l'air libre, aussi haut que possible, dans des couloirs ou goulottes qui les dirigent soit dans un chaland porteur amarré en couple, soit directement sur la berge. La chaîne est entraînée par une machine à vapeur. Le chaland porteur de l'ensemble est manœuvré par des treuils de « papillonnage » qui permettent de le positionner avec précision pour attaquer le sol. Si le principe est simple, les causes d'avaries ou de mauvais rendement ne manquent pas, et ces engins demandent des soins attentifs et un personnel expérimenté.

Dès le début des travaux, la direction du chantier prit conscience de l'intérêt de ce matériel pour effectuer les déblais sous l'eau, extrêmement lents et pénibles à extraire à la main. En

Les dragues flottantes à godets, à hauteur d'El-Kantara. Les déblais étaient rejetés sur les rives par des couloirs d'évacuation portés par une structure métallique pouvant atteindre 70 m.

Une des excavatrices à godets mises au point par l'entreprise Hersent. Montés sur rails, ces engins se déplaçaient parallèlement à la berge du canal.

L'essentiel des travaux de terrassement était l'œuvre de fellahs — 25 000 hommes environ —, mal outillés, mal encadrés, mal payés. Le gouvernement égyptien devait fournir la main-d'œuvre et réquisitionnait pour cela les hommes valides pour des périodes de un à deux mois. Bien que les salaires payés sur les chantiers du canal fussent comparables à ceux qui étaient payés en d'autres circonstances, le travail y était fort impopulaire, et les rendements très bas. On avait compté sur 1,5 m³ par homme et par jour ; on en obtenait péniblement la moitié. Fin 1862, Port-Saïd ne disposait que d'un appontement provisoire et une

une situation fort compromise. Il demanda et obtint l'arbitrage de Napoléon III dans le différend qui l'opposait aux gouvernements turc et égyptien. La sentence, rendue rapidement, établissait que le gouvernement égyptien avait violé l'acte de concession en retirant ses ouvriers de la zone du canal et en arrêtant les travaux, mais que de son côté la Compagnie devait renoncer à certains des avantages de son contrat, notamment à l'utilisation de main-d'œuvre réquisitionnée. En échange, elle devait percevoir une indemnité de 84 millions. Les travaux purent reprendre fin 1864.

furent confiés à une entreprise de Glasgow ; mais, rebutés par les difficultés, les Écossais plièrent bagage au bout de six mois, n'ayant presque rien fait : ce fut le seul échec. Enfin, l'entreprise Borel et Lavalley se chargea de toute la partie sud du canal ainsi que de la lagune Menzaleh et réalisa, en quatre ans, 75 millions de mètres cubes de terrassements et de dragages, soit 57 pour 100 du total des travaux. Ses animateurs, deux jeunes polytechniciens, perfectionnèrent sans cesse les techniques d'utilisation de la colossale flotte de dragues et autres matériels qui avait été rassemblée.

étroite « rigole de service » amenait l'eau de la Méditerranée dans le lac Timsah ; par contre, l'eau du Nil arrivait en abondance par le canal d'eau douce, qui était à peu près achevé. On avait réalisé à peine un quart des travaux, et il devenait évident que le délai prévu de six ans serait largement dépassé, de même que le devis initialement établi. Saïd, enfin, commençait à se lasser d'une affaire dont on ne voyait pas le terme.

D'autre part, en Europe, une violente campagne de presse orchestrée par le gouvernement britannique s'élevait contre le système du travail forcé, assimilé à l'esclavage. Sur les injonctions de la Sublime Porte, Ismaïl pacha, qui avait succédé à Saïd, mort en janvier 1863, arrêta, en avril 1864, les travaux déjà très ralentis depuis plusieurs mois. Une fois encore, avec beaucoup d'habileté, mais servi également par la chance, Lesseps sut rétablir

Contraint de renoncer à une main-d'œuvre abondante et bon marché, il lui fallut bien changer de méthode de travail. On passa de l'artisanat à l'industrie, du couffin à la drague. Le système de la régie directe fut pratiquement abandonné pour tous les gros travaux au profit de contrats à forfait passés avec des entreprises compétentes sachant utiliser les matériels mécaniques les plus récents. Les prix de revient augmentèrent, mais on réalisa en cinq ans quatre fois plus de terrassements qu'au cours des cinq années précédentes.

L'entreprise Dussaud, de Marseille, construisit les jetées de Port-Saïd. 250 000 mètres cubes de blocs artificiels de chaux et de sable furent fabriqués et posés en temps voulu. L'entreprise Couvreux effectua 9 millions de mètres cubes de terrassements pour le franchissement du seuil d'el-Guisr. Les dragages dans la lagune Menzaleh, au sud de Port-Saïd,

La cérémonie d'ouverture du canal de Suez (tableau de Riou). La présence de l'impératrice Eugénie et de Ferdinand de Lessseps en fit un « événement français ». Mais en 1875, Ismaïl pacha revendit ses titres à la Grande-Bretagne, qui devint ainsi principal actionnaire de la compagnie.

Durant toutes ces années d'intense activité, Lesseps resta sans cesse sur la brèche, résidant le plus souvent dans la nouvelle ville d'Ismaïlia. Il avait surmonté avec succès une autre crise financière — le coût du canal étant passé de 200 à près de 400 millions — grâce à l'émission d'un emprunt à lots.

Le 17 novembre 1869, le jour de gloire était arrivé, et cet homme infatigable pouvait enfin savourer son triomphe.

Bertrand Lemoine

LES GRANDS TUNNELS ALPINS

Un siècle d'efforts
pour vaincre la barrière des Alpes

n ce Noël de l'année 1870, tandis que la guerre faisait rage au nord de la Loire, que Paris assiégé criait famine, les mineurs français et italiens se rejoignaient enfin à 1 600 mètres sous terre entre Modane et Bardonnèche. Après treize années de travail difficile et dangereux, le premier grand tunnel ferroviaire — celui du Mont-Cenis — traversait les Alpes.

De la Méditerranée au col du Brenner (1 374 m), une barrière continue semblait en effet défier les constructeurs de chemins de fer. Les rares passages sont tous situés à plus de 1 800 mètres d'altitude. Les routes carrossables aménagées au début du XIXᵉ siècle, empruntées par des diligences, des chariots ou des traîneaux, ne pouvaient suffire à assurer le trafic croissant engendré par le développement des échanges. On avait d'abord songé à établir des chemins de fer à crémaillère, pour y renoncer bien vite. La solution était le percement de longs tunnels à basse altitude.

Vers 1850, les relations entre la France et le Piémont étaient excellentes. La construction d'une ligne directe Paris-Milan était à l'ordre du jour. Après quelques hésitations — on songeait déjà à un tunnel sous le mont Blanc —, le site du Fréjus, à proximité du col du Mont-Cenis, fut retenu.

Il fallait à Germain Sommeiller, qui prit la direction de l'entreprise, une audace extraordinaire et un brin d'inconscience pour envisager de percer à 1 244 mètres d'altitude un tunnel à deux voies long de 13 700 mètres. Il n'existait alors aucun ouvrage comparable. Les plus longs tunnels ne dépassaient pas quelques centaines de mètres.

Les travaux débutèrent en 1857. Ils avancèrent d'abord avec une lenteur désespérante. Les trous de mine étaient forés à la main. Pendant trois ans, la progression moyenne ne

dépassa pas 25 centimètres par jour. À ce rythme, le tunnel ne serait pas ouvert avant la fin du siècle ! Pressé par l'absolue nécessité d'améliorer la perforation des trous de mine, Sommeiller inventa le premier marteau perforateur à air comprimé. Dès ce moment, tout changea : la progression s'accéléra au rythme de 2,5 m par jour, mais il fallut encore dix ans d'efforts avant que les deux équipes fassent

leur rencontre, à 1 mètre près. Fort heureusement aussi, les conditions géologiques n'avaient pas été trop défavorables. Le tunnel, mis en service en 1871, donna jusqu'en 1882 une suprématie totale à la France dans le trafic entre l'Europe de l'Ouest et l'Italie. Il avait coûté 75 millions de francs-or, et aussi, hélas ! plus de 60 morts et de très nombreux blessés, et sans compter les victimes de maladies.

L'autoroute du Saint-Gothard près de Gurtnellen. De nombreux tunnels secondaires ont été percés. À l'arrière-plan, un viaduc de la ligne de chemin de fer. Le tracé des autoroutes s'adapte plus facilement au terrain que celui des voies ferrées soumis à des contraintes très strictes.

Le succès de la ligne du Mont-Cenis suscita aussitôt une vive émulation entre les puissances européennes intéressées. Les préoccupations géopolitiques n'en étaient pas absentes, à tel point qu'on a pu parler jusqu'à la fin du siècle d'une « guerre des tunnels ». L'Allemagne victorieuse de 1871 proposa aux cantons alémaniques de la Confédération helvétique, ainsi qu'à l'Italie, d'établir une voie directe par le col du Saint-Gothard. Envisagée dès 1845, probablement irréalisable à cette époque, la construction de la ligne du Saint-Gothard représente l'une des plus grandes prouesses techniques du siècle. Les difficultés

L'explosion accidentelle de la poudrière de Bardonnèche, pendant le percement du tunnel du Mont-Cenis, fit de nombreuses victimes. La poudre noire utilisée comme explosif présentait de grands dangers en raison de son inflammabilité. Son emploi est aujourd'hui interdit.

La jonction des deux galeries du tunnel ferroviaire du Saint-Gothard. L'erreur d'alignement des percées ne dépassa pas quelques décimètres. L'enthousiasme des participants ne doit pas faire oublier qu'en raison des conditions géologiques très défavorables, ce chantier coûta chaque année une vingtaine de morts et des centaines de blessés.

que présentait l'entreprise étaient en effet considérables. Sur 120 kilomètres, entre Arth Goldau et Biasca, l'accès nord à travers les gorges de la Reuss, le tunnel principal à 1 144 mètres d'altitude, long de 15 002 mètres, entre Goeschenen et Airolo, la descente par la vallée du Tessin ont nécessité la construction de 80 tunnels totalisant 46 kilomètres, et de 324 ponts et viaducs. 7 de ces tunnels sont à tracé hélicoïdal, seul moyen, faute de place à l'air libre, pour développer le tracé en pente faible et régulière. Le coût total de l'opération atteignit 260 millions de francs-or.

L'entrepreneur du tunnel principal, le Genevois Louis Favre, s'inspira de l'expérience laborieusement acquise au Mont-Cenis. Entre-temps, le matériel s'était perfectionné. Les compresseurs, mus par des turbines hydrauliques, développaient une puissance de 2 000 chevaux. Le rendement des perforatrices s'était amélioré, la dynamite remplaça la poudre noire. Des locotracteurs à air comprimé tiraient les wagonnets de déblais, et non plus seulement des hommes ou des chevaux. Malheureusement, les conditions géologiques se révélèrent extrêmement difficiles. D'importantes sources souterraines, une élévation anormale de la température (jusqu'à 40 °C), la rencontre de mauvais terrains compliquèrent énormément la tâche des mineurs. Les conditions de travail dans les petites galeries d'avancement étaient infernales et les ouvriers ne pouvaient les supporter très longtemps. De nombreux accidents endeuillèrent le chantier, et chaque année on déplorait 25 morts et des centaines de malades et de blessés : le tunnel du Saint-Gothard a été le plus meurtrier de tous les ouvrages alpins. Dix ans de travail acharné permirent enfin d'ouvrir la ligne en

1882. Louis Favre était mort peu de temps avant, ruiné ainsi que sa famille et ses commanditaires. Mais la voie ainsi ouverte devint aussitôt la plus importante traversée des Alpes. Elle le reste encore aujourd'hui.

L'Autriche avait ouvert la première voie ferrée transalpine de 1848 à 1854 entre Vienne et Trieste. Celle-ci franchit le col du Semmering par un modeste tunnel de 1 500 mètres qui inaugura les percées à travers les Alpes. Afin de rompre l'isolement de la province du Vorarlberg et d'ouvrir une communication par le sol national vers la Suisse et la France, le gouvernement décida l'ouverture d'un tunnel sous le col de l'Arlberg. La galerie, longue de 10 250 mètres, est située à une altitude de 1 300 mètres. La construction, commencée en 1880, fut achevée en 1884, avec un an d'avance sur les délais prévus. L'avancement atteignit jusqu'à 8 mètres par jour contre 5 au Saint-Gothard et 2,5 au Mont-Cenis. Le coût au mètre linéaire avait été divisé par deux. On n'eut pratiquement pas d'accidents graves à déplorer, ce qui donne la mesure des progrès accomplis en vingt ans. L'ingénieur Brandt avait inventé une perforatrice hydraulique particulièrement robuste et fiable. Grâce à l'injection d'eau pendant les forages, à l'arrosage du front de taille après chaque tir, à la ventilation forcée à grand débit, les conditions de travail étaient devenues beaucoup plus supportables. Et surtout le cycle des diverses opérations avait été parfaitement organisé, ce qui permettait, à chaque front d'avancement, d'évacuer quotidiennement 900 tonnes de déblais et d'approvisionner 450 tonnes de matériaux.

Les techniques modernes de percement des tunnels

L'abattage à l'explosif est toujours le seul procédé utilisé pour creuser un tunnel dans des roches dures du type granit. Les machines à extraction mécanique continue ou « tunneliers » ne sont utilisables que dans les roches tendres, comme la craie ou les schistes, et toutes les tentatives pour les adapter aux terrains durs sont restées infructueuses.

Si les principes sont restés les mêmes depuis plus de cent ans, les matériels et les méthodes ont constamment évolué vers plus d'efficacité et de puissance. Mais il est curieux de noter que la vitesse d'avancement n'a pas progressé dans les mêmes proportions : on est passé de 4 à 6 mètres par jour à 10 ou 12 mètres seulement. Le cycle des opérations, complexe et discontinu, semble imposer une limite absolue de 15 à 18 mètres par jour, même dans les meilleures conditions de terrain.

Inventé en 1860 par Germain Sommeiller, perfectionné par l'Américain Simon Ingersoll, le marteau perforateur pneumatique à rotation-percussion reste l'outil de base pour le forage des trous de mine. Les perfectionnements ont porté sur l'injection systématique d'eau pendant le fonctionnement, afin de limiter l'émission de poussières nocives, et sur l'utilisation généralisée de burins à pastille de carbure de tungstène, plus efficaces et plus durables.

Le maniement de ces appareils est très pénible. Aussi, dès l'origine, avait-on songé à les monter sur divers supports : simples chevalets de bois, wagonnets sur rails ou petits chariots automoteurs. L'aboutissement de cette évolution est une plate-forme à plusieurs niveaux, mobile sur rails ou sur pneus, le jumbo, et portant de nombreux marteaux positionnables à volonté. Lors des travaux de percement du tunnel du Mont-Blanc, chacune des deux équipes a utilisé un jumbo, équipé de 15 à 30 marteaux perforateurs de 36 kilos, capable de forer une « volée » de 150 à 200 trous de 4 mètres de longueur et de 44 millimètres de diamètre en deux heures environ.

À partir de 1875, la dynamite a définitivement supplanté la poudre noire, moins puissante et plus dangereuse en raison de sa grande inflammabilité. On emploie également des explosifs plus économiques, à base de chlorates et de nitrates, et même, aux États-Unis, le mélange nitrate-fuel.

L'allumage des charges est maintenant toujours réalisé selon un plan de tir très étudié, au moyen de détonateurs électriques à micro-retard qui permettent de contrôler avec précision la séquence de mise à feu. On obtient ainsi une découpe nette du profil, une bonne fragmentation du rocher, tout en minimisant la consommation d'explosif, qui varie généralement entre 2 et 3 kilos par mètre cube.

Dans les souterrains de grande section, l'opération appelée marinage, c'est-à-dire le chargement et l'évacuation des déblais après le tir se fait avec des engins courants de travaux publics, chargeuses et camions dumpers. Par ailleurs, avec une bonne ventilation et des filtres d'échappement appropriés, l'utilisation de moteurs Diesel ne pose plus de problèmes, la pollution de l'air étant maintenue dans des limites acceptables.

Sous des épaisseurs de terrain dépassant quelques centaines de mètres, les roches sont dans un état de compression intense. Elles se dépriment donc dès que l'on ouvre une cavité. Les parois se déforment, des blocs s'en détachent, parfois de manière explosive. Pour lutter contre ce phénomène, les grands tunnels étaient autrefois construits par petites galeries successives, sur lesquelles on appliquait aussitôt, section par section, le revêtement définitif. Deux techniques entièrement nouvelles sont apparues après 1950. La première, le boulonnage du rocher ou *rock bolting*, expérimentée d'abord aux États-Unis, consiste à forer des trous perpendiculaires aux parois, dans lesquels on introduit des tiges d'acier de 25 à 35 millimètres de diamètre, ancrées au fond, mises en tension et scellées. On solidarise ainsi les couches superficielles avec les couches profondes. Ce procédé fut employé sur une grande échelle au tunnel du Mont-Blanc, où 171 240 boulons furent posés, soit en moyenne une quinzaine par mètre. L'autre technique, plus récente, développée en Autriche et en Suède, consiste à projeter sur la paroi une couche de béton fin de 10 centimètres d'épaisseur à l'aide d'un canon à air comprimé. Cette couche, pourtant très mince, consolide le terrain de manière surprenante et permet d'attendre en toute sécurité le stade de la mise en place du revêtement définitif, généralement en béton, de 30 à 70 centimètres d'épaisseur.

La machine perforatrice de Germain Sommeiller, mise en service en 1860 sur le chantier du Mont-Cenis (ci-dessus). Les cadres servaient d'appui aux ouvriers pour faire avancer l'engin. Des réservoirs d'air comprimé (à droite) étaient utilisés lorsque les compresseurs ne pouvaient être installés à proximité des marteaux perforateurs.

Appareil pour la pose en série de boulons d'ancrage. Les têtes des boulons, avec leur plaquette de serrage, sont visibles en haut de la voûte. En même temps, on met en place un grillage, qui sert de protection contre les chutes de pierres d'une part et d'armature pour le revêtement d'autre part.

Pendant très longtemps, le chantier du tunnel resta un véritable modèle du genre.

Entre-temps, la « guerre des tunnels » n'avait jamais cessé. La ligne du Saint-Gothard défavorisait les cantons suisses romands et la France, qui rêvaient de prendre leur revanche et projetaient une nouvelle voie Paris-Milan plus courte par Pontarlier, Lausanne et la vallée du Rhône. Les Alpes furent ainsi franchies par un tunnel de 20 kilomètres, à 687 mètres d'altitude seulement, sous le massif du Simplon entre Brigue et Iselle. Le gouvernement français tergiversa longtemps, puis finalement renonça à participer au financement du projet. La Suisse et l'Italie assumèrent donc seules l'initiative et les risques de l'entreprise, avec un budget très serré de 76 millions de francs-or. Les travaux commencèrent en août 1898, avec un délai prévu de cinq ans. C'était peu pour creuser une galerie de 19 700 mètres, à une profondeur de 2 135 mètres sous le monte Leone. L'entreprise fut confiée à un consortium germano-suisse dirigé par la firme Brandt et Brandau, de Hambourg, et la firme Sulzer. Installation de chantier, matériels, méthodes, tout fut minutieusement étudié. Plutôt qu'une galerie unique à deux voies, on décida de creuser deux tunnels séparés distants de 17 mètres. Dans une première phase, seul l'un d'eux serait équipé et mis en exploitation, l'autre, ouvert en section réduite, servirait de galerie de service et ne serait achevé que lorsque l'importance du trafic le justifierait. Ces dispositions s'avérèrent parfaitement judicieuses et l'une des clefs du succès, car les difficultés ne manquèrent pas. La chaleur d'abord, qui atteignit par endroits 54 degrés. Puis des sources froides et chaudes, dont le débit s'éleva jusqu'à 1 200 litres par seconde, menacèrent de noyer le tunnel. Enfin, l'extrême pression des terrains déforma par endroits la galerie de manière extraordinaire, entraînant la construction de maçonneries allant jusqu'à 5 mètres d'épaisseur. Après abandon de l'attaque nord, la jonction fut enfin réalisée par le sud au milieu d'un nuage de vapeur le 24 février 1905. Le décalage des axes ne dépassait pas une vingtaine de centimètres! L'habileté et le courage des ingénieurs, des mineurs et des maçons avaient vaincu tous les obstacles, mais soixante d'entre eux y avaient laissé la vie. Le tunnel fut ouvert à la circulation ferroviaire le 1er juin 1906, avec une année de retard que personne ne songea à reprocher aux constructeurs. La seconde galerie fut achevée entre 1917 et 1922.

À peine le Simplon terminé, la Confédération helvétique décida l'ouverture d'une ligne directe Berne-Brigue traversant le massif du Lötschberg par un tunnel de 14 600 mètres à 1 244 mètres d'altitude. Commencé en 1906, le percement fut ponctué d'incidents dramatiques. Sous la rivière Kander, les mineurs ouvrirent inopinément une faille emplie d'eau et de sable sous pression. En quelques instants, la galerie fut envahie sur 1 300 mètres. Vingt-cinq hommes périrent et tout le matériel fut perdu. On dut se résigner à abandonner une partie de l'ouvrage et à prendre un nouveau tracé en dérivation. Le tunnel fut mis en service en 1911.

L'un des deux jumbos, plate-forme mobile à trois niveaux sur rails, utilisé lors du percement du tunnel routier du Mont-Blanc. Les marteaux perforateurs, portés sur des glissières orientables au moyen de vérins, peuvent être mis en action dans n'importe quelle position. Il est ainsi possible de forer les trous de mine sur la totalité de la section du tunnel. Avant le tir de la volée, le jumbo est ramené à une certaine distance de sécurité; après le tir, l'évacuation des déblais s'effectue au moyen de bennes qui circulent au-dessous de la plate-forme inférieure.

Par ces ouvrages passèrent jusqu'en 1965 l'essentiel des échanges entre les pays du nord de l'Europe et ceux de la Méditerranée. Puis le rôle du chemin de fer déclina au profit de la route, rendant nécessaire l'aménagement de nouvelles percées. L'histoire des tunnels autoroutiers est plus brève — elle s'étend entre 1960 et 1980 — et moins dramatique. Par sa situation privilégiée et le prestige qui s'attachait au site, le tunnel du Mont-Blanc s'est imposé en premier lieu. Entrepris en coopération franco-italienne, les travaux commencèrent en 1959. La distance à franchir n'est pas trop longue — 11 500 mètres — mais l'épaisseur de la couverture rocheuse (2 480 mètres) pouvait faire craindre de fâcheuses surprises. En fait, à part quelques difficultés au départ du côté italien, tout se passa bien. La chaleur se révéla moins élevée que prévu. La mécanisation poussée des chantiers, l'utilisation des nouvelles méthodes de consolidation des parois permirent un avancement régulier des travaux, sans accident grave. Mis en service le 17 juillet 1966 avec une capacité de 450 véhicules par heure, le tunnel du Mont-Blanc s'avéra d'emblée un grand succès.

Au même moment, la Suisse construisait sous le col du Grand-Saint-Bernard un tunnel plus modeste de 5 800 mètres, achevé en 1964. Entre 1970 et 1980, la grande artère du Saint-Gothard a été doublée par une autoroute qui traverse deux grands tunnels. Le premier franchit l'éperon du Seelisberg, au bord du lac des Quatre-Cantons, par une galerie de 9 300 mètres. Le second, presque parallèle au tunnel ferroviaire, passe sous le col du Saint-Gothard par un ouvrage de 16 900 mètres qui en fait le plus long tunnel routier du monde. Sa construction, difficile, n'a pas duré moins de onze ans, de 1969 à 1980. Le tunnel routier de l'Arlberg, long de 13 970 mètres, ouvert en 1978, et le tunnel du Fréjus, long de 12 800 mètres et ouvert en 1980, doublent l'un et l'autre leurs ancêtres ferroviaires. Par fer ou par route, le franchissement des Alpes est aujourd'hui une réalité.

Bertrand LEMOINE

LE PONT DE BROOKLYN

Un prestigieux ouvrage d'art de la fin du XIXe siècle

L orsque, du 110ᵉ étage du World Trade Center, on contemple New York, on est frappé par l'énorme étendue d'eau qui pénètre le continent en cet endroit, et qui semble vouloir contenir l'activité humaine dans toutes les directions. Ainsi, Manhattan, cœur de la cité, n'est reliée aux terres environnantes que par une série de ponts dont le plus proche — et l'un de ceux qui semblent les plus petits — est le fameux pont de Brooklyn, qui franchit l'East River entre Manhattan et l'extrémité sud de Long Island.

Pourquoi cet ouvrage, aujourd'hui dominé par d'immenses gratte-ciel et par d'autres ponts plus spectaculaires, a-t-il été appelé « l'une des merveilles mécaniques du monde »? Pourquoi les Américains en sont-ils tellement fiers? Quelle signification particulière lui donne-t-on, puisque, de toute évidence, c'est plus qu'un simple trait d'union entre deux parties de la ville?

On peut aisément observer le pont de Brooklyn de l'une des deux rives qu'il unit; on peut marcher sous les arches des rampes d'accès, on peut bien sûr, passer dessous en bateau en empruntant l'une des vedettes pour touristes qui font le tour de Manhattan. Mais la meilleure manière de le connaître est, aujourd'hui comme il y a cent ans, de le traverser à pied. En effet, l'un des traits les plus originaux de ce pont est sa chaussée centrale réservée aux piétons.

La première constatation qui s'impose c'est qu'il est fort long : d'un bout à l'autre de la chaussée, on parcourt près de 2 kilomètres. La longueur totale se décompose ainsi: 500 mètres de rampe d'accès du côté de Manhattan; 300 mètres environ du côté de Brooklyn ; puis 300 mètres de chaque côté entre les massifs d'ancrage et les pylônes; enfin, 523 mètres pour la travée centrale. Ces dimensions ont

Vue de la promenade centrale du pont de Brooklyn. Roebling est le seul ingénieur à avoir ainsi prévu un lieu privilégié pour les piétons, d'où l'on peut voir le contraste saisissant entre la massivité des pylônes néogothiques et la légèreté du réseau de câbles relevant du plus extrême modernisme.

fait de lui au moment de sa construction, et durant plus d'une génération, le plus grand pont suspendu au monde.

On est également étonné, en marchant sur ce pont, de sa hauteur: le tablier domine l'East River de plus de 45 mètres, et les deux énormes pylônes culminent à près de 90 mètres. L'impression ressentie est très forte: ce pont présente un caractère monumental, avec ses pylônes de granit percés de deux ouvertures en arc brisé. En anglais on les appelle les « tours » du pont. Le style néo-gothique des pylônes contraste avec l'extrême modernité des parties métalliques : les quatre câbles de 40 centimètres de diamètre, les suspentes (ou câbles verticaux) et le tablier proprement dit, lui-même attaché au sommet des tours par des haubans métalliques qui ajoutent des lignes diagonales au réseau des câbles et suspentes.

De la promenade pour piétons, située au milieu du tablier, on domine les quatre voies réservées à la circulation automobile. On jouit d'une vue incomparable sur la baie de New York, et n'était le bruit assourdissant des voitures, on resterait volontiers des heures assis sur l'un des bancs installés à cet effet.

Le pont vient de fêter son centenaire en 1983, et à cette occasion il a fait toilette. Les New-Yorkais ont ainsi pris conscience de l'intérêt historique, artistique et technique de leur plus ancien pont.

Pour quelles raisons a-t-on décidé de le construire à cet endroit à la fin du siècle dernier? Dès le début du XIXᵉ siècle, New York était devenue la plus grande ville des États-Unis, surpassant par sa population, sa superficie et ses activités commerciales ses rivales du siècle précédent, Boston et Philadelphie. Grand port, relié à l'arrière-pays par un remarquable réseau de canaux, puis de voies ferrées, et au reste du monde par des lignes régulières de grands cargos et de paquebots à vapeur, New York étouffait dans l'île de Manhattan, qui formait à elle seule le territoire municipal. Le port et la ville s'étendirent bientôt sur la partie méridionale de Long Island, et Brooklyn, ancien village hollandais, devint en quelques décennies la troisième ville américaine, fière de sa prospérité et de son

indépendance à l'égard de son ambitieuse voisine. Beaucoup de gens habitaient dès 1850 les collines de Brooklyn, mais travaillaient à New York, centre des affaires. Ils traversaient donc chaque jour l'East River en empruntant l'une des innombrables lignes de *ferries* qui assuraient un service en principe régulier mais en réalité souvent perturbé par le mauvais temps, les marées, etc.

Des projets de ponts reliant New York à Brooklyn furent proposés par divers ingénieurs entre 1810 et 1865. Il y en avait pour tous les goûts: ponts de bateaux, ponts tournants, ponts-levis, ponts suspendus... Les obstacles techniques étaient énormes, et jamais encore on n'avait réussi à lancer un pont sur un bras de mer aussi large. En outre, il fallait laisser le passage aux navires, dont les mâts étaient parfois très hauts. Les obstacles économiques ne manquaient pas non plus : qui allait financer une telle entreprise? l'État de New York, la municipalité de New York ou celle de Brooklyn (qui ne seraient réunies qu'en 1897, lors de la création du Grand New York des cinq comtés actuels)? Des capitaux privés suffiraient-ils? Les intérêts en jeu étaient considérables...

Enfin, en 1867, l'État de New York se décida à accorder à une société privée le droit de construire un pont selon le projet présenté par un ingénieur réputé, John Roebling. Arrivé d'Allemagne en 1831, après de brillantes études couronnées par une thèse sur les ponts suspendus, il était venu chercher fortune en Amérique, et s'était très vite passionné pour le développement des voies de communication. Dans l'usine qu'il avait créée à Trenton, dans le New Jersey, il s'était lancé dans la fabrication de câbles d'acier, utilisés pour haler les chalands sur les plans inclinés des canaux, puis, bien sûr, dans la construction des ponts suspendus. Il avait en effet construit plusieurs ponts, sur l'Ohio, à Cincinnati et à Wheeling, et sur le Niagara, où pour la première fois une voie ferrée utilisait un pont suspendu. Il était donc naturel qu'on s'adresse à lui pour le pont de Brooklyn ; d'ailleurs il avait déjà proposé un projet de pont sur l'East River en 1852. Cette fois-ci, ses plans étaient

Photo prise du côté Brooklyn en 1878. Le pylône est terminé, le massif d'ancrage presque achevé. Les 4 câbles destinés à supporter le tablier sont attachés à des chaînes formées de barres à œillets et fixées à une plaque d'ancrage (invisible ici) prise dans la maçonnerie du massif.

plus grandioses que tout ce qu'il avait conçu jusqu'alors. Non seulement Roebling sut faire face au défi technique, notamment en renforçant la stabilité du tablier par les haubans déjà mentionnés et par des poutres métalliques longitudinales, mais surtout — nous le savons par ses écrits — il donnait à ce pont une valeur symbolique : ses grandes tours de style gothique, évoquant une cathédrale médiévale, joueraient le rôle de propylées, de porte de ville. Le pont serait un lien entre les hommes, un pas en direction de l'ouest, synonyme pour les Américains d'espoir et de développement. L'ingénieur avait ainsi le sentiment de contribuer à la paix et au progrès par la communication.

Hélas ! Roebling ne devait pas connaître la joie de voir son œuvre achevée. Il mourut du tétanos, contracté à la suite d'un accident de chantier, en 1869, quelques mois à peine après le début des travaux.

Son fils, Washington Roebling, prit alors sa succession. Lui-même ingénieur de formation,

il avait déjà travaillé avec son père. Il eut un rôle déterminant, car non seulement il se chargea d'exécuter le projet, mais il y apporta des modifications et des perfectionnements indispensables. Mais à partir de 1872, Washington Roebling ne parut plus sur le chantier : il souffrait de la terrible « maladie des caissons », qui fit de lui un infirme. C'est de la fenêtre de sa maison de Brooklyn Heights qu'il supervisait les travaux, secondé par sa remarquable épouse et par une excellente équipe d'ingénieurs et de techniciens. Aussi le public a-t-il parfois confondu le père et le fils, tous deux ingénieurs talentueux, mais l'un et l'autre victimes de leurs ambitieux ouvrages.

La durée et le coût des travaux dépassèrent toutes les prévisions. Le pont fut achevé au bout de quatorze années au prix de nombreuses difficultés et même de tragédies : vingt-six personnes au moins y trouvèrent la mort. Il avait coûté 16 millions de dollars, soit le double de ce que John Roebling avait envisagé. Les problèmes les plus délicats surgirent

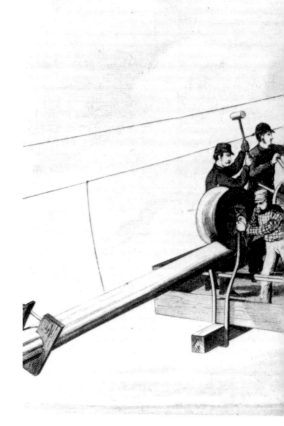

Suspendus entre ciel et terre sans protection, les ouvriers procèdent à la finition d'un des câbles principaux : ils resserrent les 19 faisceaux qui le composent (et formés chacun de 280 fils d'acier), puis entourent l'ensemble d'un fil souple avec un appareil conçu à cet effet par Roebling.

Le soir du 24 mai 1883, pour l'inauguration du pont de Brooklyn, un feu d'artifice extraordinaire fut tiré du pont, des rives, de plusieurs bateaux, et même de ballons. En tout : 10 000 fusées, dont 50 en même temps pour l'ouverture et 500 pour le finale. Cette prouesse pyrotechnique fut renouvelée pour le centenaire en 1983.

Les ouvriers, dans des postures acrobatiques, accrochent les suspentes aux câbles principaux. L'opération se fait par l'intermédiaire de colliers métalliques dont le serrage doit être parfait. Cette gravure extraite du Harper's Weekly, *magazine de grande diffusion, prouve l'intérêt que le public prenait à l'édification du pont.*

73

à deux moments précis: la construction sous l'eau des soubassements des pylônes et la pose des câbles. On connaissait déjà la technique de construction à l'intérieur de caissons étanches. Mais Washington Roebling, qui avait fait un voyage en Europe pour l'étudier, la porta à un bien plus haut degré de perfection.

Sur le fond de la rivière, un caisson de bois, sans fond, était déposé à partir de la rive. Rempli d'air comprimé, il permettait aux ouvriers de creuser au sec les fondations des

d'ancrage prêts à recevoir les câbles qu'il fallut alors lancer d'une rive à l'autre, grouper en faisceaux, puis protéger de la corrosion. Un dispositif astucieux, avec une benne mobile faisant le va-et-vient, permit de réaliser ces opérations périlleuses. Là encore, les ouvriers, pour la plupart des immigrants en majorité irlandais, le payèrent parfois de leur vie.

Enfin, des difficultés financières, des intrigues politiques, et même des tentatives d'escroquerie, ajoutèrent encore des obstacles

un troupeau de vingt et un éléphants! Mais les jours suivants, la foule de curieux était si dense qu'une tragique bousculade entraîna la mort de douze personnes.

Roebling avait beaucoup réfléchi aux problèmes de circulation. Craignant que le tablier ne résiste pas aux vibrations causées par des trains entiers, il avait prévu dans chaque sens une voie réservée à un tramway funiculaire, protégée par un treillis métallique, et une double voie à l'air libre pour les voitures et omnibus à chevaux. Mais dès 1898, des tramways électriques furent ajoutés sur les voies latérales, puis des trains électriques furent substitués aux funiculaires. Depuis 1950, toutes les voies, sauf le trottoir central piétonnier, sont accaparées par la circulation automobile.

Non seulement le pont remplissait à merveille sa fonction de trait d'union entre New York et Brooklyn, mais encore il devint très vite un haut lieu de la ville, visible de partout à cette époque où les gratte-ciel n'avaient pas encore poussé. On se mit à le représenter sur les enseignes et sur les publicités les plus diverses, à vendre des souvenirs de New York ornés de sa silhouette, qui devint ainsi l'emblème de la ville. La littérature et les arts visuels s'en emparèrent à leur tour pour en faire un de leurs thèmes favoris. Dans les années 30, le jeune poète Hart Crane lui consacra tout un poème dans lequel il l'appelait « Harpe, Autel, Arche lancée sur la mer... » L'une des plus célèbres pièces d'Arthur Miller est intitulée *Vu du pont*.

La nuit, transfiguré par l'éclairage électrique, il devint vision fantastique, symbole de la vie moderne, de la grande cité bruissante d'activité. Un peintre comme Joseph Stella, d'origine italienne, l'a représenté sous cet aspect scintillant, tandis que Georgia O'Keeffe insistait plutôt sur la fascinante géométrie des câbles, suspentes et haubans. Bientôt, le cinéma l'utilisa à son tour; de *King Kong* à *Superman*, de *Godspell* au *Choix de Sophie*, il servit de décor à des aventures extraordinaires ou d'entrée symbolique de la ville.

Bien d'autres ponts ont depuis lors relié Manhattan aux quartiers de la métropole. Pourtant, même s'ils sont plus grands et plus modernes, aucun n'a le prestige du vieux pont centenaire, que l'on vénère et que l'on restaure aujourd'hui. Sans doute est-ce parce qu'il a été le premier pont de New York. Mais il y a plus: il a su allier la perfection technique à la beauté, et la solidité — il sert depuis plus de cent ans! — à l'élégance architecturale.

Les touristes européens qui découvraient le Nouveau Monde en arrivant à New York ne s'y sont pas trompés. Ils y ont vu d'une part l'expression du modernisme, de la foi dans le progrès, de l'élan vers l'ouest du peuple américain : « De quoi donner raison à ces gens, écrit Paul Bourget, quand ils se targuent de leur audace, de ce *go ahead* qui n'a jamais hésité. » D'autre part l'ouvrage leur semblait manifester de façon éclatante la réconciliation de l'art et de la technique par le travail de l'ingénieur, « ce grand artiste de notre époque ».

HÉLÈNE TROCMÉ

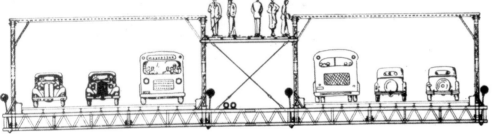

Ces dessins extraits d'un rapport technique de 1945 montrent les modifications successives apportées à la circulation sur le pont. Le seul élément permanent est le trottoir central réservé aux piétons, qui a été complètement refait en 1982. En haut, l'état d'origine, en 1883 : deux lignes de cable car (tramway funiculaire), à l'abri d'un treillis métallique; de chaque côté, une chaussée double réservée aux voitures et charrettes. Au centre, la situation en 1898 : aux tramways on a ajouté des trolleys; il n'y a plus qu'une voie de chaque côté pour les voitures. En bas, le projet de 1945, réalisé en 1952 : trams et trolleys ont disparu; 6 voies sont désormais réservées aux véhicules automobiles.

pylônes jusqu'à la roche mère. L'ouvrage de maçonnerie était édifié au fur et à mesure du creusement, empêchant par son poids le caisson de remonter. Lorsque le roc était atteint (à 14 mètres, côté Brooklyn, mais, côté New York, à plus de 25 mètres), on remplissait le caisson de ciment.

Les ouvriers qui travaillaient dans les caissons subissaient une extrême chaleur, une humidité terrible, la pénombre et le danger d'incendie créé par les lampes au carbure. Beaucoup souffraient en outre de ces accidents de décompression appelés maladie des caissons, qui causaient des douleurs paralysantes dans tout le corps *(the bends)*. Il fallut plus de trois ans pour achever les caissons. En 1876, les tours furent terminées et les massifs

à l'achèvement des travaux. Roebling s'aperçut par exemple que les câbles livrés étaient d'une qualité très inférieure à ceux qu'il avait commandés : le fournisseur, peu scrupuleux, avait empoché la différence de prix, et les autorités avaient fermé les yeux. À partir de 1874, les municipalités de New York et de Brooklyn prirent en charge la construction, sans que cessent pour autant les compromissions.

Le pont fut enfin inauguré en mai 1883 en présence du président des États-Unis, Chester Arthur, et du gouverneur de l'État, Grover Cleveland. De grandes festivités furent organisées : défilé, feu d'artifice, etc. Tout le monde voulait « essayer » le nouveau pont, et pour se convaincre de sa solidité, Barnum y fit passer

Les ponts suspendus

Parmi les grands types de ponts, les ponts suspendus ne sont pas les plus récents : le principe en est connu depuis très longtemps, mais on le réservait à des ouvrages légers, du genre passerelle, suspendus par des cordages. Pourtant, à l'époque contemporaine, avec l'emploi du métal, c'est ce type de ponts qui a donné lieu aux réalisations les plus spectaculaires.

Au début du XIXe siècle, Français et Anglais rivalisent, comme dans beaucoup d'autres domaines, dans la construction des premiers ponts suspendus métalliques. En 1825, à Tournon, les frères Seguin jettent le premier pont de ce genre sur le Rhône. En 1826, au pays de Galles, Thomas Telford achève le magnifique pont de Menai. Ces ouvrages comportent un tablier de bois, suspendu par des chaînes de fer

New York, pont George Washington, 1931. Sa portée centrale est de 1 067 m, et les travées latérales font respectivement 186 et 198 m. Comme la plupart des ponts modernes américains, les pylônes ont une structure métallique, alors qu'en Europe les architectes ont plutôt adopté le béton armé.

Istanbul, pont sur le Bosphore (ci-contre). Construit en 1973 entre Ortaköy et Beylerbey, il est emprunté chaque année par 6 millions de véhicules, qui passent ainsi d'un continent à l'autre. Son tablier, à 64 m au-dessus de l'eau, et sa portée centrale de 1 074 m le font classer parmi les plus grands ponts d'Europe.

San Francisco, Californie, pont du Golden Gate. Achevé en 1937, il était à l'époque le plus long pont suspendu du monde. Les deux pylônes, très élancés, sont en acier; leurs fondations ont posé bien des problèmes à cause des marées et des courants violents, le pont se trouvant déjà presque en pleine mer.

forgé à maillons plats, ou parfois déjà par des câbles formés de fils de fer étirés. Leur légèreté les rend très sensibles au vent et aux vibrations.

Des câbles toronnés, formés de faisceaux de fils d'acier tréfilé, donc beaucoup plus résistants, apparaissent pour la première fois dans les ponts dessinés par Roebling aux États-Unis entre 1849 et 1867. Attachés à chaque extrémité dans de lourds massifs d'ancrage, ces câbles passent ensuite au sommet des pylônes. Le tablier du pont y est fixé par l'intermédiaire de suspentes métalliques. Des poutres d'acier, posées dans le sens longitudinal, achèvent de rigidifier la structure et autorisent de plus grandes portées.

À dater de ce moment, les ponts suspendus métalliques font des progrès rapides, aux États-Unis comme dans le reste du monde. Au-delà d'une portée de 500 mètres, c'est le seul système possible. Le tableau ci-dessous permettra de se faire une idée des principaux ouvrages réalisés et de leurs impressionnantes dimensions.

Pont sur la Humber, Yorkshire, Angleterre, 1979. C'est actuellement le plus grand du monde, avec une portée de 1 410 m. Mais ce record va être battu : malgré des conditions difficiles (marées, typhons), les Japonais réalisent un projet de liaison entre l'île de Honshu et celle de Shikoku (1 780 m).

LIEU	DATE (mise en service)	PORTÉE (travée centrale)
Tournon	1825	env. 200 m
Menai	1826	190 m
Niagara	1851	343 m
Brooklyn	1883	523 m
George Washington *(New York)*	1931	1 067 m
Golden Gate *(San Francisco)*	1937	1 280 m
Tancarville	1959	608 m
Verrazano *(New York)*	1964	1 298 m
Lisbonne	1966	1 013 m
Bosphore *(Istanbul)*	1973	1 074 m
Humber *(Yorkshire, G.-B.)*	1979	1 410 m

C'est à cinq ans, peut-être, quand on vient de voir son premier dessin animé « made in U.S.A. », que la Route, la quintessence de la route —l'Autoroute Américaine — vous empoigne. Souvenez-vous : ce ruban aussi large que tout le bas de l'écran, qui file et défile, toujours pareil, comme éternellement extirpé de l'horizon. Toutes les deux ou trois secondes, un point lointain grandit, fonce vers vous, et grandit encore jusqu'à obscurcir le ciel... vous dépasse... s'évanouit... Comptez les points dans l'ordre : un grand cactus solitaire, une station-service, une pub géante pour un casino, un motel, une autre pub géante : « Dieu vous voit! », un cactus... Parfois une carcasse de voiture, deux carcasses de motels, trois cactus. Et tout recommence depuis le début. L'illimité.

Ce n'est, bien sûr, qu'un cliché : l'un de ces décors de base mille fois réutilisés par les ateliers de dessins animés. Mais pour l'Européen qui ne connaît des autoroutes de chez lui que leurs méandreux embouteillages, le cliché vient à point. Aucune autre image ne saurait mieux traduire le vertige d'une route qui se jette, le plus normalement du monde, dans 5 000 kilomètres d'espace.

Chez nous, chaque arbre, chaque haie, chaque masure ou chaque manoir qui borde nos routes à chaque tour de roue brise l'étendue, casse la vision, distrait, ramène le monde à la taille d'une parcelle. Nous voyageons de parcelle en parcelle. L'autoroute américaine plonge dans le vide. De loin en loin, des fantômes de formes apparaissent qui, seuls, animent le parcours. Le paysage, lui, ne « défile » pas. Il est immuable. Pendant des heures le Grand Lac Salé vous accompagne, identique — et bien plus longtemps encore, ensuite, dans vos rêves. Pendant des jours, les montagnes Rocheuses vous guettent, semblables. Ou se déroule le même champ de maïs. Il faut s'obstiner longtemps pour que le décor change. Le ciel gris orangé de pollution, au-dessus de New York, finit parfois, c'est exact,

Échangeur à quatre niveaux, à Los Angeles. La ville, qui n'était qu'un village en 1920, a d'abord construit ses autoroutes, indéfiniment extensibles. Avec aujourd'hui sept millions de voitures, le car-sharing *est encouragé : des voies express sont réservées aux voitures de plus de deux occupants.*

AUTOROUTES MADE IN U.S.A.
L'éclatement du rêve américain

par s'estomper. Et le jour vient aussi où se devine à l'horizon le petit groupe aristocratique des gratte-ciel de San Francisco. Mais, entre-temps, vous aurez traversé toute l'Amérique.

Il faut souhaiter au voyageur ces soirées dorées de la fin de l'été, dans les déserts de l'Ouest, où la sécheresse de l'air démultiplie la vision, où l'espace s'engendre lui-même comme une succession de mirages. La route sans fin, quand tombe l'ombre, garde longtemps encore l'éclat du métal, filant droit comme un fil d'argent vers les confins de la terre et du ciel, vers la première étoile qui commence à briller. Il n'y a rien, nulle part, que cette voie royale presque surréaliste à

force de solitude. Rien, sauf l'éclair vrombissant des grands camions fonçant vers la nuit, peints de rouge et d'or, et d'azur, et portant en figure de proue l'aigle américain.

Se trouver là, un jour, et rouler droit devant soi, est l'une des rares expériences qu'il nous reste sur terre pour physiquement appréhender l'« infiniment grand », toujours aussi troublant pour les esprits pascaliens. On en revient changé, chaque cellule subtilement imprégnée de l'absolue relativité de toutes choses. Cinéastes et romanciers en ont fait abondant usage, où le *freeway* — benoîtement présenté comme le plus banal, le plus quotidien des décors — finit souvent par s'arroger le rôle principal, celui du Destin, ramenant ses passagers au cœur d'eux-mêmes, vers les aventures qui leur appartiennent en propre, l'essentiel ayant subitement repris sa véritable mesure.

Encore ne s'agit-il jamais que de passages, quelle que soit la longueur du voyage, car le réseau américain des autoroutes couvre 83 000 kilomètres! Et l'Amérique elle-même s'en est trouvée profondément changée.

C'est un hasard, sans plus, si les autoroutes américaines sont nées en même temps que le rock'n roll. À moins que certains hasards ne soient que les expressions diversifiées d'une même nécessité? Les *Sixties*... Partout

L'immense mégapole de Los Angeles (120 km de long) est le paradis des automobilistes : 1800 km d'autoroutes y ont créé un style de vie « travail-loisirs » unique. De n'importe quelle partie de la ville, la mer ou la montagne ne sont qu'à une heure de route : les bureaux se vident dès 16 heures, au profit du surf ou du ski.

l'« éclatement », le rejet de l'ordre, la quête de la fraternité. Le feu de l'idéalisme prend partout à la fois dans la Grande Prairie, à la consternation générale des trois quarts bien-pensants de la population. C'est que l'Amérique, enfin, est sortie de son isolement : les idées volent le long des chemins nouveaux.

Car jusque-là — en dehors de ses gigantesques concentrations urbaines — les États-Unis ne sont qu'un village : une myriade de villages. Nous en reste le charme des images d'Épinal : les merveilleux *cookies* de *grand ma*, les gestes du maréchal-ferrant, les bocaux de sirop d'érable sur l'étagère en bois brut, la guimbarde du laitier sur le chemin de terre...

Station-service et restaurant dans un paysage désertique du Wyoming. Les autoroutes américaines ont partout fait surgir ces havres pour voyageurs interstellaires, relais insolites installés au milieu du néant, qui relient au monde des vivants. On y trouve même des laveries automatiques et des salles de jeux.

77

Aux abords des villes, l'autoroute se démultiplie en d'innombrables voies express qui permettent d'atteindre n'importe quel quartier en un temps record. Ici, à Chicago, sur les bords du lac Michigan, l'une de ces voies royales longe toute la ville avant de se confondre avec l'horizon.

Des films comme *Easy Rider* — scandaleux en ce qu'ils montraient l'opposé : une Amérique haïssable — eurent le mérite de rendre aux lieux clos leurs plaies les plus sûres : la peur du « différent », et la haine, sa quotidienne compagne, lui emboîtant le pas. Le film, on s'en souvient, n'a pour héros que des garçons ordinaires — mais ils ont les cheveux longs, ils ont des motos, et ils viennent de Los Angeles. En huit jours de course à travers l'Amérique des villages, ils veulent simple-

ment rallier La Nouvelle-Orléans. Et c'est la mort qui les y attend. L'Amérique des villages, alors, c'est celle des cheveux ras et des fusils du bon droit, l'Amérique qui rend justice, loue le Seigneur et tue qui ne lui ressemble pas. Celle qu'on appellera l'Amérique profonde, sorte de pays mythique que nul jamais ne traverse : un continent à l'intérieur d'un continent.

Les États-Unis, pour les Américains eux-mêmes, se résument alors aux deux côtes est et ouest, les deux pôles opposés de toute culture

et de toute pensée. L'Amérique intellectuelle, c'est Boston et New York sur l'Atlantique et — à des années-lumière de là — San Francisco sur le Pacifique. Entre les deux : rien, l'« intérieur », comme ils disent — une sorte d'arrière-pays qui n'en finit pas —, où il n'y a rien à voir que des bœufs et du maïs. C'est parfois exact au sens le plus strict : les fermiers du Midwest perdus dans la gigantesque « ceinture de maïs » grimpent sur leurs énormes *combines* comme sur des phares et ne voient, d'un horizon à l'autre, qu'un océan d'épis qu'ils contemplent, heureux. La terre, c'est la richesse — dont tant rêvêrent, et si naïvement, les pauvres immigrants qui furent leurs parents. Valeurs sûres, inébranlables.

Nous sommes au début des années 50. D'autoroutes, point. À quoi serviraient-elles ? Le bon citoyen prend l'avion et loue une voiture à l'arrivée. Jamais l'idée saugrenue de prendre sa voiture personnelle pour faire ne serait-ce que 300 kilomètres ne lui viendrait à l'esprit. Ce qu'il connaît le mieux des États-Unis, ce sont les aéroports. Le reste, il l'a survolé. Certes, le réseau routier existe, énorme : plus de six millions de petites routes nonchalantes, certaines en terre battue. Rien, c'est vrai, n'empêche de les prendre pour faire le tour du pays — comme rien n'empêche de faire le tour du monde en dirigeable...

À cette époque, l'isolement de la campagne est presque total. Le plus sûr lien avec le monde extérieur, et le plus apprécié, c'est encore le fameux catalogue de Sears, Roebuck & Co. (plus de mille pages...) qui se vante de pouvoir fournir n'importe quelle marchandise à domicile, même un éléphant rose. On y puise, entre autres, les indispensables notions de « chic », de bon goût et de mode. Pendant trente ans, la ménagère américaine typique portera la permanente frisottée blonde qu'affectionnent les rédacteurs du catalogue pour leurs modèles...

C'est en 1956 que les principaux intéressés, les camionneurs (ceux-là même qui, notamment, délivraient à domicile les éléphants roses de Sears, Roebuck & Co.), décidèrent qu'ils avaient assez souffert sur leurs six millions de routes campagnardes. Leur syndicat, les fameux Teamsters, qui n'avait pas la réputation de recruter ses adhérents, et encore moins ses dirigeants, parmi des enfants de chœur, exigea des autoroutes dignes de ce nom. Et les obtint. Les Teamsters étaient puissants, et l'époque prospère : la guerre de Corée venait de prendre fin, et l'industrie de guerre ne demandait qu'à se reconvertir en industrie de paix — avec la même vigueur.

Ce fut le président Eisenhower qui donna le feu vert, et la formidable machine à construire américaine s'ébranla alors : à la stupéfiante vitesse de 70 kilomètres par jour, de village en village l'isolement rural ne devenait plus qu'un souvenir... Financé à 90 pour 100 par le gouvernement fédéral, l'Interstate Highway System transperçait le pays d'axes géants, à quatre, six, huit voies... Quatre axes d'est en ouest, deux du nord au sud, deux autres encore en diagonale, le tout flanqué de milliers de bretelles et d'échangeurs en forme de trèfle,

En Europe, les premières autoroutes

L'autoroute est née en Allemagne, mais c'est à tort qu'on en attribue la paternité à Hitler : le premier prototype remonte à 1912. Construit près de Berlin, il n'avait que 10 kilomètres, mais c'était la première route toute droite, à deux voies, sans chemin de traverse, ni piéton, ni cavalier — bref, la première route « sans risque » totalement dédiée à l'automobile. Bien avant la guerre, l'Allemagne avait conçu le projet de relier entre eux ses grands centres industriels. L'autoroute de Cologne à Bonn existait déjà en 1932.

Ce qui revient à Hitler, dès qu'il accède au pouvoir en 1933, c'est d'avoir fait exécuter des projets en un temps record, en mettant au travail un demi-million de chômeurs armés de pioches et de brouettes... En un an, il ouvre 38 600 chantiers ! L'objectif avoué (la lutte contre le chômage) en cache un autre, stratégique, qui doit permettre l'intervention éclair de l'armée sur les deux fronts de l'Est et de l'Ouest. En 1940, ce réseau, avec ses sept grands axes, était de très loin le plus avancé du monde.

Ce n'est qu'après la guerre que l'Allemagne, travaillant à la remise en état de son réseau détruit, reviendra à son idée d'origine : la construction d'autoroutes dans un objectif économique, quadrillant la totalité du territoire afin qu'aucun habitant ne se trouve à plus de 40 kilomètres d'un échangeur. Aujourd'hui, ce réseau de 8 000 kilomètres est le plus long d'Europe.

L'Italie, elle aussi, fait partie des pionniers qui ont très tôt compris la nécessité de l'*autostrada*. Mussolini en fit même un instrument de propagande et de prestige... Mais le réseau italien n'avait aucune vocation guerrière, bien au contraire : il s'agissait d'attirer les visiteurs, et la plupart des itinéraires ont été conçus pour développer le tourisme. La beauté technique de la construction elle-même en témoigne. Dès 1955 est votée la loi qui donnera notamment naissance à l'autoroute du Soleil, qui traverse toute la péninsule du nord au sud sur 755 kilomètres.

En France, à la même époque, le principe de l'autoroute ne soulevait aucun enthousiasme : le pays était fier de son excellent réseau routier, deux fois plus étendu qu'en Allemagne et trois fois plus qu'en Italie, et ne voyait

L'autoroute Florence-Bologne. La maîtrise des ingénieurs italiens se joue de tous les accidents de terrain. Viaducs, ponts, tunnels se succèdent à une cadence rapide.

pas ce que des autoroutes apporteraient de plus. On le comprit pourtant quand le nombre des voitures particulières (1 million et demi en 1950) atteignit 12 millions en 1970... Il fut alors décidé d'urgence de rattraper le retard : ce qui fut fait en dix ans.

Aujourd'hui, la France et l'Italie, toutes deux avec des réseaux autoroutiers de 6 000 kilomètres, viennent au second rang européen, après l'Allemagne (le réseau total européen est d'environ 33 000 km).

---

de labyrinthes, de spirales, constructions à mi-chemin de la plus pure précision mathématique et des plus improbables visions d'Escher. Et l'œuvre reliait neuf sur dix de toutes les villes de plus de 50 000 habitants !

Il était juste temps : au cours de la seule année précédente, 1955, il s'était vendu 4 millions de voitures ! Une nouvelle race de conducteurs, aussi, venait de naître — celle des *teenagers*, qui consacraient leurs *summer jobs* à gagner ce qu'ils appelaient maintenant « une absolue nécessité » : leur première voiture d'occasion, superbement cabossée, pour quelques centaines de dollars. Le pays s'ouvrait ; le rêve aussi. Qui parfois n'allait pas loin : les statistiques rappellent que vers la fin des années 60, 20 voitures en pulvérisaient 20 autres à chaque minute du jour et de la nuit...

Mais enfin, le rêve, ce furent, on le sait, les années 60 : folles, exubérantes, naïves, contestataires, fertiles — nécessaires. L'Amérique rencontrait l'Amérique. Les fermiers de l'Iowa virent même passer des New-Yorkais, au milieu de leurs champs de maïs. « Bref, écrit le journaliste Tom Wolfe, la liberté était dans l'air comme une volée de moineaux. » Jamais les Américains n'avaient autant eu « l'Ouest dans les yeux », et San Francisco, désormais, n'était plus qu'à deux pas : cinq ou six jours de route. San Francisco ! Soufre, décadence et cheveux longs ! On disait alors de l'université de Berkeley qu'elle était la plus scandaleusement libérale de toute l'Amérique. Que n'y contestait-on pas ! L'ordre, le matérialisme, l'autorité, la guerre, l'injustice sociale, et, en gros, toutes les arrogances du bon droit. Et aucun tabou ! Tous ces tabous rassurants qui corsetaient si bien l'Amérique !

Un courant était passé, les États-Unis n'étaient plus exactement pareils, les Américains s'étaient confrontés à d'autres modes de vie et de pensée ; bref, ils s'étaient limé la cervelle à celle d'autrui.

Qu'on y songe : en 1953, la chasse aux sorcières battait son plein sous la férule de McCarthy, terrorisant une Amérique devenue xénophobe, et chaque arbre cachait un délateur. Tout conformisme était vertu nationale. Et *seulement sept ans plus tard,* en 1960, ces mêmes Américains élisaient comme président l'homme le plus libéral, qui incarnait toutes les vertus opposées : John Kennedy. Nul ne saura jamais le rôle qu'auront joué les autoroutes américaines dans l'élection du président Kennedy. L'histoire y perd, même si la poésie y gagne.

Les *American freeways* ne pouvaient, évidemment, qu'engendrer une foison de baladins, qui ont tour à tour chanté leur beauté et leur cruauté — à commencer par Jack Kerouac lui-même, grand prophète de la *Beat Generation*. Pourtant son plus célèbre livre, *On the Road*, ne met presque jamais la route en scène : c'est le mouvement qu'il conte, les rencontres, le temps qui passe poétiquement, c'est-à-dire au rythme intérieur du voyageur et non pas des horloges pointeuses. Sa route à lui est avant tout quête de soi.

Pour beaucoup d'autres, l'autoroute est tout autre chose : c'est l'espace dévoré. L'espace pour l'espace, berçant plus que grisant : sorte de no man's land pour les déracinés. Pas de rencontres, ici, ou alors d'un genre très particulier. Dans *Voyages en Géorgie*, John McPhee, célèbre chef de file des « nouveaux journalistes » américains, parvient à scander

admirablement un long trajet en autoroute par le mystérieux sigle D.O.R., qui revient comme un leitmotiv, à la cadence de l'asphalte avalé. D.O.R. : *Dead on the Road, « Mort sur la Route »*. Ce sont les « rencontres » qui rythment le voyage : D.O.R. un écureuil gris, un opossum, un blaireau... D.O.R. une tortue... D.O.R. une station-service aux pompes rouillées... D.O.R. une grange ouverte à tout vent... Choses entrevues, d'une planète par ailleurs déserte.

Beau thème, aussi, pour les écrivains de science-fiction des grandes années — les années 50, justement. L'autoroute y est souvent représentée comme un dernier cercle rajouté à l'Enfer de Dante, un monde coupé du monde où foncent des bolides discutant à perte de vue sur l'*exit* qu'il convient de prendre. Et le véritable enfer (étant celui qu'on conçoit) commence lorsqu'ils comprennent enfin qu'il n'y a pas d'*exit*, que toutes les bretelles les ramènent éternellement à leur point de départ. C'est, toutes proportions gardées, un peu l'impression qui envahit l'étranger que son sage *freeway* tout droit éjecte soudain aux abords d'une grande ville — New York surtout, l'impatiente mégapole où les voies soudain se dédoublent, se décuplent et se superposent, tandis que l'horizon s'obscurcit de panneaux verts en rangs serrés, portant de diaboliques abréviations... Où aller ? où sortir ? pour aller où ? Le temps de simplement poser la question, noyé dans le sextuple flot glissant des autres voitures, et l'infernal nœud de jonction est déjà loin derrière... L'éternité de l'ailleurs est devant.

Aline de NANXE

ÉDIFICES RELIGIEUX

STONEHENGE
Un monument mégalithique unique au monde

Au milieu de la vaste plaine de Salisbury, dans le sud de l'Angleterre, l'enceinte mégalithique (de *méga*, « grand », et *lithos*, « pierre ») de Stonehenge intrigue par le mystère de ses « pierres suspendues ».

Au XIIᵉ siècle de notre ère, c'est Merlin l'Enchanteur que Geoffroi de Monmouth fait intervenir dans son *Histoire des rois de Grande-Bretagne* pour le transport du monument d'Irlande en Angleterre, où il sera élevé à la mémoire de nobles qui périrent sous les coups des envahisseurs saxons. Cinq cents ans plus tard, l'architecte du roi Jacques Iᵉʳ, Inigo Jones, conclut de son étude qu'il devait s'agir d'un temple romain. Les recherches conduites par John Aubrey au début du XVIIIᵉ siècle l'amenèrent à penser que ce monument était antérieur à l'époque romaine. Il l'attribua aux Celtes. En 1865, John Lubbok situe Stonehenge au début de l'âge du bronze. Une trentaine d'années plus tard, William Gowland, par la fouille du site, vieillit encore Stonehenge jusqu'à la fin de l'âge de la pierre (néolithique final). Il faudra attendre les années 1950 pour avoir des fouilles conduites scientifiquement (S. Piggott et R. Atkinson) et des méthodes de datation plus précises — en particulier celle du carbone 14, corrigée par la dendrochronologie.

Les trilithes géants, portes ouvertes sur le ciel? Ils ont permis aux habitants du Wiltshire néolithique d'étudier les mouvements du soleil et de la lune. Deux pierres dressées supportant un linteau assemblé par tenons et mortaises : c'est la structure de base du complexe de Stonehenge.

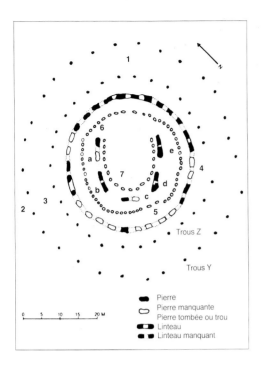

Plan de Stonehenge d'après l'astronome américain Gerald Hawkins. 1. *Lever du soleil au solstice d'été.* 2 et 3. *Trous Y et Z.* 4. *Cercle de pierres de grès.* 5. *Emplacement du cercle de pierres bleues.* 6. *Fer à cheval constitué de cinq trilithes en grès :* a) *coucher du soleil ;* b) *coucher de la lune ;* c) *coucher du soleil ;* d) *lever de la lune ;* e) *lever du soleil.* 7. *Fer à cheval de pierres bleues.*

Tel qu'il se dresse aujourd'hui, le monument est le résultat de réaménagements et modifications portant sur plus de mille cinq cents ans, entre 3000 et 1500 av. J.-C.

C'est à la fin du IVᵉ millénaire (vers 3100 av. J.-C.) que débutera la première phase de Stonehenge. Ce n'est alors qu'un *henge*, aire circulaire limitée par un fossé et une levée de terre et de pierre, coupés par une ou plusieurs entrées. D'un diamètre de près de 100 mètres, le fossé est bordé vers l'intérieur par la levée de terre et de pierre, et présente une large entrée au nord-est. Deux piliers de pierre marquant cette entrée et une autre pierre dressée, la Heel Stone (Pierre du Talon), à une trentaine de mètres à l'extérieur, sont les seuls éléments mégalithiques dans cette première phase de construction.

Les cinquante-six « trous d'Aubrey » furent creusés quelque temps plus tard sur le pourtour intérieur du talus périphérique. Bien qu'ils aient contenu des cendres humaines, il n'est pas certain que ce fût là leur première destination.

La seconde phase de Stonehenge débute vers 2100 av. J.-C. Face à l'entrée, qui est élargie, est construite une avenue bordée de fossés, longue de 500 mètres, alors qu'au centre du monument est entreprise la construction de deux cercles concentriques de pierres dressées. Ces pierres bleues, des dolérites, proviendraient du Pays de Galles, à plus de 200 kilomètres de là. Les cercles furent démantelés avant que toutes les pierres aient été implantées (vers 2000 av. J.-C.). Et c'est, semble-t-il, dans cette deuxième phase que furent dressées, sur la ligne de l'ancien cercle des trous d'Aubrey, les quatre Station Stones, qui ont la particularité de marquer les angles d'un rectangle presque parfait.

La troisième phase de construction est elle-même subdivisée en trois par Richard Atkinson. Tout d'abord, 81 blocs de pierre dite Sarsen, qui est un grès brun très dur, furent ramenés d'une trentaine de kilomètres au nord, des hautes terres des Marlborough Downs. 30 d'entre elles furent dressées au centre du monument selon un cercle de 30 mètres de diamètre ; elles supportent, à 4 mètres de hauteur, un anneau de linteaux de pierre juxtaposés. À l'intérieur de cette nouvelle structure, le « fer à cheval » est composé de 5 trilithes dont les plus hauts, au fond, atteignent 7 mètres pour un poids de 50 tonnes pour chaque pilier.

Par la suite, 20 pierres bleues furent érigées pour former un ensemble elliptique à l'intérieur du fer à cheval. Quelque temps après, vers la fin de l'âge du bronze ancien, fut commencé le creusement de deux cercles concentriques de trous, dits Y et Z, à la périphérie du cercle des blocs de grès.

Enfin, l'ensemble elliptique de pierres bleues fut redisposé à l'intérieur du fer à cheval de grès (Sarsen), parallèlement à celui-ci. Un autre cercle irrégulier de pierres, bleues également, fut implanté entre le fer à cheval et le cercle extérieur de Sarsen.

C'est sous cet aspect que nous pouvons encore voir Stonehenge aujourd'hui, si ce n'est que beaucoup de pierres ont disparu, alors que plusieurs autres gisent sur le sol, effondrées. Une dernière retouche fut apportée tout à fait à la fin du IIᵉ millénaire (vers 1100 av. J.-C.), par l'allongement, sur plus de 2 kilomètres, de l'avenue jusqu'à la rivière Avon.

En dehors de l'aspect monumental de Stonehenge, ce qui frappe le plus c'est l'aspect technique de sa construction, car il a fallu débiter les blocs trouvés à la surface du sol, les transporter, les dresser et les coiffer d'autres dalles de pierre. Une expérience tentée en 1979 sur le site même des monuments mégalithiques de Bougon, dans les Deux-Sèvres, a permis d'établir qu'avec des rouleaux de chêne et de bonnes cordes une dalle de 32 tonnes, réplique exacte de la table d'un des dolmens, pouvait être déplacée grâce à la force de traction de deux cents personnes et qu'un nombre bien moindre était utile à son élévation à plus de 2 mètres de hauteur.

Véritables « charpentiers » de la pierre, les bâtisseurs de Stonehenge aménagèrent au sommet de chaque pilier des tenons sur lesquels s'emboîtaient les mortaises creusées dans les linteaux. Ces linteaux eux-mêmes avaient leurs bords arqués selon la courbure

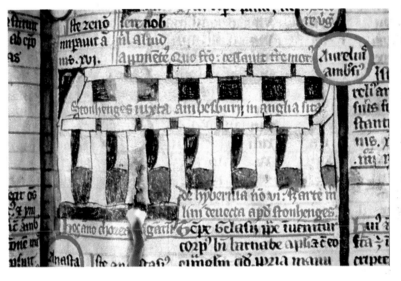

Vision médiévale. La plus ancienne image connue de Stonehenge figure dans un manuscrit du XIVᵉ s. contant l'histoire du monde. Le complexe y est représenté sous la forme d'un rectangle ; les trilithes sont tous complets. La construction du mystérieux monument était alors poétiquement attribuée à Merlin l'Enchanteur.

du cercle que l'ensemble décrivait. Si l'on ajoute que toutes les pierres du cercle supportant la couronne de linteaux jointifs devaient être à la même hauteur, alors que celle du fer à cheval allait en croissant d'un trilithe à l'autre vers le fond, nous mesurons à quel point tout cela dut être mûrement réfléchi et calculé.

Enfin, cinq des piliers de Stonehenge portent des gravures, essentiellement des poignards et des haches, attribuables à l'âge du bronze ancien, époque des constructions les plus imposantes.

Les auteurs de ce monument exceptionnel étaient de simples agriculteurs-éleveurs (bœufs, moutons, chèvres, porcs) dont les ancêtres avaient débarqué sur les côtes des îles Britanniques un peu plus d'un millier d'années avant le creusement du premier fossé périphérique de Stonehenge. Pendant de longs siècles, ces petites communautés vécurent chacune sur un territoire tribal bien délimité, marqué par des enceintes de fossés multiples interrompus *(causewayed camps)*, enceintes qui furent à la fois des lieux de rencontre, des marchés, des lieux de culte, et parfois même des cimetières.

Les morts étaient souvent déposés dans des chambres en bois ou en pierre (dolmens) édifiées à l'extrémité de longs tumulus construits entre deux fossés-carrières. Installées par petits groupes familiaux dans des maisons rectangulaires, ces populations devaient se déplacer fréquemment en fonction de l'usure des sols. Leur équipement matériel était des plus rudimentaire : haches polies, grattoirs, racloirs, perçoirs, flèches en silex ; poinçons et ciseaux en os. Les bois de cerf étaient utilisés pour les pics nécessaires au creusement des fossés.

Il y eut de profonds changements dans la société agricole de la fin du IVe millénaire. C'est ainsi que les enceintes de fossés interrompus, tout en continuant d'être utilisées, ne furent plus construites ; les longs tumulus et les chambres mégalithiques furent abandonnées, tout cela au profit des *henges*, des cercles de pierres dressées et autres. Des modifications apparaîtront dans les coutumes funéraires, dans la poterie — plus grossière mais aussi plus décorée —, dans le plan des maisons, qui deviendront circulaires.

C'est vers 2500 av. J.-C., avec la connaissance du cuivre, qu'une évolution se fait sentir. Les travaux collectifs prennent plus d'ampleur et demandent une main-d'œuvre beaucoup plus importante. On voit peu à peu apparaître des chefs puissants, qui domineront la société du début du IIe millénaire av. J.-C. et formeront la fameuse culture du Wessex au bronze ancien, responsable du grandiose Stonehenge de la phase III.

Enfin, vers 1650 av. J.-C., la coutume d'enterrer les morts est abandonnée au profit de la crémation, qui avait fait son apparition dès Stonehenge I. La population des îles Britanniques, qui s'était installée dans les hautes terres depuis le début du IIIe millénaire, ne fait que s'accroître pendant toute cette période, jusqu'à ce que, vers 1000 av. J.-C., on assiste à une très importante chute démographique. C'est aussi la fin de Stonehenge !

Stonehenge, élaboré au cours de quinze cents années, est l'œuvre d'une population qui se modifia au long des siècles, mais qui déjà était héritière d'un riche passé de constructions mégalithiques. Les archéologues ne sont pas unanimes quant à l'origine locale de ce mégalithisme britannique, et beaucoup pensent que peut-être ces connaissances proviennent de la France de l'Ouest, un des berceaux présumés de la naissance de ces architectures. C'est qu'en effet les premiers dolmens de Bretagne ont une haute antiquité, probablement au-delà de 4500 av. J.-C. La seule autre région d'origine actuellement acceptable se trouve dans l'ouest de la péninsule Ibérique, où des dates aussi anciennes ont été obtenues pour des

Une cérémonie rituelle des druides à Stonehenge. Cette « reconstitution » aquarellée, exécutée vers 1750, est due au célèbre Dr William Stukeley (1687-1765), clergyman amateur d'antiquités. Pour lui, Stonehenge était un temple druidique, mais il s'est inspiré des dessins de l'architecte Inigo Jones qui y voyait un temple romain.

Le grand cercle de pierres de grès. Que Stonehenge fût un temple paraît certain. Que le culte qu'on y pratiquait eût un rapport avec le soleil et la lune semble pouvoir être également admis sans grande réserve. Mais ce fut peut-être aussi le premier observatoire astronomique de l'Occident.

monuments comparables. S'agit-il de deux naissances indépendantes simultanées dans ces deux contrées de la façade atlantique, ou bien l'une est-elle légèrement plus ancienne et à l'origine de l'autre ? La question reste posée, mais ce qui est certain, c'est que ces formes architecturales sont propres à l'Europe de l'Ouest et qu'il ne faut pas aller chercher en Crète ou dans quelque coin de la Méditerranée l'origine du mégalithisme ouest-européen, qui est un phénomène atlantique autonome.

Certes, il existe de nombreux mégalithismes dans le monde, tant en Europe qu'en Afrique, en Asie, et même en Amérique ; certains remontent au Ve millénaire, d'autres sont actuels. Il n'est pas utile de chercher à lier tous ces phénomènes, qui sont souvent indépendants et marquent seulement une façon identique de réagir de sociétés placées dans des conditions comparables.

Pourquoi ces pierres dressées formant ce monument unique au monde, en ce lieu désolé de la plaine de Salisbury ? Il semble tout d'abord que le choix de l'emplacement fut essentiel, puisqu'un observateur placé au centre de l'édifice voit le soleil se lever sur la Heel Stone après la nuit la plus courte de l'année, au solstice d'été, et que s'il se tourne alors de 90 degrés, il se trouve exactement dans l'axe du lever du soleil au solstice d'hiver. Il est difficile de croire à un hasard. Probablement dès le début, mais à coup sûr dès la deuxième période de Stonehenge, le monument est axé sur le lever du soleil.

Mais il y a bien plus. Stonehenge serait un véritable observatoire astronomique si l'on en croit quelques spécialistes, et en particulier l'Américain Gerald Hawkins. C'est ainsi qu'il pense que les cinq grands trilithes du fer à cheval étaient disposés de façon à voir, dans l'espace que chacun limitait, le lever ou le coucher du soleil ou de la lune aux solstices d'hiver et d'été. De même, les quatre Station Stones, placées sur le cercle des trous d'Aubrey selon les sommets d'un rectangle, auraient un rapport avec le lever de la lune au solstice d'été. Les 59 trous des cercles X et Y représenteraient un calendrier pour deux mois lunaires (deux fois 29,5 jours), et les 19 pierres bleues du fer à cheval le cycle lunaire de 18,6 années, ces données étant importantes pour déterminer la date des éclipses.

Certaines notions mathématiques, basées en particulier sur les propriétés du triangle rectangle dit pythagoricien et liées à une unité de mesure que le professeur Alexander Thom estime à 0,829 m (le « yard mégalithique »), paraissent avoir été utilisées par les architectes de Stonehenge, qui n'ont certainement pas fini de nous étonner.

ROGER JOUSSAUME

Mise en place des mégalithes

Sur l'un des côtés du trou destiné à recevoir la pierre était ménagé un plan incliné, tandis que le côté opposé était renforcé par des pieux enfoncés dans le sol. Le bloc apointé était alors glissé dans la fosse. Pour le redresser, des hommes agissaient sur des leviers placés sur des échafaudages, pendant que d'autres, de l'autre côté, tiraient sur des cordages arrimés à la tête du monolithe. La mise en place des linteaux d'un poids de 6 à 7 tonnes au sommet des piliers se faisait en élevant, grâce à des leviers, une des extrémités de la pierre, sous laquelle un madrier était placé. L'opération se répétait jusqu'à ce que le bloc atteigne environ 1 mètre de hauteur. Une plate-forme était alors aménagée à partir de laquelle la pierre pouvait être de nouveau montée d'une hauteur identique et cela jusqu'au niveau supérieur des piliers. Le linteau était alors glissé au-dessus des tenons, qui venaient s'encastrer dans les mortaises.

 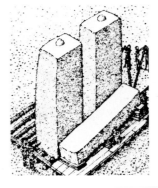 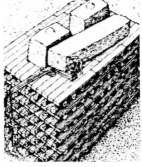

DEIR EL-BAHARI
Le grand temple de la reine pharaon

I n'est pas même besoin d'être allé en Égypte, il suffit d'avoir feuilleté quelque livre bien illustré sur la vallée du Nil pour être frappé par l'unité et la pérennité de l'architecture sacrée des anciens Égyptiens. Les temples datés des alentours de 1500 jusqu'à l'ère chrétienne qui subsistent nous offrent les mêmes dispositions : portes monumentales flanquées de tours massives carrées, les pylônes ; cours à portiques ; salles à colonnes, dites pour cela hypostyles ; saint des saints de forme rectangulaire généralement entouré de galeries et de chapelles. De Karnak, le plus ancien des temples encore conservés, jusqu'aux plus récents de l'époque des Ptolémées (IIIᵉ-Iᵉʳ siècle av. J.-C.) et même des Romains (après 30 av. J.-C.), tels ceux de Kom-Ombo, Denderah, Edfou ou Philae, tous présentent la même structure, avec leurs puissantes colonnes imitant les végétaux de la vallée du Nil : papyrus, palmiers, lotus... Seuls varient la taille des pylônes et des salles, leur nombre et celui des chapelles ou des petits temples adventices. Au point que d'aucuns pourraient se plaindre d'une certaine uniformité.

Ces temples étaient consacrés à quelques-unes des grandes divinités de l'Égypte : Amon, Horus, Isis, Hathor, dieu crocodile Sebek, et aux pharaons, dieux vivants. A ces derniers on élevait, dans les environs de leur tombe, un temple funéraire destiné à perpétuer le culte du souverain, incarnation d'Horus. Les deux temples funéraires de ce type, situés dans la nécropole thébaine, face à Louxor et à Karnak, et dont il subsiste des ruines impressionnantes, sont le Ramesseum, construit pour Ramsès II, et le temple de Ramsès III à Médinet Habou. Or ils ne diffèrent pas beaucoup des autres temples divins du Nouvel Empire, qui débute vers 1580 av. J.-C. pour se terminer cinq siècles plus tard. On est aussi en droit de penser que les temples divins de la période précédente, le Moyen Empire, qui s'ouvre à l'orée du IIᵉ millénaire, n'étaient pas non plus fondamentalement différents.

Aussi le temple funéraire que la reine Hatshepsout se fit construire dans le site de Deir el-Bahari n'en paraît-il que plus original et surprenant, à la mesure de cette femme qui a si fortement marqué son temps. Car Hatshepsout s'impose comme l'un des personnages féminins les plus singuliers de l'histoire antique. Singulier, mais aussi énigmatique, puisque nous ne savons avec certitude que bien peu de chose sur elle.

Vers 1580, Ahmôsis fonde la XVIIIᵉ dynastie, avec laquelle commence le Nouvel Empire. Il était le frère et le successeur de Kamès, prince de Thèbes, qui avait entrepris d'unifier à son profit la vallée du Nil et de chasser les Hyksos, envahisseurs asiatiques qui occupaient la basse Égypte depuis plus d'un siècle. A Ahmôsis Iᵉʳ revient la gloire d'avoir chassé les Hyksos et refoulé vers le sud les Nubiens, maîtres de la région de Syène. Son fils, Aménophis Iᵉʳ, lui succède, puis Thoutmôsis Iᵉʳ, qu'il avait eu d'une concubine, Senseneb. Ce dernier épousa sa demi-sœur Ahmès, héritière légitime par sa mère, la reine Ahhotep. C'est de ce mariage que naquit Hatshepsout. On ignore la date exacte de sa naissance.

Elle épousa à son tour son demi-frère, né d'une concubine de Thoutmôsis Iᵉʳ, Moutnefret. Ce demi-frère et époux, monté sur le trône vers 1515, portait aussi le nom de Thoutmôsis. Il eut d'Hatshepsout deux filles, et d'une concubine, un fils, le futur Thoutmôsis III. Sans doute ce dernier était-il encore très jeune lorsque son père mourut, vers 1505. Ainsi Hatshepsout prit-elle la régence : elle confisquera le pouvoir à son profit pendant vingt-deux ans, jusqu'à sa mort. Lorsqu'on sait que Thoutmôsis III, son beau-fils et neveu,

En haut, à gauche : le visage de la Dame du Nil. La reine Hatshepsout a été la seule femme à accéder au pouvoir dans l'Égypte des pharaons (1503-1482 av. J.-C.). Cette statue en calcaire cristallin, où elle est coiffée du nemes *funéraire, respecte la représentation traditionnelle du roi.*

Ci-dessus : le temple funéraire d'Hatshepsout, en haute Égypte, dans la nécropole thébaine. Au pied du djebel Libyque, étagé en terrasses face à l'Orient, il est parfaitement intégré dans l'imposant décor de falaises. Au second plan, le temple de Mentouhotep, plus petit et plus ancien.

demeure le plus grand pharaon de l'histoire égyptienne, celui qui en de multiples campagnes en Asie a étendu les frontières de l'empire jusqu'à l'Euphrate, on ne peut qu'admirer davantage la personnalité d'Hatshepsout et sa force de caractère, car ce n'est

pas au détriment d'un prince faible et de peu d'ambition qu'elle établit sa puissance, mais en réussissant à dominer un homme d'une envergure exceptionnelle.

Thoutmôsis II avait épousé Hatshepsout pour légitimer son accession au trône. Thoutmôsis III, lui aussi un bâtard, avait épousé l'une des filles de Thoutmôsis II et d'Hatshepsout, sans doute pour les mêmes raisons. Mais visiblement, la régente prit goût au pouvoir. Dans les premiers temps, elle consentit à ce que le nom de son beau-fils figurât près du sien sur les documents royaux. Mais bientôt il en disparut, et l'on n'entendit plus parler de lui jusqu'au moment où la mort de la reine lui ouvrit la voie du trône. Non contente d'être « grande épouse royale », ce qui était le titre des épouses légitimes du pharaon, elle voulut mieux asseoir son autorité en se présentant comme un véritable pharaon : du roi elle s'attribua toute la titulature, excepté l'épithète

de Taureau puissant, qui faisait trop précisément allusion à la puissance génésique du mâle. Cette autorité, qu'elle tenait de sa nature divine, elle l'étala aux regards de tous en se déclarant fille d'Amon lui-même. Et sur une paroi des portiques de son temple funéraire, elle fit figurer Amon, maître de Thèbes et dieu dynastique, venant sous les traits de Thoutmôsis Ier féconder sa mère afin qu'elle fût engendrée.

En tant que pharaon, elle décida, dès les premières années de son règne, de faire construire le plus grandiose, le plus harmonieux, le plus original monument qui ait jamais été érigé dans la vallée du Nil. Une entreprise aussi hardie, aussi prestigieuse, fut confiée à son intendant et architecte Senmout. Avec Hapouseneb, son vizir et premier prophète d'Amon, Senmout fut l'un des piliers de son trône, et c'est sans doute en partie sur son initiative que cette construction fut entreprise.

D'un œil sûr, Senmout choisit un contrefort de la montagne libyque qui formait une paroi verticale dans sa partie haute, pour ensuite rejoindre la vallée par une pente abrupte mais susceptible d'être taillée et de recevoir une partie du monument, dont les avancées pourraient parfaitement s'insérer dans l'ensemble, tout en s'inscrivant harmonieusement dans ce paysage minéral. Les Arabes ont appelé Assassif cette haute falaise, qui, dans l'Antiquité, était consacrée à Hathor, déesse de la beauté, de la fécondité et de toutes les voluptés. Il faut cependant noter que l'ensemble monumental n'a pas été conçu d'un seul élan. L'architecte a eu des hésitations, des retours sur ses schémas primitifs, avant de parvenir à la parfaite réussite que représente le temple.

Il y a encore un siècle, on ne voyait là qu'un amoncellement de terres d'où surgissaient quelques éléments architecturaux et les ruines d'un monastère copte pour lequel ses constructeurs avaient pillé les restes visibles de l'ancien monument afin d'obtenir des matériaux à moindres frais. Ce « couvent du Nord », en arabe Deir el-Bahari, a donné son nom au site moderne. Les fouilles entreprises à partir de 1892 par Édouard Naville et les travaux de restauration qui se poursuivent actuellement ont, en partie, rendu au temple l'aspect qu'il offrait dans l'Antiquité.

Adossé à la falaise, l'ensemble architectural est constitué par une suite de trois terrasses en étage. Ici, toutes les lignes sont droites, parfaitement équilibrées. Les piliers carrés, bien proportionnés, remplacent généralement les colonnes dans les portiques qui bordent les terrasses. Vu de loin, cet ensemble donne une curieuse impression de modernisme ; on songe à une architecture du XXe siècle de notre ère, plutôt que du XVe avant notre ère.

Du temple d'accueil érigé en avant, en direction du Nil, il ne subsiste que des traces. Il en va de même de la chaussée qui, de ce temple, conduisait à la terrasse inférieure. Ont aussi disparu les sphinx à tête humaine qui bordaient cette chaussée et qui avaient le visage de la reine.

Il ne reste rien non plus de la porte monumentale qui donnait accès à l'immense cour quadrangulaire légèrement surélevée qui constitue la terrasse inférieure. Elle était close par un mur bas dont les blocs de calcaire subsistants nous permettent de nous faire une idée assez précise. Ce fut l'une des ingénieuses trouvailles de Senmout que de la border, du côté des autres terrasses du temple, par deux portiques, à piliers carrés vers l'extérieur et facettés à huit pans vers l'intérieur, doublés en retrait par une série de colonnes cannelées qui évoquent le style dorique des Grecs mais le

précèdent de près d'un millénaire. Ces portiques flanquent la rampe qui donne accès à la deuxième terrasse, un rectangle de 90 mètres sur 75. Cette terrasse est fermée, à l'ouest, par deux portiques à piliers qui encadrent la large rampe d'accès à la troisième terrasse. Au nord s'amorce un autre portique fait de quinze colonnes cannelées, peut-être demeuré inachevé, car il n'occupe que la moitié de la paroi nord. Du côté sud, en revanche, il n'y a pas de portique, au risque de créer un déséquilibre dans cet harmonieux ensemble.

Mais il ne faut pas oublier que Senmout a construit son monument parallèlement à un temple rupestre bâti quelque cinq siècles auparavant pour Mentouhotep Ier, l'un des plus prestigieux pharaons du Moyen Empire. La présence de ce temple expliquerait l'absence d'un portique qui aurait coupé la perspective découverte de la deuxième terrasse sur le vieil édifice sacré.

A l'extrémité nord du portique, fermant à l'ouest cette deuxième terrasse, était aménagée une chapelle précédée d'un vestibule à colonnes, consacrée à Anubis, le dieu chacal, maître de la nécropole. A l'extrémité sud, Senmout éleva un sanctuaire dédié à Hathor, à colonnes dites hathoriques, dont les chapiteaux représentent, sur chacune des quatre faces, le visage triangulaire de la déesse, pourvu d'oreilles de vache. L'architecte semble avoir volontairement évité d'utiliser les classiques colonnes d'inspiration végétale.

Une seconde rampe, qui dans l'Antiquité était précédée de sphinx en granit rose à l'effigie d'Hatshepsout, conduit à la troisième terrasse, où une cour entourée de portiques à double colonnade précède le sanctuaire. Celui-ci est constitué par trois salles qui s'enfoncent dans la montagne, et dont les deux premières sont voûtées. De part et d'autre de la terrasse sont distribuées les chapelles des dieux et des souverains. Au nord, un vestibule donne accès à une cour. En son centre, un autel, haut de 1,60 m, large de 4,20 m et long de 5 mètres était consacré au culte du soleil, qui se manifeste ici sous la forme de Rê-Harakhti. Une chapelle adjacente était dédiée à Anubis, et une autre à Amon. Du côté opposé, au sud, un complexe de salles était consacré au culte de Thoutmôsis Ier, père d'Hatshepsout, et à celui de la reine elle-même. Par là, elle affirmait sa légitimité en tant que seule héritière de Thoutmôsis, au culte de qui elle était associée.

Cet élégant ensemble monumental était rehaussé par une multitude de statues de divinités et de statues de la reine, aujourd'hui disparues, et surtout par des séries de peintures sur reliefs destinées à glorifier Hatshepsout. Cette glorification commençait dès la première terrasse avec, sur le portique sud, la représentation de l'érection des obélisques qu'elle fit placer devant le temple d'Amon, à Karnak, à l'occasion de son jubilé.

Cependant, les représentations les plus intéressantes et qui comptent parmi les mieux conservées sont celles qui ornent les parois des portiques de la deuxième terrasse. Les bas-reliefs peints du portique nord illustrent la

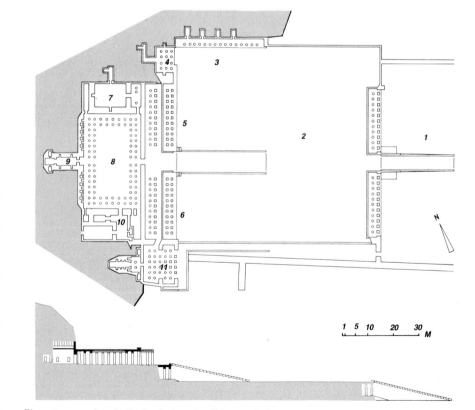

Plan et coupe longitudinale du temple d'Hatshepsout à Deir el-Bahari. 1. Première terrasse ; au fond, deux portiques, ornés notamment de représentations de l'armée en marche. 2. Deuxième terrasse. 3. Portique donnant sur une série de salles rupestres sans décor. 4. Chapelle d'Anubis, dieu qui préside à la momification. 5. Portique nord, orné de bas-reliefs peints représentant la naissance divine *de la reine. 6. Portique sud ou portique de Pount, orné de bas-reliefs peints représentant l'expédition au pays de Pount. 7. Appartements nord de la troisième terrasse, consacrés au culte du soleil, Harakhti. 8. Cour centrale de la troisième terrasse, entourée de portiques. 9. Sanctuaire rupestre de la reine. 10. Appartement funéraire royal consacré à Thoutmôsis Ier et Hatshepsout. 11. Chapelle d'Hathor.*

Des architectes de génie

Trois noms dominent l'histoire de l'architecture égyptienne antique. Imhotep, qui est le plus ancien, est aussi le premier architecte connu. Ministre et conseiller de Djoser, le plus important pharaon de la IIIe dynastie (vers 2700 av. J.-C.), Imhotep construisit un monument « révolutionnaire » : la célèbre pyramide à degrés de Saqqarah, premier exemple d'un monument qui allait devenir caractéristique de l'Égypte. Il semble qu'il ait conçu Saqqarah à partir d'un autre type de tombe : le mastaba, à superstructure en forme de banc massif, obtenant sa pyramide en superposant plusieurs mastabas. Autre innovation, la brique traditionnelle des mastabas était remplacée par la pierre. La pyramide achevée, Imhotep l'entoura d'un ensemble de salles à colonnes qui constituait, lui aussi, une grande nouveauté. Cet homme de génie était un lettré et fut peut-être médecin. Célébré dès le Moyen Empire par les lettrés, qui, en son honneur, versaient quelques gouttes d'encre en libation, il fut divinisé à la Basse Époque et adoré comme dieu guérisseur.

Le second est Senmout, l'architecte de Deir el-Bahari. Il avait entrepris la construction de sa propre tombe tout près de celle de la reine Hatshepsout. Le caveau, que l'on atteignait par une suite de salles, se trouvait sous l'angle nord-est de la grande terrasse du temple. Il n'a jamais été achevé, le ministre-architecte étant tombé en disgrâce, sans doute à la mort de la reine. Dans la tombe de la nécropole des nobles où il sera enseveli, près de l'actuel village de Cheikh Abd el-Gournah, une paroi peinte où l'on voit des Crétois apportant le tribut, témoigne de sa haute fonction de vizir.

Le troisième, et non le moindre, est Amenhotep, fils d'Hapou. Il fut ministre et architecte d'Aménophis III, à la fin du XVe siècle av. J.-C. et dans les premières années du siècle suivant. On lui doit le somptueux palais que le pharaon se fit construire sur la rive gauche du Nil, face à Thèbes, près de l'actuel village de Malghata, et dont ne subsistent que les fondations. C'est aussi lui qui érigea, à Thèbes, le temple funéraire d'Aménophis III, disparu aujourd'hui, mais dont les deux colosses dits de Memnon évoquent la majesté. Son chef-d'œuvre est le temple d'Amon, à Louxor. Il en conçut les plans et en construisit la plus grande partie, mais le temple

Senmout, architecte en chef, grand intendant et favori de la reine Hatshepsout, agenouillé dans la posture de l'adorant devant le nom royal, Makaré, qui se lit dans le cartouche de ce bas-relief peint.

ne fut achevé que sous Ramsès II. L'immense estime dont il jouissait auprès du pharaon est confirmée par la faveur unique qui lui fut accordée de son vivant : se construire un temple funéraire à Médinet Habou. On en a retrouvé l'emplacement. A l'instar d'Imhotep, il fut divinisé à la Basse Époque et, sous les Ptolémées (IIIe-Ier siècle av. J.-C.), on lui creusa, à Deir el-Bahari, une chapelle où il fut honoré comme dieu guérisseur.

naissance et l'intronisation d'Hatshepsout. La scène se passe d'abord dans le ciel. Amon convoque l'ennéade, c'est-à-dire les neuf grandes divinités du panthéon égyptien, pour lui faire part de sa décision d'engendrer un nouveau pharaon, une princesse qui renfermera en elle l'essence de tous les dieux. Thot lui fait alors l'éloge de la reine Ahmès dans la chambre de qui il le conduit. Ayant revêtu la forme de Thoutmôsis Ier, Amon vient dans sa couche ; après avoir fécondé la reine, il lui révèle sa nature divine et lui prédit la naissance d'une fille. On assiste ensuite à la naissance de la reine prédestinée, à son éducation, à son association au trône par son père Thoutmôsis Ier. Après qu'elle a été purifiée par les dieux, le roi la présente à sa cour pour lui annoncer sa décision de l'associer au trône, décision accueillie par les acclamations de l'assistance, qui se met à danser de joie.

Les reliefs peints du portique sud commémorent l'expédition que la reine envoya vers le lointain et mystérieux pays de Pount, terme sous lequel les Égyptiens désignaient, semble-t-il, les côtes de la Somalie et celles de l'Arabie méridionale. Ils en rapportaient principalement l'encens, diverses résines aromatiques que l'on trouve encore au Yémen, l'or, les défenses d'éléphant, les peaux de panthère, des singes, des girafes, et l'ébène.

Dès l'Ancien Empire, au milieu du IIIe millénaire, les Égyptiens avaient lancé des vaisseaux sur la mer Rouge pour explorer ces régions. Mais à l'époque d'Hatshepsout, les relations avec le Pount étaient probablement interrompues depuis des siècles. Ainsi se justifie le lustre qu'elle entend donner à cette expédition : en retrouvant la route oubliée du sud, elle renoue avec une antique et glorieuse

tradition qui était, en même temps, créatrice de richesses économiques. Sur les registres du portique, on voit cinq vaisseaux égyptiens à un mât, au mouillage dans une rivière. Près des berges sont construites des cases sur pilotis, auxquelles on accède par des échelles. Les indigènes viennent se prosterner devant les Égyptiens, puis les produits sont chargés sur les vaisseaux. D'autres registres figurent le retour triomphal à Thèbes, suivi d'une procession au temple d'Amon. Nous apprenons aussi, par ce grand livre d'images, que des arbres à encens, rapportés de l'expédition, furent plantés sur les terrasses du temple.

Avec ce monument somptueux, Hatshepsout a laissé un témoignage de la grandeur d'un règne assez exceptionnel dans l'histoire de l'humanité.

GUY RACHET

TCHOGA ZANBIL
Temple-montagne de l'Élam

En lisière d'un plateau bordé au couchant d'une suite de collines basses et fermé au levant par les sombres versants d'une montagne escarpée, Untash-Gal a décidé de construire une ville sainte. Le plateau se situe à la limite des riches plaines de la Mésopotamie et de la puissante chaîne de montagnes du Zagros, derrière laquelle s'ouvre le monde mystérieux et profond de l'Iran — nom qui sera donné à cette région par les tribus indo-européennes descendues des hauts plateaux de l'Asie centrale ou des montagnes du Caucase.

Untash-Gal est roi d'Élam; son royaume, situé sur les contreforts occidentaux du plateau iranien, est un pays montagneux qui se déve-loppe en belles vallées aux alentours de sa capitale, Suse. En ce milieu du XIIIe siècle avant notre ère, Suse est déjà une vieille cité, puisque le premier établissement sur son acropole remonte à près de trois mille ans. Mais l'installation des Élamites dans cette région serait plus ancienne encore, et aurait précédé la fondation de Suse. De ce peuple, venu on ne sait d'où, de l'Asie centrale peut-être, ou de l'Inde, nous ignorons le nom. Nous savons seulement que ces hommes appelaient leur pays Haltamti, la « Terre du Dieu », dont nous avons fait Élam, imaginant le terme « Éla-mite » pour désigner ses habitants. Très tôt, Suse est en contact avec les cités mésopota-miennes. Elle noue des relations avec les Sumériens d'abord, puis avec les Akkadiens et les Babyloniens. Aussi l'influence des civilisa-tions mésopotamiennes est-elle prépondé-rante chez les Élamites, qui ont adopté l'écri-ture cunéiforme et les conceptions architectu-rales des Sumériens. Lorsque Untash-Gal monte sur le trône de Suse, vers 1265, la Babylonie voisine est dominée par un peuple de montagnards belliqueux, les Kassites, des-cendus des hauteurs du Zagros pour s'emparer des riches plaines du Tigre et de l'Euphrate, tandis que l'Égypte a atteint l'un des sommets de sa puissance sous le règne du prestigieux Ramsès II.

Quelles raisons ont poussé Untash-Gal, sans doute dès les premières années de son règne, à

ériger une ville nouvelle en ce lieu, à une quarantaine de kilomètres au sud-est de sa capitale, juste entre celle-ci et la seconde ville de son royaume, qui s'élevait à l'emplacement de l'actuelle Chouchtar, nous n'en avons aucune idée. Il n'en demeure pas moins qu'il fit construire, au cours de ses vingt ans de règne, cette ville consacrée à plusieurs divinités, comme en témoignent temples et inscriptions, mais surtout à Inshushinak, l'un des principaux dieux du panthéon élamite. Il la nomma Dur-Untash, « Forteresse d'Untash », car c'était une habitude des rois de l'Orient ancien de donner aux cités soit le nom d'un dieu, soit leur propre nom.

A environ 2 kilomètres à l'ouest passe un fleuve au cours lent et au lit tortueux. A proximité de ses berges ont été installés les ateliers de fabrication de briques, car il y a là en abondance une excellente terre glaise. On y a construit aussi des fours pour cuire un certain nombre de briques, car les architectes ont décidé d'utiliser aussi bien les briques crues, séchées au soleil, que les briques cuites. Une véritable armée d'ouvriers travaille pieds et mains dans la glaise; mêlée à l'eau puisée dans le fleuve voisin, l'argile est tassée dans des moules en bois, puis disposée par larges bandes pour être séchée au soleil. Ces briques mesurent 40 ou 41 centimètres de côté, sur une épaisseur de 10; celles qu'on destine à la cuisson mesurent 4 à 5 centimètres de moins. Une fois les briques cuites ou démoulées, elles sont acheminées vers les chantiers par un train continu d'ânes chargés de lourds paniers. Avant d'être mises à sécher, certaines briques passent entre les mains de scribes afin qu'ils y inscrivent, à l'aide de leurs calames à la pointe triangulaire, ces signes complexes en forme de clous qui conservent les termes des dédicaces des monuments à leurs divinités respectives.

Une première enceinte de 1 200 mètres sur 800 a été construite pour protéger la cité nouvelle, faite surtout de temples et de logements de prêtres. Elle renferme une seconde enceinte d'environ 400 mètres sur 200, pourvue de portes monumentales et arrondie aux angles, qui délimite le téménos, l'aire sacrée dans laquelle seront enfermées les demeures des dieux.

C'est au centre de ce téménos que va être érigé le monument essentiel de la cité religieuse, une sorte de tour à étages que les

Babyloniens appellent ziggourat. Les architectes ont commencé par délimiter un carré de 200 coudées, soit 105,20 m (cette coudée élamite de 52,6 cm a été hypothétiquement restituée par l'archéologue qui fouilla le site, Roman Ghirshman, à partir des mensurations de la ziggourat). Ayant estimé qu'il n'était pas utile de faire des fondations, ils se sont contentés de creuser d'environ 2 m le centre de l'aire à construire, sans doute pour aplanir le sol sablonneux.

Contre toute attente, cette aire n'a pas été recouverte par des couches successives de briques. La construction de la tour s'est faite par carrés concentriques. Le premier socle de briques forme un carré évidé. Sur ce socle, mais en retrait, est ensuite élevé le premier étage. Il a 8 mètres de hauteur. Sur chacune de ses faces est aménagée une porte en retrait à laquelle conduit un escalier couvert d'une voûte. Par cette porte, qui ouvre sur le vide intérieur, on hissera les matériaux pour la construction du second étage, lequel est élevé directement à partir du sol vierge. Afin de donner au monument une plus grande résistance aux intempéries, le gros œuvre, en briques crues, est enfermé dans un revêtement de briques cuites d'une épaisseur de 2 mètres. Sur la face nord-est du premier étage sont aménagées des salles indépendantes, auxquelles on accède par des escaliers, et qui serviront de magasins. Sur la face sud-est sont aménagés non plus des magasins, mais deux temples, de part et d'autre de l'escalier d'accès. Tous deux étaient consacrés à Inshushinak et constitués d'une suite de salles toutes en longueur : trois dans le temple situé à gauche de l'escalier (temple A) et cinq dans l'autre temple (temple B). Or, si ce dernier ouvrait sur l'extérieur, on entrait dans le premier par une porte monumentale voûtée, ouvrant vers l'intérieur. C'est dire qu'on ne l'utilisa pas longtemps et que son accès fut condamné aussitôt entreprise la construction du deuxième étage. Bien qu'inaccessible aux humains, sans doute restait-il, dans la pensée des Élamites, une demeure où le dieu pouvait descendre selon son bon plaisir. Les salles des temples étaient dallées de briques crues ou de briques cuites concassées; on y avait dressé des autels et des tables d'offrande en briques, et creusé des niches. Afin que le dieu Inshushinak ne puisse douter que ce monument lui était consacré, toutes les dix rangées de briques était disposée une onzième rangée sur laquelle était inscrite la dédicace du roi Untash-Gal à son dieu.

Emboîté dans le premier étage, le deuxième étage s'élevait à une hauteur de 12 mètres au-dessus de celui-ci. Il a ensuite fallu toute la sagacité des archéologues qui ont fouillé les ruines pour reconstituer les parties supérieures. La hauteur du deuxième étage a pu être évaluée avec certitude grâce à trois rangs de briques cuites qui constituaient le dallage de surface de cet étage et qui demeuraient le seul témoin de son état ancien. Ce n'est donc qu'en s'appuyant sur les mesures des structures subsistantes, en comparant avec d'autres monuments similaires et en se fondant sur divers textes que Ghirshman a estimé que le

Une abrupte entrée de briques : c'était l'escalier d'accès de l'un des quatre côtés de la ziggourat, aménagé à l'intérieur du massif de maçonnerie. La porte s'ornait d'une arche en briques cuites.

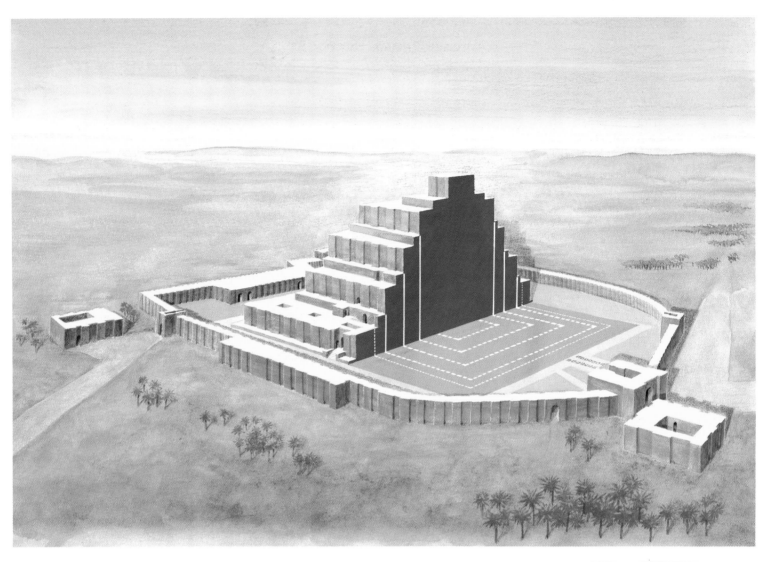

Reconstitution de la ziggourat de Tchoga Zanbil dans son enceinte sacrée. La tour dressait à plus de 50 m de hauteur ses quatre étages de briques que couronnait le temple d'Inshushinak — respectivement hauts de 8, 12, 12 et 8 m. Ces étages s'emboîtaient les uns dans les autres, chacun prenant assise sur le sol. Sur ce dessin en coupe, on se rend compte de la manière « verticale » dont la tour a été construite. Les lignes blanches permettent de discerner les séparations entre les étages, élevés de façon indépendante. Ainsi fut construit le socle, puis le premier étage, lequel laissait vide la partie centrale. Son tracé est dessiné sur le sol, ainsi que celui des autres étages, en retraits successifs et construits concentriquement. Ce n'est qu'une fois la ziggourat terminée que fut bâtie l'enceinte à redans ainsi que les portes et les divers bâtiments annexes.

troisième et le quatrième étages se trouvaient respectivement à 32 mètres et 44 mètres au-dessus du sol. Sur ce dernier, un socle d'une hauteur de 3,60 m aurait servi d'assise au temple qui couronnait l'édifice et qui avait une hauteur d'environ 5 mètres.

Grâce aux vestiges recueillis sur les flancs de la tour, nous savons que les murs extérieurs du temple étaient revêtus de briques émaillées bleues et vertes, aux reflets dorés ou argentés. Elles étaient ornées de dessins géométriques, cercles et losanges ; certaines portaient des

Le minaret de Samarra

La tradition de la ziggourat, interrompue pendant les périodes d'occupation perse, entre le VIe siècle av. J.-C. et le VIIe siècle de notre ère, dut connaître ensuite une éphémère résurrection.

Au IXe siècle, à la suite de troubles occasionnés par les mercenaires turcs, le calife al-Mutasim, de la dynastie des Abbassides, abandonna Bagdad pour fonder une nouvelle capitale plus au nord, à Samarra, sur le Tigre. Son successeur, al-Mutawakkil, fit construire une immense mosquée flanquée au nord d'un minaret en briques exceptionnel par son architecture. Sur un socle quadrangulaire de 33 mètres de côté et de 3 mètres de haut environ, relié à la mosquée par un pont de 25 mètres de long et 12 de large, fut élevée une tour de cinq étages au sommet de laquelle on parvenait par une rampe hélicoïdale de 2,30 m de large. Huit trous, creusés dans la plate-forme supérieure, étaient destinés à recevoir les colonnes en bois d'un pavillon, construit en matériaux légers. L'ensemble du monument mesure près de 53 mètres de hauteur.

L'architecte qui dessina ce minaret parfaitement original dut s'inspirer de ziggourats en ruine, peut-être celle de Babylone, que le voyageur juif Benjamin de Tudèle put encore voir au XIIe siècle et dont il décrivit la rampe, qui tournait autour des étages du monument carré.

Un autre minaret du même type, à tour cylindrique et rampe en spirale, fut construit à Abu Dolaf, au voisinage de Samarra. Celui de la mosquée édifiée par Ibn Tulun au Caire, en 879, a subi également l'influence du minaret de Samarra.

Structure et fonction des ziggourats

La ziggourat est un monument typiquement mésopotamien. Ce n'est que sous l'influence des cultes de la Mésopotamie que les Élamites en construisirent. Dans l'état actuel de nos connaissances, ils en auraient élevé deux : celle de Tchoga Zanbil, l'une des plus grandes et des mieux conservées, et celle de Suse, connue par des inscriptions. Bien que le nom de ziggourat soit sémitique et n'apparaisse qu'à l'époque d'Hammourabi, au XVIIIe siècle av. J.-C., le monument semble bien être d'origine sumérienne et apparaît au milieu du IIIe millénaire.

La fonction et le développement de la ziggourat restent sujets à controverse. Certains orientalistes ont voulu y voir la représentation des montagnes du pays originel des Sumériens, sur lesquelles auraient été élevés les sanctuaires. Or, comme nous ignorons d'où viennent les Sumériens, rien ne nous assure qu'ils aient habité une région montagneuse ; de plus, il est démontré que nombre de ziggourats ne comportaient pas de temple de sommet. Selon d'autres, la ziggourat aurait évolué à partir des temples dressés sur une terrasse qui apparaissent au IVe millénaire, en particulier en basse Mésopotamie. Ces socles de temples auraient été érigés pour mettre le sanctuaire à l'abri des crues soudaines de l'Euphrate et du Tigre. Cette dernière explication paraît peu crédible, car, dans ces mêmes régions inondables, on a continué à construire des temples au niveau du sol. D'autre part, nulle preuve concluante n'est apportée pour démontrer la filiation de la ziggourat et du temple sur terrasse. La fonction est aussi discutée. On a cru y voir la tombe d'un roi ou d'un dieu. Dans sa publication des fouilles de Tchoga Zanbil, Ghirshman a repris cette hypothèse et suggéré que certaines chambres isolées et dépourvues d'escaliers, aménagées dans la masse du premier étage, seraient les tombes symboliques de certaines divinités. Rien ne vient confirmer cette hypothèse.

Que la ziggourat ait servi d'intermédiaire entre le ciel et la terre, et en quelque sorte d'échelle pour permettre aux divinités célestes de descendre sur la terre, cela paraît confirmé par l'appellation de quelques-uns de ces monuments (à Larsa, la ziggourat est appelée Maison du lien du ciel et de la terre ; à Babylone, Maison du fondement du ciel et de la terre ; à Assur, Maison de la montagne de l'univers) et par des représentations, en particulier sur un vase de Suse où l'on voit d'un côté deux divinités assises chacune sur une ziggourat et semblant converser, et sur l'autre face un dieu qui descend du haut du monument et monte ensuite dans un char. Lorsqu'il existe, le sanctuaire du sommet semble bien avoir été la demeure dans laquelle venait le dieu, peut-être pour s'unir à une déesse incarnée par une prêtresse.

On a repéré un peu plus d'une trentaine de ziggourats, réparties entre l'Assyrie et la Babylonie, et dont la plus ancienne est celle d'Ur, qui remonte au milieu du IIIe millénaire, et la plus récente celle de Mardouk, à Babylone, construite sous Nabuchodonosor II à la fin du VIIe siècle av. J.-C. Par ailleurs, il a été possible de définir trois grands types de ziggourats : un type sumérien, à base rectangulaire avec des escaliers d'accès s'élevant en volées perpendiculaires ; un type assyrien, à base carrée et rampes d'accès parallèles aux murs ; un type mixte enfin, à base carrée et escaliers d'accès dans les parties basses, et rampes pour les étages supérieurs.

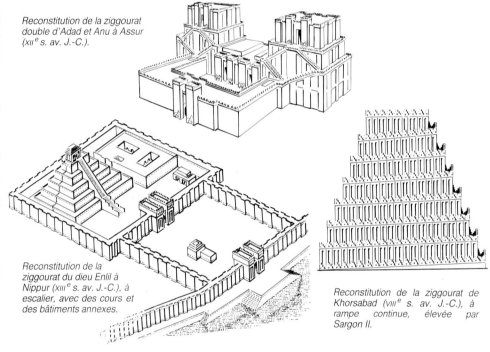

Reconstitution de la ziggourat double d'Adad et Anu à Assur (XIIe s. av. J.-C.).

Reconstitution de la ziggourat du dieu Enlil à Nippur (XIIIe s. av. J.-C.), à escalier, avec des cours et des bâtiments annexes.

Reconstitution de la ziggourat de Khorsabad (VIIIe s. av. J.-C.), à rampe continue, élevée par Sargon II.

inscriptions. La forme et les dimensions précises du temple nous sont inconnues. Il est en revanche certain qu'il était consacré à Inshushinak, comme l'ensemble du monument. Le dieu, descendu du ciel, venait se reposer dans ce temple en hauteur, d'où il pouvait accéder aux deux temples inférieurs.

Une galerie, creusée par les archéologues jusqu'au cœur du monument, a permis de déterminer la manière dont il a été construit, mais aussi d'avoir une idée des connaissances techniques des architectes élamites de cette époque.

La cour de 67,20 m de côté, que délimitait le premier étage avant que fussent construits les autres étages, avait été dallée de briques cuites. Ce dallage fut conservé pour servir d'assise au massif central du quatrième étage. Comme il devait supporter le plus grand poids, puisque à son sommet devait être érigé le temple, les briques crues furent mêlées de briques cuites concassées afin de les rendre plus résistantes. Si les architectes utilisèrent des chaînages de bois pour consolider la construction et lui

conférer une certaine élasticité, ils n'employèrent ni bitume ni nattes entre les assises, selon une technique utilisée ailleurs ; les assises de briques ne furent liées qu'à l'aide d'argile mêlée d'eau, afin que ce « mortier » sans épaisseur ne puisse être cause de variations des niveaux par écrasement. De fait, après plus de trois mille ans d'existence, l'intérieur des divers massifs emboîtés n'a pas subi le moindre affaissement.

Les escaliers des quatre portes monumentales aménagées sur chacun des côtés de la ziggourat étaient revêtus de dalles de pierre, prudente précaution contre l'usure et l'érosion. Des fragments retrouvés de statues permettent de supposer que ces portes étaient gardées par des animaux divins : taureaux, dragons…

La ziggourat était enfermée dans une enceinte munie de sept portes. Celle du sud-est était flanquée de deux tours monumentales de 5,40 m sur 3,50 m. Sa taille lui a valu d'être nommée « porte royale » par les fouilleurs. Le mur d'enceinte déterminait ainsi quatre parvis,

sur chacune des faces de la ziggourat. Celle-ci était entourée d'une voie dallée de briques cuites, large de 4 à 5 mètres, qui suivait le socle et paraît avoir été une voie processionnelle. Dans la partie nord-ouest, le dallage s'étendait jusqu'à un ensemble de temples de dieux secondaires.

Le roi Untash-Gal ne dut résider dans sa ville de Dur-Untash que pour participer à certaines cérémonies. Ses successeurs paraissent s'être peu intéressés à la cité sacrée. Un peu moins d'un siècle plus tard, son quatrième successeur, Shoutrouk-Nakhhounté, alla jusqu'à arracher des stèles du parvis du temple pour les transporter à Suse. La ville, avec son sanctuaire, survécut pourtant quelques siècles encore, avant d'être détruite par le roi assyrien Assurbanipal vers 640 av. J.-C.

Aux alentours de notre ère, des pasteurs élevèrent, sur les parvis, des enclos pour leurs troupeaux. Mais la ziggourat n'était déjà plus qu'une ruine imposante.

Guy RACHET

L'ACROPOLE
Colline sacrée
de l'Athènes classique

'Acropole est en flammes! Le rocher sacré qui domine les demeures exiguës d'Athènes, pareil à un vaisseau sur une mer agitée, semble brûler comme une torche. Les vieillards de la cité et les prêtres du temple d'Athéna ont dressé des remparts en bois tout autour de la colline pour se défendre contre l'envahisseur venu d'au-delà des mers, et ces remparts, en se consumant dans un grondement de feu et de fumée, propagent l'incendie jusqu'aux monuments et aux vieilles bâtisses qui encombrent la hauteur. L'ennemi, c'est Xerxès, le roi des Perses, qui, à la tête d'une immense armée appuyée par une flotte aux vaisseaux innombrables montés par des marins experts — Phéniciens, Cariens, Égyptiens —, marche contre les Grecs, contre les Athéniens. Un oracle de la pythie de Delphes ayant assuré que le salut d'Athènes résidait dans un rempart de bois, les anciens de la ville ont suivi l'oracle à la lettre : ils y ont trouvé la mort.

Les hordes de l'Asie se sont retirées, ne laissant derrière elles que ruines et désolation. Mais elles n'ont détruit qu'un passé branlant. Le peuple d'Athènes s'est réfugié dans l'île de Salamine, et, sur des trières nouvellement construites, véritable rempart mouvant de la cité, les Athéniens, aux ordres de Thémistocle, attendent la flotte des Perses. Cette année 480 av. J.-C. verra le triomphe de la marine grecque et le déclin de la Perse, maîtresse d'un empire qui s'étend du Nil à l'Indus. Dans les eaux de Salamine, les vaisseaux des Athéniens et des Éginètes mettent en déroute ceux de Xerxès, le Grand Roi. Au cours des quatre décennies qui vont suivre, Athènes va courir de victoire en victoire, unir sous son égide les cités riveraines de la mer Égée et acquérir le titre flatteur de reine des mers.

Pourtant, trente années après la victoire de Salamine, l'Acropole était toujours un champ de ruines. Avant l'invasion perse, cette colline calcaire de 270 mètres sur 150 environ, et dont le sommet domine la ville de 80 mètres, était en chantier. Au milieu du siècle précédent, Pisistrate, tyran d'Athènes, y avait établi sa résidence. Il avait alors fait aménager une chaussée qui menait jusqu'à l'entrée de l'Acropole, où il avait fait construire une première porte monumentale et un temple dédié à Artémis Brauronia. Il y avait aussi d'autres

monuments, notamment, contigu à l'ancien palais royal, un sanctuaire consacré à Érechthée, roi mythique d'Athènes, qui y aurait introduit le culte de la déesse Athéna, et un grand temple dédié à Athéna, long de 100 pieds et appelé pour cela Hékatompédon, entrepris au début du VIᵉ siècle et embelli par Pisistrate. Après la restauration de la démocratie, en 510 av. J.-C., on avait commencé la construction d'un nouveau temple d'Athéna, parallèle à l'Hékatompédon, mais qui n'avait jamais été terminé.

De tous ces monuments, il ne restait que des ruines, voire des cendres, lorsqu'en 447 une multitude d'ouvriers et d'artisans vint s'installer sur l'Acropole désertée pour y élever un nouveau temple à Athéna. A vrai dire, la colline n'avait pas été totalement négligée durant tout ce temps. Peu après Salamine, Thémistocle l'avait ceinte de murs, puis son successeur, Cimon, avait fait niveler le sol et aménager, sur le côté sud, une grande terrasse; c'est en partie sur cette terrasse qu'allaient être jetées les fondations du nouveau monument entrepris en 447. Dès lors, pendant une quarantaine d'années, une fiévreuse activité va régner. Au fil des ans, le roc dénudé se couvre d'une parure de monuments, fleurons de l'architecture grecque, avec lesquels cette dernière atteindra la perfection. À l'origine de cette gigantesque entreprise se trouvent deux hommes de génie, Périclès et Phidias.

Périclès est un noble qui s'est appuyé sur le parti populaire pour parvenir à s'imposer et à régner en maître sur la cité pendant quinze ans. Homme de goût, d'une intelligence exceptionnelle, esprit distingué, aristocratique et cultivé, étrangement distant et réservé pour un politique, il a su trouver les moyens

Détail du portique des Koraï, sur la façade sud de l'Érechthéion, joyau de l'art ionique. Pour les Athéniens du Vᵉ s., ce « vieux temple », édifié sur le site le plus sacré de l'Acropole, en était le véritable cœur. Statues-colonnes hautes de 2,31 m, les koraï de marbre, rongées par la pollution atmosphérique, ont été déposées en 1979, mises à l'abri au musée de l'Acropole et remplacées par des copies dans le cadre des grands travaux entrepris pour la sauvegarde de l'Acropole (1975-1990).

financiers et réunir les artistes indispensables à l'accomplissement d'une œuvre destinée à immortaliser son nom et celui de sa cité. Phidias est l'un de ces hommes au génie universel, aux talents multiples, comme ont su en produire la Grèce classique et l'Italie de la Renaissance. Sculpteur, bronzier, il a aussi fait œuvre d'architecte en établissant les plans du nouveau temple d'Athéna en collaboration avec un autre architecte de talent, Ictinos, tandis que Callicratès était l'entrepreneur des travaux. De l'atelier qu'il avait fait installer sur l'Acropole, Phidias dirigeait l'armée d'artistes et d'artisans mise à sa disposition. Car c'est un nombre considérable de spécialistes qui ont œuvré pour cette gigantesque entreprise : tailleurs de pierre, carriers, marbriers, paveurs, mouleurs, charpentiers, peintres, doreurs, ivoiriers, orfèvres, sculpteurs, brodeurs,

l'inclinaison du socle rocheux. Le stylobate, soubassement sur lequel reposent les colonnes, mesure 69,51 m sur 30,86 m. Quarante-six colonnes de style dorique, sans base et pourvues de chapiteaux simples, creusées de vingt cannelures, hautes de près de 10,50 m, d'un diamètre à la base d'un peu moins de 2 mètres, constituaient la cage dans laquelle était enfermé le temple. La subtilité de l'architecture se révèle dans la courbure des assises et du rang de dix-sept colonnes de chacun des côtés ; cette convexité était destinée à corriger l'illusion d'optique qui fait s'incurver en leur milieu des lignes strictement droites. De même, les axes des colonnes sont légèrement inclinés vers l'intérieur afin de les rendre plus résistantes aux séismes et aussi de rectifier une autre illusion d'optique qui fait s'écarter les colonnes vers leur sommet. Enfin, un galbe de la colonne rétablit

L'entrée de l'Acropole au temps de Périclès : reconstitution exécutée par l' « archéologue-détective » américain Gorham Ph. Stevens en 1936. Le visiteur qui débouchait des Propylées, en haut du sentier en zigzag qui y grimpait, découvrait ainsi le domaine sacré sur l'esplanade rocheuse. La façade ouest du Parthénon, c'est-à-dire l'arrière, se trouvait masquée par les édifices qui bordaient la Voie sacrée sur la droite, l'enceinte du sanctuaire d'Artémis Brauronia et le propylon à portique du sanctuaire d'Athéna Ergané. Seuls émergeaient le fronton, orné de la dispute d'Athéna et de Poséidon pour la conquête de l'Attique, et les métopes, sculptées d'une Amazonomachie. Face à l'entrée se dressait la colossale statue en bronze d'Athéna Promachos, œuvre de Phidias. Sur la gauche s'élevait l'Érechthéion.

sans compter les manœuvres et les artisans préposés à des tâches annexes. On peut citer parmi ceux-ci les cordiers, charrons et voituriers, chargés de fournir les véhicules et les cordes pour le transport et le bardage des blocs de marbre extraits des carrières du Pentélique, les tisserands et cordonniers, les marins aussi, car il fallait aller chercher par-delà les mers les bois nécessaires aux charpentes.

Sur l'emplacement de l'ancien Hékatompédon est dressé un soubassement massif en pierre de Poros dont les assises peuvent avoir jusqu'à 22 mètres de hauteur au sud-ouest, pour corriger

l'impression d'étranglement vers le milieu que donne une colonne légèrement conique.

Chacune des façades du temple était pourvue d'un portique de six colonnes doriques. Celle de l'est s'ouvrait sur la cella, « écrin » destiné à recevoir la statue de la déesse. Écrin d'ailleurs gigantesque, d'une largeur de 19,19 m sur une longueur de 29,89 m, soit 100 nouveaux pieds attiques, d'où son nom grec d'*Hekatompedon neos*, qui était divisé en trois nefs par un péristyle de deux rangs parallèles de neuf colonnes doriques reliés, dans le fond, par trois colonnes et deux piliers d'angle. Il supportait une seconde

Vue aérienne de l'Acropole. Au premier plan, l'Odéon d'Hérode Atticus, théâtre romain construit en 161 apr. J.-C. À l'arrière-plan, le Lycabette. Site primitif d'Athènes, occupé dès le début du IIIe millénaire, l'abrupt Rocher sacré domine de plus de 80 m la petite plaine littorale. Fortifié à l'époque mycénienne, il s'y dressait un palais royal, avec son sanctuaire déjà consacré à Athéna. Mais ce sont les grands travaux de Périclès qui lui ont donné, à l'apogée de la démocratie athénienne, sa parure de marbre, ces monuments illustres « créés en peu de temps pour tous les temps », superbe mémorial politique et civique élevé au moment où Athènes est devenue « la Grèce des Grèces ».

colonnade plus légère destinée à soutenir le plafond composé de caissons de bois peints.

Au centre de la cella avait été placée la statue chryséléphantine d'Athéna Parthénos, l'un des chefs-d'œuvre sortis de l'atelier de Phidias. Assemblés sur une armature en bois, le visage, les bras, toutes les parties visibles du corps étaient faits de plaques d'ivoire, tandis que la coiffure couronnée de chevaux ailés et l'ample péplos aux plis souples étaient ciselés dans des feuilles d'or. La statue mesurait plus de 12 mètres de hauteur. La déesse, tenant d'une main son bouclier et appuyant l'autre bras sur une colonne supportant une statue de divinité ailée, se dressait sur un socle dont le pourtour était couvert de reliefs.

A l'ouest, c'est-à-dire du côté de l'entrée de l'Acropole, était aménagée une salle de 13,37 m de profondeur sur une largeur de 19,19 m, pourvue en son centre de quatre colonnes doriques qui soutenaient le plafond. C'était l'opisthodome, destiné à recevoir les offrandes les plus précieuses et à abriter le trésor sacré. Il avait aussi reçu le nom de parthénon, « la salle des vierges », peut-être parce que là se réunissaient les jeunes Athéniennes désignées pour tisser la tunique portée à la déesse lors des Panathénées. Ce nom fut étendu, au IVe siècle av. J.-C., à l'ensemble du monument, qui était appelé jusqu'alors le Grand Temple.

Les parties hautes extérieures du temple étaient couvertes de sculptures en bas et haut reliefs qui, toutes, célébraient la gloire de la déesse et de sa cité. Les frontons représentaient à l'est la naissance d'Athéna ; à l'ouest, la dispute de la déesse et de Poséidon pour la possession de l'Attique, et le triomphe d'Athéna, qui avait apporté aux hommes l'olivier. Au-dessus de l'architrave couronnant les chapiteaux de la colonnade extérieure, quatre-vingt-douze métopes alternaient avec les triglyphes. Ces métopes, sculptées de bas-reliefs, représentaient une Gigantomachie, guerre mythique entre les Géants et les dieux où Athéna avait joué un rôle important dans la victoire des habitants de l'Olympe ; la guerre de Troie ; un combat entre les Centaures et les Lapithes au cours duquel ces derniers sont aidés par les Athéniens ; et une Amazonomachie, où les Amazones, qui symbolisaient les Perses et les Asiatiques, sont vaincues par les Athéniens conduits par Thésée. La plupart des métopes restées en place sont malheureusement très mutilées.

Enfin, le haut du mur de la cella était revêtu des fameuses frises représentant la procession des Panathénées, chef-d'œuvre de Phidias et de ses disciples.

Les travaux durèrent jusqu'en 432 av. J.-C., mais dès 438 fut consacrée la grande statue d'Athéna Parthénos ; elle fut installée dans le temple lors des Grandes Panathénées qui se déroulèrent cette année-là.

Le Parthénon n'était que la première réalisation du programme prévu par Périclès et ses conseillers. Le gros œuvre du temple achevé en 437, on entreprit la construction des Propylées, c'est-à-dire d'une porte monumentale, en marbre blanc du Pentélique et en marbre bleu

Un sculpteur illustre : Phidias

Sculpteur grec universellement connu, Phidias est l'un des plus grands artistes de l'humanité. On a vu dans son génie serein et équilibré l'essence de l'esprit grec classique. Pourtant, nous ne savons que bien peu de chose sur sa vie, et par les œuvres qui subsistent dont nous sommes assurés qu'elles sortent de son atelier, nous sommes incapables de discerner ce qui revient à ses élèves de ce qui est de sa main. Cependant, nombre de ces œuvres sont suffisamment marquées du sceau du génie pour que nous puissions penser qu'il en est le principal artisan, sinon le seul.

Nous ignorons les dates de sa naissance et de sa mort. Il était athénien, et son père s'appelait Charmidès. Il était frère (ou cousin) du peintre Panainos et apprit la sculpture dans l'atelier d'Agéladas d'Argos, maître aussi de Polyclète et de Myron, deux des plus grands sculpteurs grecs du Ve siècle av. J.-C.

Selon une tradition, il aurait commencé par pratiquer la peinture, et sans doute il fut initié aux éléments de l'architecture. On ne sait rien de certain sur son œuvre avant que Périclès lui confie les travaux de l'Acropole en 447. Étant donné que son maître Agéladas mourut vers 460, et que Périclès n'aurait pas donné de si grandes responsabilités à un homme qui n'aurait pas fait ses preuves, on peut supposer qu'il avait une quarantaine d'années lorsqu'il se lança dans cette entreprise où il allait donner toute la mesure de son génie.

Les générations postérieures lui ont attribué un certain nombre d'œuvres sans qu'on puisse savoir s'il en a bien été l'auteur. Quant à celles dont il est à peu près sûr qu'elles soient de lui et que nous connaissons par des copies ou des descriptions — l'Amazone d'Éphèse, les deux bronzes de l'Anadoumène d'Olympie et l'Aphrodite Urania chryséléphantine d'Élis —, nous ne savons s'il les réalisa avant 447 ou après son exil d'Athènes.

Dans le cadre de ses travaux sur l'Acropole, la première statue qu'il fondit fut une Athéna Lemnia en bronze, offerte par les habitants de l'île de Lemnos. Il fondit ensuite dans le bronze une statue colossale d'Athéna : elle avait 7,50 m de haut et fut dressée sur un socle de 1,50 m entre les Propylées et l'Érechthéion. Elle reçut le nom de Promachos à l'époque romaine. Enfin vint la Parthénos et l'ensemble des sculptures du Parthénon.

Frappé d'ostracisme, Phidias s'installa à Olympie, où il réalisa l'œuvre qui restera la plus remarquable aux yeux des Grecs puisqu'ils la classeront parmi les sept merveilles du monde : le Zeus olympien. C'est une statue colossale chryséléphantine, représentant le maître de l'Olympe assis sur un trône d'or et qui fut installée dans son grand temple à Olympie.

Phidias mourut encore jeune, vers 432, on ne sait dans quelles circonstances.

Athéna Parthénos, statue de culte chryséléphantine : reconstitution du professeur Camillo Praschniker, d'après le texte de Pausanias, des copies en réduction et des monnaies. Cette œuvre monumentale de Phidias était placée dans le naos du Parthénon, demeure de la grande déesse protectrice. Elle symbolisait la présence de la divinité et constituait « un véritable musée baroque résumant l'histoire de la cité ».

1. *Voie sacrée et escalier menant à l'Acropole.* 2. *Monument d'Agrippa.* 3. *Propylées de Mnésiclès.*
4. *Petit bâtiment formant l'aile nord-ouest des Propylées et dont les murs étaient couverts de
peintures, d'où son nom de Pinacothèque.* 5. *Emplacement probable du sanctuaire des Charites (les
trois Grâces).* 6. *Temple d'Athéna Nikê (Victorieuse) aussi appelé de la Nikê aptère (Victoire sans
ailes).* 7. *Cour et sanctuaire d'Artémis Braurônia.* 8. *Emplacement supposé de la Chalcothèque.*
9. *Porte monumentale donnant accès à la cour précédant l'esplanade du Parthénon.* 10. *Parthénon.*
11. *Statue chryséléphantine d'Athéna, à l'intérieur du temple.* 12. *Héroôn de Pandion, roi héroïsé (et
mythique) d'Athènes.* 13. *Sanctuaire de Zeus Polieus (Zeus protecteur de la ville).* 14. *Autel
monumental.* 15. *Ensemble de l'Érechthéion.* 16. *Emplacement de l'ancien Parthénon.*
17. *Pandroséion.* 18. *Emplacement probable du logis des arrhéphores.* 19. *Statue d'Athéna
Promachos.* 20. *Grand bâtiment à portique dont on pense qu'il enfermait les locaux administratifs de
l'Acropole.*

Nous avons sur cette reconstitution une image de l'Acropole telle qu'elle se présentait à l'époque romaine, au 1er siècle de notre ère. À la fin du siècle suivant furent ajoutés deux sortes de pylônes, au bas des escaliers, dont on voit encore les restes et qu'on a nommés porte Beulé, du nom de l'archéologue français qui les fouilla au milieu du siècle dernier. Visiteurs et cortèges suivaient la Voie sacrée, qui, depuis la porte du Dipylon, traversait une partie de la ville, passait par l'agora et parvenait à l'Acropole. Le monument dit d'Agrippa consistait en un haut piédestal de marbre supportant une statue de Vipsanius Agrippa, général et gendre d'Auguste, debout sur un char en bronze. Il semblerait qu'il ait remplacé un monument plus ancien de plus d'un siècle et demi. Nous connaissons les peintures de la Pinacothèque par la description que nous en a laissée Pausanias, au IIe siècle de notre ère.

Des Propylées, on pouvait soit directement accéder à la cour du temple d'Artémis Braurônia pour atteindre la cour de la Chalcothèque, soit passer par l'esplanade, sur laquelle se dressait la statue d'Athéna Promachos. Artémis Braurônia était une déesse ourse, originaire de Braurôn, ville du nord de l'Attique, dont le culte était célébré par des jeunes filles. On avait dressé dans son petit sanctuaire une statue due au ciseau de Praxitèle. L'ensemble consistait en portiques, le sanctuaire, intégré dans l'un de ces portiques, étant assez exigu. Dans la Chalcothèque étaient déposés des armes, des éperons de vaisseaux, tous objets de bronze dus aux artisans d'Athènes, dont Athéna était la protectrice. La coupe du Parthénon nous permet de voir la statue colossale de la déesse, restituée d'après des descriptions. Le serpent qu'on voit à son côté gauche est parfois mis à droite. Près de l'Héroôn de Pandion se trouvait le temple circulaire d'Auguste et de Rome, qui n'est pas porté sur cette maquette. La restitution du sanctuaire de Zeus Polieus reste très problématique, de même que celle de l'autel monumental, dont nous savons que lors des Panathénées y étaient sacrifiés des bœufs et des génisses en grand nombre. Derrière le bâtiment des arrhéphores, il y avait deux escaliers, dont l'un descendait vers la grotte de Pan, au flanc de la colline, l'autre semblant avoir été l'escalier secret par lequel les arrhéphores se rendaient au sanctuaire d'Aphrodite des jardins.

d'Éleusis. L'ensemble, avec ses portiques doriques et ses salles annexes, se développait sur une façade de 46 mètres. La salle de l'aile nord, précédée d'un vestibule à colonnes, fut aménagée en pinacothèque ; là étaient exposés des tableaux de maîtres dont Pausanias nous a donné une description.

Phidias ayant été, en 437, exilé par les Athéniens — ostracisme lié à une campagne politique dirigée contre Périclès —, les travaux furent confiés à Mnésiclès. Plus de cinq années furent nécessaires pour mener à bien cette œuvre.

Sur l'avancée ouest de l'Acropole, à l'angle sud des Propylées, fut, dans le même temps, érigé un petit temple de style ionique, dédié à Athéna victorieuse (Nikê), autrement appelé temple de la Nikê aptère (victoire sans ailes). Les travaux du soubassement avaient été conduits entre 448 et 445, mais le temple lui-même ne fut achevé qu'après 432. Ce n'est pas un monument grandiose avec ses 8,27 m sur 5,44 m au stylobate, ses huit colonnes (quatre en façade et quatre en arrière), sa cella simple, mais il s'impose comme un chef-d'œuvre d'élégance par l'harmonie de ses proportions et la sveltesse des colonnes ioniques finement cannelées. La plupart des bas-reliefs de la frise ont été emportés en Angleterre. Une autre série de bas-reliefs ornait la balustrade qui couronnait l'avancée sur laquelle fut élevé le temple. Ils représentaient un sacrifice offert par des victoires ailées à Athéna Nikê. On peut juger de la beauté de ces œuvres par la célèbre *Victoire rattachant sa sandale*, mise à l'abri dans le musée de l'Acropole.

Un tel ensemble de travaux requérait un immense effort financier. Jamais les seules richesses de l'Attique n'auraient permis de gérer une si vaste entreprise. Mais grâce à la maîtrise de la mer acquise après Salamine, les Athéniens s'étaient enrichis en commerçant avec les cités du nord de l'Égée et de la mer Noire, et en imposant un tribut aux cités de Thrace et d'Asie Mineure menacées par les Perses et dont Athènes assumait la défense.

La guerre du Péloponnèse, qui à partir de 431 va dresser Athènes contre Sparte, causera le déclin politique et économique de la cité de Périclès. Cependant, durant cette difficile période, les Athéniens parviendront encore à construire le dernier grand monument de l'Acropole, l'Érechthéion.

Comme le temple d'Athéna Nikê, l'Érechthéion, de style ionique, est un édifice dont la

Les porteurs d'hydries du cortège des Panathénées, plaqué de la frise nord du Parthénon. Conçu par Phidias, le riche décor sculpté du Grand Temple a été exécuté par ses collaborateurs.
La frise ionique des Panathénées courait sur 160 m autour des quatre côtés du Parthénon, au sommet des murs extérieurs. Haute de 1,06 m, en marbre du Pentélique, elle ne comporte pas moins de 360 personnages dont 143 cavaliers. Cette création plastique exceptionnelle mettait en scène, à côté des dieux et des héros représentés aux frontons et sur les métopes, le peuple athénien lui-même.

Les Grandes Panathénées

On attribuait à Thésée la fondation des Panathénées, fête locale destinée à célébrer la réunion de tous les bourgs de l'Attique en une seule cité, ce que les Grecs appelaient le synœcisme. Le tyran Pisistrate, en 566 av. J.-C., en fit une fête ouverte à tous les Grecs (panhellénique) et institua les Grandes Panathénées. On ne sait précisément ce qui différenciait ces dernières des autres Panathénées, sinon que les premières avaient lieu tous les quatre ans, alors que les secondes étaient annuelles et sans doute de moindre importance.

Neuf mois avant que débutent les cérémonies des Grandes Panathénées étaient désignées quatre jeunes filles de la noblesse âgées d'entre sept et douze ans, qu'on appelait arrhéphores. Elles se relayaient dans le Parthénon pour y tisser une robe destinée à la déesse. Ce péplos était ensuite teint au safran et brodé. Les broderies devaient représenter une Gigantomachie, lutte des dieux contre les Géants.

Le but des Grandes Panathénées était de porter sur l'Acropole le péplos neuf de la déesse.

Les fêtes se déroulaient à la fin du mois d'hécatombéon, c'est-à-dire dans la première quinzaine d'août. Les premiers jours étaient consacrés à divers concours, les Grecs n'ayant jamais pu imaginer de grandes fêtes religieuses sans concours, courses, représentations scéniques, qui constituaient des spectacles de choix, bien qu'ils aient eu à l'origine une signification religieuse.

Tout d'abord s'affrontaient des rhapsodes qui chantaient des vers d'Homère en s'accompagnant de la cithare ; ensuite, poètes et musiciens venaient se mesurer en récitant des poèmes au son de cithares et de flûtes, puis des musiciens rivalisaient avec ces deux seuls instruments. Les meilleurs recevaient en prix des couronnes d'argent.

Les jours suivants étaient consacrés aux concours gymniques : lutte, saut, courses diverses, et un soir avaient lieu des courses aux flambeaux. Les vainqueurs de chacune des catégories recevaient en prix une amphore remplie d'huile d'olive ; sur les flancs de ces vases élégants, dits amphores panathénaïques, étaient figurés des athlètes en rouge sur fond noir.

Venaient ensuite les concours hippiques, qui duraient deux jours. Ils consistaient en courses à cheval et en char, en exercices à cheval de haute voltige et en lancer de javelot. Peuple de marins, les Athéniens avaient aussi imaginé des courses de trières qui se déroulaient au large du cap Sounion. Elles étaient naturellement précédées

de sacrifices à Poséidon dans son sanctuaire élevé sur ce même cap. Nous savons aussi qu'avaient lieu des concours de danses armées (pyrrhique)..

Pendant tous ces jours, les Athéniens festoyaient, et en particulier le matin de la dernière journée des fêtes, le 28 hécatombéon, considéré comme l'anniversaire d'Athéna. C'est ce jour-là qu'avait lieu la grande procession sur la voie sacrée, jusqu'à l'Acropole. Les participants partaient de la place du Céramique, au sud d'Athènes. En tête du cortège était porté le péplos neuf, sur un char en forme de vaisseau. Venaient ensuite les bœufs destinés au sacrifice, les jeunes filles qui avaient participé au tissage du vêtement, d'autres filles de nobles athéniens, porteuses de paniers (les canéphores), les

magistrats, les métèques, étrangers domiciliés à Athènes et porteurs de bassins avec les objets du sacrifice, leurs épouses, les vieillards tenant des branches d'olivier, des jeunes gens à pied et à cheval, des chars, les délégués des cités grecques. Le reste du peuple, massé le long de la voie sacrée qui traversait l'agora, s'intégrait peu à peu au cortège.

Il se rendait non pas au Parthénon, mais à l'Érechthéion, où avait lieu le culte d'Athéna. Là était conservée l'antique et vénérable statue en bois de la déesse, qu'on revêtait du péplos neuf. Auparavant, les bêtes avaient été sacrifiées lors de diverses haltes et, finalement, sur l'autel d'Athéna Polias. La viande des bœufs était distribuée aux habitants de l'Attique les plus défavorisés.

Cavaliers de la procession des Panathénées, plaque de la frise nord du Parthénon faisant partie des marbres emportés par Lord Elgin et conservés depuis 1816 au British Museum. Ces jeunes gens qui avancent vers l'Acropole montent sans selle ni étriers. Dans cette « geste » civique, les recherches plastiques de l'âge classique trouvent leur aboutissement, et le grand art de Phidias sa sereine perfection.

grâce contraste avec la force sereine du dorique du Parthénon et des Propylées. C'est aussi, architecturalement, un monument composite qui échappe aux règles habituelles de l'architecture religieuse grecque. Consacré à Athéna Polias, à Poséidon et à Érechthée, c'est un temple dont la cella forme un rectangle de 24 mètres sur 13 environ. À l'est, la cella d'Athéna occupe toute la largeur de l'édifice ; elle est précédée d'un portique de six colonnes. Deux salles contiguës, à un niveau en contrebas, sont consacrées à Poséidon et à Érechthée. Elles donnaient accès au *prostomiaion,* ou « salle de l'embouchure », aménagé

aussi dans la largeur de l'édifice. Dans l'angle sud-ouest se trouvait un bassin profond, une sorte de puits appelé mer d'Érechthée, creusé, à ce qu'on rapportait, par le trident de Poséidon. Sur cette salle s'ouvrent le portique nord, avec ses six colonnes, et le portique sud, dit des Caryatides. Ces six statues de femmes drapées dans un long péplos et servant de colonnes sont particulièrement célèbres. La pollution atmosphérique de la moderne Athènes a conduit à prendre des mesures pour la sauvegarde de ces chefs-d'œuvre.

Il aura fallu un demi-siècle pour conduire à bien cet ensemble monumental, témoin du

génie de l'Athènes classique. Dans la suite des temps, d'autres édifices furent construits, puis, avec le triomphe du christianisme, au IVe siècle de notre ère, commencèrent les destructions. Celles-ci devaient cependant atteindre leur paroxysme sous l'occupation turque, lorsque l'Acropole fut transformée en place forte.

L'archéologie moderne a restitué partiellement ce prestigieux complexe architectural qui, bien qu'en ruine, nous parle toujours de la gloire d'Athènes, mère des civilisations de l'Occident.

GUY RACHET

SAINTE-SOPHIE

« Cathédrale » de Constantinople,
l'incomparable joyau de Justinien

La nef vue de l'entrée principale. Nul autre que Procope, l'historien de Justinien, n'a mieux défini l'impression dont on est saisi en pénétrant dans ce sanctuaire consacré à la Sagesse divine (Haghia Sophia) : « on comprend aussitôt que ce n'est pas par le seul pouvoir humain de l'art, mais par la volonté de Dieu que cette œuvre a été façonnée ».

doté d'un porche monumental surmonté d'un fronton d'aspect très antique. Une partie de ces restes provient peut-être d'une réfection exécutée en 415, après l'incendie qui se produisit en 404 lors du départ en exil de saint Jean Chrysostome. Autre élément ancien, le *skevophylakion,* salle circulaire où était conservé le trésor de Sainte-Sophie. Situé à

était l'auteur d'un ouvrage sur les coniques; Isidore, son assistant, avait rassemblé l'œuvre d'Archimède de Syracuse et écrit un commentaire sur les *Kamarika* d'Héron d'Alexandrie, savant du Ier siècle de notre ère. Cette formation théorique explique sans doute la hardiesse des solutions retenues.

L'époque était d'ailleurs aux projets novateurs. En 525-527, la princesse Julia Anicia, descendante de l'empereur Théodose, avait fait édifier, en l'honneur de saint Polyeucte, une curieuse église voûtée avec coupole centrale dont les fondations ont été dégagées il y a deux décennies. La sculpture architecturale utilisée, dont les fameux piliers dits de saint Jean d'Acre, maintenant dressés place Saint-Marc à Venise, était extravagante. Dix ans

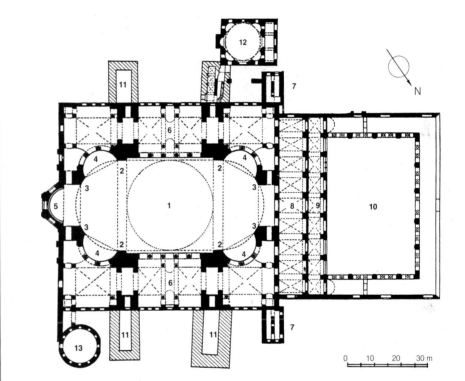

Plan de Sainte-Sophie telle qu'elle était à l'origine. La nef (1) avec les piliers principaux (2), reliés à l'est et à l'ouest aux piliers secondaires (3) par les exèdres (4). Elle est prolongée par une abside (5) et flanquée de deux nefs (6) voûtées et surmontées de tribunes accessibles par des rampes (7). Neuf portes ouvrent sur l'intérieur de la basilique depuis le narthex (8) qui *communique par cinq portes avec l'exonarthex (9). Ce dernier est précédé d'un atrium (10) aujourd'hui disparu. À l'extérieur, les contreforts (11) destinés à renforcer les piliers principaux au nord et au sud; le baptistère (12), transformé en mausolée impérial par les Turcs, et le skevophylakion (13) où était conservé le trésor de la basilique.*

'édifice se dressant actuellement sur la terrasse qui, de la mosquée Bleue de Sultan Ahmet au palais de Topkapi, surplombe le Bosphore, est la seconde église construite à cet emplacement. La première était une basilique à charpente, sans doute à cinq nefs, comme les églises constantiniennes de Rome et des Lieux saints, et dotée de tribunes. Elle fut sans doute mise en chantier sous Constantin et consacrée par Constance en 360. Ses vestiges se trouvent encore à 3 mètres sous la construction actuelle; à l'ouest, des fouilles allemandes ont mis au jour, avant la Seconde Guerre mondiale, un portique dominant de cinq marches une grande voie et qui, en son milieu, était

l'angle sud-est de l'église, il présente, sur deux niveaux, des niches où étaient rangés les objets liturgiques précieux.

De cette première église, détruite en 532 lors de la sédition Nika, qui opposa les deux factions du cirque, pour une fois unies, à Justinien, et qui fut noyée dans le sang (35 000 morts?), la nouvelle devait hériter un plan rectangulaire qui allait poser de redoutables problèmes aux architectes soucieux de la couvrir en voûtes.

Justinien chargea de cette construction deux architectes, Anthemios de Tralles et Isidore de Milet, *mechanopoioi,* ingénieurs autant qu'entrepreneurs. Anthemios, qui conçut le plan, travaillait beaucoup sur maquettes et

avant Justinien, la fondatrice avait proclamé, le jour de la dédicace, qu'elle avait surpassé Salomon.

Devant voûter un espace considérable de 71 mètres sur 77 (sans l'atrium) et désireux de respecter l'axe longitudinal est-ouest, qui convenait particulièrement aux processions solennelles, les architectes inventèrent un dispositif sans précédent. Ils inscrivirent au centre du bâtiment une coupole sur pendentifs dans un carré de 100 pieds de côté (30 mètres environ), coupole qu'ils contrebutèrent par deux demi-coupoles à l'est et à l'ouest. Jamais auparavant une demi-coupole n'avait servi pareille combinaison. Pour la recevoir, il fallait en outre des piliers secondaires resserrant

l'espace médian et comprimant en conséquence la nef centrale à ses extrémités est et ouest. D'où ces exèdres, qui relient par une triple arcade les piliers porteurs aux piliers secondaires et qui évoquent tout à fait les niches d'angle du baptistère adjacent.

Commencée en février 532, l'église fut consacrée près de six ans plus tard, le 27 décembre 537. Cette hâte supposait la mobilisation immédiate de gros capitaux (4 000 livres-or pour commencer en 532, soit 900 000 000 de francs français) et une main-d'œuvre considérable qu'un texte du xe siècle chiffre à dix mille ouvriers (cent contremaîtres dirigeant chacun cent hommes).

Un soin particulier fut apporté à la construction des piliers recevant la coupole. Ils furent bâtis en pierre de taille ; les assises étaient liées les unes aux autres par du mortier et non par des feuilles de plomb comme l'écrit Procope ; celles-ci ne furent utilisées qu'à la naissance des voûtes secondaires. Sont également en pierres appareillées les piliers secondaires et les pilastres de rappel noyés dans les murs nord et sud. Ces derniers, comme ceux des côtés est et ouest, ainsi que les parties voûtées sont en briques longues de 38 centimètres, larges de 35, pour une épaisseur oscillant entre 4,5 et 6. Les quatre grands arcs porteurs sont aussi en briques, mais plus grandes (70 centimètres environ de côté) et dont l'usage, fréquent à Rome, était jusqu'alors inconnu dans l'empire byzantin. La coupole est en briques de taille normale, qui, contrairement à ce que disent les chroniqueurs, ne sont pas en terre volcanique,

L'extérieur de Sainte-Sophie, par contraste avec l'intérieur, est un peu décevant. L'ensemble est lourd et massif. Les minarets rappellent que la basilique devint une mosquée dès la prise de Constantinople par les Turcs en 1453.

Le Christ. Détail de la mosaïque de la Deisis de la tribune sud (xiiie s.). Les mosaïques de la basilique furent recouvertes d'un badigeon lors de sa transformation en mosquée. Elles sont de nouveau visibles grâce à l'institut byzantin américain qui entreprit leur restauration en 1932.

plus légère. En effet, les constructeurs avaient une maîtrise parfaite de la mise en œuvre de leurs matériaux en fonction de leurs propriétés. Ils sous-estimèrent toutefois le temps de séchage du mortier, ce qui provoqua des déformations.

La première coupole, plus aplatie et bâtie sans doute dans le prolongement des pendentifs, s'effondra dès 557 à la suite d'un tremblement de terre. La seconde, œuvre d'Isidore le Jeune, neveu du précédent, fut reconstruite avec une flèche plus grande et terminée en 563. C'est la coupole actuelle. Ses fenêtres, comme celles des tympans des grands arcs, laissaient pénétrer une abondante lumière qui, note Procope, « ne semblait pas provenir du soleil mais de l'église même ». Reposant sur des piliers et non sur des murs pleins, « elle semblait flotter, suspendue au ciel ». Culminant à 51 mètres au-dessus du sol (56 après sa reconstruction en 563), elle offrait certes un diamètre (31 m) inférieur à celui du Panthéon à Rome, mais qui ne sera dépassé qu'à la cathédrale de Florence et à Saint-Pierre de Rome (xve et xvie siècles).

Contrastant avec la simplicité de l'extérieur, l'intérieur a ébloui tous ceux qui ont décrit l'édifice. Les colonnes des exèdres du rez-de-chaussée sont en porphyre : peut-être provenaient-elles d'entrepôts ou de bâtiments détruits, car les carrières de porphyre, situées en haute Égypte, avaient cessé d'être exploitées dès le milieu du ve siècle. Celles des segments rectilignes et la plupart de celles des tribunes sont en *verde antico* de Thessalie. Les bases, les chapiteaux, certaines colonnes, les revêtements des arcs et de leurs intrados, au rez-de-chaussée, les placages veinés, les dallages sont en marbre de Proconnèse et portent des milliers de marques de tâcherons. Les placages offrent une polychromie raffinée : serpentine de Sparte, cipolin de Carystos, *pavonazzetto* de Dokimeion, cipolin rouge de Carie, onyx d'Hiérapolis, *giallo antico* de Numidie, marbre noir et blanc des Pyrénées. Dans les écoinçons des arcades des tribunes et au-dessus de certaines portes, des incrustations délicates de nacre dans une matrice en marbre noir d'Égypte offrent une variante luxueuse des effets de clair-obscur obtenus en sculpture architecturale. Celle-ci recourt sans cesse à l'ajour sur les chapiteaux rehaussés autrefois de dorures, les impostes, les corniches. Cette dentelle de pierre contraste avec la simplicité du décor des plaques de parapet : losanges, croix sur disque ou en saillie sur un *clipeus* (motif en bouclier).

Les parties hautes et voûtées, la coupole, les demi-coupoles, l'abside étaient recouvertes de mosaïques où prédominait l'or et qui présentaient un large éventail de motifs décoratifs, aujourd'hui en partie détruits ou remplacés par une pâle copie des frères Fossati, qui, en 1847-1849, restaurèrent Sainte-Sophie à l'invitation du sultan Abdulmecid. Quelques-unes des portes primitives de l'église existent encore dans le narthex, ainsi qu'une autre faite durant les années 838-840. Dans les tribunes sud, une cloison de marbre imite à la perfection une porte : rien n'y manque, pas même la clef.

La mosaïque byzantine à Ravenne

Ravenne est l'une des rares villes, avec Rome, Milan et Thessalonique, qui conserve des mosaïques murales d'époque paléochrétienne.

Les plus anciennes sont celles d'une chapelle traditionnellement désignée comme le mausolée de Galla Placidia, impératrice d'Occident (424-450). Au sommet de la voûte constellée d'étoiles apparaît une croix d'or encadrée par les symboles des évangélistes. Sur les arcatures, des apôtres, vêtus de blanc, se détachent fortement sur un fond bleu sombre crépusculaire. Les berceaux sont ornés de disques étoilés ou d'un feuillage exubérant où disparaissent prophètes et apôtres. Dans les lunettes : au-dessus de l'entrée, le Bon Pasteur ; au fond, saint Laurent (scène principale) ; à l'est et à l'ouest, des cerfs s'affrontant de part et d'autre d'une source.

Les mosaïques du baptistère des Orthodoxes, datant de l'épiscopat de Néon (vers 458), présentent une gradation calculée de niveaux. Au-dessus d'arcatures de stuc

ges aux coloris éclatants apparaissent en relief sur des fonds où le bleu prédomine.

Avec l'avènement du roi goth Théodoric (494-526), les mosaïques évoluent vers l'abstraction et la dématérialisation ; les fonds d'or apparaissent ; les personnages, soulignés d'un contour vigoureux, perdent tout relief. La plus belle réussite de cette époque est Saint-Apollinaire-le-Neuf. Tirant parti du plan basilical, le mosaïste a mis en scène, au-dessus des colonnes séparant les nefs, un double cortège de saints et de saintes gagnant l'autel : au nord, les martyres quittant le port de Classe, guidées par les mages, s'avancent vers la Vierge ; au sud, des martyrs sortent de Ravenne pour rejoindre le Christ. Au-dessus, entre les fenêtres de la claire-voie, des apôtres et des prophètes sont disposés de face, statiques. Sous le toit, des tableaux illustrent les miracles du Christ.

Datant de la reconquête byzantine (après 540), Saint-Vital et Saint-Apollinaire-in-Classe portent cette évolution vers son apo-

Théodora, femme de Justinien. Détail d'une mosaïque (VIe s.) du chœur de l'église Saint-Vital de Ravenne, représentant l'impératrice byzantine et sa suite.

gée. Le chœur du premier de ces édifices est dominé par le motif ravennate du rinceau abritant une forme humaine ; ici, les anges portent le *clipeus* sommital décoré de l'agneau mystique. Ses parois se partagent des scènes à valeur liturgique (Melchisédech, Abraham) et des scènes à message politique (panneaux de Justinien et de Théodora). Dans l'abside trône le Christ encadré par des anges, par saint Vital et par l'évêque donateur, Ecclésius.

À Saint-Apollinaire, le discours est plus symbolique. La croix, dans un disque étoilé, remplace le Christ ; dans le registre inférieur s'avancent, de part et d'autre de saint Apollinaire, deux files de six agneaux que l'on retrouve au sommet de l'arc triomphal, montant vers le Christ en médaillon.

La technique, le langage pictural, le message de ces mosaïques trahissent une influence certaine de l'art constantinopolitain, influence qui culmine dans les remarquables portraits de Justinien et de Théodora.

Les apôtres Pierre et Paul. Mosaïque du mausolée de Galla Placidia. À leurs pieds des colombes (les âmes des élus) s'abreuvent à une vasque remplie d'eau (symbole de la vie éternelle). Entre les apôtres, une des quatorze fenêtres, fermées d'une plaque d'albâtre, qui éclairent l'édifice.

abritant des prophètes prend place un rang d'architectures baroques (autels rappelant ceux de la coupole de la rotonde Saint-Georges à Thessalonique). Lui succèdent des apôtres séparés les uns des autres par des candélabres phytomorphes dorés. Dans le médaillon du sommet, le baptême du Christ dans le Jourdain.

Peu différentes de celles de Rome ou de Milan, ces mosaïques, comme celles du tombeau de Galla Placidia, sont d'une facture quasi impressionniste ; les personna-

La grecque, mausolée de Galla Placidia. Cette frise qui borde la voûte de la niche sud est un exemple des réminiscences antiques que l'on retrouve parfois dans ce décor pourtant tout empreint de spiritualité chrétienne.

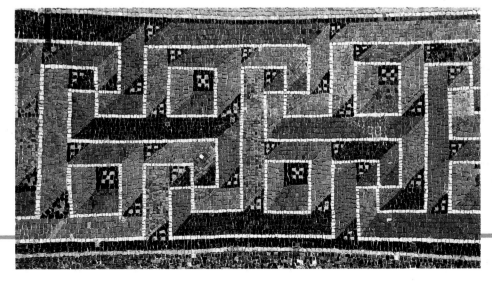

Enfin, on ajoutait, ou l'on substituait, à la lumière du jour un éclairage très abondant, là encore bien décrit par Paul le Silentiaire : disques portés par des chaînes et pourvus de dizaines de lampes à huile, rangées de lampes disposées à même le sol ou en l'air, lampes isolées attachées aux colonnes. Cette lumière devait multiplier les reflets, dissolvant l'architecture et créant un monde irréel.

Grâce à la description qu'en fait Paul le Silentiaire, nous avons une idée précise des installations liturgiques maintenant disparues : un ambon aux parapets recouverts de feuilles d'argent, accessible par deux escaliers (l'un à l'est, l'autre à l'ouest), était flanqué à hauteur de sa plate-forme d'un double couloir isolé du reste de la nef par une balustrade haute. Une allée, elle aussi protégée par une clôture, menait à la grande entrée du sanctuaire, fermé sur trois côtés par une balustrade haute recouverte de feuilles d'argent et dont l'architrave portait les médaillons du Christ, de la Vierge, des anges et des apôtres. La table d'autel, en or, était surmontée d'un ciborium dont les arcs et le toit octogonal étaient rehaussés d'argent. Procope évalue à 40 000 livres le poids des objets d'argent disposés dans le sanctuaire. Les étoffes précieuses, notamment les soies pourpres brodées d'or recouvrant l'autel, ajoutaient encore à cette richesse dont quelques objets du trésor de Saint-Marc, vestiges du butin des croisés à Sainte-Sophie, ne nous donnent qu'un pâle aperçu.

Autres possessions de prix, les reliques. Les plus anciennes furent celles de saint Pamphile et de ses compagnons, introduites en 360, de Samuel en 406, de Joseph et Zacharie en 415, auxquelles s'ajoutèrent la margelle du puits de la Samaritaine et les trompettes de Jéricho en 537, la lance et l'éponge de la Passion en 614, et la vraie croix, ramenée de Jérusalem en 635. Leur nombre s'accroissait sans cesse et, en 1200, un pèlerin russe, Antoine de Novgorod, en dressait une liste impressionnante. Sainte-Sophie était ainsi un formidable réservoir de grâces et de miracles de toutes sortes. Tous ces trésors furent pillés et dispersés en 1204 lors de la prise de Constantinople par les croisés, qui mirent la ville à sac.

Sainte-Sophie était le centre de la vie religieuse de Constantinople et de la cour. On y célébrait un grand nombre de fêtes dont la liste est consignée dans un *typicon* élaboré vers 880. L'empereur, dont le palais n'était séparé de l'église que par la place de l'Augustéon, s'y rendait fréquemment. Le *Livre des cérémonies* (xe siècle), où sont retracés les itinéraires impériaux, atteste d'ailleurs qu'il s'y montrait à l'occasion des grandes fêtes (Noël, Épiphanie, fête de l'Orthodoxie, samedi saint, lundi de Pâques, Pentecôte, etc.). C'est là égale-

ment que le nouveau patriarche accomplissait les rites de son entrée en fonction, là que se déroulait la cérémonie du couronnement impérial.

Un clergé abondant se pressait dans l'église. Les empereurs tentèrent à plusieurs reprises d'en restreindre le nombre. Ainsi, Justinien limita à 425 le nombre des clercs, soit 60 prêtres, 100 diacres, 40 diaconesses, 90 sous-diacres, 110 lecteurs et 25 chantres.

L'église subit peu de remaniements pendant toute la durée de l'empire byzantin. Certes, l'effondrement, à deux reprises, de la coupole (partie ouest au xe siècle, partie est au xive) entraîna certaines modifications et l'ajout de gros contreforts, à l'ouest, au nord et au sud. Mais le changement le plus important est la transformation d'un firmament symbolique, jusque-là inexpressif et doré, en un ciel où le Christ Pantocrator rappelait par sa présence sa sollicitude envers l'empire. En effet, après la victoire des Images (843) sur le parti des iconoclastes — qui condamnaient comme idolâtre toute représentation de Dieu, de la

Vierge et des saints —, apparurent le Pantocrator dans la coupole veillé par des séraphins inscrits dans des pendentifs, la Vierge encadrée par les archanges dans l'abside, des scènes évoquant la rédemption du monde (Baptême, Pentecôte). Le pouvoir intercesseur de la Vierge et des apôtres y était réaffirmé, en particulier par des représentations de la Déisis (celle des tribunes nord est conservée). Si les quatorze évêques logés dans les niches des tympans nord et sud soulignent l'importance de la hiérarchie (et, en particulier, celle des évêques de Constantinople, bien représentés) pour le salut de la chrétienté, ils rappellent aussi aux empereurs le pouvoir du *sacerdotium* dans l'empire. Enfin, de nombreuses images

La coupole : techniques et problèmes de construction

La coupole n'est pas une invention byzantine. Elle existait en Perse et dans l'empire romain. Mais, dès le VIᵉ siècle, dans le culte chrétien, elle devient le symbole de la voûte céleste, du royaume de Dieu, et son usage se répand systématiquement à partir du IXᵉ siècle.

Au VIᵉ siècle, les architectes essaient de l'adapter au plan basilical. La coupole doit s'inscrire dans un carré de base et être contrebutée de manière identique sur tout son pourtour. Or, à Sainte-Sophie, où la coupole devait, en raison de sa taille exceptionnelle, respecter tout particulièrement ce principe, le contrebutement n'est pas homogène. En effet, si à l'est et à l'ouest des demi-coupoles viennent épauler les arcs porteurs à leur sommet, soit au point où ils sont tangents à la coupole, au nord et au sud ces arcs ne reçoivent, au point correspondant, aucun

contrefortement. Ils n'ont que leur faible épaisseur à opposer aux poussées de la coupole. Celles-ci étaient particulièrement fortes dans la coupole primitive, beaucoup plus basse : la résultante du triangle des forces, au lieu d'être dans un axe vertical se confondant avec l'aplomb des murs, était oblique et poussait au déversement des arcs nord et sud. Il s'est donc produit une déformation du carré de base de la coupole. A l'est et à l'ouest, où s'exerçait l'épaulement des demi-coupoles, les arcs se sont infléchis vers l'intérieur de la coupole. Au nord et au sud, ils se sont au contraire écartés. Cette déformation, visible à l'œil nu, est antérieure à l'effondrement de la coupole en 557. Sans doute, ce dévers a-t-il été aussi favorisé par la hâte avec laquelle s'est effectuée la construction : le mortier encore humide a joué, entraînant

des déformations qui ont fait supporter des poussées accrues aux piliers, qui, de ce fait, se sont enfoncés dans un sous-sol peu stable géologiquement.

Certaines mesures de consolidation furent prises avant même la chute de la coupole : ajout de trompes d'angle au-dessus des tribunes pour renforcer la cohésion des piliers porteurs et des contreforts ; addition au rez-de-chaussée comme aux tribunes d'arcs en pierre de taille destinés à étrésillonner les voûtes. Mais ces mesures survinrent trop tard pour empêcher la chute de la coupole lors du séisme de 557. On dut alors en régulariser la base pour refaire un carré, et on la reconstruisit avec une flèche supérieure de 6 mètres à celle de l'ancienne, ce qui eut pour effet de réduire d'environ 30 pour 100 les poussées horizontales.

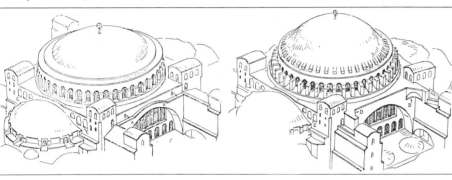 

La première coupole (ci-contre à l'extrême gauche) qui s'effondra en 557.

La seconde coupole (à gauche) construite plus haute par Isidore le Jeune, achevée en 563.

Coupe montrant l'un des quatre pendentifs sur lesquels repose la coupole (à droite).

montrent les empereurs sollicitant la protection du Christ et de la Vierge : à l'entrée sud du narthex, Constantin et Justinien ; devant la porte principale de la nef, Léon VI (886-912) prosterné devant le Christ ; à l'extrémité orientale des tribunes sud, Constantin IX (1042-1055) et Zoé de part et d'autre du Christ ; Jean II (1118-1143) et Irène avec la Vierge ; images isolées d'Alexandre (912-913) et de Jean V Paléologue (1341-1391), aujourd'hui disparues.

Sainte-Sophie est l'aboutissement prestigieux d'une certaine logique architecturale, qui avait commencé de se manifester avec le Panthéon de Rome et qui s'était poursuivie avec les rotondes des IVᵉ et Vᵉ siècles. Aucune église byzantine ne cherchera à rivaliser avec sa taille ni avec le type de couverture retenu. A l'époque ottomane, toutefois, les nouveaux conquérants s'inspireront directement de son type architectural pour la construction des mosquées de Beyazid (1501) et de Suley-

maniye (1557). Celles de Sehzade et de Sultan Ahmet (1616) marqueront cependant un certain progrès dans la technique de construction : dans ces deux cas, des demi-coupoles sont implantées aussi au nord et au sud, créant ainsi un système cohérent où la coupole est contrebutée par quatre demi-coupoles identiques. Prototype, et par là source de continuité dans l'architecture religieuse de la Constantinople ottomane, Sainte-Sophie fut elle-même intégrée à cet ensemble par l'adjonction de minarets et d'une ceinture de *turbe* ou mausolées dynastiques. Pour les principes architecturaux, aucun bâtiment du monde méditerranéen n'avait poussé aussi loin la différenciation entre éléments porteurs et cloisons : ce principe a été repris et amplifié dans l'architecture moderne avec des matériaux beaucoup mieux adaptés.

Romaine par ses sources, Sainte-Sophie a incarné au long des siècles le chemin spirituel d'un empire millénaire. Elle devenait par cette évolution, traduite dans l'iconographie, le lieu où s'enracinait, à la fois par les rites et dans l'histoire, l'essence même de Byzance, à savoir l'union du sacerdoce et de l'imperium. Édifice symbole pour de nombreux Grecs depuis la conquête ottomane et très tôt légendaire, elle redevint à leurs yeux une sorte de temple de Jérusalem ; non le symbole du triomphe du Nouveau Testament sur l'Ancien, mais, à la manière du mur des Lamentations, le signe irrécusable de la patrie perdue et de la mort de Byzance.

Jean-Pierre SODINI

LE DÔME DU ROCHER

La première architecture islamique

E n un des lieux les plus vénérés de la terre, en ce qui fut longtemps, par les manifestations divines, considéré comme le centre du monde, à Jérusalem, se dresse le Dôme du Rocher. On le nommait jadis, à tort, Mosquée d'Omar. Son nom arabe est Qubbat-al-Sakhra, ce qui veut dire le Dôme ou la Coupole du Rocher.

Ce singulier monument a été construit entre 688 et 691 par le calife Abd al-Malik sur l'emplacement du temple de Salomon — détruit une première fois par Nabuchodonosor II en 597 av. J.-C., reconstruit, et définitivement rasé par les Romains en 70-71 de notre ère — pour abriter le rocher où, selon la tradition, Abraham, sur l'ordre de Dieu et par sa grâce, aurait immolé, au lieu de son fils, un bélier, remplaçant ainsi le sacrifice humain par le sacrifice animal (avant que celui-ci soit à son tour remplacé par le sacrifice divin), et où le prophète Mahomet aurait posé le pied lors de son ascension au ciel *(Miradj)*. Lieu de pèlerinage et d'épiphanies, il répond au souci de permettre aux pèlerins d'accomplir les circumambulations rituelles *(tawaf)* et d'évoquer le symbolisme essentiel de la montagne cosmique reliant le carré de la terre au dôme du ciel.

Naissance et rencontre! Naissance : le Dôme du Rocher est la première architecture du monde musulman. Rencontre : il a été réalisé pour satisfaire les besoins cultuels d'une religion nouvelle et d'une mentalité sémitique par des artistes d'une religion déjà ancienne et de pensée grecque.

Pendant longtemps, les Arabes triomphants n'avaient pas éprouvé le besoin de construire. Ils habitaient dans les palais de leurs devanciers, qu'ils avaient subjugués, priaient dans les églises, les temples, les synagogues, voire dans les *apadâna* d'Iran. L'islam était né, du moins officiellement, le jour où Mahomet, convaincu qu'il devait transmettre le message que Dieu lui envoyait et rétablir dans son entière pureté l'abrahamisme perverti par les juifs et les chrétiens, avait émigré de sa ville natale, La Mecque, en Arabie, pour la cité voisine de Médine (hégire : 622). Il était mort dix ans plus tard, non sans avoir vu l'islam — la soumission à Dieu (Allah) — accepté par l'ensemble des populations arabes. Ses successeurs, les califes, d'abord quatre de ses fidèles, élus par la communauté *(umma)* et le gouvernant de Médine, puis les membres de la dynastie omeyyade installée à Damas, avaient,

Un des lieux les plus saints de l'Islam : le Dôme du Rocher, dans la vieille ville de Jérusalem. Construit à la fin du VIIe s., un demi-siècle après la mort du Prophète, sur le site du Temple élevé à Yahvé par Salomon, cet édifice octogonal surmonté d'une coupole est unique en son genre. Sa parure extérieure ottomane date du XVIe s.

Au centre du Dôme, le Rocher sacré, enchâssé dans le déambulatoire. La première grande réalisation des Omeyyades offre un somptueux décor inspiré des églises chrétiennes et de l'art byzantin. C'est un sanctuaire de commémoration, et non une mosquée, célébrant la continuité de la Révélation.

Une grande mosquée arabe : Kairouan

Façade sur cour de la salle de prière de la Grande Mosquée élevée en 836 par le prince Ziyadat Allah.

C'est vers 667 que le célèbre général des armées omeyyades, Sidi Oqba, fonda la ville de Kairouan et, en même temps, sa mosquée, l'une des premières édifiées en terre d'Islam, sans doute un *musalla,* oratoire en plein air à éléments à peine architecturés en bois ou en pisé. Il n'en reste rien, si ce n'est peut-être le plan et son nom, qui fut donné au sanctuaire ultérieur et qui a survécu jusqu'à nos jours.

L'actuelle grande mosquée de Kairouan est en réalité une création de la dynastie aghlabide à laquelle la Tunisie doit tant. Elle a été construite en 836, en pierres, sous l'influence des mosquées syriennes et sans doute de celle d'al-Aqsa de Jérusalem. C'est un imposant ensemble en rectangle irrégulier de quelque 175 mètres sur 70, dont la salle de prière *(haram)*, située au sud, est prolongée par une cour plus longue que large que borde un portique à double galerie. Devant le *haram*, ce portique forme un narthex à deux nefs ou, plutôt, une façade savante et admirable à arcatures reposant sur des colonnes géminées.

La salle adopte un des plans qui, sans doute sous son influence, demeurera classique en Occident musulman et qu'on a assez improprement nommé basilical. Elle est constituée, comme celle de la mosquée de Médine, de dix-sept nefs parallèles dirigées dans le sens de la profondeur et ainsi perpendiculaires au mur du fond, le mur dit *qibli* qui indique la direction de La Mecque, ou *qibla,* vers laquelle on doit se tourner pour prier et qui, en architecture, est marquée par la niche vide du *mihrab*. La nef centrale est un peu plus large que les autres, mesurant 5,75 m contre 3,40 m, mais elle demeure étroite en comparaison des nefs centrales des basiliques païennes ou chrétiennes, qui au reste ont rarement plus de deux bas-côtés. Quant à son

élévation, supérieure à celle de l'ensemble de l'édifice, elle entraîne fort heureusement celle des deux nefs qui la flanquent. Deux coupoles à côtes la couvrent à ses deux extrémités. Celle qui domine la porte a été refaite au début du XIXe siècle; celle située devant le *mihrab,* d'origine et toute semblable, oppose à la médiocrité de la première sa splendeur. Une travée, large de 6 mètres, contre le mur *qibli,* constitue avec la nef centrale une sorte de T, d'où le nom de mosquées en T qu'on donne aux édifices, surtout maghrébins, reprenant ce plan.

De l'autre côté de la cour, en face de la nef centrale, a été édifié un puissant minaret à trois étages fortement décalés, surmonté par une petite coupole assez tardive. Cette tour a une signification insigne : elle évoque par son élévation et son plan les trois étages du monde ; elle souligne l'axe mystique et géographique annoncé par la nef du *haram;* elle contribue, avec le crénelage, quasi universel dans les mosquées, et les puissants contreforts flanquant les murs, à lui donner l'aspect d'une forteresse, de la forteresse spirituelle de l'islam, à laquelle les mosquées font toujours plus ou moins allusion.

La salle de prière, somptueuse et sobre, est une forêt de 414 colonnes, notamment en porphyre rouge tacheté de jaune. Isolées ou géminées, celles-ci portent des arcs légèrement outrepassés sur lesquels repose, par l'intermédiaire d'une maçonnerie assez haute, un plafond en terrasse qui laisse encore apercevoir son ancien poutrage au décor peint de rinceaux.

La mosquée de Kairouan possède trois chefs-d'œuvre incomparables par eux-mêmes et parce qu'ils sont les plus anciens témoins connus de ces objets : le *mihrab,* le *minbar,* tous deux de 862, et la *maqsura* du XIe siècle.

en cent ans, abattu ou repoussé les deux grands empires de l'Antiquité, celui des Sassanides d'Iran et celui de Rome, dont Byzance avait hérité. Leurs troupes, à l'ouest, avaient atteint Poitiers (732); à l'est, les rives de l'Indus, aux confins du monde indien; au nord, celles du Talas, en Asie centrale, à l'entrée du monde chinois.

Pourtant vint le temps où les musulmans jugèrent qu'ils se devaient de construire des monuments dignes d'eux et de leur empire.

C'est ce qu'exprime un peu naïvement Yaqubi († 897) quand il écrit : « Reconnaissant la grandeur et la splendeur du Saint-Sépulcre, le calife craignit que les musulmans n'en fussent éblouis et fit faire pour cette raison la Coupole sur le Rocher. »

Nul site ne pouvait mieux convenir pour leur première œuvre architecturale que la ville de Jérusalem, prise en 638 et, à Jérusalem, que le Haram al-Charif, quadrilatère irrégulier large de 310 mètres au nord, de 281 au sud, et dont les grands côtés mesurent respectivement 462 et 491 mètres. La Syrie était terre de haute culture. Jérusalem, pour les trois religions monothéistes, était placée sous le zénith. Pour l'islam, elle avait été la première *qibla,* le premier lieu vers lequel on devait se tourner pour prier. Certes, ensuite, la direction de Jérusalem avait été abandonnée pour celle de La Mecque, où était enchâssée dans la Kaaba la Pierre Noire venue du ciel, mais ce changement d'orientation n'enlevait rien à celle que l'on nommait al-Kuds, « la Sainte », et surtout pas l'attrait qu'exerce toujours sur l'homme son berceau réel ou supposé. En outre, depuis la formation de l'empire arabe, elle était redevenue le centre du monde, située qu'elle était à peu près à égale distance des limites extrêmes que celui-ci avait atteintes, à l'est et à l'ouest, au nord et au sud. Quant au Haram al-Charif, il avait porté le temple de Salomon, était lié aux souvenirs d'Abraham, de David, de Jésus, tous vénérés par l'islam, à celui même du Prophète, et il demeurait le lieu privilégié des communications entre Dieu et les hommes.

C'est pourquoi Abd al-Malik décida d'architecturer l'esplanade dont Omar avait déjà fait un sanctuaire à ciel ouvert et d'y faire construire, vraisemblablement comme un seul ensemble, au nord, le dôme couvrant le Rocher, au sud, la mosquée al-Aqsa, l'espace les séparant l'un de l'autre servant en quelque sorte de cour à la mosquée, et recevant à cet effet les édicules annexes (fontaines, etc.). On commença par le dôme. La mosquée fut mise en chantier sans doute peu après ; elle a malheureusement été détruite et reconstruite au VIII\ :sup:`e` siècle, puis, ultérieurement, très altérée notamment par les transformations que lui firent subir les croisés.

Les Arabes, hormis la poésie, n'avaient pas de grandes traditions artistiques, et ils étaient trop peu nombreux pour pouvoir s'en passer, si même ils l'avaient voulu, de la collaboration des indigènes soumis ou ralliés à eux. Ils firent donc appel aux artistes locaux, voire à ceux de Byzance. Il est clair, du moins pour le Dôme du Rocher, que le plan n'a rien d'original, qu'il répond non seulement à ceux du Saint-Sépulcre et de l'église de l'Ascension à Jérusalem, mais encore à ceux des monuments de Constantinople tels que les Saints-Serge-et-Bacchus, tous relevant de la grande famille des édifices centrés, à rotonde, répandus dans l'Empire romain jusqu'à Saint-Vital de Ravenne. Il n'est pas moins clair que tout le décor est encore celui de l'art chrétien : colonnes et chapiteaux, revêtements de marbres, céramiques à fond d'or...

Le Dôme du Rocher a été plusieurs fois restauré, mais sans remaniements fondamentaux. Ainsi conservons-nous beaucoup de ses éléments primitifs. Certes, la coupole en bois a été abattue en 1016 par un séisme et reconstruite peu après, mais, autant qu'on puisse en juger, avec une totale fidélité, sauf dans la décoration. Bien sûr, diverses ornementations y ont remplacé les anciennes, en 1187, en 1237, et surtout au milieu du XVI\ :sup:`e` siècle, quand Soliman le Magnifique dut se livrer à d'impor-

tants travaux : les claustra primitives cédèrent la place à des vitraux faits de verres colorés sertis dans des plaques de plâtre ajourées relevant de la plus pure tradition musulmane ; les mosaïques byzantines des murs extérieurs, à des faïences émaillées. Plus tard encore, il y eut d'autres restaurations, généralement très respectueuses, parfois obéissant à une mode hélas victime de la décadence des arts.

Tel qu'il se présente à nous et tel qu'il se présentait à ses premiers visiteurs de la fin du VII\ :sup:`e` siècle, le Dôme du Rocher est de dimensions relativement modestes et de faible élévation. Bien que bâti sur le mont Moriah, c'est un phare spirituel et mystique dont la lumière atteint les âmes plus que les regards éloignés. On accède à sa terrasse par de longs escaliers donnant sur des portiques décoratifs à colonnes et chapiteaux antiques qui ne sont pas sans faire penser à des arcs de triomphe qui n'auraient pas de profondeur. Il affecte la forme d'un octogone qui pourrait être inscrit dans un cercle ayant un peu moins de 27 mètres de rayon et dont chaque côté mesure entre 20 et 21 mètres de long, comme le diamètre de la coupole, et 12,10 m de haut. Le couronnement des murs forme une corniche dissimulant le toit plombé, en pente, qui couvre les déambulatoires et se rattache à la base du tambour. Celui-ci, haut de 5,70 m, est renforcé par quatre piliers séparés par quatre fenêtres en plein cintre, fermées à présent par des grilles de céramique. Le dôme, qui culmine à 35,30 m, a une double coque. Hémisphérique dans la salle pour évoquer la forme apparente de la voûte céleste, il est légèrement déformé à l'extérieur, en cône vers le sommet, en bulbe à la base, soit par raffinement de l'artiste, soit par suite d'un tassement dû au temps. Il est revêtu de plomb et de cuivre doré.

A l'extérieur, un lambris de marbres à dessins géométriques occupe le tiers de la hauteur, tandis que s'étalent au-dessus les briques émaillées ou les faïences polychromes qui datent principalement de l'époque classique ottomane (XVI\ :sup:`e` siècle), mais souffrent de la présence indiscrète de pièces hétérogènes dues à des écoles et à des siècles divers. La frise épigraphique de la corniche, en cursif, avec des oppositions vigoureuses de blanc et de bleu, est d'une irréprochable élégance. Chaque côté est percé de sept fenêtres aux arcs très légèrement brisés, séparés par des pilastres prenant appui sur le sol. Quatre portes à auvent s'ouvrent en direction des points cardinaux et sont contrebalancées par les quatre puissants contreforts du tambour. Celle de l'est est précédée d'un petit édicule hexagonal inscrit dans un polygone à onze côtés, revêtu de faïences ottomanes du XVI\ :sup:`e` siècle, aux arcades reliées par des tirants formant chaînage et soutenues par des colonnes antiques : c'est le Tribunal de David ou ce que l'on croit avoir été tel. Il porte aujourd'hui le nom de Qubbat al-Silsilah, la Coupole de la Chaîne, cette chaîne où pend la balance qui, au jour du Jugement, doit peser les âmes. Celle du sud, la principale, est composée d'un portique à huit colonnes à chapiteau composite. Orientée vers

La Mecque, elle ouvre sur l'esplanade en face de la mosquée al-Aqsa et donne en quelque sorte à la longue nef centrale de celle-ci, juste dans l'axe, le rôle de voie royale reliant les deux centres spirituels du monde musulman, le Rocher de Jérusalem et la Pierre Noire de la Kaaba, et, par la même occasion, la révélation biblique et la révélation coranique.

L'esprit et le cœur sont comblés. Science parfaite, harmonie suprême, sens profond des symboles, pénétration aiguë du sacré : que pourrait-on attendre de plus ? Il manque, peut-être, l'éblouissement. L'éblouissement, on l'a quand on pénètre à l'intérieur du sanctuaire. L'émotion y est plus vive, l'agression de la beauté plus immédiate. Deux déambulatoires permettent de tourner en procession autour du grand Rocher central, situé un peu en contrebas. Ils forment, le premier, un octogone de huit piles et de seize colonnes, le second, un cercle de quatre piles et de douze colonnes, ce qui crée une admirable diversité, tandis que les dimensions sensiblement égales des arcades donnent à l'ensemble une remarquable unité. Si le deuxième déambulatoire est couvert en caissons peints dans le style décoratif turc un peu décadent et mièvre du XVIII\ :sup:`e` siècle, le plafond du premier a une splendide parure en relief, peinte et dorée, du XIV\ :sup:`e` siècle. La coupole elle-même est d'une fantastique virtuosité, avec ses lobes d'or sur fond bleu cernés de rouge et ses grands bandeaux chargés d'inscriptions pieuses sur un fond noir qui semble projeter en avant les lettres d'or (XIII\ :sup:`e` siècle, avec réfection au XVI\ :sup:`e`). Partout ailleurs règne le décor primitif : des marbres somptueux qui habillent les arcs, les trumeaux, les piliers ; des chapiteaux dorés ; des bronzes appliqués sur les vantaux ornés, comme les tirants en bois, de rinceaux de vigne ; des mosaïques faisant large place à un décor végétal à la fois naturaliste et déjà stylisé, éclatantes de beauté, riches comme les bijoux de la couronne byzantine, voire du trésor sassanide, qu'elles reproduisent, et pleines de subtils symboles.

Bien que le Dôme du Rocher soit, par définition, un monument qui ne puisse avoir de postérité, il n'a pas été sans influencer par maints détails bien des édifices ultérieurs, et d'aucuns y voient même le prototype des mausolées, ce qui me paraît très exagéré. Du moins demeure-t-il jusqu'à nos jours cher au cœur des musulmans et, pour eux, une permanente référence. Al-Muqaddisi, au XII\ :sup:`e` siècle, vibrant tout entier de ce qu'il représentait pour lui, disait : « Dans tout l'Islam, je n'ai jamais rien vu qui l'égale. » Il ajoutait, laissant alors parler son sentiment intime : « A l'aube, quand la lumière du soleil éclaire le dôme, le spectacle devient une merveille. » Il mettait le doigt sur un fait essentiel : art d'Orient, art des pays chauds, l'art islamique ne cesse jamais, depuis ses origines, d'être conçu en tenant compte de la luminosité des cieux. C'est encore, pour lui, un moyen de rester en contact avec la nature et, au-delà, d'affirmer son insertion voulue dans le cosmos.

Jean-Paul ROUX

Les mosquées

Notre œil inhabitué aux formes étrangères a du mal à percevoir les différences que présentent les mosquées. Pourtant, malgré des traits communs découlant de leurs fonctions et de la spécificité de la civilisation islamique, elles offrent d'infinies variétés de plan, d'élévation et

Ce type d'édifice s'est imposé dans l'ensemble du monde musulman pendant plusieurs siècles, a survécu en Espagne et au Maghreb, dans une moindre mesure ailleurs.

Au XIᵉ siècle, la Perse a imposé aux mosquées le vieux plan cruciforme des palais. Il est

Un des quatre iwan *flanqués de deux minarets de la mosquée du Vendredi (Masdjid-i-Djuma) d'Ispahan, de la période seldjoukide, exemple accompli de mosquée cruciforme. Apparenté aux* muqarnas *(stalactites), le splendide décor céramique date du XVIᵉ s.*

La salle de prière de la mosquée des Omeyyades de Damas, fondée en 705, première grande mosquée connue, qui joua un rôle essentiel dans l'élaboration de l'art islamique. Large de 136 m, profonde de 36, elle constitue une adaptation habile du plan basilical à trois nefs. Ses deux étages d'arcs en plein cintre accentuent l'élévation de l'édifice.

La mosquée du sultan Ahmed à Istanbul, dite Mosquée bleue (1609-1616). Œuvre de l'architecte Mehmet Aga, c'est la dernière grande création des Ottomans. L'étagement des coupoles crée un bel effet de pyramide. C'est la seule mosquée à posséder six minarets.

réalisé par l'opposition, deux par deux, de quatre *iwan*, hautes voûtes en berceau brisé fermées de trois côtés et béantes sur le quatrième. L'*iwan* principal, faisant face à celui qui sert d'entrée, conduit aux nefs de la salle de prière par l'intermédiaire d'une grande coupole surhaussée. Les bras de la croix sont occupés par des petits *iwan*. Les minarets cylindriques flanquent les *iwan* principaux et leur servent de contreforts. Ainsi les lignes horizontales sont combattues par les verticales et l'ensemble prend une élévation inconnue de la mosquée « arabe ».

L'*iwan* et la coupole, devenue bulbeuse, sont empruntés par l'Inde des Grands Moghols au XVIᵉ siècle. Celui-là sert souvent de porte, celleci couvre, répétée trois fois, la salle oblongue du *haram* qui est repoussé sur un des côtés d'une cour gigantesque. L'ensemble est situé sur une terrasse ceinte d'un portique léger, souvent à jour et dont l'accès est une porte monumentale.

La Turquie seldjoukide, puis ottomane, multiplie les mosquées cubiques sous coupole unique, de faibles dimensions, puis, pour des édifices plus vastes, juxtapose celles-ci pour créer des sanctuaires pittoresques mais irrationnels. Par ailleurs, elle couvre, à la croisée des arcs, les salles hypostyles de petites coupoles, solution déjà utilisée en Afghanistan, à Balkh, antérieurement. Au vu des solutions architecturales utilisées à Sainte-Sophie, elle crée ses grands sanctuaires conçus comme des pyramides où les étages successifs conduisent aux splendides dômes soutenus par deux arcs et deux demicoupoles ou par quatre demicoupoles, tandis que les portiques des cours sont recouverts de coupolettes et que les minarets deviennent de fines aiguilles terminées en éteignoir. Bien que le plan y soit essentiellement centré, les architectes ont essayé de revenir au plan oblong en ajoutant des bascôtés au vaisseau central entièrement dégagé.

La Djama Masdjid, ou grande mosquée du Vendredi de Delhi (1644-1658). Œuvre de Chah Jahan, le fondateur du Tadj Mahall, c'est la plus vaste de l'Inde. En grès rouge, elle est couronnée de trois coupoles en marbre blanc. La façade est interrompue par un majestueux iwan.

de décor. On peut toutefois, en s'en tenant à celles qui relèvent de ce qu'on a nommé l'Islam classique, définir plusieurs types fondamentaux.

La mosquée dite, improprement, arabe est en général un monument de faible élévation, à salles hypostyles couvertes en terrasse, à nefs nombreuses, parallèles ou perpendiculaires au mur du *mihrab*, coupées ou non de travées et portant ou non de petites coupoles devant l'entrée axiale et devant le *mihrab*. Elle est précédée d'une cour, bordée sur trois côtés de portiques simples ou doubles, au milieu de laquelle se trouve une fontaine ou un bassin. Un minaret (rarement plus) est la seule ligne verticale dans un ensemble où dominent les lignes horizontales. A l'origine, il est de plan carré et le restera en Occident, mais affectera bientôt en Orient des formes polygonales ou circulaires.

LE TÔDAIJI
Le plus grand temple de bois du monde

C'est à Nara, qui fut la première capitale du Japon de 710 à 794, que s'élève la plus grande structure en bois du monde, le fameux temple bouddhique du Tôdaiji, le « Grand Temple de l'Est ». On ne le découvre qu'après avoir franchi la porte du Sud (Nandaimon), entourée d'arbres, puis la Chûmon, la porte du Centre, qui cachent le temple aux yeux du visiteur. Mais la dernière enceinte dépassée, l'immense Daibutsu-den, avec ses deux toits superposés, semble écraser de sa masse tout ce qui l'entoure. L'intérieur, assez sombre, recèle une énorme statue en bronze du Bouddha. Les piliers, dont les superstructures soutenant les toits se perdent dans l'obscurité, forment une étrange forêt. On est saisi d'étonnement devant les dimensions de cet

édifice, comme devant l'imposante statue du Bouddha qui en occupe le centre, trésor enchâssé dans un écrin de bois à sa mesure.

Pour comprendre la raison d'être de ce temple et de la statue qu'il protège, il nous faut interroger l'histoire et revenir bien en arrière dans le temps.

Le bouddhisme, introduit au Japon par des Coréens au vi^e siècle, malgré des débuts difficiles, s'était finalement imposé dans tout le pays grâce au généreux patronage que lui avaient accordé empereurs et nobles. Heijô-kyô (l'actuelle Nara), fondée en 710 sur le plan de la capitale chinoise des Tang, Chang-an, était très vite devenue la cité la plus importante du pays. Six sectes bouddhiques, toutes venues de Chine, y avaient implanté des monastères. Cependant, l'empereur et sa cour continuaient

à résider dans des cités différentes, au gré de leur fantaisie.

Or, en 741, l'empereur Shômu (qui régna de 724 à 749 et devait se faire moine jusqu'à sa mort, en 756), dans l'espoir de conjurer une épidémie de variole qui désolait le pays depuis 735, et pour développer le culte dont il était un dévot, proclama le bouddhisme religion d'État et ordonna de faire construire dans chaque province un monastère et un temple.

À Ômi, sur les rives du lac Biwa, où il avait établi sa résidence, il décida de faire élever une immense statue du Bouddha suprême Vairocana, ainsi qu'un monastère destiné à devenir le sanctuaire principal de la nation, et particulièrement celui de la secte Kegon (fondée en Inde par Açvaghosha au iie siècle), nouvellement importée de Chine.

Le Daibutsu-den (salle du Grand Bouddha) ou kondô (pavillon central), sanctuaire principal du Tôdaiji à Nara, l'ancienne capitale de la Paix, Heijô-Kyô. Construite en vingt ans, au VIIIᵉ s., premier âge d'or de la civilisation japonaise, cette imposante structure en bois reste unique au monde, en dépit des remaniements. Conçu pour les foules de fidèles, l'immense ensemble de Tôdaiji est « frère, par son volume et le gigantesque labeur qu'il implique, de nos cathédrales occidentales ». L'architecture bouddhique de la Chine des Tang y est japonisée.

Le 15 octobre 743, il déclarait : « Nous proclamons notre vœu solennel d'ériger une image du Bouddha Vairocana en or et en cuivre. Nous désirons utiliser toutes les ressources du pays en métal pour fondre cette statue et également niveler une grande colline sur laquelle un immense édifice sera élevé, de manière que tout le pays puisse se joindre à nous pour observer les principes du bouddhisme et partager les avantages que cette entreprise nous apportera dans notre recherche de l'obtention de l'état de bouddha... Tous ceux qui désireraient nous aider dans cette tâche, même s'ils n'ont à nous offrir qu'une branche d'arbre ou une poignée de terre, seront les bienvenus... »

Dès l'année suivante, en 744, on entreprit le moulage de la grande statue projetée et la récolte des métaux nécessaires sous la direction d'un maître d'œuvre d'origine coréenne, Kuninaka no Kimitaro, assisté de bronziers renommés. Mais en 745, l'empereur ayant décidé d'établir sa capitale définitive à Heijô-kyô, tous les bronziers durent s'y transporter.

Un site fut choisi à l'est du palais impérial, et les terrassiers se mirent au travail pour araser le terrain et y construire une plate-forme de terre et de pierre destinée à soutenir la masse de la statue et la structure du temple qui devait l'abriter. Après deux années de travaux, la fonte de la statue fut commencée. Celle-ci ne pouvant être exécutée en une seule fois, étant donné ses dimensions, on décida de la fondre en huit tranches horizontales superposées et maintenues par un système de tenons et de mortaises. En même temps, commençait la construction du Daibutsu-den (salle du Grand Bouddha).

Le plan de l'édifice fut établi par un religieux bouddhiste récemment revenu de Chine, Rôben (689-773), et par un architecte du nom de Saeki no Imaemishi (719-790). Le temple, rectangulaire, devait mesurer environ 88 mètres sur 51, et s'élever à une hauteur de 47 mètres. La plate-forme, épaisse de 2,30 m, mesurait 104 mètres sur 66.

Des milliers de bûcherons, de charpentiers et d'ouvriers furent nécessaires pour abattre les arbres, équarrir les troncs, les transporter à bras d'homme ou à l'aide de chars à bœufs, tailler les blocs de granit destinés à soutenir les piliers du temple. Des centaines d'autres s'affairèrent à construire sur place les fours pour cuire les innombrables tuiles des toits.

La statue du Daibutsu fut enfin achevée le 24 octobre 749. Elle représentait le Bouddha suprême (Vairocana) assis jambes croisées sur

une fleur de lotus et tenant sa main droite levée en signe de « pacification des sens ». Haute de plus de 12 mètres, elle reposait sur un piédestal en pierre et bronze. Chacun des cinquante-six pétales du lotus de bronze était gravé d'images de divinités bouddhiques et de textes sacrés.

La construction du temple qui la protégeait se poursuivit pendant plus de deux années, et ce n'est que le 8 avril (date anniversaire de la naissance du Bouddha historique) 752 qu'il put être solennellement inauguré, en même temps qu'avait lieu la cérémonie de l' « ouverture des yeux », c'est-à-dire de la consécration de la statue de Vairocana (Roshana-butsu en japonais). Entre-temps, en 749, la découverte fortuite d'une mine d'or avait permis à l'empereur de faire dorer le Bouddha, qui pesait, socle compris, 560 tonnes, avec un amalgame de mercure qui nécessita l'utilisation de 450 kilos d'or pur. Cette opération, fort longue, ne devait s'achever qu'en 754.

Il avait donc fallu dix années pour que tout soit terminé, dont les deux statues en bois doré de bodhisattva (*bosatsu* en japonais), êtres divins ayant renoncé au statut de bouddha pour aider les hommes à se libérer des contraintes terrestres, et les effigies des « rois gardiens » des quatre points cardinaux, hautes de 10 à 12 mètres. Derrière le corps du Bouddha fut dressé un grand halo en bronze doré portant les images sculptées de cinq cents divinités et êtres célestes.

Le Daibutsu-den était couvert par une immense toiture à deux étages comportant environ 150 000 tuiles de grandes dimensions, pesant au total près de 3 000 tonnes. Ces toits étaient soutenus par 84 énormes piliers faits de troncs d'arbres, dont certains avaient plus de

1,50 m de diamètre. Ces piliers, teints en rouge de cinabre, avaient été renforcés par d'épaisses planches assujetties au moyen de colliers de cuivre rivetés. Construits en bois ou en plâtre, tous les murs intérieurs avaient été recouverts de fresques à sujets bouddhiques.

Le grand temple était entouré de galeries couvertes, de réfectoires, de dortoirs pour les religieux, ainsi que d'une trentaine de bâtiments divers : oratoires, sanctuaires, greniers pour entreposer les textes sacrés (sûtra), tours et dépendances, répartis sur le territoire (plus de 15 km²) dévolu au monastère. Devant le temple s'élevaient deux pagodes de sept étages, hautes de 90 à 100 mètres, elles-mêmes entourées d'une galerie couverte. Au pied du temple, sur un piédestal de pierre, se trouvait une magnifique lanterne octogonale en bronze ajouré de près de 2 mètres de hauteur.

D'après les chroniques japonaises, et plus particulièrement d'après le *Tôdaiji Yôroku* (« Mémoire concernant le Tôdaiji »), environ 50 000 bûcherons et charpentiers, 370 000 mineurs et bronziers, et 2 180 000 ouvriers, artistes et artisans, avaient participé à la construction de cet ensemble unique.

La charpente des bâtiments avait été construite selon le mode Wa-yô (style japonais), avec des consoles et corbeaux multiples du type Mitesaki, dont les embouts de poutres (*hijiki*) étaient décorés de motifs en cuivre découpé et doré. Le plafond du Daibutsu-den, qui s'élevait à plus de 32 mètres, était plat, à caissons et petit bois, et peint de couleurs vives. L'intérieur de l'immense salle était très sombre, mais la brillance des ors du Bouddha et des statues devait donner une luminosité particulière, propice à la prière.

Les charpentiers

Jusqu'au début du XIXᵉ siècle, la forêt recouvrait presque 90 pour 100 de la superficie du Japon, et les Japonais firent un usage considérable de leurs ressources en bois, surtout pour la construction, la pierre à bâtir étant rare. Les ouvriers du bois furent donc toujours extrêmement nombreux.

Ils constituèrent tout d'abord un corps au service de l'État, puis peu à peu s'organisèrent en corporations puissantes.

Ces charpentiers se groupaient au sein des cités dans des quartiers qui leur appartenaient, appelés Daiku-machi et Himonoshi-machi.

Par la suite, charpentiers et menuisiers, groupés en guildes (*za*) et devenus indépendants à partir du XVᵉ siècle, se chargèrent pour le compte des particuliers ou des monastères de toutes les constructions et de leur réparation. Certains étaient itinérants.

Se transmettant de père en fils ou de maître à apprenti les secrets et techniques de leur art, ils étaient aussi architectes.

Chaque charpentier possédait sa boîte à outils : ciseaux, scies, marteaux et maillets, haches et herminettes, tenailles, tarières, et surtout l'équerre graduée (*kane-shaku*) et le cordeau à tracer (*sumi-tsubo*). La grande scie

de long fut importée de Chine au XVᵉ siècle, et le rabot inventé vers 1600 seulement. Auparavant, les troncs étaient débités à la hache et les planches dressées à l'herminette ou à la plane.

Sur le chantier, le chef charpentier se faisait assister par plusieurs ouvriers spécialisés et, parfois, utilisait les services des villageois pour les travaux courants.

Tout comme dans nos corporations du Moyen Âge, les charpentiers japonais possédaient leurs traditions et coutumes particulières. Ils se réclamaient presque tous des artisans fameux de Kyôto et de Nara, les plus réputés.

Cérémonie d'ouverture d'un chantier. Dessin de Hokusai (1760-1849).

Un art du bois plus que millénaire

L'architecture bouddhique se distingue de celle des sanctuaires du shintô, la religion originelle du Japon, architecture qui n'est, dans ses débuts, qu'une évolution de la simple cabane sur pilotis profondément enfoncés dans le sol et dont le type le plus ancien, conservé fidèlement jusqu'à nos jours dans le sanctuaire d'Ise, est aussi le plus représentatif.

L'architecture bouddhique du Japon se rattache à celle de la Chine et de la Corée, mais elle est entièrement en bois. C'est essentiellement un toit soutenu par des piliers : les murs, ajoutés, ne sont jamais porteurs. Les piliers, au lieu d'être fichés dans le sol, reposent sur des bases en pierre *(sôban)* ou en bois. Les toitures, aux pentes plus ou moins abruptes et aux angles plus ou moins retroussés, couvertes en tuiles, sont vastes et lourdes. Elles peuvent être à deux, quatre ou six pentes, composites, simples ou à étages.

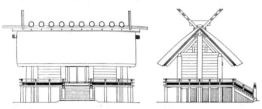

Coupes frontale et latérale d'un sanctuaire shintô de style Shimmei, utilisé à Ise, le plus célèbre.

Alors que dans la religion du shintô les fidèles vénèrent les Kami (Puissances supérieures) à l'extérieur du sanctuaire, qui de ce fait est généralement exigu, les temples bouddhiques doivent être assez vastes pour accueillir le grand nombre de fidèles qui viennent y faire leurs dévotions devant l'image du Bouddha. Les salles sont donc de dimensions imposantes et souvent somptueusement décorées.

Le temple principal, appelé Kondô (Salle d'Or), ou encore Daibutsu-den (Salle du Grand Bouddha), est complété par des bâtiments conventuels, souvent reliés entre eux et au temple par des galeries couvertes, et par des pagodes à trois, cinq étages ou plus.

Les caractères généraux de l'architecture bouddhique demeurent à peu de chose près les mêmes. On ne peut guère parler de styles, mais plutôt de « modes » de construction.

Le plus ancien de ces modes, appelé Wa-yô (mode japonais), fut utilisé au Hôryûji et pour le Tôdaiji primitif.

Imité des structures chinoises du début de l'époque des Tang, il comporte des toitures à pente relativement faible, des consoles aérées à plusieurs étages sommant

Coupe de la pagode est du Yakushiji à Nara (717-729), haute de 37 m.

Poutres (sashi-hijiki) de la Nandaimon du Tôdaiji (1199). Ce mode de construction est caractéristique de l'époque de Kamakura (1185-1333).

les piliers, et parfois des toits annexes en auvent agrandissant considérablement l'espace intérieur.

On peut voir de tels auvents à la pagode est du Yakushiji, près de Nara, datant de 720-730. Les chevrons soutenant la couverture des avancées des toits sont alors disposés parallèlement entre eux. Les fenêtres ménagées dans les cloisons de bois ou de plâtre sont carrées ou rectangulaires, les portes sont en bois plein, les « murs » extérieurs entre les piliers sont des panneaux amovibles.

Au XIIIᵉ siècle apparaissent deux nouveaux procédés de construction importés de la Chine des Song : le Kara-yô (mode chinois) et le Tenjiku-yô (mode indien).

Le Kara-yô, principalement adopté pour les temples de la secte zen, préfère les toits plus pentus aux angles retroussés, avec des consoles compactes assorties d'éléments intermédiaires entre les piliers. L'utilisation des auvents se généralise, aboutissant à de véritables « toits inférieurs ». Les fenêtres sont galbées, et les portes ajourées. Les murs sont fixes, en bois ou en plâtre.

Le Tenjiku-yô, quant à lui, fait usage d'éléments standardisés. Comme dans la reconstruction du Daibutsu-den et de la Nandaimon du Tôdaiji à Nara, les poutres transversales *(hijiki)* soutenant les consoles traversent les piliers de part en part et s'étagent ainsi les unes au-dessus des autres. Identiques à ceux du Kara-yô, les chevrons sont disposés en éventail. Enfin, les piliers sont souvent dépourvus de base *(sôban)*, contrairement aux modes Wa-yô et Kara-yô.

Ces trois modes se combineront pour donner, à partir du XVᵉ siècle surtout, une grande diversité architecturale. Les portes s'ornent alors parfois de toitures galbées *(kara-hafu)* à la mode des Ming, et se couvrent de bardeaux d'écorce de cyprès ou de plaques de cuivre.

Les plans des temples évoluent. Tout d'abord inscrits dans un rectangle ou un carré et agrémentés d'une ou deux pagodes aux toits multiples, ils se modifient avec l'adoption d'autres formes de culte.

Le plan de la salle du Bouddha s'adapte aux besoins des nouvelles sectes, et la statue de la divinité ne se trouve plus au fond de la salle mais au centre, de façon à permettre la circumambulation rituelle.

Enfin, la disposition des divers bâtiments varie, ceux-ci s'intégrant de plus en plus à la nature. Remplaçant les corridors couverts, des ailes viennent s'ajouter au temple principal, autour duquel se groupent dortoirs, jardins de méditation et jardin potager, réfectoires, cuisines, quartiers des serviteurs, salles d'hôtes...

Le temple, devenu monastère, se transforme en une véritable petite ville.

En 855, un tremblement de terre secoua l'édifice et fit tomber la tête du Daibutsu. Il fallut six ans pour réparer les dégâts et remettre la tête, qui dut être en partie refondue. En 934, la foudre s'abattit sur la pagode ouest, où étaient entreposés des textes sacrés, et la réduisit en cendres. En 1180, lors d'une guerre civile, le temple tout entier fut incendié. Le shôgun (chef militaire gouvernant au nom de l'empereur) Minamoto no Sanetomo entreprit alors de le faire reconstruire et de restaurer la statue endommagée.

Pour économiser la main-d'œuvre et les matériaux, on adopta un nouveau mode de construction imité de celui qui était en usage dans la Chine des Song, appelé Tenjiku-yô (mode indien). Ce mode de construction était caractérisé par l'utilisation d'éléments architecturaux standardisés.

La porte du Sud (Nandaimon), qui avait elle aussi été détruite, fut réédifiée selon la même technique en 1199. Intacte, elle demeure la plus grande porte de temple du Japon. Quant aux autres bâtiments, si certains furent réparés, les pagodes et quelques galeries couvertes ne furent pas reconstruites.

En 1567, lors d'une autre guerre civile, le Daibutsu-den est encore la proie des flammes. La grande statue du Bouddha demeurera pendant cent vingt ans exposée aux intempéries, faute de moyens pour rebâtir le temple.

Il fut enfin relevé de 1692 à 1709. Ses dimensions avaient été réduites : sa façade ne comportait plus que sept baies au lieu de onze, et l'édifice, en devenant carré, perdait un peu de son élégance. Il ne possédait plus que soixante piliers intérieurs et le toit avait été diminué. Afin d'éclairer l'intérieur, on avait

ouvert la façade au milieu du toit inférieur pour y aménager une large fenêtre abritée par un toit galbé en *kara-hafu*. Le plafond fut alors abaissé à 29,50 m.

En 1903, l'empereur Meiji ordonna des réparations, la toiture n'étant plus étanche et les eaux de pluie menaçant de pourrir la structure intérieure.

Il faut cependant attendre 1974 pour que les toits soient entièrement refaits. Cette entreprise considérable, menée avec les moyens les plus modernes, requit le concours de 5 000 ouvriers et techniciens et dura cinq années. Elle coûta la somme de 6 milliards de yens, équivalant ainsi au budget annuel moyen d'une petite ville japonaise.

On dut construire des échafaudages en acier sur ponts roulants, pesant chacun près de 720 tonnes, et établir autour du Daibutsu-den

Le Daibutsu ou Grand Bouddha du Tôdaiji. Cette monumentale statue de bronze représente le Bouddha universel (Vairocana en sanscrit, Roshana-butsu en japonais), d'où découleraient tous les autres bouddhas du Mahayana (Grand Véhicule), y compris le Bouddha historique, Sakyamuni. Elle a été érigée afin de faire cesser une épidémie de variole et consacrée en 752. Haute de 16 m, l'originale pesait 560 t. L'actuelle, plus petite, n'est qu'une médiocre reconstruction du XVIIᵉ s.

La fonte d'un colosse de bronze

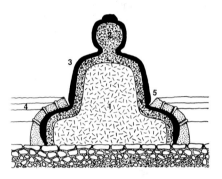

On ignore comment fut coulée la grande statue du Daibutsu. Il est probable qu'on construisit tout d'abord un noyau en terre, pierres et bois (1), recouvert de terre ou de briques réfractaires (2). Sur ce bloc, on modela en cire (3) la statue elle-même. Puis on recouvrit cette cire avec de la terre réfractaire maintenue par des terrasses (4) destinées aux bronziers. Le bronze en fusion fut alors coulé (5), par des trous, en huit tranches superposées, remplaçant la cire qui, fondant, était récupérée à la base pour être ensuite réutilisée (procédé de la cire perdue). Les coulées terminées, on enleva la terre constituant les terrasses (4), et le bronze fut retouché au ciseau à froid. Quant aux pétales de la base, fondus chacun séparément et gravés de textes sacrés et de figures, ils furent rivetés ensemble pour former le lotus du piédestal. Pour cette « fabrication » ont été utilisés 490 t de cuivre, 7,5 t de plomb et d'étain, et 450 kg d'or.

des fondations capables de supporter cette superstructure, qui aurait presque pu abriter Notre-Dame de Paris. Si l'on avait pu empiler les 125 000 tuiles nouvelles, pesant au total 2 300 tonnes, celles-ci auraient dépassé en hauteur le mont Fuji (3 776 m).

On réinstalla alors aux extrémités du faîte du toit les Shibi en forme de tête de cheval stylisée qui avaient disparu.

Rénové, le Daibutsu-den du Tôdaiji, en dépit des transformations subies au cours des siècles, demeure la plus étonnante structure en bois jamais construite. Il concurrence un autre temple célèbre de Nara, lui aussi entièrement en bois, comme tous les temples du Japon, mais de dimensions plus modestes, le Hôryûji, qui, élevé en 607, est le plus ancien monument en bois du monde.

Louis FRÉDÉRIC

FONTENAY
En terre bourguignonne,
les premiers monastères cisterciens

e désert. L'espace mystique où règnent le silence et la solitude. Cette clairière en pleine forêt, au fond d'une petite combe sauvage, à l'écart des chemins battus, en reste un témoin majeur. En Orient, jadis, dès la fin du IIIe siècle, les premiers « hommes ivres de Dieu » s'en étaient allés dans les sables, dans les chaos de rocs, au cœur des fournaises d'Égypte et de Syrie. En Occident, depuis huit siècles déjà, leurs successeurs s'enfonçaient dans l'immense forêt de chênes et de hêtres qui recouvrait l'Europe. Et ici, aujourd'hui, en ce coin perdu de la Bourgogne bûcheronne, aux confins des bocages verdoyants de l'Auxois et de l'âpre plateau de friches du Châtillonnais, la trouée de lumière que tamisent les hautes frondaisons résonne encore de la grande voix frémissante de saint Bernard : « On apprend plus de choses dans les bois que dans les livres. Les arbres et les rochers vous enseigneront des choses que vous ne sauriez entendre ailleurs. »

Les hommes du désert. À l'orée même de ce XIIe siècle intense qui allait connaître l'épanouissement de la chrétienté romane, ils étaient tous très jeunes. Assoiffés d'ascèse, ils rompaient avec la société de leur temps, partaient à la recherche de Dieu, s'exilaient dans leurs nouvelles thébaïdes. Se voulant les plus pauvres des pauvres, ils n'avaient rien. Rien d'autre que leurs mains. Et ces contemplatifs purs et durs, ces ardents se révélaient d'infatigables travailleurs. Par essaims, anonymes, ils menaient un obscur combat terre à terre. Défrichaient les forêts, maniant sans répit la cognée, l'herminette, essartant à tout-va. Drainaient, asséchaient les marécages, en chassaient les fièvres. Mettaient des champs en culture, aménageaient des pâturages. Faisaient tous les métiers, afin de subvenir aux besoins de leurs communautés isolées. Exploitants agricoles, à l'évidence, moissonneurs, vignerons, bergers, meuniers, charretiers... Et potiers, tisserands, foulons, forgerons... Mais aussi charpentiers, carriers, tailleurs de pierre, maçons, architectes... Car dans la forêt sans fin, un peu partout, ils édifiaient leurs monastères — ces « espaces intérieurs et fermés » —, chantiers épars, multiples. Moutier après moutier, ils couvraient l'Occident chrétien de leurs étranges constructions qui se ressemblaient toutes, nues, sans ornements, sans couleurs. S'y enfermaient, s'y cloîtraient strictement. Psalmodiaient avec lenteur, de mati-

nes à complies, sept fois par jour, dans le grand silence des arbres. Retournaient au leur, plus immense encore. Dépouillés du monde. Hors de l'espace et du temps ordinaires, dans la seule attente du royaume des cieux.

Ainsi apparaissent les premiers Cisterciens, moines de chœur et frères convers. De rudes hommes des bois, ces « aspirants à la perfection » plus rigoureux que beaucoup d'autres. Pionniers de l'Ouest européen, ils vécurent une extraordinaire aventure collective, tant spirituelle qu'humaine. Mais leur « révolution », menée au nom de la simplicité et de l'humilité monastiques, devait bouleverser le

De solides défricheurs : deux frères convers débitent une branche à l'aide d'un merlin et d'une masse. Lettre initiale Q d'un manuscrit de Cîteaux, les Moralia in Job, *achevé le 24 décembre 1111.*

vieux monde bénédictin. Et surtout, passés maîtres dans l'art de bâtir, ils allaient élaborer sur leurs essarts tout frais conquis une architecture singulière, fonctionnelle et symbolique certes, mais fondée sur un unique principe : le dépouillement absolu. Étrange performance de la pierre au service de la plus haute spiritualité que ce surgissement d'un art sacré inédit, quelque peu subversif dans le contexte roman, puis gothique. Un « anti-art », en fait, que ces nouveaux ascètes allaient développer à seules fins d'obéir à leur maître éminent, Bernard, le jeune et fougueux abbé de Clairvaux, le réformateur de la rigueur, « le dernier des Pères de

l'Église », et d'assurer le salut éternel de leur âme, préoccupation essentielle de cet Occident médiéval tenaillé par la peur de l'enfer.

Lieu d'ascèse. Site cistercien par excellence, Fontenay est d'abord un paysage végétal. Cette forêt bourguignonne, drue, touffue, luxuriante, traversée de sentes secrètes, qui engloutit le mince vallon ouvert au couchant, cerne l'abbaye de toutes parts, l'enserre, l'enclôt, comme aux premiers jours. Entre elles existe une sorte de symbiose, d'accord parfait. Gaston Roupnel le soulignait à juste titre : « À Fontenay, la forêt continue de régner sans partage, et de porter, comme son fruit naturel, la riche abbaye emplie de souvenirs. »

L'horizon quotidien se limite à la muraille des arbres — houle opaque de l'été, ors et pourpres que les brouillards estompent, festons fantasques des matins de givre — qui enchâsse le calcaire pâle ordonné par des mains expertes. Enclave recluse. Certes, il y a les bourrasques et les grands bois chavirés, mais toujours la paix au creux du vallon.

Le silence n'est rompu que par le bruissement des eaux vives. Sources chantantes, gros ruisseaux à truites, cascades, canaux, l'eau claire et froide court partout, en abondance. La toponymie, particulièrement évocatrice — *Fontenatum :* qui nage sur les sources — rappelle que l'abbaye a été édifiée au confluent de deux rus, à la croisée de deux vallons mouillés, au milieu de marais, et sans aucune considération esthétique.

Les arbres et l'eau, constantes de l'univers cistercien. Peu de choses, en fait, ont altéré le vallon ombreux que connut saint Bernard. L'eau a été domestiquée, captée, les bandes de loups et les brigands ne courent plus la forêt à l'entour, les feuillus ont quelque peu cédé le pas aux jeunes résineux, mais le chêne demeure l'essence prépondérante, comme dans la puissante sylve du XIIe siècle, riche en glandée et en gibier.

Le temps semble suspendu dans la clairière providentiellement sauvegardée. Au rythme des saisons, du lever au coucher du soleil, ce lieu habité d'une présence intacte illustre mieux que tout autre l'idéal du monachisme médiéval. Décor déserté, certes, vide de moines depuis 1790, bien sûr. Toutefois cet ensemble abbatial exceptionnel, archétype du monastère cistercien, est l'un des plus anciens et des plus complets de l'ordre. Sous le patronage de l'évêque d'Autun, Étienne de Bagé, Fontenay fut fondée en effet le 26 octobre 1119 par saint Bernard lui-même, accompagné de douze moines, sur les terres de la grande forêt de Châtillon qui lui avaient été données par ses oncles maternels, Raynard de Montbard et Gaudry de Touillon, seigneurs des lieux. Il en confia aussitôt l'abbatiat à l'un de ses cousins, Godefroy de la Rochetaillée. Un premier ermitage s'éleva près de l'actuel étang Saint-Bernard, à un kilomètre en amont du site définitif. Celui-ci, plus spacieux, devait être choisi onze ans plus tard, en 1130, en raison de l'affluence des recrues.

Commencements. Les fondations, alors, se ressemblaient toutes en duché de Bourgogne. Il n'est que d'imaginer le bruit de la cognée qui entame les troncs, le choc cadencé, obstiné, patient, le grand froissement des arbres qui s'abattent, pour remonter le temps et retrouver ces Cisterciens des origines.

« C'était un affreux désert, inculte, boisé, retraite ordinaire des bêtes fauves et dont les hommes n'auraient pas osé s'approcher. Un tel lieu, précisément parce qu'il était plus inaccessible et qu'il inspirait à tous plus d'horreur, parut très propre au dessein que ces hommes avaient formé. Avec l'approbation de l'évêque et l'assentiment du seigneur propriétaire, ils se mettent à l'œuvre et, sans différer, les voilà déblayant le terrain, arrachant les arbres, les ronces, les broussailles qui l'encombrent et commençant la construction d'un monastère... »

21 mars 1098. La fondation de « l'herm appelé Cîteaux », sous le patronage de l'évêque de Chalon et du duc de Bourgogne Eudes Ier, se trouve ainsi relatée dans le *Petit Exorde du Saint Ordre de Cîteaux*. Avec 21 de ses moines, le premier Père des Cisterciens, l'initiateur du mouvement, Robert, abbé bénédictin, qui a déjà tenté l'expérience en fondant l'abbaye de Molesmes en 1075, délimite le site de son *Novum Monasterium*. Donné par son cousin Raynard, vicomte de Beaune, il s'agit d'un tout petit domaine du « Bas-Pays », en plaine de Saône, enfoui dans la forêt, parmi les roselières, au bord de la rivière Vouge descendue de la Côte vigneronne. Le nom *Cistercium*, sans doute dérivé du vocable « cistels » qui désigne les roseaux, ne sera attribué que vers 1120. Les terres sont stériles et insalubres, mais les « affamés de Dieu » n'ont pas le choix : les meilleures places étant déjà prises, ils acceptent ce que les grands féodaux leur offrent, même ces bas-fonds bourbeux qui vont devenir leur élément.

Construit en bois, le Nouveau Monastère commence par ressembler à ces ermitages forestiers qui parsèment l'Occident depuis le milieu du IVe siècle. Cabanes en joncs, huttes de branchages, semblables aux loges des bûcherons et des charbonniers, se groupent autour d'un oratoire primitif. Dès 1106, cependant, une chapelle de pierre est consacrée : sa nef unique a 15 mètres de long et 5 de large. La première église de Cîteaux ne sera entreprise qu'en 1140, sous la direction d'un authentique architecte, le moine Achard.

Sous la férule de ses deux premiers abbés, Aubry ou Albéric (1099-1109) et Étienne Harding (1109-1134), Cîteaux connaît des débuts difficiles et s'organise tant bien que mal. Aubry introduit une réforme vestimentaire : pour se différencier des moines clunisiens, bruns ou noirs, ceux du Nouveau Monastère adoptent l'habit blanc ; voués à Notre-Dame l'Immaculée, ils porteront désormais une robe de laine écrue, la coule restant noire. Durant les vingt-cinq ans de son fervent abbatiat, Étienne Harding, un Anglais très cultivé, met en marche le « système » cistercien et lui confère sa spécificité au sein du vieil ordre bénédictin. Il rédige notamment cette *Charte*

Vue aérienne de l'abbaye de Fontenay (Côte-d'Or), à 6 km de Montbard. Un inestimable chef-d'œuvre cistercien, restauré depuis 1906 et classé par l'UNESCO au Patrimoine mondial depuis 1981.

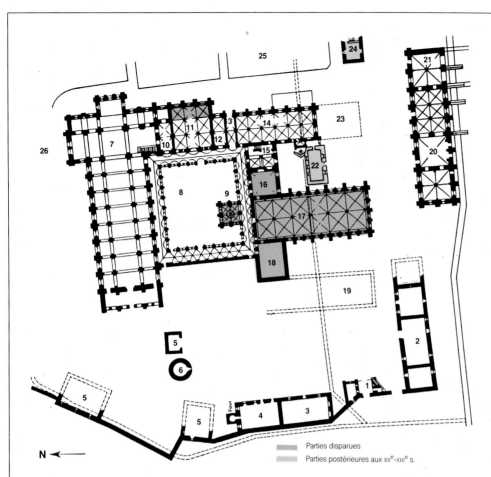

25   24   21

26   7   11   3   14   23   20
10   12   15
22
8   9   16
17
18
19
2

5
6

5
5   1
Fout   4   3

N ◄

Parties disparues
Parties postérieures aux xiiᵉ-xiiiᵉ s.

Plan de l'abbaye de Fontenay. Celle-ci présente le plan type, dit bernardin, que les cisterciens ont diffusé dans toute l'Europe à partir de 1135. Ils y ont fidèlement reproduit le plan de Clairvaux, le plan de base restant celui des bénédictins.

Selon les normes établies, les bâtiments monastiques s'ordonnaient autour du cloître. Tout ce qui était nécessaire à la vie de la communauté se trouvait réuni dans l'enceinte de l'abbaye, l'objectif premier étant d'assurer l'autarcie de ce « kolkhoze avant la lettre ». Les moines blancs se devaient en outre de construire pratique, économique et durable.
1. Porterie ou conciergerie (remaniée aux xvᵉ et xviiᵉ s.). 2. Hôtellerie, réservée aux étrangers de passage et aux hôtes de marque. 3. Chapelle des étrangers. 4. Boulangerie. 5. Communs (comportant au xvᵉ s. le chenil des ducs de Bourgogne). 6. Colombier. 7. Église. Longueur totale : 66 m. Largeur de la nef : 8 m ; avec les bas-côtés : 19 m. Longueur du transept : 30 m. Hauteur de la nef sous voûte : 16,70 m. 8. Cloître : 38 × 36 m. 9. Lavabo, disparu. 10. Sacristie. 11. Salle

capitulaire. La travée orientale a été détruite, sans doute dans l'incendie de 1450. 12. Parloir. 13. Passage faisant communiquer le cloître avec le jardin. 14. Scriptorium ou grande salle des moines. Longueur : 30 m. 10, 11, 12, 13 et 14, à l'étage : dortoir. L'actuelle charpente en chêne date du xvᵉ s. 15. Petit chauffoir. 16. Grand chauffoir. 17. Réfectoire, démoli en 1745. 18. Cuisine, démolie vers 1745. 19. Cellier. 20. Forge. Longueur : 53 m. Largeur : 13,50 m. Le bâtiment comprend quatre salles en enfilade, la quatrième, à l'est, étant celle du moulin. Les trois premières sont : la salle des martinets, la salle des fourneaux ou des cheminées, l'atelier des forgerons. Parmi les abbayes cisterciennes, seule Fontenay a conservé sa forge médiévale. Celle-ci est considérée comme le plus ancien bâtiment sidérurgique d'Europe. 21. Moulin. 22. Enfermerie, ou prison, construite au xviᵉ s. 23. Vivier. 24. Infirmerie, isolée par mesure d'hygiène (remaniée aux xviiᵉ-xviiiᵉ s.) 25. Jardin des simples, consacré à la culture des plantes médicinales (aujourd'hui remplacé par un jardin à la française créé il y a vingt-cinq ans). 26. Cimetière des moines.

de charité, confirmée en 1119 par le pape Calixte II de passage à Saulieu, qui sera la constitution de l'ordre naissant.

Quelques années à peine, en effet, et Cîteaux se retrouve chef d'ordre — maison mère. Dans les forêts de Bourgogne et de Champagne, ses filles voient le jour, coup sur coup : quatre essaims quittent la ruche. 17 mai 1113 : La Ferté, au diocèse de Chalon, sur les rives de la Grosne, sur une terre donnée par Savaric de Donzy, seigneur de Vergy, et son neveu Guillaume, comte de Chalon.

31 mai 1114 : Pontigny, au diocèse d'Auxerre, au bord du Serein, sous la protection de Thibaud IV, comte de Champagne. 25 juin 1115 : Clairvaux, au diocèse de Langres, sur les rives de l'Aube, sous la protection de Hugues, comte de Troyes. L'événement est majeur. En effet, c'est Bernard de Fontaine, ce jeune chevalier bourguignon admis à Cîteaux au printemps 1112, avec trente nobles de ses parents et de ses amis, qui fonde cette troisième fille, métamorphosant le ténébreux val de l'Absinthe en Clara Vallis. À 25 ans, il

en devient le premier abbé. Personnalité sans égale, Bernard sera le vrai Père de l'ordre cistercien. Pour les moines blancs, c'est soudain le grand élan, à travers l'Europe entière. Et le xiiᵉ siècle sera celui de Cîteaux — bien que Clairvaux, mû par un prodigieux dynamisme, ait joué le premier rôle, atteignant jusqu'à 700 religieux.

Juin 1115, encore : c'est Morimond, en Bassigny — morire mundo, rien de plus explicite. Aussitôt nées, les quatre premières filles de Cîteaux vont se mettre à essaimer à leur tour. Douze moines, sous la houlette d'un abbé, partent s'installer au désert, avec leurs livres liturgiques, « un psautier, un hymnaire, un collectaire, un antiphonaire, un graduel, une Règle, un missel ». Le processus se répète, s'accélère. La réforme ascétique se propage vite. 1119 : naissance de Bonnevaux, en Dauphiné cette fois. Puis de Fontenay, deuxième fille de Clairvaux, après Trois-Fontaines. Le nouvel ordre compte déjà 12 abbayes — il en comptera 343 en 1153.

Les grands brûlis font reculer la forêt, les clairières s'ouvrent et se peuplent. Bientôt, des rubans de prairies spongieuses se déploient au fond des combes cisterciennes, plus ou moins débarrassées de la malaria. Solidement implantés dans la Bourgogne ducale, noyau d'un empire spirituel homogène à l'extrême, les moines blancs multiplient les monastères, modestes, médiocres — ne se sont-ils pas interdit toute possession temporelle ? Ainsi, pour la deuxième fois de son histoire, la Bourgogne est devenue le pôle réformateur de la chrétienté occidentale. La première fois, après 910, c'était Cluny qui avait tenté de rénover le monachisme bénédictin. Mais, en deux siècles, la réforme clunisienne avait fait long feu. Qui pis est, c'est maintenant contre Cluny, à l'apogée de sa puissance matérielle et de son rayonnement spirituel, que se dresse Cîteaux — et, singulièrement, son chef, Bernard de Fontaine.

La grande nouveauté de Cîteaux s'affirme, d'emblée, dans son esprit et dans la vie de ses communautés. Le propos cistercien est simple mais radical : retrouver le bon chemin pour parvenir au salut, rétablir la pureté originelle de l'état monastique, donc restaurer la Règle édictée par saint Benoît de Nursie, le Père du monachisme occidental. Vieille de six siècles, cette Règle au très sage équilibre n'est pas jugée périmée, au contraire. Elle a seulement été « dévoyée » par les Bénédictins, et surtout par les Clunisiens. Il s'agit donc de revenir à l'essentiel, une stricte observance. Et de vivre selon la loi de l'Évangile : simplicité et pauvreté. De suivre nu le Christ nu. Le défi est bel et bien lancé à Cluny.

« Rome seconde » de la chrétienté, totalement inféodée à la première dont elle produit les papes en série, la grande abbaye bourguignonne a connu un essor stupéfiant. Elle se trouve à la tête d'un véritable empire monastique, elle règne sur quelque 1 500 maisons et sur plus de 10 000 moines, elle possède d'immenses propriétés foncières. Elle vient de construire la plus grande église du monde occidental, une « merveille » de 187 mètres de

« C'est ici vraiment la maison de Dieu et la porte du ciel » : sévère, d'une extrême simplicité, la nef de Fontenay n'est rehaussée que par les jeux de la lumière, surtout au levant et au couchant. Face aux splendeurs de Cluny, le premier art cistercien réduit l'architecture à l'essentiel.

long et d'une somptuosité inouïe. Elle s'absorbe dans une liturgie fastueuse. Mais ses succès mêmes lui deviennent funestes. Ils sont à l'origine de son relâchement, de son fléchissement spirituel. Et cette opulence, cette magnificence finissent par troubler certains clercs, certains moines surtout. Pour ceux-ci, Cluny a scandaleusement déformé l'idéal monastique. Ce sont des Clunisiens réfractaires, des dissidents qui ont fondé Cîteaux.

Cîteaux, vivante antithèse de Cluny. Éprise d'absolu, Cîteaux conteste, dénonce la puissance, les abus, les richesses inutiles, le « luxe » insolent, la « corruption », les déviances. Et les condamne bientôt, durement, par la voix de saint Bernard. L'ascétisme véhément de celui-ci est tout entier résumé dans sa célèbre *Apologie à Guillaume de Saint-Thierry*, rédigée en 1125. L'ombrageux abbé de Clairvaux y proscrit, fustige, stigmatise les coutumes clunisiennes. Et l'âpre débat qui l'oppose à Pierre le Vénérable reflète les idées qui l'animent, au plus fort de l'antagonisme entre les deux grandes institutions monastiques de la Bourgogne.

Ascèse du dénuement et du refus, toujours recommencée. Moments de rupture. Le monachisme occidental reflue vers ses propres sources. Car Bernard et les siens s'inscrivent dans une époque d'effervescence spirituelle, issue d'un fort courant d'ascétisme. Une floraison de fondations et d'ordres nouveaux marque en effet la fin du XIe siècle et le début du XIIe. De Grandmont (1078) à la Chartreuse (1084), de Fontevrault (1102) à Prémontré (1120), le monachisme du désert, phénomène collectif européen, connaît un vif regain. Le temps des Pères semble revenu. Les candidats se recrutent partout, toutes classes sociales mêlées. Au désert, « les novices affluaient de tous côtés, assoiffés de pénitence : saints et bandits, princes et serfs venaient y jouir d'un avant-goût du Paradis ».

Dans ce contexte, l'abbé de Clairvaux n'a rien d'un révolutionnaire. Cultivé, éloquent, caustique, c'est en fait un conservateur de forte trempe, qui défend l'ordre établi féodal. Il surgit simplement à un moment clé. Et il exerce un ascendant certain sur ses contemporains. Tout le destin de Cîteaux a dépendu de ce meneur d'hommes qui ne cesse de promouvoir le renouvellement auquel une société aspire. Mais au grand spectacle clunisien, au matérialisme bien compris des abbés noirs, il n'oppose en définitive qu'un « pur rêve désincarné ». Rêve éphémère, à l'aune de sa vie. Dès la fin du XIIe siècle, en France, Cîteaux réédite à sa façon la mésaventure de Cluny. Les moines blancs deviennent de grands propriétaires, âpres au gain. Au XIIIe siècle, c'est déjà le déclin, et la fin du retour aux sources.

Ascétisme de l'architecture dite bernardine. Répons du siècle cistercien, égrenés pierre à pierre au fond de vals perdus, balisant une Europe de l'austérité et de la discipline. Tel Fontenay, réplique de Clairvaux disparu, construit « selon les avis et suggestions de saint Bernard en personne », blanche thébaïde du printemps cistercien. Les contestataires de l'âge roman, ses marginaux barbus y ont fait naître un nouveau monde.

Les lourds attelages de bœufs charriaient sans trêve des tombereaux de pierres. Par les vieilles sommières de la forêt, ils faisaient la navette entre le chantier de Fontenay et la carrière de Chassignelles, à une vingtaine de kilomètres au nord-ouest, dans la vallée de l'Armançon. C'était là que les carriers se procuraient le matériau qu'ils utilisaient pour le sanctuaire. Un beau calcaire tendre, franc, légèrement jaspé de rose, au grain fin. Les charrois accumulaient les blocs. Les tailleurs de pierre et les maçons prenaient la relève. Avec le chantier de sciage et de charpente, juste à côté, une centaine de personnes s'activaient dans la clairière. Toutes les trois heures, le travail était interrompu, pour la prière et les psaumes. Le reste du temps, seul le bruit des outils venait rompre le silence.

Les fondations avaient été faites quelques mois plus tôt. Il avait fallu pour cela d'énormes travaux de terrassement, mais ceux-ci n'avaient mobilisé qu'une poignée d'hommes qui avaient peiné, au pic, à la pelle, dans la boue et le froid. Force avait été de maîtriser l'eau au préalable, cette eau omniprésente qui noyait le fond de la combe. Un réseau complexe de canalisations et de canaux alimenté par les rus et les sources voisines avait été mis en place. Il formait un dédale souterrain sous les bâtiments de l'abbaye. Deux grandes digues avaient été construites, levées de terre muraillées de pierres qui barraient les deux vallons et protégeaient l'abbaye, située en contrebas. Plusieurs retenues avaient été aménagées sur le ru de Touillon, en amont. De petits barrages avaient été créés, des moulins édifiés. Les moines blancs n'étaient-ils pas de remarquables ingénieurs des eaux, des hydrauliciens experts ? N'étaient-ils pas venus à bout des redoutables marais de Cîteaux ?

Tout comme ils avaient repris la Règle de saint Benoît, les Cisterciens avaient repris la disposition traditionnelle du monastère bénédictin. Seules quelques systématisations avaient été apportées, visant à la simplicité et à l'uniformité des constructions. En premier, donc, était bâtie l'église de pierre. Fontenay devait la sienne à un Anglais, Ébrard, évêque de Norwich, qui était venu chercher refuge auprès de cette abbaye naissante et qui y avait investi toutes ses richesses personnelles, en mécène soucieux de son salut.

L'essartage avait dégarni le fond du val, passablement étroit. Les cahutes de baliveaux tressés de ramilles et la chapelle provisoire étaient groupées au pied de l'adret. Devant, à grandeur réelle, formant une sorte de terre-plein, le tracé de l'église dessinait une grande croix sur le sol. Il avait été établi par le maître d'œuvre — resté inconnu, comme tant d'autres — sous la direction de l'abbé Guillaume de Spiriaco. Géomètre accompli, intuitif, celui-ci ne disposait que d'un outillage rudimentaire : le compas, la règle, l'équerre, le fil à plomb et la corde à treize nœuds lui suffisaient pour édifier son chef-d'œuvre.

Car la grande église sortait de terre. Les murs montaient rapidement. Elle sortit de terre en un temps très court, en huit ans exactement, de 1139 à 1147, ce qui explique son extrême homogénéité. Le sol était encore

Dans la galerie est du cloître, voûtée en berceau brisé, le rythme ample et paisible des arcades en plein cintre. Jardin fermé, centre de l'abbaye, le cloître était destiné à la promenade et à la lecture, à la méditation solitaire dans la sobre ivresse — sobria ebrietas — de la pierre nue.

L'Europe cistercienne

Le chantier de l'abbaye de Maulbronn (Wurtemberg), fondée en 1139. Peinture sur bois ornant un retable.

« Le grand arbre de Cîteaux poussa prodigieusement : en moins d'un siècle, ses ramifications atteignirent les limites de la chrétienté. » Le nouvel ordre fait preuve en effet d'une belle vitalité. L'expansion est rapide. Les fondations se multiplient à travers les divers États féodaux. Bientôt, de la Norvège à la Sicile, de l'Irlande à la Pologne, et jusqu'à la Syrie franque, ceux de Cîteaux, infatigables bâtisseurs, ont élevé leurs citadelles mystiques au cœur des solitudes.

En 1153, à la mort de saint Bernard — 55 ans après la première fondation —, on compte 343 abbayes. Vers 1300, elles sont plus de 700 — mais déjà sur le déclin. Entre 1125 et 1151, poussée record, 11 abbayes en moyenne sont fondées chaque année. Afflux de recrues, essaimage, fondation : le processus s'est répété dans tout l'Occident médiéval.

Les abbayes mères sont libres de fonder leurs filiales où elles le veulent. « C'est pourquoi les cinq grandes filiations de l'ordre, celle de Cîteaux et celles des quatre premières filles, s'imbriquent et s'entremêlent un peu partout... »

De ces cinq filiations, c'est celle de Clairvaux qui, sous l'impulsion de saint Bernard, est de loin la plus importante : 168 monastères en 1153, 346 à la fin du XIIIe siècle. « Comme une vigne merveilleusement féconde, Clairvaux poussait ses rameaux de tous côtés », écrit Guillaume de Saint-Thierry. Celle de Morimond vient en second avec 185 abbayes, essentiellement en Europe centrale et orientale, jusqu'aux marches de Livonie et d'Estonie, sur les rives de la Baltique, où des abbayes comme Dünamünde ou Falkenau sont des forteresses avancées au cœur de contrées barbares. La filiation de Cîteaux n'arrive qu'au troisième rang (128). Enfin, les moins prolifiques sont celles de Pontigny (43 abbayes) et de La Ferté (16).

Dès 1120, l'ordre naissant sort du creuset bourguignon, vers l'Italie : Tigliedo, en Ligurie,

abbaye fille de La Ferté, voit le jour. En 1134, c'est Morimondo. En 1135, Clairvaux fonde Chiaravalle, près de Milan. En même temps, les moines blancs sillonnent les terres germaniques. En 1123, la première née est Kamp, en Rhénanie, fille de Morimond qui aura elle-même 13 filles. L'Angleterre se peuple aussi. 1128 : Waverley, dans le Surrey, 1131 : Tintern, filles de Cîteaux. Clairvaux suit avec Rievaulx (1132) et Fountains (1135), toutes deux dans le Yorkshire.

Dans ces années 1130-1140, les cisterciens fondent sans répit, en Belgique, en Suisse, en Autriche, en Yougoslavie. Les années 1140-1150 les voient arriver en Espagne, au Portugal, en Irlande, au Danemark, en Norvège, en Suède, en Pologne, en Tchécoslovaquie, en Hongrie. À Chypre et au Liban, enfin, où l'abbaye de Belmont est fondée en 1157.

Les moines blancs ont eu une influence considérable sur l'architecture de leur temps. En effet, ce sont souvent les mêmes maîtres d'œuvre qui construisent de nombreuses abbayes du réseau cistercien. Il en a été ainsi

Lavabo du cloître de l'abbaye de Poblet, qui fut fondée en Catalogne en 1150. Ce pavillon hexagonal en saillie dans le préau est situé en face de la porte du réfectoire.

Les vastes ruines de l'abbaye de Fountains, dans le Yorkshire, fille de Clairvaux fondée en 1135. Atteignant 110 m de longueur, l'église fut une des plus grandes de l'ordre cistercien.

Nef de l'immense église d'Alcobaça, au Portugal, la dernière des fondations de saint Bernard (1153).

pour ceux de Clairvaux. Achard, en 1134, est envoyé sur le chantier de Himmerod, en Rhénanie. Geoffroy d'Aignay, en 1135, sur celui de Fountains. Robert, en 1142, sur celui de Mellifont, dans l'est de l'Irlande.

À l'instar de ceux de Cluny qui avaient propagé les formes nouvelles de l'art roman, ces maîtres d'œuvre ont exporté le premier gothique bourguignon, encore empreint de roman, archaïque, bien terrien. En adoptant de plus en plus ouvertement la voûte sur croisée d'ogives — dont Fontenay, en 1147, est un des premiers exemples —, leur art de bâtir va quelque peu évoluer au fil des ans. La rigueur des modèles bourguignons, d'abord fidèlement respectée, s'estompera. Il est toutefois resté cet air de famille, fortement marqué.

« Les missionnaires de l'art gothique » ont effectivement diffusé à travers l'Europe entière la technique de la croisée d'ogives, principe même de l'art français — opus francigenum. Il faut néanmoins souligner que leur gothique, volontairement simplifié et dépouillé, n'a pas évolué au rythme du gothique international, qu'il est resté cantonné dans ses formules répétitives, standardisé par la volonté bernardine. Ce sont là sans doute les limites de l'architecture cistercienne. Mais aussi sa spécificité et sa profonde beauté.

de terre battue, le pavage devait commencer plus tard. Mais la consécration eut lieu le 21 septembre 1147, en grande pompe, en présence de Bernard de Clairvaux, du pape cistercien Eugène III, de nombreux prélats, d'une foule inhabituelle. Tout le monde se pressa dans l'église glaciale, pour une fois pleine à craquer.

Dédiée à la Vierge, comme toutes les églises cisterciennes, c'était, somme toute, un édifice modeste, long de 66 mètres, haut de 16 m sous voûte. Trapue, comme enracinée, paysanne d'allure — d'où ce nom d'église grange que lui donneront les historiens de l'art. Elle s'ouvrait à la lumière avec un art consommé, par sept baies de façade et cinq de chevet. Ses voûtes en berceau brisé sur doubleaux apparaissaient particulièrement réussies.

Pourtant, cette église ne ressemblait pas à celles de l'époque. Pas de grand portail sculpté. Pas de clocher, et pas de coupole de croisée. Un raide chevet plat supplantant l'hémicycle harmonieux de l'abside romane. Aucune crypte, et nulle relique. Les vitraux n'étaient que de simples grisailles géométriques, les couleurs, les figures avaient disparu. Comme avaient disparu aussi toutes les polychromies des sculptures. D'ailleurs, il n'y avait pas de véritables sculptures. Chapiteaux et culots étaient lisses et nus, ornés seulement de grandes feuilles plates, rigides, sévères. Les feuilles d'eau, symbole du silence.

« En un temps où les moindres sculptures étaient peintes, où, quand même il n'y avait pas aux murs de vastes compositions, les encadrements de fenêtres, les colonnes, les moulures, tout était prétexte à peintures, et à peintures d'une extrême violence, les grands vaisseaux blancs des cisterciens devaient sembler les lieux de culte d'un autre monde... »

Pourtant, des artisans laïques avaient apporté aux pères et aux frères convers un certain renfort. Et ces Bourguignons, experts habiles à agencer les volumes et à tailler la pierre, travaillaient aussi sur les grands chantiers de Cluny, d'Autun et de Vézelay.

De tout cet art, de toute cette profusion ornementale, l'abbé Bernard ne voulut point. On mesure là, entre autres, la singulière dimension, la stature morale de celui qui a été appelé « le dernier des iconoclastes ». Face au jaillissement roman, seul, il opta pour une architecture de pénurie, conforme à sa volonté de régénération spirituelle, pour « un art pauvre révélant d'invisibles richesses ». Il imposa des normes exigeantes, sans jamais édicter de règlement. Il ne s'agit nullement d'une révolution architecturale, mais de « la

La salle capitulaire, où apparaît la voûte sur croisées d'ogives avec doubleaux. Tous les jours, après prime, la communauté s'y réunissait pour la lecture d'un chapitre de la Règle et la distribution des tâches. Les moines blancs y faisaient leur coulpe. Enfin, les abbés y étaient élus — à vie.

représentation visible d'une éthique ». Par une suite de renoncements. Délibérément, fermement, il exclut tout superflu, refusa toute distraction, bannit toute imagerie. À l'invention permanente, il opposa ce modèle bourguignon standardisé, rigidement codifié, dont Fontenay reste le seul exemplaire, les cinq abbayes mères ayant disparu.

Fontenay qui s'affirme exactement « la traduction plastique du génie bernardin ». Dans son église — l'essentiel de Cîteaux, sa pierre de touche —, comme dans tous ses bâtiments monastiques, dans son cloître en particulier. Construit juste après l'abbatiale, y attenant au sud, celui-ci, rythmé par le plein cintre, participe des mêmes formes fonctionnelles simples. Contemporain de celui de Moissac, il s'est épuré de l'iconographie romane, notamment du bestiaire : « Aux frères en lecture dans le cloître, fulmine Bernard de Clairvaux, que peuvent faire ces monstruosités ridicules, ces

Le Corbusier et l'architecture monastique

En ce siècle qui a fui le sacré, comment penser cet espace de refuge qu'est un monastère, comment l'organiser, au-delà des formes conventionnelles ? Le novateur, ici comme ailleurs, a été Le Corbusier (1887-1965). Et l'architecte des « machines à habiter » s'est véritablement passionné pour la conception et la réalisation du couvent Sainte-Marie de La Tourette, à Éveux-sur-l'Arbresle (Rhône), consacré le 19 octobre 1960.

Création unique en son genre, la Corbusière, comme on l'appelle ici, est « une œuvre belle et forte », où l'imagination se conjugue avec une rigueur absolue. Empreinte du fonctionnalisme et du rationalisme particuliers à son auteur, elle représente, dans sa rudesse, un sommet d'austérité monastique. Mais le traitement des structures, l'approche des détails, le jeu des volumes y révèlent une haute exigence esthétique.

Cette célébration du béton brut a d'abord été une commande : celle des Dominicains de Lyon, conquis par la modernité et par l'humanisme du célèbre architecte théoricien. Le Père Alain Couturier, un de ses amis, et l'instigateur d'un renouveau de l'art sacré en France, le sollicite en 1952. Le Corbusier travaille alors à la reconstruction de la chapelle de pèlerinage de Ronchamp, Notre-Dame-du-Haut, caractérisée par l'abandon des plans traditionnels et par l'emploi des formes courbes.

Retour à l'angle droit. Durant trois années intenses, Le Corbusier étudie avec grand soin le projet, réfléchit, crayonne. Séduit par le site — une prairie à flanc de colline, cernée d'arbres, face aux ondulations des monts du Lyonnais — il met au point les plans d'exécution. Surtout, ce lointain descendant des Cathares médite sur les directives du Père Couturier. Le religieux initie l'architecte aux « résonances profondes des règles de l'ordre dominicain établies au début du XIIIᵉ siècle ». Il lui conseille d'aller en Provence étudier l'abbaye cistercienne du Thoronet, fondée en 1136, idéal monastique inaltéré, proposé comme modèle.

L'ouverture du chantier a lieu le 7 août 1956. Malgré le manque d'argent, le couvent sort de terre en trois ans. Les travaux se terminent par la construction de l'église, au nord, haut parallélépipède opaque, forteresse d'une nudité complète, aux murs en banchage.

Le Corbusier a repris pour l'essentiel la disposition traditionnelle, le vieux schéma bénédictin et cistercien. Il l'a adapté de façon originale à l'environnement et à une fonction précise : il s'agit ici, proche de l'université de Lyon, d'un couvent d'études pour les jeunes Dominicains.

Toutefois, réinventant à sa manière, l'architecte a réalisé une structure assez extraordinaire, sans réel antécédent, aboutissement de ses recherches sur l'unité d'habitation. Car « à bien des égards, La Tourette apparaît comme la synthèse des réflexions menées par Le Corbusier tout au long de sa vie ». Il y a appliqué, avec maîtrise et ingéniosité, les cinq points essentiels définis dès les années 1920 pour la construction des « machines à habiter », maisons individuelles ou immeubles collectifs : le plan libre, la façade libre, la fenêtre en largeur, les pilotis, le toit-jardin. Et il a traité l'édifice selon le tracé régulateur rigoureux qu'il a fini de mettre au point : toutes les mesures sont régies par le Modulor.

Destiné à abriter une centaine de moines, le couvent de La Tourette est un quadrilatère en béton brut posé sur une hauteur qui domine la vallée de l'Arbresle. Ouvert sur la nature sur trois de ses façades, il s'étage sur cinq niveaux — le nombre variant selon les côtés. Au-dessus des pilotis et des cuisines, le deuxième regroupe les espaces monastiques traditionnels : église (haute de 15 m), cloître en croix, chapitre, réfectoire. Le troisième se compose des salles de cours et d'études et de la bibliothèque. Les derniers sont constitués de deux étages de cellules au format standardisé, à la mesure de l'homme, par le Modulor (hauteur : 2,26 m ; largeur : 1,83 m ; longueur : près de 6 m). Ces cellules ouvrent toutes sur l'extérieur par des loggias brise-soleil en encorbellement. Seule référence au Thoronet : la pyramide repère qui coiffe l'oratoire, inspirée du clocher de l'abbaye provençale.

Savamment distribuées, la lumière et la couleur animent seules cette architecture cartésienne d'un total dépouillement. Les larges pans de verre ondulatoires, qui ferment les salles communes et les promenoirs du cloître, contrastent avec les étroites fentes horizontales, à hauteur des yeux, des couloirs des niveaux supérieurs et avec les canons de lumière illuminant avec raffinement, en éclairage indirect, la pénombre de l'église. Dessinés et mis au point par Iannis Xenakis, le mathématicien ingénieur devenu musicien, ils constituent une réelle innovation. Quant à la couleur, autre constante dans l'œuvre de Le Corbusier, elle n'apparaît plus que comme le contrepoint limpide, à l'ère du béton, de ce langage formel d'une haute spiritualité. Les ascètes du XIIᵉ siècle l'auraient-ils refusée, ainsi conçue ? Il est permis d'en douter.

Un convers affairé à la moisson. Lettre initiale Q des Moralia in Job. *Les domaines cisterciens étaient exploités en faire-valoir direct par les convers.*

horribles beautés et ces belles horreurs ? » Ayant répudié la *venustas*, l'abbaye tout entière exalte la *compositio*. « La *compositio* d'une ordonnance divine libérée de la *venustas* profane. » « La composition de la forme pure, idéale et linéaire, émondée de toute superfluité. » Soutenue par la qualité de l'appareil, cette géométrie de l'ascèse, scandée par l'équilibre des volumes, l'harmonie des proportions, est tempérée par la sensibilité à la lumière.

À partir de ces créations primitives, à partir de ces modèles nés du répertoire architectural bourguignon, les moines blancs ne résisteront pas, eux non plus, à la tentation, à la mégalomanie. Ils voudront faire grand. Et au XIIIᵉ siècle, dans le domaine capétien, puis au Portugal ou en Angleterre, il y aura Royaumont, Alcobaça, Rievaulx, Fountains... Inspirées en quelque sorte de l'art des cathédrales, surtout la plus grande, Vaucelles, disparue, dont l'église atteignit 132 mètres de long. Le gigantisme ira de temps à autre de pair avec un certain retour du luxe pour Dieu, celui même des abbés de Cluny ou d'un Suger — fâcheux penchants qui seront néanmoins combattus dans l'ordre jusqu'au XIVᵉ siècle.

Humble témoin de l'âge héroïque, Fontenay, à ses plus beaux jours, ne comptera jamais plus de 300 moines. Ne vivant que du travail de leurs mains, en complète autarcie, ces reclus du XIIᵉ siècle exploitaient eux-mêmes la nature environnante. Ils commençaient à créer des fermes, des granges, des celliers, des viviers, des ateliers. Le grain, le vin, le bétail s'accroissaient d'année en année. Ils battaient déjà le fer, afin de pourvoir à la production d'outils agricoles, l'affûtage et la trempe y étaient déjà renommés. Là, sur ces quelques arpents de terre au cœur de la forêt, « les journées [étaient] rudes et rêches, comme est le chant cistercien lui-même en ses inflexions rauques, ses brusques arrêts, sa rusticité ». Elles donnaient forme à un rêve, déconcertant, d'une beauté bizarre. Quelque chose comme une formidable et fragile utopie.

MAY VEBER

À 25 km au nord-ouest de Lyon, la dernière grande œuvre de Le Corbusier : le « couvent radieux » de La Tourette.

CHARTRES
L'univers des grandes cathédrales

A la différence de la plupart des cathédrales gothiques de France, Chartres a été construite, dans sa plus grande partie, de façon relativement rapide. Il est vrai que les évêques de la ville étaient las d'avoir à rebâtir constamment « l'église mère » de leur diocèse. Pour la cinquième fois, il fallait ouvrir un chantier. En effet, quatre édifices avaient précédé celui qu'on peut aujourd'hui admirer, quatre édifices ravagés par le feu ou par la malignité des hommes.

Au bord du plateau qui s'élève au-dessus de l'Eure, sur une faible éminence, il y avait au IIIe siècle un temple dédié à une déesse-mère. Après l'introduction du christianisme, l'évêque Adventus décide de substituer au culte de cette divinité païenne celui de la Vierge Marie. Un premier édifice s'élève donc vers le milieu du IIIe siècle. De dimensions modestes, il s'appuie au rempart gallo-romain qui protège la cité des Carnutes contre les invasions barbares. De cette église, détruite par un incendie, rien ne subsiste aujourd'hui.

En 743, une nouvelle cathédrale surgit de terre, déjà plus vaste. Celle-là ne durera guère plus d'un siècle. Les Normands déferlent sur la Gaule. En dépit des supplications adressées au ciel (*De furore Normannorum, libera nos, Domine* — De la fureur des Normands, délivrez-nous, Seigneur), la ville est prise en 858, et la cathédrale rasée par ces païens. Aussitôt, avec obstination, on entreprend de la reconstruire. L'évêque Gislebert y emploie toutes ses ressources. Cette fois, l'édifice est encore plus vaste. Le maître d'œuvre est gêné par la présence à l'est de l'enceinte gallo-romaine. On perce celle-ci pour terminer l'abside. Cette troisième cathédrale subit le même sort que les deux premières : un incendie la détruit en

Une des plus grandes merveilles de l'Occident médiéval : Notre-Dame de Chartres. Vus de l'est se profilent la chapelle Saint-Piat, le chevet et son éventail d'arcs-boutants, la façade du transept sud, les puissants contreforts de la nef, le clocher Vieux, roman (105 m), le clocher Neuf, gothique flamboyant (115 m).

« Une paix rigide, une inflexible droiture se sont emparées des formes » : statues-colonnes du portail Royal (1145-1150). Jadis richement peintes et rehaussées d'or, ces hautes figures hiératiques à la stricte frontalité, démesurément allongées, représentent des prophètes et des ancêtres du Christ, rois et reines de Juda. Obéissant toutes au même rythme vertical, elles ornent la façade de la cathédrale romane du XIIᵉ s. Au-dessus des dais ouvragés, les chapiteaux illustrent l'entrée du Christ à Jérusalem, la trahison de Judas et la Cène.

1020. Dès 1021, l'évêque Fulbert décide d'édifier une nouvelle église.

On pourrait être surpris par la multiplicité de ces sinistres. Ils sont explicables. Entre les collatéraux et la nef, il était d'usage de placer de hautes tentures qui réchauffaient la nudité des murs. Mais cierges et flambeaux y mettaient le feu, celui-ci gagnait la charpente, et tout s'écroulait. Le feu s'attaque encore à la cathédrale de Chartres en 1134, endommageant la façade occidentale. On s'empresse de la rénover. Le clocher nord est terminé en 1150, le clocher sud dix ans plus tard.

Un dernier incendie a lieu en 1194. Cette fois, presque tout l'édifice disparaît. Par chance, la façade occidentale, terminée depuis vingt ans, est préservée. L'évêque Regnault de Mouçon entreprend alors d'élever une cinquième cathédrale en conservant la façade occidentale et la flèche du sud. Ainsi cette façade appartient encore au style gothique primitif, alors que le reste de l'édifice offrira une architecture plus évoluée.

Il faut d'abord ouvrir le chantier. Celui-ci est situé aussi près que possible de l'édifice. Il faut ensuite trouver de l'argent — c'est le point le plus difficile. L'évêque ne peut compter que sur la générosité des fidèles et des communautés de métiers, une générosité qui se tarit parfois. Alors le prélat se tourne vers son suzerain ou les seigneurs du voisinage. Regnault de Mouçon obtient l'aide efficace du roi : Philippe Auguste s'intéresse fort au pays chartrain, si proche de la Normandie qu'il voudrait reconquérir sur les Plantagenêts. De nombreux barons imitent son geste. On arrête les travaux quand l'argent manque.

L'évêque ou son représentant choisit ensuite l'architecte. C'est pour plus de commodité qu'on emploie le terme d'architecte. En réalité, le mot n'est apparu en France qu'au début du XVIᵉ siècle. Pour désigner le personnage chargé de concevoir les plans et de diriger les travaux, on disait le maître d'œuvre ou, plus modestement, parce que l'assemblage des pierres constituait la partie essentielle de sa tâche, le maître maçon.

Les maîtres d'œuvre du XIIᵉ siècle sont peu connus. C'est ainsi qu'à Chartres on ignore le nom de celui qui a conçu les plans et poussé les travaux jusqu'à l'achèvement des voûtes.

Le maître d'œuvre est constamment sur le chantier. Il surveille la besogne, mais ne travaille jamais de ses mains. « Il est coutume, lit-on dans un texte, qu'il y ait un seul maître qui ordonne [le travail] seulement par la parole et n'y met jamais la main. Il reçoit pourtant des

salaires plus considérables que les autres. Les maîtres des maçons, ayant une baguette en main, ordonnent et ne travaillent point. »

Les maîtres d'œuvre sont bien payés. On connaît peu de chiffres exacts. On sait que Bernard de Soissons, qui travailla pendant trente-neuf ans à la cathédrale de Reims, entre 1251 et 1290, était parmi les hommes les plus imposés de la ville.

Il est possible que ces maîtres d'œuvre obscurs aient souvent été des moines. À partir du XIIIᵉ siècle, il n'en va plus de même. Les architectes sont presque toujours des laïcs. Ils signent leur œuvre dans quelque partie de l'édifice. À Notre-Dame de Paris, l'auteur du bras droit du transept a gravé son nom dans le soubassement sur une longueur de... 8 mètres ! « Maître Jean de Chelles a commencé ce travail le 2 des ides de février [11 février] de 1258. » Jean de Chelles était un grand maître d'œuvre, mais il manquait d'humilité.

Les architectes ont pris conscience de leur valeur. Ils savent admirablement préserver leurs intérêts. Ils sont également soucieux de conserver leurs secrets. *Le Livre des métiers,* rédigé au XIIIᵉ siècle par le prévôt de Paris, Étienne Boileau, est sur ce point formel. Il note : « Les maîtres maçons peuvent avoir des aides et des valets pour leur métier, comme il leur plaît, à condition qu'ils ne montrent à nul d'entre eux aucun point de leur dit métier. »

Les manœuvres sont souvent d'anciens serfs en rupture de maître. Ils ont fui loin de leur village natal et se font embaucher sur un chantier. On trouve aussi parmi eux des fils de paysans qui, pour ne pas diminuer le maigre héritage paternel, ont décidé de chercher un métier. Certains, les plus assidus et les plus intelligents, deviendront peut-être apprentis. Leurs tâches sont ingrates et variées. Ce sont eux qui creusent les fondations. Ils transportent la terre qu'ils ont enlevée dans de grandes hottes qu'ils chargent sur leur dos. Ce sont eux également qui amènent sur le chantier les matériaux et qui montent les pierres, les tuiles ou les ardoises. On les renvoie dès qu'on n'a plus besoin d'eux. Au XIIIᵉ siècle, ils gagnent 6 à 7 deniers par jour. 6 à 7 deniers, ce n'est pas grand-chose. Il est vrai que le manœuvre est habituellement nourri.

Viennent ensuite les tailleurs de pierre. On les considérait comme des ouvriers spécialisés, des techniciens d'un certain rang social, parce qu'ils avaient le droit de s'attacher deux ou trois manœuvres qui les servaient et travaillaient à leur côté. Les tailleurs choisissent souvent eux-mêmes la pierre qui va servir au chantier. Ils vont sur place l'examiner avant d'ordonner le transport. À pied d'œuvre, ils taillent la pierre suivant les besoins de la construction, et leur habileté est parfois exceptionnelle. On ne s'étonnera donc pas

Une envolée jusqu'alors inconnue : à la croisée du transept, les faisceaux de colonnes montent d'un jet jusqu'à la retombée des voûtes. Lancées à 37 m du sol, ces voûtes barlongues, qui couvraient une nef centrale large de 16,40 m, autre record, constituaient une première. Grâce aux arcs-boutants extérieurs, la conquête de la lumière a franchi ici une étape décisive. Les murs des parties hautes ont pu être évidés et remplacés par des verrières : 2 lancettes et 1 rose de chaque côté des étroites travées rectangulaires. L'espace du sanctuaire ogival s'est ainsi aéré, à travers lequel la lumière joue au fil des heures. La cathédrale totalise encore quelque 2 000 m² de vitraux : les trois admirables verrières du XIIᵉ s. et 170 du XIIIᵉ.

d'apprendre qu'ils sont beaucoup mieux payés que les manœuvres : 20 à 22 deniers par jour, soit trois fois plus. Ils ont en outre certains privilèges, ils peuvent être exempts du guet, cette obligation faite aux habitants d'une ville de participer à sa surveillance nocturne. Les tailleurs de pierre sont groupés en une corporation (on disait alors : communauté de métier) aux règles très strictes.

Enfin voici les maçons. Comme les tailleurs de pierre, ils reçoivent un salaire des plus élevés : de 20 à 25 deniers par jour. Leur tâche consiste essentiellement à placer et à sceller les pierres en se conformant au plan du maître

L'art du vitrail

L'art du vitrail semble avoir atteint son apogée au XIIᵉ et au XIIIᵉ siècle. C'est alors que les verriers ont montré leur maîtrise dans une technique dont on perdra ensuite le secret. Il faudra des siècles pour qu'on le retrouve.

L'essentiel de cette technique consiste à fondre dans la masse du verre en fusion les différentes couleurs que le maître verrier se propose d'utiliser. Les verres refroidis, il les découpe en autant de morceaux que le vitrail doit en comporter, en suivant le modèle préalablement dessiné. Il ne lui reste plus qu'à sertir ces morceaux dans des lamelles de plomb qui cernent vigoureusement les contours de chacun d'eux. Le vitrail devient ainsi un puzzle aux teintes chatoyantes que pénètrent les rayons du soleil.

Les couleurs utilisées sont peu nombreuses mais d'une rare qualité : les rouges et les bleus dominent, surtout les bleus, et ceux de Chartres rivalisent de beauté et d'éclat avec ceux de Bourges et de Paris.

À Chartres, les vitraux appartiennent au XIIᵉ et au XIIIᵉ siècle. Ceux qui sont placés au portail royal, entre celui-ci et la rosace, datent du milieu du XIIᵉ siècle. Ils constituent, en quelque sorte, une réplique aux thèmes de la sculpture ; ils sont en effet consacrés au Christ, à sa généalogie, à sa vie, à sa Passion et à sa Résurrection. Ces trois vitraux ont

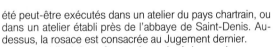

Homme tenant un bâton et conversant avec une jeune fille. Cette scène, dont la signification reste énigmatique, fait partie d'un vitrail relatant la vie de Noé (1235-1340).

La joute entre Roland (à gauche) et le géant sarrasin Ferragut (ou le roi sarrasin Marsile) : médaillon du vitrail légendaire de Charlemagne, vers 1220.

Le roi Salomon, sans doute sous les traits du jeune roi Louis IX, le donateur, portant un manteau bleu doublé d'hermine et tenant un sceptre fleurdelisé : lancette de la claire-voie nord du transept, sous la « rose de France », vers 1230. Ce vitrail monumental, haut de 7,50 m, est destiné à être vu de loin.

La création d'Ève : détail du quadrilobe de la Création dans le vitrail du Bon Samaritain, vers 1210.

été peut-être exécutés dans un atelier du pays chartrain, ou dans un atelier établi près de l'abbaye de Saint-Denis. Au-dessus, la rosace est consacrée au Jugement dernier.

Avec habileté, le maître verrier a placé de grands personnages dans les vitraux les plus élevés, qui peuvent donc être contemplés d'en bas. Au contraire, les vitraux qui ouvrent sur les collatéraux ou sur l'abside sont plutôt consacrés à de petites scènes.

L'art du vitrail est un art coûteux. Il faut se procurer les matériaux nécessaires à la fabrication du verre, les couleurs, et payer plusieurs ouvriers ou apprentis.

La générosité des princes vient alors suppléer celle des fidèles. C'est ainsi que la belle rosace du nord a été offerte par Saint Louis. Parmi les autres donateurs, on rencontre le comte de Champagne, le comte de Chartres (on s'en doute...), et même un roi de Castille. Le duc de Bretagne, Pierre de Dreux, dit Mauclerc, petit-fils de Louis VI le Gros, offrit la rosace du portail sud, représentant la glorification du Christ et quelques autres sujets.

Parfois, les donateurs se font représenter agenouillés au bas du vitrail. C'est ainsi que Pierre de Dreux figure dans celui qu'il a offert, accompagné de son épouse et de ses enfants.

Un des plus célèbres vitraux de Chartres est situé à l'extrémité du déambulatoire, près du bras droit du transept. C'est Notre-Dame de la Belle Verrière, une Vierge du XIIᵉ siècle entourée d'anges. Elle symbolise la glorification de celle à qui la cathédrale est dédiée.

Chefs-d'œuvre des imagiers

Le Christ en majesté au tympan de la baie centrale du portail Royal. Dans la mandorle, symbole de l'immortalité, c'est le Dieu de l'Apocalypse, le Juge suprême, répété à l'infini dans l'iconographie romane.

Les sculptures qui décorent la façade et les portails latéraux des cathédrales sont des bibles en images. En un temps où la plupart des fidèles les plus humbles ne savaient pas lire, il était indispensable de leur présenter des scènes de l'Ancien et du Nouveau Testament que les prêtres commentaient en chaire.

Rien de plus frappant, à cet égard, que l'émouvant portail royal de la cathédrale de Chartres. Il date, dans l'ensemble, du milieu du XIIe siècle, et il paraît certain que les sculpteurs ont, dans ces trois porches, suivi un thème général : la vie et la glorification du Christ. Celui-ci figure au tympan entouré des quatre symboles évangéliques.

Les grandes statues sont encore des statues-colonnes, dont les pieds ne reposent pas à plat, mais sont légèrement inclinés, témoignage de leur archaïsme.

Les scènes consacrées à la Vierge, aux miracles de Jésus, à sa glorification sont à la fois d'une grande pureté de style et d'une naïveté touchante. Les sculpteurs ont donné ici libre cours à leur imagination et ont montré un talent inégalable. On admire surtout les scènes placées sur les chapiteaux et les voussures. Leurs auteurs ont su adroitement mêler aux personnages du Nouveau Testament les sages de l'Antiquité, au portail de droite, tandis qu'au portail de gauche douze scènes sont consacrées, entre autres, aux travaux des mois, un des thèmes favoris des statuaires romane et gothique : en octobre, le paysan fait la vendange; en décembre, il tue le cochon; en février, il se chauffe au coin de l'âtre...

Le portail sud est nettement postérieur au portail royal. Comme lui, il se compose de trois porches surmontés d'un linteau et d'un tympan. Il a été exécuté, selon toute vraisemblance, entre 1224 et 1250, pendant la seconde campagne de construction de la cathédrale.

Le thème adopté figure les premiers siècles de l'Église, les apôtres, les saints et les martyrs, mais on y trouve aussi le Jugement dernier, autre sujet favori des sculpteurs avec le paradis et l'enfer où s'agitent des diables. Plus loin, tout un foisonnement de personnages représente des saints invoqués particulièrement dans la contrée. Certaines statues, un peu postérieures, ont pris l'aspect de chevaliers en armure comme on en voyait au temps de Saint Louis.

Enfin, les sculptures du portail nord, contemporaines à quelques années près du portail sud et moins riches que celui-ci, semblent remonter quelque peu dans le temps et l'histoire sainte. Voici les prophètes qui ont annoncé la venue de Jésus; voici, au trumeau de la porte centrale, sainte Anne berçant la Vierge dans ses bras; voici enfin, au linteau et au tympan, la dormition de la Vierge et son assomption.

Toutes ces scènes témoignent de l'habileté de ces « imagiers » qui prirent pour modèle les gens du peuple qu'ils avaient sous les yeux et ces paysannes du terroir qui venaient au marché apporter leurs produits.

Ces sculpteurs sont restés anonymes. Peut-être s'agissait-il de moines, peut-être de laïcs. Peu importe, ils étaient des maîtres dont on ne cesse, depuis plus de sept siècles, de contempler l'œuvre et d'admirer le talent.

---

nes de Notre-Dame de Paris durent faire intervenir la police pour calmer les esprits un peu trop échauffés. Cette existence poussait les maçons à s'unir, à se défendre, à se protéger, d'autant qu'à la différence des autres ouvriers ils n'étaient pas sédentaires : quand un chantier était fini, il leur fallait bien prendre la route à la recherche d'un autre travail.

Il semble qu'à Chartres, outre les ouvriers, les habitants de la ville aient bénévolement travaillé à l'édifice.

Ainsi s'élève peu à peu la nouvelle cathédrale. Mais, avant de suivre les étapes de sa construction et de la replacer parmi les chefs-d'œuvre de l'architecture gothique, il est indispensable de retracer brièvement l'origine et l'évolution de cette architecture.

L'art roman a produit de magnifiques chefs-d'œuvre : Vézelay, Saint-Benoît-sur-Loire, l'abbaye aux Hommes de Caen, et tant d'autres. Mais son architecture a l'inconvénient de faire retomber le poids de la voûte, qu'elle soit en plein cintre ou en arc brisé, sur toute l'étendue des murs latéraux et de ne permettre donc ni l'ouverture de larges baies ni une élévation très grande des voûtes.

La découverte de la voûte d'ogive change tout. C'est à Morienval, non loin de Compiègne, qu'elle apparaît pour la première fois. Située dans le déambulatoire de l'église, elle est encore bien timide, bien grossière. Elle va rapidement évoluer. La technique est simple : entre chaque travée, on lance deux arcs transversaux constitués par de grosses pierres rondes, des sortes de boudins, les tores. Ces deux arcs se coupent à la clef de voûte et forment ainsi quatre compartiments. Dans chacun d'eux on dispose les pierres taillées de

Le chantier d'une cathédrale, selon une miniature du XIVe s. Tailleurs de pierre et maçons y sont à l'œuvre. La cathédrale, innovation majeure du XIIe s., a connu un développement spectaculaire à travers l'Europe jusqu'au XIVe s. grâce à l'essor des villes et à la diffusion de l'« art de France ».

---

d'œuvre. Pour outils, ils ont la truelle, le niveau, le fil à plomb. Les gâcheurs de mortier, les mortelliers le leur préparent, et des manœuvres montent l'ensemble.

Les maçons sont organisés en une puissante communauté de métier qui n'accepte de nouveaux membres qu'après preuve de connaissances sérieuses. D'où viennent-ils? Souvent de l'étranger, d'Allemagne, d'Italie, mais aussi de certains pays de France, comme la Marche et le Limousin, dont les habitants ont de vieilles traditions de constructeurs.

Ils jouissent de nombreux avantages. L'évêque (ou son représentant) est tenu de leur fournir des gants pour se protéger les mains contre les brûlures de la chaux. Outre leur salaire, ils reçoivent une gratification, soit à l'occasion de l'achèvement des travaux, soit

quand ils posent une clef de voûte, cette pièce qui « clave » la voûte et qui est le symbole de la solidité de l'œuvre. Enfin, ils sont les seuls à bénéficier de la loge.

La loge est une construction légère en planches, bâtie dans le voisinage immédiat du chantier. Là, les maçons se réunissent pour se reposer, prendre leurs repas. Là, le maître d'œuvre conserve ses plans et ses dessins.

Il est certain que se retrouver quotidiennement dans la loge, où se prépare parfois la besogne en cas d'intempéries, créait entre les maçons des liens plus étroits qu'entre les membres des autres corporations. Les loges devenaient, en même temps qu'un lieu de travail et de repos, un endroit où l'on discutait des problèmes intéressant le métier. Il arrivait même qu'on s'y disputât : en 1283, les chanoi-

L'apparition du réalisme gothique du XIIIe s. Ces grandes statues bibliques du portail nord, qui étaient peintes et dorées, représentent cinq personnages de l'Ancien Testament. De gauche à droite : Abraham et Isaac, Moïse montrant le serpent d'airain, Aaron (ou Samuel) sacrifiant un agneau, le roi David portant les instruments de la Passion. « Cet art de Chartres est grave, sévère, sacerdotal » (É. Mâle).

On admet généralement que trois campagnes de travaux ont été nécessaires pour terminer entièrement la cathédrale de Chartres. La première campagne s'ouvre au lendemain de l'incendie du quatrième édifice, en 1194, et s'achève en 1220. À cette date, le gros œuvre et les voûtes sont terminés. Après quelques années d'interruption, les travaux reprennent et les deux dernières campagnes se terminent en 1250. L'église est solennellement consacrée le 24 octobre 1260. Selon une tradition, Saint Louis aurait assisté à cette consécration. Chartres se situe donc après Senlis ; elle est quelque peu postérieure à Notre-Dame de Paris ; elle précède Reims et Amiens.

Au cours des siècles suivants, la cathédrale devait subir quelques modifications. En 1326, aux trois chapelles de l'abside qui ouvrent sur le déambulatoire on ajoute une chapelle dédiée à saint Piat. Au début du XVe siècle, c'est au tour du comte de Vendôme, Louis de Bourbon, de montrer sa générosité envers Notre-Dame. À la suite d'un vœu, il fait construire une chapelle, caractéristique du style gothique flamboyant.

Mais la plus grande transformation se situe au début du XVIe siècle, de 1507 à 1513. Jean Texier, dit Jean de Beauce, un de ces bons architectes provinciaux dont on méconnaît trop souvent le talent, reconstruit entièrement la flèche nord de la façade. Cette flèche s'élève maintenant à 115 mètres, plus haute de 10 mètres que sa sœur la flèche sud. Le contraste entre les deux flèches est frappant ; celle de Jean Texier appartient à ce style flamboyant qui annonce déjà la Renaissance.

On ne se lasse pas d'admirer l'architecture de cette cathédrale et sa remarquable unité. Le plan conçu par le maître d'œuvre, et scrupuleusement exécuté, est classique : une nef flanquée de deux collatéraux, un seul triforium, un chœur entouré de trois chapelles. Il en ressort une impression de beauté et de grandeur que ne possèdent pas toujours les édifices gothiques. On oublie trop souvent que cet art s'est développé pendant plus de quatre siècles, du XIIe au début du XVIe. Il y a loin de l'austérité du gothique naissant à l'exubérance du gothique flamboyant. La cathédrale de Chartres ouvre la plus grande période de l'art gothique. On comprend, dès lors, pourquoi tant d'artistes, tant d'écrivains, de Rodin à Huysmans, de Péguy à Marcel Proust, l'ont chantée avec ferveur. Ses flèches, qui s'élancent vers le ciel au-dessus de la plaine de Beauce, semblent appeler croyants et incroyants à se recueillir.

JACQUES LEVRON

telle sorte que toute la poussée se répartit sur les tores (branches d'ogive). Ces tores reposent soit sur des piliers, soit sur les murs latéraux s'il y a une nef unique. Les collatéraux qui soutiennent la nef sont couverts de la même façon. Il suffit de renforcer solidement les points où les branches d'ogive aboutissent. Les contreforts utilisés dans l'art roman étant insuffisants, on les remplace par des arcs-boutants, une solide arcade en demi-cercle qui passe souvent par-dessus les bas-côtés pour aboutir au mur extérieur et qui « boute » le poids des voûtes hors de l'église. Dès lors, les murs n'ayant plus rien à supporter, il devient

possible de les ouvrir largement, de prévoir une double rangée de vitraux, d'établir le long des murs latéraux de la nef une étroite galerie, le triforium, qui traverse souvent les piliers. On peut surtout élever les voûtes à des hauteurs exceptionnelles : à Notre-Dame de Paris, 35 mètres ; à Chartres, 37 mètres ; à Reims, 38 mètres ; à Amiens, 42 mètres ; à Beauvais, 48 mètres (chœur). On donne tout leur développement aux portails. Avec leurs innombrables sculptures, leur rosace, leurs profondes voussures, ils deviennent, tout comme les vitraux, un des éléments les plus merveilleux de la cathédrale.

SAINT-PIERRE
DE ROME

L'interminable chantier des papes

Au sens primitif du mot, un monument est le produit d'un art de la mémoire, qui conserve présent à la conscience des générations futures le souvenir de tel événement ou telle destinée. Élevée sur le tombeau du premier apôtre, la basilique Saint-Pierre de Rome est monument par excellence, *memoria Petri*, mais aussi monument à la gloire de l'Église triomphante.

Cette église, bâtie de brique, de pierre et de marbre, est la plus grande du monde, mais elle veut être plus : l'image sensible de l'Église mystique universelle. Tandis que les deux bras de la colonnade du parvis, embrassant la foule des pèlerins, se tendent vers la ville et le monde, le maître-autel couronné de son baldaquin, à la croisée, au-dessus de la tombe du premier évêque de Rome, la chaire de saint Pierre et les superbes monuments funéraires de dizaines de papes, successeurs de l'apôtre, monuments dans le monument, sont les signes de la continuité apostolique et de la vérité prophétique des paroles du Christ, que rappelle une grande inscription courant sur la frise à la base du tambour de la coupole : « Tu es Pierre, et sur cette pierre je bâtirai mon Église. »

Aujourd'hui, les touristes, pèlerins modernes du culte des monuments, se mêlent aux fidèles, mais, alors que tant de monuments et d'églises ont perdu leur valeur d'usage, la basilique Saint-Pierre reste un monument du culte avant d'être un monument historique et artistique, et même pour le visiteur laïc son image est intimement colorée par le décor vivant des offices religieux.

Cette permanence n'est pas sans paradoxe, puisque le nouveau Saint-Pierre est l'un des premiers édifices modernes autour duquel s'est cristallisé ce culte des monuments. Dès le milieu du XVIᵉ siècle, le peintre hollandais Heemskerck dessine les piles et les grands arcs inachevés de cet édifice comme s'il s'agissait de quelque ruine antique. Et bientôt celui-ci devient l'un des motifs privilégiés des *vedute* peintes ou gravées que remportent les demi-pèlerins, demi-touristes qu'attire la ville sainte depuis la proclamation du premier jubilé en 1300.

Pour retracer l'histoire des deux Saint-Pierre, qui viennent couronner successivement le modeste trophée dressé au milieu du IIᵉ siècle apr. J.-C. sur la tombe de Pierre — la grandiose basilique bâtie par Constantin, dans laquelle Charlemagne vint se faire couronner, et le nouveau Saint-Pierre entrepris au début du XVIᵉ siècle par la volonté de Jules II, qui ne s'achève que plus d'un siècle et demi plus tard avec la construction du majestueux parvis dessiné par le Bernin pour la « nouvelle Rome » d'Alexandre VII — il faudrait convoquer toute l'histoire de l'Église catholique. Aussi n'en donnerons-nous ici qu'une vue très cavalière.

« Si tu parcours la région vaticane ou la route d'Ostie, écrivait Caius, un prêtre romain du début du IIIᵉ siècle, dans un passage rapporté par Eusèbe, tu pourras rencontrer les trophées de ceux qui fondèrent notre communauté. » En effet, tandis que l'apôtre Paul était enterré au sud de Rome sur la via Ostiensis près du lieu où il avait été décapité, Pierre avait été enseveli au nord de la ville, au-delà du Tibre, sur l'ager Vaticanus, près du cirque où il avait été martyrisé en 67 sous le règne de Néron, trois ans après le début des persécutions antichrétiennes qui suivirent le grand incendie de Rome. Ce quartier suburbain, dont le caractère périphérique est sensible encore aujourd'hui, était au Iᵉʳ siècle, sous l'empire — les fouilles récentes l'ont montré —, une zone funéraire, et par un curieux hasard objectif la tombe du premier évêque de Rome se trouve voisine de la tombe légendaire de Romulus, fondateur de la ville, et du mausolée d'Hadrien (depuis château Saint-Ange), paradigme de la splendeur de la Rome impériale.

Après la victoire de Constantin sur son rival Maxence aux portes de Rome, la conversion du nouvel empereur et la proclamation de l'édit de tolérance de Milan en 313, les édifices du culte chrétien purent être bâtis ouvertement. À Rome, redevenue brièvement capitale de l'empire, s'élevèrent les premières églises monumentales, Saint-Jean-de-Latran, Sainte-Agnès-hors-les-Murs et Saint-Pierre, qui s'inspirèrent, ici comme dans tout le monde romain, des grands édifices publics civils contemporains : les basiliques.

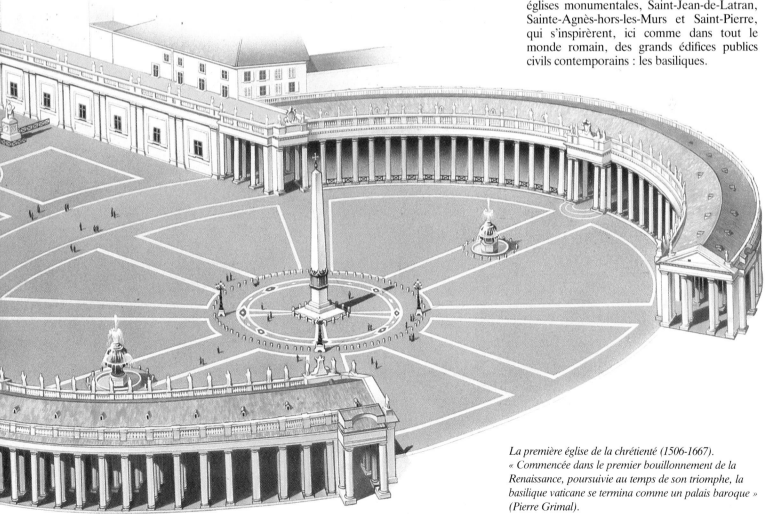

La première église de la chrétienté (1506-1667).
« *Commencée dans le premier bouillonnement de la Renaissance, poursuivie au temps de son triomphe, la basilique vaticane se termina comme un palais baroque* » (*Pierre Grimal*).

Sur le site de la nécropole du Vatican, où se mêlaient tombes païennes et chrétiennes, autour de la *memoria Petri,* ce modeste « trophée » dont parle Caius et dont les archéologues, modernes saints Thomas, ont identifié il y a une trentaine d'années les vestiges sous la confession du nouveau Saint-Pierre, Constantin jeta en 324 les fondations d'une grande basilique, achevée en 349. Cette magnifique construction à cinq nefs précédée d'un vaste atrium à colonnes, que nous connaissons bien par de nombreux documents écrits et graphiques antérieurs à sa destruction, avait été enrichie au fil des siècles d'innombrables fresques, mosaïques et monuments de toutes sortes. Mais, au milieu du XVᵉ siècle, lorsque la papauté, revenue de son exil d'Avignon, chercha à refaire de Rome, qui n'avait plus que quelques dizaines de milliers d'habitants, le *caput mundi,* elle était dans un état déplorable. « Je ne doute pas, écrivait l'architecte Leone Battista Alberti, qu'en peu de temps un léger choc ou un léger mouvement la détruise. » Nicolas V décida sa reconstruction, mais les travaux, engagés en 1452, furent interrompus à sa mort, en 1455, pour un demi-siècle.

Pour que ce projet reprenne forme, il fallut la conjonction des ambitions et de l'énergie du pape Jules II (1503-1513), « passionnément désireux de laisser des témoignages de son pontificat », selon l'expression de Vasari, et du génie de l'architecte Bramante. Ce dernier élabora son projet sur de nouvelles bases, dans le climat de ferveur humaniste et d'exaltation archéologique qu'on appelle la Renaissance. Son idée était d' « élever le Panthéon sur la basilique de Constantin », mais son modèle était moins les basiliques antiques, avec leurs théories de colonnes et leurs espaces juxtapo-

sés, que les thermes, dont les voûtes puissantes, les espaces hiérarchisés, les niches et les caissons moulés furent pour tous les architectes de la seconde Renaissance la principale source d'inspiration.

Les travaux commencèrent rapidement. Au printemps 1506, Jules II posa la première pierre de la nouvelle église. On abattit la moitié de la vieille basilique et on commença à élever les quatre piliers de la croisée, entre lesquels Bramante jeta les grands arcs qui devaient soutenir la coupole colossale inspirée du Panthéon et destinée à couronner l'édifice, dont la médaille gravée par Caradosso et placée dans les fondations donne une image approximative.

La décision de détruire la caduque mais vénérable basilique constantinienne suscita de vives oppositions. Bramante s'attira le surnom de Maestro Ruinante. Et dans un libelle satirique publié en 1517 par Andrea Guarna de Salerne, *la Simia (le Singe),* saint Pierre se plaint qu'on ait détruit son antique basilique sans la remplacer par autre chose que des murs inachevés ; Bramante répond en le menaçant de détruire le paradis pour mieux le reconstruire et de remplacer le chemin rude et sinueux qui mène au ciel par une belle voie droite bien pavée.

En 1514, à la mort de Bramante, bien que les travaux eussent avancé rapidement (il y a près de 2500 ouvriers sur le chantier), ne s'élevaient encore que les quatre piliers de la croisée et les arcs qui les reliaient. Mais en choisissant de commencer les travaux par les quatre piliers de la croisée et de développer en quelque sorte concentriquement son édifice à partir du centre réel et symbolique ⚓ le tombeau de saint Pierre —, Bramante laissait

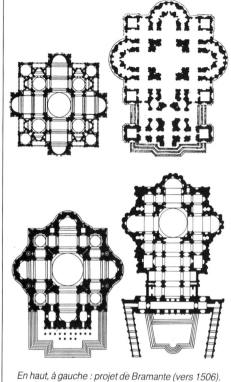

En haut, à gauche : projet de Bramante (vers 1506). Avec son plan centré et ses espaces juxtaposés subtilement gradués — 4 petites croix grecques s'inscrivent entre les bras de la grande croix —, il est typique de l'idéal de la haute Renaissance. En haut, à droite : nouveau plan proposé par Antonio da Sangallo (1539), qui introduit des déambulatoires et une courte nef. En bas, à gauche : projet de Michel-Ange (1546). Retour au plan centré de Bramante, avec une hiérarchisation plus marquée des espaces : suppression des déambulatoires et de la nef, portique en façade. En bas, à droite : plan actuel, après l'adjonction de la nef par Maderno (1607) et du parvis par le Bernin (1656).

les mains libres à ses successeurs. Ceux-ci, Fra Giocondo, Giuliano da Sangallo et Raphaël, puis Peruzzi et Antonio da Sangallo, multiplièrent les propositions alternatives, hésitant notamment entre le plan centré et le plan longitudinal.

Cette hésitation marque toute l'histoire de la construction de la nouvelle basilique. Elle tient à la nature ambiguë du programme : bâtie sur le tombeau du premier apôtre, Saint-Pierre est un martyrium qui appelle pour des raisons symboliques un plan centré, mais inversement le souvenir de la basilique constantinienne et le désir de disposer d'une nef capable de contenir la foule des fidèles et des pèlerins inclinaient dans l'autre sens.

Après la longue interruption qui suivit le sac de Rome de 1527, les travaux reprirent avec vigueur en 1539 sous Paul III Farnèse, sur un nouveau projet élaboré par Antonio da Sangallo, qui hiérarchisait plus fortement l'espace central mais ajoutait des déambulatoires et une nef qui amplifiaient la dispersion spatiale. Les travaux furent menés pendant une dizaine d'années sur ce projet en suivant une grande maquette en bois aujourd'hui encore conservée. Sangallo commença à voûter en berceau les bras de la croix, à dresser les pendentifs de la croisée, et à élever les murs extérieurs des déambulatoires. Mais à sa mort, en 1546,

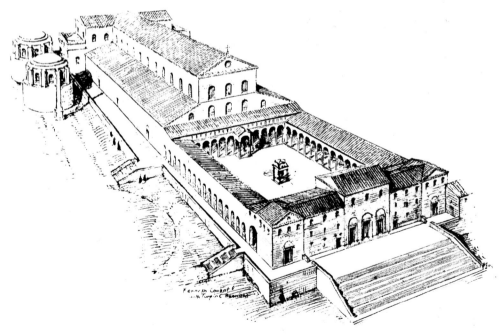

Le vieux Saint-Pierre : reconstitution proposée par le professeur américain Kenneth John Conant. Avec ses 5 nefs et son transept, où se trouvait le tombeau de Pierre et où se tenaient le pape et le haut clergé pendant les offices, la basilique bâtie par Constantin au début du IVᵉ s. est très proche dans son volume général de Saint-Paul-hors-les-Murs. Devant la façade s'étend l'atrium bordé de portiques, au centre duquel se dressait une fontaine. Au fond, contre le transept sud, les mausolées impériaux et l'obélisque de César. Cette basilique sera celle des papes jusqu'au tout début du XVIIᵉ s.

Michel-Ange, appelé à la direction du chantier, élabora un autre projet, plus proche du dessin primitif de Bramante, « d'une taille plus petite, mais d'une grandeur supérieure », selon la belle expression de Vasari. Il fit démolir les déambulatoires, redessina les absides extérieures et donna le modèle de la coupole, dont on éleva le tambour. Le chantier fut ensuite dirigé par Pirro Ligorio, Vignole, puis Giacomo Della Porta, qui fit approuver en 1586 un nouveau dessin pour le dôme, avec un profil ovoïde plus marqué que celui auquel Michel-Ange avait songé ; en 1593, on achevait enfin la lanterne.

Pendant tout le XVIᵉ siècle, le culte continua d'être célébré dans la nef de la vieille basilique de Constantin, qui était séparée du nouveau chœur par un mur provisoire. Lorsque Paul V décida de revenir au plan en croix latine et de doter le nouveau Saint-Pierre d'une véritable nef, la vieille basilique était condamnée, et le 15 novembre 1609 on y dit la dernière messe. Carlo Maderno, auteur du projet de la nef, dessina aussi la façade, qui fut achevée en

Michel-Ange et le chantier de Saint-Pierre

Dans la première biographie du maître florentin, Condivi affirme que Michel-Ange n'« a jamais voulu faire profession d'architecte ». Tous les papes essayèrent de monopoliser ses services comme peintre et sculpteur, mais, bien que ses réalisations à Florence, de 1515 à 1524 (projets pour la façade de Saint-Laurent, chapelle Médicis, bibliothèque Laurentienne), témoignent de ses capacités d'architecte, ce n'est qu'après la mort d'Antonio da Sangallo, qui accaparait tous les grands chantiers romains, que Michel-Ange put réaffirmer à Saint-Pierre, mais aussi à la place du Capitole, au palais Farnèse ou à la Porta Pia, que les trois arts du dessin, peinture, sculpture et architecture, étaient, comme le proclame Vasari, « tous trois parfaits en lui ».

Lorsqu'en août 1546 Sangallo disparaît, le pape Paul III, prêtant l'oreille aux critiques portées par Michel-Ange contre son projet (« Qui regarde sans passion sa maquette peut voir qu'avec son déambulatoire il ôte tous les jours du plan de Bramante »), accepte de tout remettre en cause. Dès décembre 1546, on exécute une nouvelle maquette selon les dessins de Michel-Ange, nommé « architector maggiore e supremo di San Pietro ». Voulant créer une situation irréversible, Michel-Ange « se mit au travail, écrit Vasari, à tous les endroits où la fabrique devait changer d'ordonnance ». En mars 1547, on commença à détruire les murs du déambulatoire extérieur, qui s'élevaient déjà au niveau des chapiteaux, pour adopter le plan plus concentré de Michel-Ange.

« J'ai été mis de force à la tête de la fabrique de Saint-Pierre, écrivait-il à Vasari, et les services que j'y ai rendus pendant près de huit ans ne m'ont rapporté que des ennuis et du déplaisir. » Malgré ces confidences désabusées, il semble qu'en dépit de son âge — il avait

Le chantier de Saint-Pierre en 1546 : fresque de Giorgio Vasari au palais de la Chancellerie à Rome. Au centre, le berceau du bras sud sur ses grands cintres de bois et l'abside commencée par Sangallo que Michel-Ange fera raser. À droite, le mausolée d'Honorius et l'obélisque de César, qui sera transporté à l'ouest.

soixante et onze ans — Michel-Ange se soit lancé avec passion dans l'aventure de ce chantier, qu'il conduisit jusqu'à sa mort en 1564. Et en 1555, lorsque le duc Cosme de Médicis chercha à négocier son retour à Florence, il déclina ses propositions : « Si je partais d'ici, je me sentirais responsable de la ruine de la fabrique de Saint-Pierre ; lorsque la construction sera assez avancée pour qu'on ne puisse rien y changer, j'espère faire ce que vous m'écrivez. » Cependant le chantier progressait lentement. En juin 1557, une grave erreur se produisit dans le voûtement de l'abside du bras sud, le chef de chantier ayant employé un modèle erroné de cintre, et il fallut démonter l'appareillage de la voûte. « Mon modèle était correct, comme tout ce que je fais, écrivit Michel-Ange à Vasari. L'erreur est venue de ce que je n'ai pu me rendre souvent sur le chantier à cause de mon grand âge. Alors que je croyais que cette voûte serait maintenant achevée, elle ne le sera pas avant la fin de l'hiver. Si l'on pouvait mourir de honte et de douleur, je ne serais plus vivant. »

Pour la coupole, Michel-Ange semble avoir longtemps hésité entre une forme hémisphérique, qui évoquerait davantage le Panthéon, et un profil ovoïde dérivé de celui de la coupole de Sainte-Marie-de-la-Fleur à Florence, qu'il fit relever, la seule construction moderne d'une échelle comparable. Ce n'est qu'en 1557 qu'il se décida sur les instances de ses amis à faire un petit modèle de terre, puis les dessins nécessaires à l'exécution d'une grande maquette de bois de cette coupole, dont Vasari donne une longue description pour « servir à ceux qui auront la charge d'exécuter fidèlement les volontés de ce rare génie » et « refréner les désirs des esprits malveillants qui voudraient l'altérer ».

En 1564, les nouvelles absides étaient pratiquement achevées, et le tambour élevé jusqu'à l'entablement. Certes, Giacomo Della Porta accusa le profil ovoïde de la calotte extérieure de la coupole, mais cette retouche vint exalter plus qu'altérer la tension des lignes de son génial prédécesseur. Michel-Ange avait réussi à réorienter complètement le chantier séculaire.

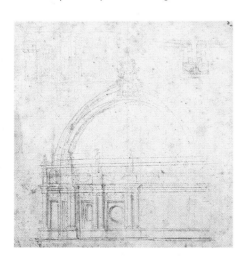

Étude de Michel-Ange pour la coupole. Il a voulu imiter le Dôme de Brunelleschi à Florence, dont la double coupole avait été construite sans cintre.

1612. Enfin, après plus d'un siècle d'efforts et de travaux, le 18 novembre 1626, pour le 13ᵉ centenaire de la première consécration, Urbain VIII put consacrer solennellement le nouveau Saint-Pierre.

Si la basilique resta un perpétuel chantier artistique jusqu'à la fin du XVIIᵉ siècle, des monuments funéraires en l'honneur des nouveaux successeurs de saint Pierre ne cessant d'enrichir ce Panthéon chrétien, elle fut surtout marquée par les interventions du Bernin.

Couronnant les deux colonnades semi-circulaires qui embrassent la grande place ovale du Bernin, 140 statues de saints bénissent la foule des pèlerins qui s'y rassemblent. Au fond, les colonnes colossales de la haute façade dessinée par Maderno.

Assisté de Borromini, ce dernier élabora un grand baldaquin à colonnes torses au-dessus de l'autel central (1624-1633), puis aménagea dans les quatre piliers de la croisée des niches destinées à recevoir des statues colossales en rapport avec l'iconographie des reliques les plus insignes de la basilique présentées dans les quatre tribunes au-dessus : saint Longin, dont la lance avait percé le corps du Christ sur la croix, sainte Hélène, mère de Constantin, qui avait retrouvé à Jérusalem les clous et un morceau de la vraie croix, sainte Véronique et saint André (1630-1640). Le Bernin imagina enfin, pour exalter la chaire de saint Pierre (un ouvrage de bois du Bas-Empire incrusté d'ivoire dans lequel la tradition voulait voir la chaire du premier évêque de Rome), une grande machine théâtrale avec les statues de bronze des Pères de l'Église et une gloire (1656-1665). Mais son intervention la plus spectaculaire fut la création du vaste parvis devant la façade de Maderno (1656-1667).

Bramante, qui avait pensé entourer le nouveau Saint-Pierre d'une enceinte à la manière des thermes, avait projeté de changer l'orientation de la basilique pour l'axer sur l'obélisque dit de Jules César (amené d'Égypte par Caligula, celui-ci ornait le cirque où Pierre fut crucifié, qui se trouvait sur le flanc ouest de la basilique de Constantin). Dans son esprit, la confrontation de l'obélisque et du nouveau temple aurait affirmé visuellement l'idée du triomphe du christianisme sur le paganisme et de la renaissance de l'empire romain à laquelle étaient attachés les papes humanistes, et singulièrement Jules II, dont le prénom voulait faire allusion à Jules César. Son projet impliquant de déplacer le tombeau de saint Pierre, il dut y renoncer pour des raisons religieuses évidentes, mais en 1586 Domenico Fontana le réalisa en quelque sorte en procédant à l'inverse : par un tour de force technique qui fit l'admiration de l'Europe entière, il déplaça l'obélisque devant la façade de Saint-Pierre, qui était encore celle de la basilique de Constantin.

Cet obélisque devint tout naturellement le centre du parvis que le Bernin élabora pour le pape Alexandre VII. Pour cette place où le

Vue prise d'une tribune de la croisée du transept. Le baldaquin baroque du Bernin souligne l'échelle grandiose du nouveau Saint-Pierre de Bramante. Les piles colossales de la croisée, les grands pendentifs et les énormes voûtes en berceau à caissons retrouvent bien, comme il l'avait voulu, la majesté des grandes salles des thermes antiques.

L'immense coupole nervée à double enveloppe. D'un diamètre de 42 m, elle s'élève à 132 m. Au-dessus des grands arcs et des pendentifs de Bramante, le tambour de Michel-Ange et la calotte de Giacomo Della Porta, au décor de mosaïques réalisé sur des cartons d'Arpin (vers 1590).

jour de Pâques et en quelques autres occasions le pape donne sa bénédiction au peuple de Rome et symboliquement au monde entier — *urbi et orbi* —, le Bernin adopta un plan à la fois complexe et simple : un parvis trapézoïdal, la forme étant déterminée par la présence des palais pontificaux, puis une grande place en ellipse bordée d'une colonnade, dont il comparait les deux bras aux bras maternels de l'Église « qui embrasse les catholiques pour les renforcer dans leur foi, les hérétiques pour les réunir à l'Église et les agnostiques pour les illuminer des lumières de la vraie foi ». Le Bernin avait pensé fermer sa place du côté opposé à la façade par un troisième bras, qui reprenait l'architecture des deux bras latéraux, la transformant ainsi en un gigantesque atrium. Puis il décida de transporter ce troisième bras en arrière, au débouché des ruelles étroites du Borgo San Pietro, le quartier médiéval qui s'étend entre le pont Saint-Ange et la basilique, pour créer une avant-place qui

fasse pendant au parvis trapézoïdal et permette aux visiteurs arrivant du Borgo d'embrasser pleinement toute l'ampleur de la place. Alexandre VII mourut en 1667, et ce troisième bras resta sur le papier ; mais un pâté de maisons isolait cette place des voies d'accès irrégulières venant du pont Saint-Ange.

La via della Concilazione, voulue par Mussolini, signe de la réconciliation entre l'État italien et l'Église, a fait sauter ce verrou et relie aujourd'hui de façon spectaculaire la basilique à la ville de Rome. On peut regretter que la facilité d'accès et les vues lointaines de la basilique et de son dôme aient fait disparaître l'effet de surprise et de contraste entre les ruelles étroites du Borgo et la large place.

Il est des monuments comme des destins : ils s'imposent avec une telle évidence qu'on oublie quels fils de hasards tissent leur nécessité. Le nouveau Saint-Pierre voulu par Jules II est de ceux-là. Il est le produit de tant d'initiatives entrecroisées — de Bramante, de Sangallo et de Michel-Ange, de Giacomo Della Porta, de Maderno et du Bernin, pour ne citer que les plus importantes — que l'image finale, cohérente et anonyme, microcosme de deux siècles d'art romain, n'appartient plus qu'à la ferveur et à l'admiration.

CLAUDE MIGNOT

L'ÉGLISE DE LA WIES

En Bavière, un joyau du baroque

I l aurait eu le même âge que Bach, si le cantor de Leipzig n'était mort quatre années auparavant, le 28 juillet 1750 exactement, à soixante-cinq ans, aveugle, à peine achevé *l'Art de la fugue*. Il avait le même âge que Händel, qui allait mourir cinq ans plus tard, dans la lointaine Londres, aveugle lui aussi. Il n'avait jamais quitté sa région natale, la haute Bavière, sauf pour quelques incursions, dictées par le métier, dans la Souabe voisine. Il était venu de Landsberg, cette jolie cité médiévale où il vivait, Hauptplatz 13, à 50 kilomètres au nord, sur la route d'Augsbourg. Mais le vieil homme était originaire de Wessobrunn, village qui devait sa

renommée à sa grosse abbaye bénédictine poussée parmi les sapins, à une trentaine de kilomètres au nord-est. Tout son savoir, il l'avait jadis acquis là, dans cette communauté prospère, dans cette école artistique mi-familiale, mi-corporative, où les élèves maniaient indifféremment le pinceau, la truelle, le compas ou le ciseau, et où s'étaient formés quelques-uns des meilleurs stucateurs de l'Allemagne du Sud. Car il était avant tout un stucateur, un ornemaniste à l'étourdissant brio. Il avait débuté, dans les années 1700, comme constructeur d'autels, fabriquant soixante plaques de scagliola, ces imitations d'assemblages de marbres à la riche polychro-

mie qui étaient alors si prisées des tenants de l'Église de Rome. Mais du stuc il était vite passé à la « grande architecture ». Privilégié par l'histoire, il lui avait été donné de vivre les « années folles » du baroque germanique. Cette heureuse époque où, mutation de sensibilité oblige, regardant vers Versailles et Paris, vers Vienne et Prague aussi, et toujours vers Rome, les principautés des Allemagnes, prises d'émulation, s'étaient soudain mises au goût du jour et avaient fait assaut d'imagination pour se parer de palais et d'églises. Floraison somptueuse autant que somptuaire, qui avait suscité le « miracle » du rococo et ses éblouissantes merveilles.

Il avait donc quitté Wessobrunn, à vingt-trois ans. Son apprentissage de bâtisseur, il l'avait fait sur les chantiers, au jour le jour. À Füssen, d'abord, à 30 kilomètres au sud, aux portes du Tyrol, où il avait habité de 1708 à 1716. Il y avait travaillé, notamment, dans le célèbre atelier de Johann Jakob Herkommer

seconde génération, en fait, des architectes baroques du monde germanique, qui avait succédé aux « Romains » impériaux de la Vienne des Habsbourg. « Homme baroque », Zimmermann l'était tout entier. Mais sans excès, sans extravagances, avec une certaine retenue. Ses œuvres attestaient un goût extrêmement raffiné. Créateur d'un langage architectural mélodique, mozartien avant la lettre, c'était un génie original, épris de clarté, qui s'imposait déjà comme un superbe poète des formes, de l'espace et de la lumière. Mais c'était avant tout un artisan, issu d'une lignée d'artisans, comme son éternel rival, d'ailleurs, ce Johann Michael Fischer qui était en train

inspiré davantage qu'un architecte dogmatique, à dire vrai. Moins en vue, moins brillant, certes, que l'illustre Balthasar Neumann, décédé l'année précédente, ce familier du baroque des princes dont le seul nom évoquait le faste et l'ostentation. Mais plus bavarois, plus proche de la terre, de la nature, des paysans. Plus apte aussi à vivre et à comprendre la religion populaire. Et à la magnifier. Et il venait d'édifier ici, dans cette solitude pastorale, en pleine montagne, face aux croupes sombres des Trauchberge et des Ammergebirge, sa plus belle œuvre. Son chef-d'œuvre. Son testament d'artiste. Une église de pèlerinage, raffinée et naïve, lumineuse et gaie. Perdue au milieu des forêts de sapins et des tourbières, à 871 mètres d'altitude. Juste à mi-chemin entre Füssen et Oberammergau. Au cœur même de la vieille Bavière très catholique.

La première pierre avait été posée le 10 juillet 1746. Huit ans après, tout était fini : en ce mois de septembre 1754, la nef venait d'être consacrée, dans l'allégresse générale. Du beau travail, assurément. D'un seul jet. Sans retouches. Une réalisation rapide, exemplaire. Jaune et blanche, toute fraîche sous ses grands toits de tuiles plates, elle était là, cette église d'une harmonie parfaite, posée comme un objet infiniment précieux sur l'écrin vert tendre des prés, *in der Wies*, dans la prairie. C'était Hyazinth Gassner, l'abbé des prémontrés de Steingaden, à 5 kilomètres de là, qui l'avait voulue. Après sa mort, c'était son successeur, Marian Mayr, qui l'avait fait bâtir. À seule fin d'abriter la statue miraculeuse d'un Christ flagellé et d'accueillir les foules de plus en plus nombreuses qui affluaient pour la vénérer de toute la Bavière, mais aussi de Souabe, du Tyrol, de Suisse, de Bohême, de Moravie, de Hongrie... Et le flot des pèlerins ne tarissait pas.

La Wies terminée, Zimmermann ne repartit pas, cette fois, sur d'autres chantiers entre Alpes et Danube. Au soir de sa vie, en effet, il ne put se résoudre à quitter cette église où il avait mis toute sa science, tout son art. Et puis sa femme, Maria Theresia, était morte en 1752. De ses onze enfants, deux seulement survivaient : une fille, Maria Franziska, religieuse au monastère cistercien de Gutenzell, et un fils, Franz Xaver Dominikus, né en 1714, stucateur depuis l'âge de seize ans, qui travaillait avec lui. Lequel fils avait épousé en 1750 Maria Lori, la célèbre fermière de la Wies chez qui s'était produit, en 1738, le miracle — des larmes avaient coulé sur le visage de la grossière statue de bois recouverte de toile peinte figurant un Christ à la colonne. Aussi Zimmermann choisit-il de rester près de son fils et de sa bru. Il s'installa donc dans la petite maison qu'il avait construite et qui lui avait servi de bureau pendant les travaux. Juste à côté de son œuvre préférée. Il pouvait même l'admirer de sa fenêtre. Galbe parfait de la haute façade bombée s'offrant aux rayons du soleil couchant, rythme vertical scandé par six colonnes à fût lisse, fronton dûment estampillé d'une peinture en trompe-l'œil. Courbes sereines des flancs de la nef, là où celle-ci s'incurve.

et côtoyé certains architectes de l'école du Vorarlberg, qui lui avaient beaucoup appris. Puis, en 1716, il s'était établi à Landsberg. Il y avait fait carrière, au service quasi exclusif des abbés, ses mécènes. Il n'avait pas tardé à devenir un architecte recherché. Il avait acquis fortune et considération. C'était maintenant un notable, promu depuis peu bourgmestre de sa ville d'adoption. Il avait soixante-neuf ans, il s'appelait Dominikus Zimmermann, et l'Europe des Lumières commençait à connaître son nom.

Le vieux Zimmermann appartenait à la grande génération des maîtres du rococo allemand, éminents bâtisseurs d'églises — la

Les derniers feux du baroque, dans la Bavière des Wittelsbach. La parole de Dieu, symbolisée par l'eau vive : détail de l'éblouissante chaire. Né à Versailles à des fins profanes, le décor rococo se transmue ici en un art liturgique d'une exquise fantaisie où persiste l'esprit de la Contre-Réforme.

d'élever la grandiose abbatiale d'Ottobeuren. Un excellent artisan, doué de l'esprit de finesse. Qui ne pouvait travailler sans l'étroite collaboration de son frère aîné, Johann Baptist, stucateur lui aussi et peintre à la cour de Munich, sans la présence de ses fidèles équipes venues de Wessobrunn. Un maître d'œuvre doucement vers le chœur. Fenêtres élégamment chantournées — une de ses « signatures ». L'unique clocher, d'une sobriété toute alpine. Et, attenante, la résidence d'été du munificent abbé de Steingaden, gros pavillon cossu bien intégré à cet ensemble mesuré.

Mais l'auteur de la Wies avait pris l'habitude de lui rendre visite chaque jour, imitant sans le savoir le vieux Bernini à Saint-André-du-Quirinal. Il venait y prier, comme un simple pèlerin, et contempler ce « palais où Dieu habitait ». Et chaque jour, sitôt franchi le porche qui ménageait la halte nécessaire avant d'y pénétrer, l'émerveillement se renouvelait. L'émerveillement devant cette symphonie en blanc et or qui se colorait subtilement de rouge et de bleu au fur et à mesure qu'il s'approchait du chœur et que son regard cheminait vers le retable. Ses yeux ne se rassasiaient jamais de l'étrange féerie qu'il avait créée. Lui, l'enchanteur, se laissait enchanter. Lui, le grand visuel, se délectait d'un pur bonheur de l'œil. Tout absorbé dans le plaisir de voir, inlassablement séduit par la lumière, le rythme des volumes, le jeu des formes. Il allait et venait, suivait la progression de la lumière, ses variations d'heure en heure. Puis s'asseyait sur un des bancs de sapin. Son regard reparcourait l'ovale parfait de la nef. S'arrêtait à nouveau sur la chaire qu'il avait dessinée, resplendissant morceau de bravoure. Détaillait un moment ces lignes fluides, flexueuses. S'élevait vers la voûte, là où l'architecture se faisait sculpture puis peinture. Se perdait dans les pastels de l'immense fresque que Johann Baptist, son frère disparu, avait réalisée pour glorifier le Messie, dans l'attente du Jugement dernier. Entrouvrait un instant la haute porte de l'Éternité, trompe-l'œil rose et jaune, obstinément fermée puisque le temps n'était pas encore venu...

Un des derniers grands baroques, Dominikus Zimmermann passa ainsi les douze dernières années de sa vie à la Wies. Il y mourut à quatre-vingt-un ans, le 16 novembre 1766 — la même année, curieux hasard, que Fischer. Avec eux s'éteignait, en apothéose il est vrai, l'art rococo allemand. Et leur mort mettait un point final à cette ère baroque qui s'était ouverte quelque cent cinquante ans plus tôt dans la Rome maniériste. Soudain bien démodé, le baroque disparaissait, s'anéantissait. Mozart, pourtant, n'avait que dix ans. Après cet ultime flamboiement, l'Antiquité retrouvée reprenait le devant de la scène. Nouvelle mutation du goût d'une société aristocratique à bout de force? Les années 1770 voyaient en tout cas l'avènement du néo-classicisme, austère et rigide mais triomphant.

En Allemagne, *Barockzeit* ou *Rokokozeit* qualifient indifféremment cette période extrêmement brillante du XVIIIe siècle. Ailleurs, les historiens d'art ne s'accordent pas toujours sur le sens des vocables « baroque » et « rococo ». Mais les concepts stylistiques, si intéressants soient-ils, n'expliquent pas tout. Ils restent impuissants à faire comprendre la magie d'un haut lieu tel que la Wies. Assurément, la *Zimmermannkirche* représente le *nec plus ultra* de l'élégance rococo, un sommet de

Le triomphe du stuc : dans le chœur, les colonnes bleues de la tribune, surmontées des guipures sophistiquées de la voûte. C'est « le matériau baroque par excellence ». D'usage aisé, réputé bon marché, cet enduit a fini par s'avérer fort dispendieux en raison des techniques perfectionnées de ponçage et de polissage de Wessobrunn.

cette « esthétique de la grâce », en rupture avec un baroque animé par la recherche du sublime mais jugé trop sévère, trop savant et dénué d' « agrément ». Elle est aussi la quintessence de l'œuvre baroque. Il y a plus, toutefois. Il faut regarder de plus près l'évolution de cette sensibilité rococo en terre germanique, qui résulterait de la seule diffusion, à travers les Allemagnes et l'Europe centrale, d'un courant profond arrivé d'Italie vers 1680,

puis d'une mode venue de France vers 1730. Et faire la part des choses entre les éléments d'importation et la sève autochtone — les impulsions d'un génie allemand qui se cherche et se trouve soudain. Car ici, fait hautement signifiant, le rococo, non content d'occuper boudoirs et salons, se métamorphose en art sacré. Il devient le rapport d'une société à l'au-delà. La dualité d'inspiration s'estompe derrière cette expérience magistralement réussie.

Interpréter au plus juste le baroque aujourd'hui, surtout le baroque religieux, et surtout le baroque tardif qu'est le rococo, est affaire de goût ou plutôt de tempérament. D'aucuns n'y voient que de merveilleux et profanes décors de fête céleste, de bergerie ou d'opéra. Ainsi l'écrivain Dominique Fernandez dans *le Banquet des anges*. « Plus qu'une église, estime-t-il de la Wies, c'est un plateau de théâtre. Indiqué pour une scène de galanterie, plus que de sensualité. Si la métaphore que nous retenons est celle d'un boudoir, alors il ne manque que l'alcôve pour y représenter le deuxième acte des *Noces de Figaro,* les émois de Chérubin, le trouble de la Comtesse, les jeux équivoques du travestissement. »

Il n'empêche : assister ici à une *Bauernmesse*, une de ces messes des paysans des Alpes bavaroises, suffit pour infirmer ce jugement qui fait la part belle à la culture. Pour dissiper certains malentendus, pour accéder à une vision plus exacte de la nature et du sens de cet extraordinaire édifice, au-delà de toute analyse de style. Cette église qui distille, comme celles de Borromini, « un climat de paradis », est accordée au plus profond de la dévotion paysanne. Ce « lieu de délectation », qui fascine l'œil et séduit l'âme, implique une « révélation spirituelle ». Pierre Charpentrat, l'éminent spécialiste, souligne avec pertinence cette dimension du rococo allemand dès ses origines : « Non point divertissement de cours blasées, mais rencontre d'un savoir-faire de virtuoses et de la fraîcheur du cœur ; non point monde dont « les Lumières » ont exclu le surnaturel : monde tout proche du Paradis Terrestre et où les anges existent. »

Une évidence s'impose : à la différence des baroques italien, autrichien et tchèque, essentiellement urbains, ce rococo allemand est rural, de nature et d'esprit — ce qui rend sa splendeur, son raffinement encore plus insolites. Art de cour par ailleurs, mais « art proche du peuple, art des campagnes », il est issu, en ces années 1750, d'une société rurale encore largement féodale : la masse des paysans laborieux d'un côté, des aristocrates, princes de l'Église ou non, de l'autre. Les éblouis et ceux qui éblouissent. Il n'a jamais méconnu les humbles. Toutes les églises de pèlerinage, toutes les grandes abbatiales qui jalonnent la Bavière et la haute Souabe en témoignent à l'envi. La Wies, église de rêve née du terroir, le prouve avec une rare et subtile poésie.

Il ne s'agit pas ici, en effet, d'une de ces « cathédrales » du baroque, telles Ottobeuren, Zwiefalten, les Vierzehnheiligen, où l'art de la rocaille atteint une somptuosité inégalée. Église importante s'il en est en pays bavarois, œuvre d'art accomplie, la Wies reste un sanctuaire de campagne, qui garde quelque chose de la rusticité ambiante. Isolé dans la quiétude de sa clairière. Son insertion dans le paysage — le faîte de la toiture ne va-t-il pas jusqu'à reproduire la ligne de crête des montagnes en toile de fond ? — constitue déjà une réussite esthétique. À l'extérieur, l'église est d'une extrême simplicité. Classique, terrienne. Mais l'intérieur aussi offre une pureté remarquable, créée par une étonnante dialectique de l'imagination et de la rigueur. Un idéal d'équilibre baroque. Rien de grandiloquent. Ni emphase

intimement associées. « Espace homogène et indivisible » : c'est une des grandes lois de l'esthétique rococo. Il en résulte ici une unité tout à fait extraordinaire. Le génie de Zimmermann s'y révèle dans toute sa plénitude.

La clarté du plan s'affirme d'abord. Voici un schéma géométrique des plus simples. Le porche forme un petit hémicycle, ouvert sur la nature. Un ovale longitudinal, très pur, constitue la nef, scandé par quatre hautes colonnes couplées qui déterminent un faux déambulatoire. Le grand axe de l'ovale mène au chœur,

prestigieux. Chez Zimmermann — en fin de parcours —, elle atteint des sommets insoupçonnés. Une sorte d'absolu. L'auteur de la Wies l'avait déjà superbement utilisée dans sa première église de pèlerinage, à Steinhausen, en Souabe, édifiée de 1728 à 1733. Après, il l'a retravaillée — savantes variations sur des thèmes légués par les grands maîtres du Seicento, étudiés sur le papier, mais aussi par Kaspar Moosbrugger et la tradition du Vorarlberg. Au terme de ses recherches sur la forme pure, lorsqu'il dépose ses plans pour la Wies, en

ni surcharge. Ni extravagance ornementale ni débauche inconsidérée de dorures et de stucs. L'art exalté et volontiers convulsif né de la Contre-Réforme s'est assagi, adouci. Dire qu'il s'est dépouillé n'est pas outrancier.

C'est un édifice de dimensions modestes — comme ceux de Borromini encore. À peine 60 mètres de long, 28 de large, 20 de haut à la voûte de la nef, 16 aux voûtes du chœur et de la tribune d'orgue. Mais à sa façon, c'est un édifice parfait. Forme, couleur, lumière, leur traitement très simple et très savant : tout est mis en œuvre pour atteindre l'harmonie fondamentale. *Gesamtkunstwerk* : une œuvre d'art totale, un tout indissociable. L'historien d'art Hans Sedlmayr définit ainsi cet espace rococo où les différents arts tendent à se fondre, où l'architecture, la sculpture, la peinture, conçues l'une en fonction de l'autre, sont

profond, relativement étroit, rectangle qui s'arrondit derrière l'autel. Le chœur, qui est agrémenté de hautes tribunes, abrite, dans une niche sombre, juste au-dessus du tabernacle, l'image miraculeuse du Christ flagellé.

Composition aérée, éminemment « lisible », et du plus bel effet. Bien entendu, l'intérêt se porte tout de suite sur l'ovale, parfait entre tous. Car l'ellipse a été une des formes de prédilection de l'ère baroque. Une de ses obsessions. Diffusée à partir de Rome (Borromini et même Bernini), puis de Turin (Guarino Guarini) et de Venise (Longhena), elle est passée par l'Autriche (Fischer von Erlach et Lukas von Hildebrandt) avant de se propager à travers la Bavière et la Souabe, où elle se montre omniprésente (Neumann, les frères Asam...). C'est dire qu'elle possède une longue histoire et qu'elle a connu maints avatars

« Une magnificence idyllique propre à impressionner un public naïf », dans cette nef et ce chœur déjà presque célestes... Devant pareil spectacle, il n'est guère difficile de reconstituer l'éblouissement du petit peuple lorsqu'il pénétrait, il y a deux siècles, dans ces nouvelles et somptueuses maisons de Dieu, à la mise en scène élaborée.

1745, Zimmermann a réinventé, en quelque sorte, cette ellipse souveraine. Non seulement il a conçu une authentique structure baroque, mais il a imaginé une formule architecturale inédite, réalisant ainsi une des créations les plus originales du rococo bavarois. Car son ellipse de la Wies n'a rien d'une convention d'époque : fondée sur d'étonnants calculs, rigoureusement agencée, elle se fait mouvement, rythme, flux et reflux, onde, devient un décor dynamique. Et hardie, jouant avec le blanc, symbole de candeur, elle fait chanter la musique des formes, dans un jaillissement de gammes vertigineuses, en une sorte d'ivresse.

Pour Zimmermann, la Wies a été le résumé de toute son expérience. La solution adoptée ne comporte plus, comme à Steinhausen, une composition de deux ovales, l'un longitudinal, l'autre transversal et plus petit (le chœur), mais celle d'un ovale et d'un rectangle allongé. Ce dernier avait été expérimenté dans son église de Günzburg, en 1736. Zimmermann a donc combiné deux « coups d'essais », déjà réussis, mais en les perfectionnant, en les amplifiant. Il ne s'en est pas contenté. À l'instar d'un Bernini ou d'un Fischer von Erlach, il a soumis sa nef elliptique à la puissante attraction du chœur, du maître-autel où se trouve l'Image, but du pèlerinage et origine de toute l'église. Tout converge vers cet espace volontairement « dramatisé », d'une rare magnificence. Accueillir, rassembler, grâce à l'ovale — mieux adapté que le cercle à cette fonction de l'église de pèlerinage. Puis surprendre, provoquer l'émotion, subjuguer. Par de subtils cheminements optiques, l'objectif est d'approcher du Messie souffrant, d'instituer un rapport familier avec l'Image. La foule est ici chez elle, elle doit pouvoir contempler le mystère divin donné en spectacle, participer à la liturgie de la Rédemption, s'identifier. Donc entrer dans le merveilleux. Les ellipses de Bernini ou de Neumann, constructions plus froides, plus intellectuelles, paraissent bien lointaines. De même que le principe de l'interpénétration des espaces cher à Borromini et vénéré au nord des Alpes en cette fin de l'âge baroque.

Dans sa splendeur blanche, la nef s'ouvre sur le chœur « comme une salle de théâtre sur le plateau d'une scène richement ornée ». L'eurythmie de l'architecture se trouve en effet exaltée par une véritable dramaturgie de la couleur. L'ovale radieux de la nef se pare bien, dans ses parties hautes, où la rocaille envahit l'espace, de chapiteaux ouvragés d'une grande liberté d'invention, de cartouches luxuriants, de gracieux balcons en relief festonnant la voûte, de guirlandes de fleurs, de rameaux de laurier et de palmier, de coquillages, de vagues de la mer... D'une exquise fête de stuc. Mais c'est le chœur qui, assumant pleinement sa fonction liturgique, concentre et amplifie la décoration. Et surtout la couleur, somptueusement nuancée, raffinée à l'extrême, soudain polyphonique. Chargée de symboles, elle est admirablement ajustée au thème livré à la méditation et à l'édification des pèlerins : le rachat de l'homme par le sacrifice du Christ. Les blancs et les ors, en effet, cèdent la place aùx rouges et aux bleus, dans un chatoiement sans pareil. Dominante rouge, d'abord, tonalité chaude, telle une basse continue. Elle symbolise évidemment, dans ce sanctuaire consacré au Christ — fait rarissime pour une église de pèlerinage —, le sang et le sacrifice de Jésus. Avec un bel élan ascendant, soutenu par les colonnes encadrant le maître-autel, et rythmé de bas en haut par la célèbre statue du Christ flagellé, le pélican qui couronne le maître-autel, l'agneau sur le livre

de l'Apocalypse aux sept sceaux, dans l'oculus surmontant le retable. Dans la fresque de la voûte du chœur, où les anges portent la Croix et les instruments de la Passion auprès du Tout-Puissant, le bleu, symbole de la miséricorde divine, se substitue au rouge. Du manteau de Dieu le Père, ce bleu redescend vers la terre. Par l'intermédiaire du fastueux baldaquin et des hautes colonnes des galeries latérales, il gagne de proche en proche la nef des fidèles, pour y culminer dans les draperies du trône encore vide, préparé pour la seconde venue du Christ, dans la superbe fresque de Johann Baptist Zimmermann représentant l'attente du Jugement dernier, le moment d'avant la fin des temps.

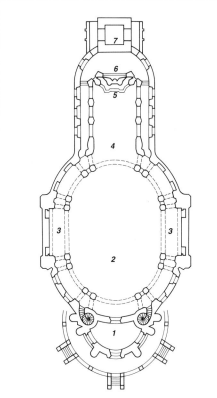

La Wies (1746-1754), une formule originale d'église de pèlerinage. 1. Porche. 2. Nef. 3. Galerie périphérique (faux déambulatoire). 4. Chœur. 5. Maître-autel. 6. Sacristie. 7. Clocher. La Wies présente une combinaison du plan centré et du plan oblong. Le chœur commande l'espace centré, « un grand ovale allongé, qui se rapproche de la perfection du cercle, tout en pouvant accueillir une foule nombreuse ». Les articulations traditionnelles ayant été supprimées, le sanctuaire baroque définit ainsi un espace homogène, fluide, conçu « sans ponctuation ni césure » — « immense caisse de résonance pour la voix des orgues et la parole du prédicateur ».

Du vendredi saint — au cours duquel, à l'origine, la statue miraculeuse était portée en procession — au dimanche de Pâques. De l'affliction et du repentir à la joie de la Résurrection.Impossible de trouver raccourci plus dense, plus éloquent, pour expliquer que le sacrifice du Christ ouvre au pèlerin la porte de l'éternité. Impossible aussi de trouver plus d'unité dans le programme iconographique d'une église. Le chœur est le domaine du Fils de Dieu immolé pour le salut de l'humanité.

La nef celui du Christ en gloire régnant pour les siècles des siècles. Les thèmes sont exposés, développés, variés, répétés, mis en scène enfin avec un savoir-faire accompli. L'essentiel du message a été délivré. L'art a rendu visible la transcendance. Il a spiritualisé le sensible.

Cet exceptionnel raffinement spatial a été obtenu grâce au stuc. Car la Wies, grande magicienne, est un unique ostensoir de stuc. Elle n'est que stuc — décor peint, moulé, sculpté, qui l'investit, exubérant, multiforme. Stuc blanc, lisse comme une porcelaine, des putti et des grands anges. Stuc mat des voûtes, où se conjuguent les ors et les pastels. Stuckmarmor, « marbre de stuc », luisant, diapré, des revêtements du retable et des colonnes du chœur. L'architecture devient illusionnisme. Délices insolites d'un jeu délicat avec la matière. Zimmermann, virtuose du stuc : il faut toujours y revenir. Car le maître de la Wies a surpassé ici ses condisciples de Wessobrunn, les Feuchtmayer, les Schmuzer, aux compositions souvent tarabiscotées, au talent plus « pâtissier ». Avec lui, l'art du stuc s'affine, s'épure, se fait éblouissante fantasmagorie. En esthète, il a tout exprimé à l'aide de ce matériau tendre et docile dont il a su varier à l'infini la plastique et le chromatisme. Et cet art de douceur dans lequel il a excellé traduit fidèlement sa poétique.

L'espace intérieur a été ainsi modelé, modulé. L'architecture est devenue décoration, cet art « joyeux, transparent, aérien, plein d'espérance et de sérénité ». Reste le miracle de la lumière qu'irradie ce sanctuaire alpestre. Là encore, l'architecte Zimmermann a eu un trait de génie, qui concerne cette fois, plus prosaïquement peut-être, les seules techniques de construction. Car la Wies se révèle être, en définitive, un complet et parfait trompe-l'œil. Rompant avec la tradition venue d'Italie, et respectée à Ottobeuren ou aux Vierzehnheiligen, renouant avec le riche héritage local, Zimmermann a allégé au maximum sa structure. Pas de vraie pierre, en effet, dans cette église. Rien qu'une maçonnerie de briques camouflée sous du plâtre et du stuc — l'Europe danubienne est familière de ce maquillage de maçonnerie, Putzbau, où même la pierre, quand elle existe, n'est jamais apparente mais toujours revêtue de peinture ou de stuc. Et du bois, matériau traditionnel dans la Bavière des forêts. Sous la vaste charpente du toit, donc, la voûte de la nef, comme celles du chœur et de la tribune d'orgue, n'est constituée que d'un lattis épais de 4 centimètres, recouvert de plâtre et suspendu au faîtage — en dépit des apparences, cette « voûte » ultralégère n'est d'ailleurs qu'un plafond plat, conforme à la technique de la coupole plate décorée de peintures en trompe-l'œil. Ce qui réduit au minimum la poussée sur les murs latéraux. Ce qui a permis au maître d'œuvre d'ouvrir le haut de ces murs, d'y multiplier ses fameuses fenêtres au dessin recherché et d'assurer au sanctuaire un éclairage maximal. Ce qui lui a en outre donné la possibilité de percer, à travers le plâtre, au-dessus des tribunes, d'autres ouvertures, dont la découpe reproduit celle des fenêtres, dans les parois du

Le grand opéra baroque

L'action se passe au cœur d'une sombre forêt germanique, dans un défilé du Danube où flottent de lourdes brumes. En basse Bavière, au monastère bénédictin de Weltenburg exactement, non loin de Ratisbonne, vieille ville d'Empire. Dans l'église, le maître-autel focalise aussitôt le regard incrédule. Stupéfaction. Envolées les nuées de *putti* potelés ou extatiques qui y folâtrent généralement. Une scène théâtrale, saisissante, apparaît en une seule vision lumineuse. Tout droit sortie, sans doute, de quelque épopée médiévale où errent des Nibelungen. Sauf que l'ombre de Bernini, anachronique, s'est faufilée dans le décor. *Happy end* pour ces héros lyriques saisis en pleine intrigue ? Dans un fabuleux flamboiement d'ors, un preux chevalier délivre une princesse que menaçait un terrifiant dragon. Ce méchant monstre de carton pâte — pardon, de stuc —, recouvert d'écailles verdâtres, se tord de douleur sur le côté gauche de la scène, transpercé par la lance du sauveur ; encore tout agité de soubresauts, il tente de se redresser, furieux. Les machinistes doivent se préparer à actionner la trappe afin qu'il disparaisse. Sur la droite, travestie en bergère, tremblante et frêle, la princesse fait un geste d'effroi et de défense. Lamento de la soprano. À un examen plus minutieux, sa ressemblance avec une porcelaine de Meissen s'avère surprenante. Au centre, en gloire, sous un arc de triomphe, un superbe cavalier caracole, accoutré à la romaine, savourant déjà sa victoire sur l'horrible reptile, qu'il tient encore en respect du bout de sa lance. Cuirassé d'or, il porte une couronne de lauriers et un casque à panache, et arbore un certain air de César satisfait. Auguste. Souverain. Du haut de sa monture somptueusement harnachée, il domine toute la scène, théâtralement éclairé par un « jour céleste », sur fond d'Immaculée Conception. Là, les fils de l'action s'embrouillent, les références culturelles vacillent. Est-ce vraiment la finale, un rien kitsch, de quelque insolite et rocambolesque opéra du Danube ? Wagner ou Monteverdi ? Vivaldi peut-être ? Optons sans risque pour un *opera seria* à sujet romain. Plus spécifiquement baroque.

Cette extravagante mise en scène date des années 1720. Elle est signée des frères Asam, les plus baroques sans doute des baroques allemands. Des originaux parfaits, qui collaborèrent étroitement pendant plus de vingt ans, et dont la propension au théâtral est renommée. L'église de Weltenburg est leur première œuvre importante, dix ans avant Saint-Jean-Népomucène, à Munich, la célèbre *Asamkirche*, la plus délirante des églises baroques allemandes selon nombre de connaisseurs. Leur mise en scène, exaltée mais savante, ne manque pas d'audace. Et ils n'ont guère lésiné sur le pathos. Car l'œuvre représentée, tirée du répertoire classique du catholicisme triomphant, n'est autre

Retable de l'église abbatiale de Weltenburg : saint Georges terrassant le Dragon (1721-1724). Le goût du merveilleux des frères Asam.

que saint Georges terrassant le dragon. Composition réussie, même si les normes du bon goût en pâtissent quelque peu. Et baroquissime.

Après un séjour de deux ans dans la Ville éternelle, en 1712-1713, Cosmas Damian (1686-1739), le peintre du duo, et Egid Quirin (1692-1750), le sculpteur et stucateur, ont introduit le baroque romain en Bavière. Mais à leur manière. Avec le langage plastique « expressionniste » et la verve qui les caractérisent. Le Saint Georges de Weltenburg, réalisé par Egid sur un scénario de Cosmas, en est l'expression éloquente. Les références aux modèles romains y sont plus qu'explicites. Les quatre colonnes torses rappellent à l'évidence le baldaquin de Saint-Pierre. Les effets d'éclairage indirect s'inspirent pareillement de l'art de Bernini. La lumière vient des coulisses, du haut et du fond de la scène. Les trois personnages se découpent à contre-jour, en silhouettes. Pleins feux sur l'acteur principal : toute la lumière converge sur le grand cavalier or et argent qui, sûr de lui, affranchit l'humanité du Mal. La lumière et les

ténèbres. Procédé de théâtre que n'a jamais négligé l'Église dans sa conquête ou reconquête des âmes, qu'elle veut à tout prix bouleverser. S'ajoutent ici des effets de « transparent » qui évoquent ceux de la cathédrale de Tolède. Et baroquissime.

Les frères Asam ont certainement contemplé la Thérèse de Bernini. Mais ils sont allemands. Leur imagerie pieuse, revue et corrigée, enjolivée par le goût de la légende, du rêve, de la fantasmagorie, ouvre sur le merveilleux. Personne, sans doute, n'a poussé si loin les ressources de l'artifice et de l'illusion optique. « Nous assistons à un grand opéra religieux immobilisé dans sa scène culminante », note Jean Starobinski à propos de Weltenburg. Et il ajoute : « Le lieu entier devient un événement ; l'espace est une émotion. » La civilisation baroque, éprise de spectacles, a raffolé des arts du théâtre et a multiplié à travers toute l'Europe, de Palerme à Prague, ces scènes inoubliables et ambiguës. Au-delà d'une scénographie imaginative, digne du bel canto, ne survit dans ces drames de stuc que le constant goût d'étonner.

---

chœur, littéralement ajourées. Zimmermann a ainsi récusé toute pesanteur. Et tout clair-obscur. Il a accordé sa prédilection au reflet de l'absolue clarté divine, au miroir de la radieuse patrie céleste. Sa maîtrise à se jouer des difficultés n'est nulle part aussi éclatante que dans cet extraordinaire rayonnement de la lumière. Car celle-ci entre à flots, ruisselle, dilate l'espace, à grand renfort de couleurs et de formes, par une savante et subtile orchestration. Symbole sacré permanent. De ses

harmonies vives, de son allégresse, naît une sorte de lyrisme mystique. « Touchée par la grâce, au sens religieux comme au sens profane », la Wies ne se referme jamais sur son ellipse. Elle se fait pure structure musicale où, au fil des heures et des saisons, se révèle « le mystère en pleine lumière ».

Images d'un paradis retrouvé, à portée du regard. Le goût du merveilleux, de la féerie, si particulier à l'âme germanique, s'est exprimé ici, par cet univers limpide, au crépuscule de

l'aventure baroque. Sous le tournoiement et l'envol des anges, l'euphorie la plus douce jaillit de cet espace qui rend heureux. La Joie ! Le fatidique *Dies Irae* ne retentit jamais dans cette église radieuse, apaisée, qui anticipe — de si peu — les thèmes du jeune Mozart. *Exsultate, jubilate !* Le divin motet composé en 1773 semble l'emplir toujours, l'entraîner en plein ciel.

May VEBER

TOMBEAUX ET SÉPULTURES

LA PYRAMIDE DE CHÉOPS

Une des Sept Merveilles
du monde

maginons que nous prenions place dans la machine à explorer le temps de H.G. Wells et que nous remontions quarante-cinq siècles en arrière. Si alors nous survolions l'Europe occidentale, nous ne verrions aucune de ces grandes villes qui sont notre orgueil. À la place de Paris, il n'y aurait que des îles verdoyantes, et sur les berges de la Seine nous pourrions simplement apercevoir quelques cabanes en branchages et des hommes pêchant. Peut-être parviendrions-nous à surprendre des groupes d'hommes entassant des pierres plates non équarries pour constituer les voûtes de salles rudimentaires recouvertes de terre et de pierraille : ce sont les premières tombes mégalithiques de l'Irlande et de la Bretagne. Si d'aventure nous survolions la Crète, nous ne verrions aucun de ces magnifiques palais qui ne seront édifiés qu'un

La grande pyramide de Chéops, au premier plan. À droite, celle de Chéphren, dont on distingue les restes du revêtement dans sa partie supérieure. Entre les deux, les mastabas, tombes de dignitaires et des enfants royaux, sont alignés en damier. L'entrée de la pyramide est visible sur la face sombre.

On a évalué à 2 600 000 le nombre de ces blocs. Ils pèsent en moyenne 2,5 t, mais le plus grand avoisine 15 tonnes. Cette construction monumentale atteint ainsi le poids fabuleux de 6 500 000 tonnes, et si l'on tient compte des déchets résultant de la taille, il a fallu extraire des carrières 7 millions de tonnes de matériaux. Ainsi, comme le fait remarquer J.-P. Lauer, il faudrait actuellement, pour le seul transport des pierres, 7 000 trains de 1 000 tonnes chacun, ou 700 000 charges de camions de 10 tonnes chacune.

La destination de ce monument ne peut guère être mise en doute : comme toutes les autres pyramides, nombreuses dans la vallée du Nil, à commencer par ses deux voisines construites par Chéphren et Mykérinos, elle était destinée à servir de tombe à l'un des pharaons qui, si l'on en juge d'après la taille de sa pyramide, fut parmi les plus puissants et les plus riches. Qui donc était ce roi ? Hérodote, qui visita l'Égypte vers 440 avant notre ère, s'est fait l'écho d'anciennes traditions conservées par les prêtres égyptiens. Ce roi s'appelait Chéops et il aurait régné près d'un demi-siècle. Nous savons que Chéops est la forme grecque de Khoufou, l'un des plus importants pharaons de la IVe dynastie. Les découvertes modernes de l'égyptologie ont confirmé cette tradition. Une pierre gravée au cartouche du souverain demeurée, jusqu'au siècle dernier, invisible, a été trouvée dans l'une des chambres de décharge, inaccessibles, de la pyramide.

Comment a pu être réalisé l'exploit technique que représente la construction d'un tel monument ? La question du transport des blocs, dont certains proviennent des carrières de granit d'Assouan, à 1 000 kilomètres de là, a reçu une réponse grâce, en particulier, à des peintures de tombes et à des bas-reliefs, où l'on voit de lourdes pierres traînées sur des patins et de pesants obélisques chargés sur des chalands et tirés sur les eaux du Nil par une flottille de barques. Pour la mise en place des pierres, on a suggéré, d'après les indications d'Hérodote, l'utilisation d'instruments de levage ; mais l'hypothèse de la construction de rampes en terre, étayée par la présence de traces de telles rampes à Meïdoum, Abou Gourob, et même à Guizèh, à proximité du temple funéraire de Chéphren, paraît la plus vraisemblable.

Nous pouvons certainement croire Hérodote lorsqu'il dit que « le peuple accablé mit dix ans à construire le chemin par lequel on transportait les pierres, œuvre à peine moindre que la pyramide, car sa longueur était de cinq stades [environ 900 m], sa largeur de dix orgyes [18 m], sa hauteur de 8 orgyes [un peu moins de 14,50 m] ». Il s'agit là de la chaussée qui, depuis la rive du Nil, menait jusqu'à la

demi-millénaire plus tard. Il faudrait aller jusqu'en Mésopotamie pour contempler des temples et des palais déjà vastes, construits en briques crues. Mais nulle part, nous ne découvririons une véritable architecture de pierre ; nulle part, excepté dans la vallée du Nil. Là, non seulement les Égyptiens ont été les premiers à faire usage de la pierre pour leurs édifices, mais ils ont élevé des monuments gigantesques, véritables montagnes artificielles : les pyramides. Un travail de titans, certes, mais ne requérant pas uniquement la force et le nombre. Ce sont les fruits d'un génie inventif impliquant autant d'habileté que d'expérience.

Le plus remarquable, le plus grand, le plus ingénieusement conçu de ces monuments, est la pyramide dite de Chéops. Elle a été élevée sur un plateau rocheux cristallin, en bordure

du désert libyque (près de l'actuelle ville du Caire), vers 2600 avant notre ère.

Depuis l'Antiquité, tous les voyageurs qui l'ont vue ont manifesté leur étonnement devant ses proportions. La base, un carré d'environ 230 mètres de côté, couvre 5 hectares. Le sommet, aujourd'hui décapité de quelques assises, s'élevait à plus de 147 mètres. Il faudra attendre les cathédrales du Moyen Age pour que soient construits des monuments dépassant cette hauteur : tour de Cologne (160 m), flèche de Rouen (150 m).

Ses assises de pierre sont disposées en gradins. Il subsiste 201 assises mais on a calculé qu'à l'origine il devait y en avoir entre 215 et 220. Les plus grands blocs, situés à la base, mesurent 1,50 m de hauteur. Plus on s'élève, plus leur taille diminue pour n'être plus que de 0,55 m en moyenne vers le sommet.

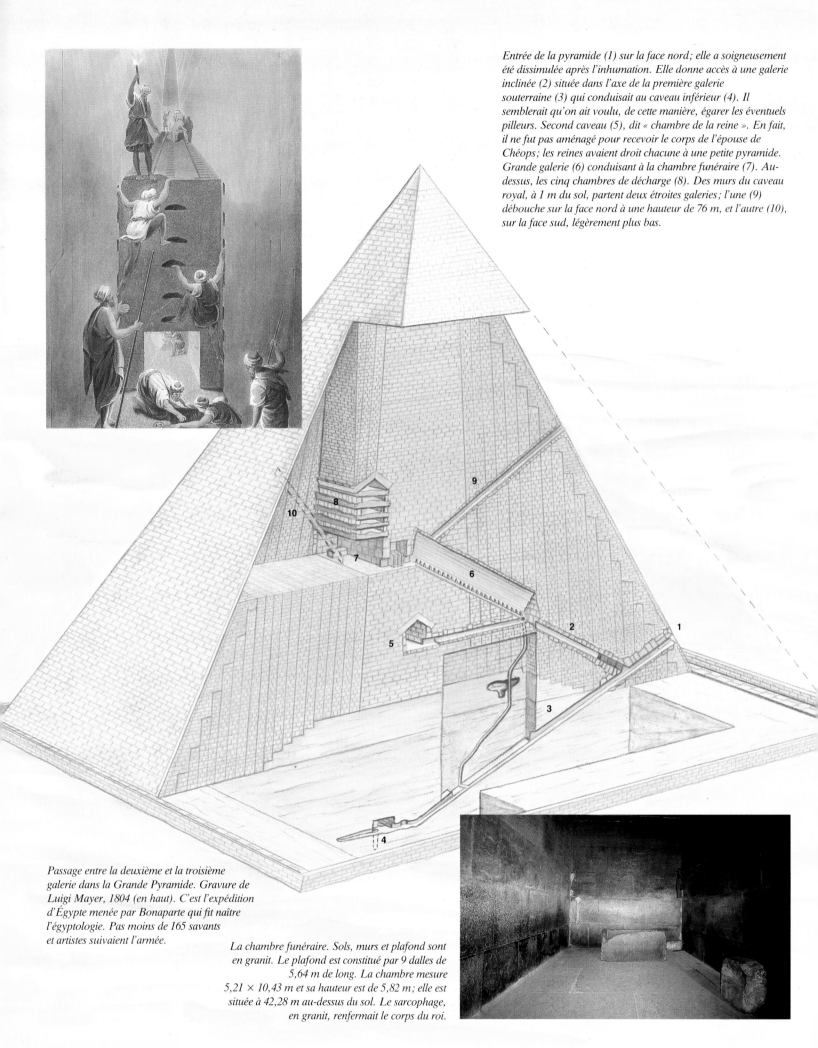

Entrée de la pyramide (1) sur la face nord; elle a soigneusement été dissimulée après l'inhumation. Elle donne accès à une galerie inclinée (2) située dans l'axe de la première galerie souterraine (3) qui conduisait au caveau inférieur (4). Il semblerait qu'on ait voulu, de cette manière, égarer les éventuels pilleurs. Second caveau (5), dit « chambre de la reine ». En fait, il ne fut pas aménagé pour recevoir le corps de l'épouse de Chéops; les reines avaient droit chacune à une petite pyramide. Grande galerie (6) conduisant à la chambre funéraire (7). Au-dessus, les cinq chambres de décharge (8). Des murs du caveau royal, à 1 m du sol, partent deux étroites galeries; l'une (9) débouche sur la face nord à une hauteur de 76 m, et l'autre (10), sur la face sud, légèrement plus bas.

Passage entre la deuxième et la troisième galerie dans la Grande Pyramide. Gravure de Luigi Mayer, 1804 (en haut). C'est l'expédition d'Égypte menée par Bonaparte qui fit naître l'égyptologie. Pas moins de 165 savants et artistes suivaient l'armée.

La chambre funéraire. Sols, murs et plafond sont en granit. Le plafond est constitué par 9 dalles de 5,64 m de long. La chambre mesure 5,21 × 10,43 m et sa hauteur est de 5,82 m; elle est située à 42,28 m au-dessus du sol. Le sarcophage, en granit, renfermait le corps du roi.

pyramide à l'époque de l'inondation. Au bas de cette chaussée furent érigés des quais et un temple d'accueil. À l'autre extrémité, devant la pyramide lorsqu'elle fut terminée, on construisit le temple funéraire du roi, monument dont il ne reste que les traces. Hérodote précise que, dans le même temps, des équipes d'ouvriers taillèrent les pierres nécessaires à la construction de la pyramide tandis que d'autres creusaient dans la colline les chambres destinées à la sépulture de Chéops. Il semble bien qu'il s'agisse là de la galerie

Toujours selon Hérodote, vingt ans furent ensuite nécessaires pour mener à bien la construction de la pyramide proprement dite. Cent mille hommes y auraient travaillé sans relâche, relayés tous les trois mois. Il s'agit là des paysans qu'on utilisait pour le transport des pierres, qui représentait le plus gros du travail. Il semblerait que ce transport se soit fait de préférence pendant la période de crue du Nil, qui débutait vers la mi-juin. En effet, pendant les quatre mois que durait l'inondation, les paysans, contraints de cesser tout

Une multitude d'ouvriers déjà spécialisés s'occupaient à extraire et à tailler les blocs de pierre. À l'aide de forets à mèches de silex et de sable, on creusait dans la roche des cavités disposées sur une même ligne et dans lesquelles on enfonçait des coins en bois ; des percuteurs en pierre étaient utilisés pour fixer profondément ces coins, qui étaient ensuite arrosés d'eau ; en s'imprégnant, le bois gonflait et faisait éclater la pierre dans le sens des veines. Les blocs ainsi arrachés à la roche étaient débités avec des scies à sable constituées par une lame de cuivre qu'on frottait sur des grains de quartz. L'épannelage se faisait avec des ciseaux et des herminettes en cuivre.

Les blocs ainsi taillés étaient bardés sur des traîneaux en bois qu'on tirait jusqu'au fleuve sur des voies faites de rondins. C'est sans doute pour ces travaux de halage qu'étaient utilisées les corvées de paysans. Une fois placés sur des barges, les blocs étaient transportés sans difficulté au fil du fleuve jusqu'au débarcadère voisin du chantier de construction de la pyramide. Là, ils devaient être à nouveau placés sur des traîneaux et halés sur la chaussée de pierre, puis sur une rampe de terre qui permettait de les amener à pied d'œuvre au niveau des gradins. La rampe était haussée et allongée à mesure que progressait la construction.

On ignore la raison pour laquelle fut abandonné le projet primitif d'une galerie souterraine au profit de chambres et de salles disposées dans le cœur même de la pyramide. Toujours est-il que ces espaces furent aménagés au fur et à mesure de la construction. Un sarcophage fut placé dans la chambre la plus haute avant que ne soit fermé le plafond à l'aide de longs blocs de granit ; car on n'accède à cette pièce que par un couloir bas et étroit par lequel il aurait été impossible de faire passer la lourde cuve de pierre. Au-dessus de cette salle destinée à recevoir la dépouille royale furent agencées, l'une au-dessus de l'autre, cinq chambres de décharge dont le but était de soulager les dalles du plafond du poids qui aurait pu les briser.

La pyramide, qui ressemblait, avec ses assises, à un gigantesque escalier, fut ensuite revêtue d'un parement lisse en calcaire fin provenant des carrières de Tourah. On tailla pour cela des blocs de 1,50 m destinés à couvrir l'assise de base et de 0,75 m pour les assises suivantes, soit plus de 115 000 blocs. Le monument a perdu ce revêtement, arraché par les entrepreneurs arabes pour la construction d'une partie du Caire, mais la pyramide de Chéphren a conservé la partie haute de son parement, qui nous permet de nous faire une idée de l'apparence de Chéops à l'origine.

Cette montagne de pierre, ces herses de pierre qui bloquaient les entrées des galeries et des salles n'ont pu protéger les trésors de Chéops de l'avidité des pilleurs de tombes. Mais le monument lui-même, conçu pour défier le temps, demeure symbole éternel du génie des anciens Égyptiens et de la majesté de leurs pharaons, dieux incarnés sur la terre.

GUY RACHET

Le tombeau de la Chrétienne

Les Berbères sont installés dans l'actuelle Algérie depuis des millénaires. Les premiers parmi leurs ancêtres dont on connaisse le nom sont les Numides, contemporains des Carthaginois et des Romains. Ils ont constitué, durant les siècles précédant notre ère, des royaumes que Rome a finalement annexés.

Ces dynasties numides ont eu leurs mausolées, dont l'architecture a été influencée soit par Carthage, soit par la Grèce. Le plus remarquable est celui qui porte le nom de tombeau de la Chrétienne, traduction de l'appellation arabe Qabr al-rūmiya. Lorsqu'on vient d'El-Affroun, ce monument, qui se découpe dans le ciel, surprend le voyageur par sa majesté. De la colline sur laquelle il se dresse, il domine au nord Cherchell (l'antique Césarée) et la mer, au sud la fertile Mitidja.

C'est un monument à base circulaire, d'un diamètre de 62 mètres. Cette base est entourée d'une colonnade interrompue aux quatre points cardinaux par de fausses portes ornées, en leur centre, de moulures saillantes épousant la forme d'une grande croix, d'où le nom donné à l'édifice, bien qu'il n'ait rien à voir avec une quelconque chrétienne. Les colonnes à chapi-

teaux ioniques sont insérées partiellement dans le mur. Au-dessus de la ligne des architraves, le monument s'élève en cône, par rangs de pierres superposés, ce qui lui confère l'aspect d'une pyramide circulaire.

À l'intérieur, une série de galeries s'étendent sur une longueur de plus de 150 mètres. Elles étaient, dans l'Antiquité, éclairées par des lampes disposées dans des niches aménagées dans la paroi, et conduisent à deux petites chambres qui semblent avoir eu une destination funéraire, à moins qu'il ne s'agisse de chapelles, comme l'a pensé Stéphane Gsell. Dans ce cas, il resterait à trouver le caveau, peut-être encore inviolé. On pourrait alors y avoir accédé par un puits dont l'orifice, comblé, demeure toujours caché. Par ailleurs, il semble certain que, dans l'Antiquité, les galeries et les deux salles restaient accessibles et qu'on y pratiquait un culte funéraire.

On pense que ce mausolée a servi de tombe à Juba, roi de Mauritanie, mort en 19 de notre ère, et à son épouse Cléopâtre Séléné, la fille de la grande Cléopâtre et de Marc Antoine, vaincu par Auguste à la bataille d'Actium (en Grèce occidentale) en 31 av. J.-C.

Le tombeau de la Chrétienne. Dans l'Antiquité, le monument était entièrement revêtu de marbre rehaussé d'ornements de bronze. Il est possible qu'une statue colossale, voire un groupe sculpté, comme dans le tombeau de Mausole à Halicarnasse, ait couronné l'édifice.

creusée dans le plateau rocheux qui se développe sur 77 mètres avec une pente de plus de 26 degrés, puis devient horizontale sur une longueur de 8,81 m pour déboucher sur une salle rectangulaire ; de celle-ci part un nouveau couloir qui se termine en cul-de-sac 18 mètres plus loin. On a sans doute là le témoignage d'un premier projet architectural qui prévoyait des appartements souterrains pour la sépulture royale, comme c'était le cas pour la pyramide nord de Dahchour construite pour Snéfrou, le père de Chéops.

travail du fait de la submersion des terres arables, étaient disponibles tandis que la montée des eaux, qui rétrécissait les distances entre les rives du fleuve et le plateau où l'on élevait la pyramide, rendait plus facile le transport des blocs.

Si une partie de ces derniers provenait de carrières de calcaire jaune toutes voisines, on a aussi utilisé du granit amené de la région de Syène, en haute Égypte, et du calcaire des carrières de Tourah, dans la falaise arabique, à une vingtaine de kilomètres au sud du Caire.

NEWGRANGE
Merveille de la préhistoire occidentale

Non loin de la mer d'Irlande, dans le comté de Meath, à une cinquantaine de kilomètres au nord de Dublin, le mystérieux Brugh na Bóinne — le « palais de la Boyne » — des vieilles légendes celtes n'a jamais cessé d'exciter l'imagination des hommes. Les Irlandais n'ont d'ailleurs pas hésité à baptiser « vallée des Rois » cette nécropole de l'âge de la pierre polie de toute première importance. Au sommet des collines verdoyantes qui dominent un méandre de la rivière Boyne aux eaux noires de tourbe, le complexe mégalithique de la vallée de la Boyne, par le nombre de ses structures préhistoriques, et plus particulièrement par ses trois grands tumulus de Newgrange, Knowth et Dowth, a acquis une renommée mondiale parfaitement méritée.

Le tumulus de Newgrange a la vague forme d'un cœur (ou d'un œuf aplati) de près de 94 mètres de diamètre pour une douzaine de haut. Il est constitué de galets roulés et de couches de terre superposées ; sa base est limitée par quatre-vingt-dix-sept dalles massives posées de chant, dont plusieurs portent un beau décor gravé. Au-dessus de ces dalles se dresse la muraille de quartz blanc d'un effet particulièrement saisissant. Newgrange était jadis entouré d'un cercle d'imposants monolithes dont seuls une douzaine subsistent.

Une échancrure de la façade, au sud-est, forme une avant-cour semi-circulaire fermée par plusieurs blocs posés de chant ; celui du milieu, énorme, est couvert de motifs gravés en spirale que l'on retrouve sur d'autres pierres du pourtour et jusque dans la chambre. En fait, cette avant-cour est quelque peu fictive, résultat des récentes restaurations qu'ont permises les travaux de Michael J. O'Kelly.

Long d'une vingtaine de mètres, l'étroit couloir, dont le plafond, formé de dalles juxtaposées, s'élève au fur et à mesure que l'on progresse vers le fond, est limité par quarante-trois pierres dressées supportant les dalles de couverture. Il conduit à la chambre, composée d'une salle centrale sur laquelle se greffent trois cellules latérales, conférant à l'ensemble un plan cruciforme. La couverture de ces

Voûte de la chambre funéraire de Newgrange. Le montage des dalles de pierre en encorbellement est parfaitement maîtrisé. Cette technique de couverture, propre aux peuples du monde atlantique, serait originaire de la France de l'Ouest.

pièces implique une prouesse technique remarquable. En effet, elle est faite d'une voûte en faux encorbellement réalisée par la superposition de petites dalles qui, débordant l'une sur l'autre, constituent une sorte de coupole, s'élevant à plus de 6 mètres au-dessus du sol et fermée à son sommet par une grosse dalle. Certes, cette technique était connue depuis près d'un millénaire et demi dans l'ouest de la France, sur les côtes atlantiques, mais elle atteint ici un degré de perfection rarement égalé.

Au-dessus et en arrière de l'entrée du couloir, un aménagement particulier augmente le caractère exceptionnel de Newgrange. Il s'agit

Gravure du pilier est de la cellule terminale, qui est axée sur le lever du soleil au solstice d'hiver. Les dessins symboliques à triple spirale dont la signification reste mystérieuse sont abondamment représentés sur l'ensemble du site.

d'une ouverture pratiquée dans le tumulus — la *roof box* — qui permet aux rayons du soleil d'aller éclairer le fond de la chambre au matin du solstice d'hiver, jour le plus court de l'année. Comme beaucoup de monuments mégalithiques en Europe de l'Ouest, Newgrange présente donc une orientation déterminée sur un lever particulier du soleil. La *roof box* forme un espace aménagé sous une dalle de couverture du couloir ; ses côtés sont constitués de murets en pierres sèches hauts de 0,80 m et qui supportent deux linteaux, dont le plus haut est décoré. Dans cette niche ainsi construite se trouvait un bloc de quartz blanc. Cette disposition rappelle, comme le notent les chercheurs, la description, dans le Talmud,

du temple de Salomon à Jérusalem, édifié deux mille ans plus tard, et dans lequel, le jour de l'équinoxe, les rayons du soleil pénétraient à travers un disque de métal de la porte et éclairaient le cœur du temple.

Trois bassins taillés dans un bloc de pierre furent découverts dans les petites chambres latérales. On sait que de tels bassins, parfois somptueusement gravés, contenaient quelques ossements incinérés.

Nombreux sont les orthostates (piliers) du couloir et de la chambre qui portent des décorations gravées, comme quelques pierres du pourtour. Certains décors sont cachés sur le derrière des blocs et ne sont donc pas visibles.

Deux styles décoratifs ont été reconnus et qualifiés de Fourknocks pour l'un et de Loughcrew pour l'autre, d'après le nom des sites où ils ont été identifiés. Ces décors assez abondants dans les dolmens à couloir ou *passage-graves* de l'est de l'Irlande, ainsi qu'à Anglesey, sont absents des monuments de l'ouest.

Le style de Fourknocks est le plus élaboré. C'est un style formel où les motifs présentent un dessin cohérent, organisés pour créer des compositions ; la décoration occupe souvent toute la surface de la pierre ou un panneau bien délimité ; on note un goût marqué pour les losanges, les zigzags et les spirales. Le style de Loughcrew est beaucoup plus désordonné, formé de cercles concentriques, de cercles pointés, de motifs en U et de serpentiformes principalement. C'est ce dernier style que l'on retrouve sur le derrière des piliers et autres blocs de Newgrange, alors que celui de Fourknocks occupe le devant. Ces motifs cachés ont-ils été délibérément placés de la sorte dans le monument ou sont-ils le résultat du remploi de dalles appartenant à des monuments plus anciens ? À Gavr'inis, dans le golfe du Morbihan, la dalle de couverture de la chambre du dolmen (souvent comparé à Newgrange pour son exubérant décor) porte sur sa face cachée un décor de bovidés qui a pu être raccordé, par C. T. Le Roux, à celui de la face intérieure de la dalle de couverture du dolmen de la Table des Marchands de Locmariaquer, à quelques kilomètres de là. Les deux morceaux, avec un troisième trouvé un peu plus loin, formaient à l'origine une stèle haute de 14 mètres qui a donc été abattue et réutilisée dans la construction de dolmens à couloir des alentours. À Newgrange, les deux styles pourraient correspondre à deux époques qui se succèdent dans le temps. D'ailleurs, Newgrange, édifié tout à

fait à la fin du IVᵉ av. J.-C. (2465 ± 40 et 2550 ± 45 av. J.-C. en datation Carbone 14 non calibrée), est relativement tardif dans la chronologie des dolmens à couloir d'Irlande, dont certains, à Carrowmore, dans le comté de Sligo, en particulier, sont antérieurs de près d'un millier d'années.

En fait, la nécropole de la vallée de la Boyne est un vaste ensemble qui comporte plus de trente tumulus, dont les trois géants Dowth, Newgrange et Knowth, mais aussi plusieurs enclos, dont deux *henges* et deux pierres dressées.

Knowth a été fouillé à partir de 1960 par George Eogan. Deux dolmens à couloir opposés sont enfouis dans un tumulus ovale de

Bloc de pierre gravé. On distingue nettement l'ornementation, où se mêlent spirales et losanges. Couchée en travers de l'entrée du couloir, cette grosse pierre est l'une de celles qui limitent la base du tumulus.

Les dolmens de l'Europe de l'Ouest

Très souvent considéré comme l'assemblage d'une dalle de pierre sur deux piliers également en pierre brute, le dolmen n'est en fait que le squelette d'un monument beaucoup plus complexe.

Un dolmen est généralement formé d'une chambre mégalithique hermétiquement close par des dalles dressées et des murets en pierres sèches, soutenant une ou plusieurs tables de pierre. Il arrive que la chambre soit couverte par un montage de dallettes superposées débordant légèrement l'une sur l'autre pour former un encorbellement, fausse voûte qui peut être fermée à son sommet par une dalle plus grosse. Les fouilles de ces dernières décennies ont montré que les dolmens édifiés uniquement avec de gros blocs et ceux montés en pierres sèches étaient contemporains, et qu'il faut même envisager, à l'intérieur de leur structure tumulaire, des « dolmens » en bois.

Il existe trois types fondamentaux de dolmens : le dolmen simple, qui possède une chambre ouvrant directement sur l'extérieur du tumulus ; le dolmen à couloir, dont la chambre peut prendre des formes diverses (ronde, polygonale, quadrangulaire...) et ouvre sur l'extérieur par l'intermédiaire d'un couloir plus ou moins long, relativement bas et peu large ; le dolmen en allée couverte, dans lequel le couloir et la chambre sont peu ou pas différenciés et où la chambre, aux parois parallèles, devient très longue par rapport à sa largeur ; il est plus tardif.

Le tumulus de terre ou de pierre (cairn) qui enveloppe le ou les dolmens peut être rond, polygonal ou quadrangulaire, parfois très allongé. Il est limité par un mur bien construit en pierres sèches ou par des dalles dressées. Des restes humains (inhumation ou incinération selon les régions) étaient déposés dans les chambres en nombre plus ou moins important et selon un rituel qu'il n'est pas toujours aisé de comprendre aujourd'hui.

Le caractère funéraire de ces monuments n'est qu'un des aspects de leur fonction. Construits pour être vus de tous, ils apparaissent souvent comme le centre d'un territoire. Marques de l'entité tribale, symboles de la cohésion du groupe, ils peuvent avoir été des lieux de rencontre et surtout des lieux de culte souvent en rapport avec le soleil et la lune.

En Europe de l'Ouest, où ils se rencontrent depuis la Pologne et la Scandinavie jusqu'au sud de l'Espagne en passant par les îles Britanniques et la France, ils sont l'œuvre des populations agro-pastorales du néolithique et ont été édifiés entre 4500 et 2500 av. J.-C.

Selon certains auteurs (anglo-saxons en particulier), le phénomène mégalithique aurait pris naissance dans plusieurs régions (ouest de la péninsule Ibérique, Bretagne, sud de l'Angleterre, Irlande, Scandinavie) de manière autonome, et des contacts entre les divers foyers auraient eu lieu par la suite. Pour d'autres, il y aurait un berceau originel (Bretagne ou Portugal, qui ont donné les dates les plus anciennes), à partir duquel les populations auraient essaimé vers les îles Britanniques et la Scandinavie, où certains monuments mégalithiques auraient été édifiés dans les longs tumulus de ces contrées nordiques.

Parmi les monuments mégalithiques les plus renommés, il faut citer : les énormes dolmens de l'Andalousie, en particulier ceux d'Antequera ; en France atlantique, la nécropole de Bougon dans le Poitou, les tumulus de Dissignac, de Gavr'inis et de Barnenez en Bretagne, ce dernier recouvrant onze dolmens à couloir ; en Angleterre, celui de West-Kennet, dans le Wiltshire, situé à l'extrémité d'un long tumulus trapézoïdal ; et en Hollande, les « Hunebedden » du Drenthe, plus spécialement celui appelé Papeloze Kerk, à Schoonord, et le long tumulus D 43 de Schimmeres à Emmen.

Vue aérienne du tumulus C de Champ-Châlon à Benon (France). Long de 25 m, il renferme dans son secteur est une chambre, limitée par des dalles dressées et par des murs de pierre sèche, et qui était couverte en encorbellement. Les corps y avaient été déposés, accompagnés de quelques poteries. On accède à la chambre par un couloir bordé de murs en pierre sèche, et l'ensemble est inclus dans une masse tumulaire circulaire. Ce « dolmen », maintenu par une série de contreforts, se rattache à une construction alvéolaire vide de tout vestige archéologique.

80 mètres de diamètre est-ouest et 90 mètres nord-sud. À l'ouest s'ouvre le couloir d'un monument coudé, long de 34 mètres et entièrement mégalithique. Diamétralement opposé, un monument cruciforme long d'une quarantaine de mètres est identique à Newgrange.

1 500 mètres environ séparent Knowth et ses dix-sept tumulus de Newgrange et ses trois petits tertres satellites. En parcourant encore 2 kilomètres vers l'est, on atteint Dowth, qui paraît un peu plus isolé. Avec ses 84 mètres de diamètre, il contient comme Knowth deux dolmens à couloir, mais ceux-ci sont parallèles et ouvrent à l'ouest, cas peu fréquent. Le premier est cruciforme avec une excroissance à angle droit à partir de la cellule latérale sud ; le second, plus petit, a une chambre circulaire avec cellule unique au sud-est.

Ces trois énormes tumulus, beaucoup plus imposants qu'il n'était nécessaire pour le simple maintien des structures dolméniques qu'ils contenaient, montrent que, s'ils avaient une

Vue aérienne du tumulus de Newgrange. Il a été l'objet d'importantes restaurations qui lui ont rendu l'aspect grandiose qu'il avait autrefois. Sa façade de quartz blanc s'ouvre sur le couloir qui mène à la chambre funéraire.

Section et plan du dolmen de Newgrange. La section montre le couloir et la chambre bordés d'orthostates dressés. Entre les deux grosses dalles qui couvrent la partie antérieure du couloir, la *roof box* (1). La voûte en encorbellement (2) qui couvre la chambre est fermée au sommet par une grosse dalle (3). Devant l'entrée, le bloc couché (4) couvert de gravures. L'étroit couloir (5) conduit à la chambre (6) et à ses trois cellules latérales, dans lesquelles se trouvaient des bassins de pierre (7). Les piliers teintés en noir portent des gravures.

monuments, traditionnellement classés en quatre types principaux. Outre les *passage-graves*, on y trouve en effet des *court-tombs* (dolmens à cour), des *portal-tombs* (dolmens à portail) et des *wedge-tombs* (dolmens en coin). Mais les *passage-graves*, au nombre de 150, et répartis sur la moitié nord de l'île, en constituent les plus remarquables réalisations, avec les vastes nécropoles de la vallée de la Boyne, de Loughcrew, également dans le comté de Meath, de Carrowkeel et de Carrowmore, dans le comté de Sligo.

Et le plus prestigieux de ces monuments reste Newgrange, qui est ainsi devenu un des symboles les plus éminents du mégalithisme atlantique. Par sa masse imposante, qui implique le travail considérable d'une société bien structurée. Par la richesse de son décor gravé, dont pourtant le sens nous échappe encore. Par le choix de son orientation au solstice d'hiver, enfin. La puissance quasi religieuse que dégage un tel monument — « une des merveilles du monde préhistorique de l'Europe ancienne », selon le professeur Glyn Daniel — oblige à se pencher sur ses auteurs. Sur ce peuple d'agriculteurs-éleveurs qui ne connaissait encore que la hache en pierre polie et au sujet duquel nous ne savons pratiquement rien. Sans doute venait-il de l'ouest de la France. Mais quels mobiles ont pu pousser ces inconnus à réaliser pareille architecture funéraire, quelque quatre ou cinq siècles avant les pyramides d'Égypte ?

Une chose est certaine : ces bâtisseurs d'il y a cinq mille ans n'étaient pas, et de beaucoup, les simples « barbares » souvent décrits par le passé.

ROGER JOUSSAUME

vocation funéraire (quatre ou cinq individus incinérés et quelques os non brûlés à Newgrange), ils devaient aussi, en raison de leur volume considérable, s'adresser aux vivants. Par leur situation élevée dans le paysage, ils sont faits pour être vus de tout un peuple qui devait les vénérer.

Pour beaucoup d'archéologues irlandais et anglais, Colin Renfrew en particulier, ces grands dolmens marqueraient une structuration plus hiérarchisée de la société au néoli-thique final, après une période plus égalitariste où les monuments, plus nombreux, appartenaient à tous.

Le matériel archéologique accompagnant les morts dans leur dernière demeure est rare, le plus souvent limité aux éléments de parure que portait le défunt lors de son incinération. La poterie funéraire, dite du style de Carrowkeel, est richement décorée et à fond rond.

L'Irlande possède un très riche patrimoine mégalithique : elle compte environ 1 200

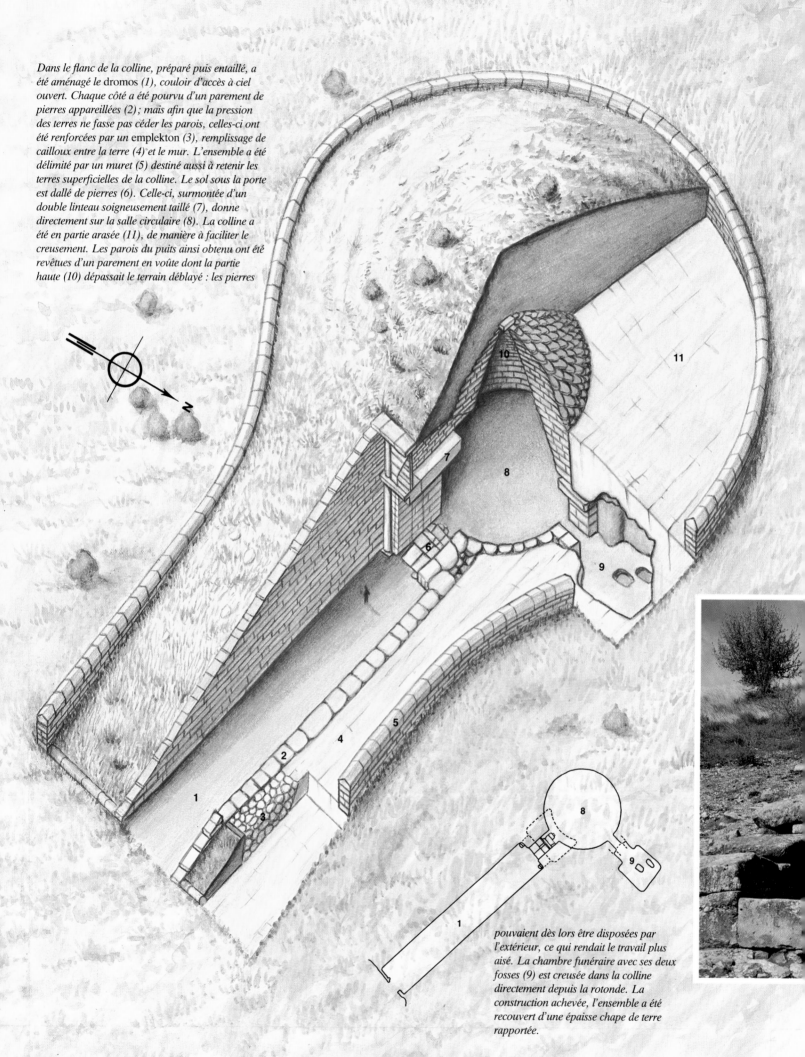

Dans le flanc de la colline, préparé puis entaillé, a été aménagé le dromos (1), couloir d'accès à ciel ouvert. Chaque côté a été pourvu d'un parement de pierres appareillées (2) ; mais afin que la pression des terres ne fasse pas céder les parois, celles-ci ont été renforcées par un emplekton (3), remplissage de cailloux entre la terre (4) et le mur. L'ensemble a été délimité par un muret (5) destiné aussi à retenir les terres superficielles de la colline. Le sol sous la porte est dallé de pierres (6). Celle-ci, surmontée d'un double linteau soigneusement taillé (7), donne directement sur la salle circulaire (8). La colline a été en partie arasée (11), de manière à faciliter le creusement. Les parois du puits ainsi obtenu ont été revêtues d'un parement en voûte dont la partie haute (10) dépassait le terrain déblayé : les pierres

pouvaient dès lors être disposées par l'extérieur, ce qui rendait le travail plus aisé. La chambre funéraire avec ses deux fosses (9) est creusée dans la colline directement depuis la rotonde. La construction achevée, l'ensemble a été recouvert d'une épaisse chape de terre rapportée.

152

LE TRÉSOR D'ATRÉE

À « Mycènes riche en or », une mystérieuse tombe royale

Vers 170 de notre ère, un Grec cultivé, passionné de voyages et féru d'histoire, vient visiter Mycènes. Originaire de l'Asie Mineure, il a entrepris de parcourir systématiquement la Grèce continentale et d'en décrire par le menu les sites et les monuments. Il s'appelle Pausanias et nous a laissé un témoignage irremplaçable sur la Grèce à l'époque romaine, sur les mythes et les légendes attachés alors à des lieux qui ne sont plus pour nous que des ruines, voire des souvenirs.

Lorsqu'il passe par Mycènes, la ville est en ruine. Du moins, c'est lui qui nous l'assure, et sans doute en était-il ainsi, car nous savons qu'en 468 av. J.-C. les habitants de la ville voisine d'Argos en avaient pris la citadelle, c'est-à-dire la partie haute enfermée dans les murs cyclopéens qui subsistent encore, et avaient rasé la cité. L'archéologie nous apprend que la citadelle fut réoccupée par la

suite. Mais au temps de Pausanias, ses énormes fortifications n'abritaient sans doute plus que quelques demeures habitées par des paysans. C'est d'ailleurs certainement auprès d'eux que notre voyageur a recueilli la tradition selon laquelle « dans les ruines de Mycènes... il y a des salles souterraines où Atrée et ses enfants enfermaient leurs richesses ». Les Grecs donnaient le nom de « trésor » *(thesauros)* aussi bien à un ensemble d'objets précieux qu'aux monuments qu'ils construisaient, généralement auprès des temples, pour les y conserver. Ainsi le Trésor d'Atrée était-il, aux yeux des Grecs de l'Antiquité classique, le monument lui-même dans lequel étaient enfermés les trésors de la famille royale de Mycènes.

Lorsque, venant de la bourgade de Mikinai, le voyageur moderne découvre, au détour de la route, le site de la citadelle de Mycènes et la vallée desséchée du Khonia, dominée par les pentes arides du mont Zara, il s'engage sur une

route qui traverse dans toute sa longueur l'ancienne ville basse de Mycènes. Il ne peut manquer de voir bientôt, sur sa gauche, l'hypogée auquel on continue de donner le nom de Trésor d'Atrée. L'imprécision du texte de Pausanias nous interdit de savoir si le monument qu'il désigne par ce nom est bien le même que le nôtre. Le Trésor d'Atrée étant le plus vaste et le mieux conservé des hypogées de ce type à Mycènes, on peut penser que c'est bien lui qui a frappé l'imagination de Pausanias et de ses informateurs, mais nous n'en avons aucune preuve certaine. Au début du siècle dernier, il passait pour être le tombeau d'Agamemnon. C'est un voyageur anglais, Edward Dodwell, qui, parcourant la Grèce entre 1801 et 1806, essaya de démontrer qu'il s'agissait du Trésor d'Atrée, suivi dans cette voie, en 1874, par le premier fouilleur de Mycènes, l'Allemand Heinrich Schliemann. Ce dernier a donné une bonne description du « trésor », qui ne fut complètement dégagé que deux années plus tard, par le conservateur des antiquités Stamatakis. Naturellement, celui-ci n'y trouva presque rien, car le monument avait été pillé depuis longtemps. Il était déjà vide à l'époque de Dodwell. Cependant, Schliemann, qui interrogea les vieillards de la région, rapporte qu'au cours d'une fouille effectuée en 1810 on recueillit des demi-colonnes, des frises, une table de marbre, ainsi qu'une longue chaîne qui descendait du haut du toit en coupole de la grande salle centrale, chaîne à laquelle était suspendu un candélabre de bronze.

Un contemporain de Schliemann, professeur de médecine à Athènes, s'est fait l'écho d'une tradition qu'il recueillit lui-même auprès des vieillards du pays. Au début du XIXᵉ siècle, le gouverneur de la Morée (nom médiéval du Péloponnèse), alors sous domination turque, aurait entrepris de fouiller le trésor, mais l'accès du monument étant encombré de pierres et de terre, il l'aurait fait partiellement déblayer. Il aurait fallu creuser à une profondeur de près de 6 mètres avant de trouver l'entrée, ce qui laisse entendre que, depuis l'époque de Pausanias, une grande quantité de terre s'était accumulée. Descendant à l'intérieur du « dôme » par une échelle, les fouilleurs auraient découvert un grand nombre de sarcophages demeurés inviolés. Les témoins assuraient qu'ils y avaient recueilli des ossements recouverts d'or. Selon le médecin grec qui rapporte les faits, cet or proviendrait des

La porte de la tombe, avec son triangle de décharge, vue de l'entrée du dromos. *Le soin apporté à la réalisation de la porte et du couloir laissent supposer que cette partie du monument, une fois achevée, n'a pas été ensevelie volontairement, comme c'est souvent le cas pour ce genre de tombes royales.*

broderies d'or des draperies ! Les fouilleurs auraient aussi trouvé des ornements d'or et d'argent et des « gemmes », ainsi que vingt-cinq statues colossales et une table de marbre blanc que le gouverneur aurait vendues à des voyageurs étrangers pour la somme de 80 000 « gros » — 20 000 francs or de l'époque ! Les bijoux représentaient 4 800 grammes d'or et d'argent.

Schliemann ne croyait pas ce témoignage, d'abord parce qu'il était convaincu que le monument était bien un trésor, et non une tombe, ensuite parce qu'on ne connaît pas de grande statuaire mycénienne. Or nous savons maintenant que le Trésor d'Atrée est bien une tombe, de même que tous les autres monu-ments de ce genre, nombreux en Grèce et surtout à Mycènes. Par ailleurs, un autre prétendu « trésor », celui dit de Minyas à Orchomène, en Béotie, également exploré par Schliemann, a été utilisé à l'époque classique comme lieu de culte, puisqu'un autel a été élevé en son centre. Tout aussi bien, le Trésor d'Atrée aurait pu être converti, à l'époque classique, en lieu de culte héroïque et orné de statues de grande taille, car Agamemnon était alors honoré comme un héros en Argolide.

Toujours est-il que le Trésor d'Atrée est le plus remarquable de ces monuments que nous appelons tombes à coupole ou à *tholos*. Ce dernier terme désignait chez les Grecs les toits voûtés en ruche qui recouvraient certains monuments circulaires, ou l'ensemble de ces constructions, qui sont très rares dans le monde grec, où l'architecture préfère les lignes droites et les formes géométriques.

La construction d'un monument comme le Trésor d'Atrée requiert une grande habileté technique, une main-d'œuvre relativement importante et, de la part de l'architecte demeuré anonyme, une grande audace. La colline en pente douce a été entaillée par un couloir à ciel ouvert d'une longueur de 36 mètres, sur une largeur de 6. Les bords de cette avenue, à laquelle on a donné le nom de *dromos*, vont en s'élevant obliquement jusqu'au-dessus de la porte de la tombe. Ils ont été revêtus d'un appareil de pierres soigneuse-

La légende des Atrides

Au nom d'Atrée et de sa famille sont attachées quelques-unes des légendes les plus sanglantes de la mythologie grecque. Les grands poètes tragiques, Eschyle, Sophocle, Euripide, ont largement puisé dans ce fonds légendaire, qu'ils ont contribué à enrichir.

Pélops, fils de Tantale, vint d'Asie Mineure à Pise, près d'Olympie, où il concourut pour obtenir la main d'Hippodamie, fille d'Œnomaos, le roi du pays. Il s'agissait d'une course de chars dans laquelle Œnomaos, possédant des chevaux divins, triomphait toujours. Pélops parvint à corrompre Myrtilos, le cocher du roi, qui scia les essieux du char royal. Ainsi Œnomaos fut-il tué dans l'accident, et Pélops épousa Hippodamie. Il eut d'elle deux fils, Atrée et Thyeste. Ceux-ci tuèrent leur demi-frère Chrysippos, que Pélops avait eu de la nymphe Axioché ; en suite de quoi,

Pélops chassa ses deux fils et les maudit. Ils se réfugièrent à Mycènes, où régnait Sthénélos, fils de Persée, le fondateur de la cité ; ce Sthénélos était leur beau-frère, ayant épousé leur sœur Nicippé. Il avait un fils Eurysthée, qui lui succéda mais qui mourut bientôt sans héritier. Un oracle ayant alors conseillé aux Mycéniens de choisir pour roi l'un des deux fils de Pélops, ces deux derniers se présentèrent aux gens de Mycènes et Thyeste proposa que fût élu celui des deux qui pourrait montrer une toison d'or. Atrée, qui avait dans son coffre la toison d'or de l'un de ses agneaux, accepta le défi. Mais sa femme, Aéropé, qui était la maîtresse de Thyeste, avait remis à ce dernier la toison d'or. Il aurait été choisi si Zeus n'était intervenu : il fit coucher le soleil à l'est, et manifesta si clairement sa volonté aux Mycéniens qu'ils choisirent Atrée. Ce der-nier, ayant appris la trahison de sa femme, poursuivit Thyeste de sa haine. Il s'empara ainsi de ses trois fils, les fit bouillir et les donna à manger à leur père ; après avoir révélé à Thyeste la nature de son repas, il le chassa du pays. Thyeste se réfugia à Sicyone, où, suivant l'ordre d'un oracle, il viola une nuit sa propre fille sans se faire connaître d'elle et en eut un fils, Égisthe. Cette fille, Pélopia, épousa ensuite son oncle Atrée, qui éleva Égisthe, puis l'incita à tuer Thyeste. Égisthe s'apprêtait à tuer son père, sans savoir qui il était, avec l'épée que Thyeste avait laissée à Pélopia après l'avoir violée, lorsque, grâce à l'arme, eut lieu la reconnaissance. En apprenant l'identité de son violeur, Pélopia se tua avec cette même épée qui servit ensuite à Égisthe pour frapper Atrée.

Agamemnon, fils d'Atrée, monta sur le trône de Mycènes. Il prit pour épouse Clytemnestre, fille de Tyndare, roi de Sparte. Comme elle était déjà l'épouse de Tantale, un fils de Thyeste, Agamemnon tua ce Tantale et se débarrassa du fils que Clytemnestre venait d'avoir de lui. Dans le même temps, Ménélas, frère d'Agamemnon, épousait Hélène, sœur de Clytemnestre, et suc-cédait ainsi à Tyndare sur le trône de Sparte. On sait comment, à la suite de l'enlèvement d'Hélène par le Troyen Pâris, les Grecs, sous le commandement d'Agamemnon, s'engagèrent dans la fameuse guerre de Troie. Afin de libérer la flotte grecque maintenue à Aulis par un calme prolongé, Agamemnon voulut sacrifier sa fille Iphigénie, qui ne fut sauvée que par la déesse Artémis. Il rentra de Troie avec sa captive Cas-sandre, fille de Priam, roi de Troie, pour retrouver sa femme, qui entre-temps était devenue la maîtresse d'Égisthe. Clytemnestre, avec l'aide de son amant, assassina alors Agamemnon au moment où il entrait dans son bain, puis elle se débarrassa de Cassandre. Elle aurait aussi tué Oreste, le fils qu'elle avait eu d'Agamemnon, si sa sœur Électre ne l'avait sauvé et envoyé chez Strophios, en Phocide, où il fut élevé avec le fils de ce dernier, Pylade. Devenu adulte, Oreste rentra à Mycènes où il mit fin à la malédiction des Atrides en tuant sa mère et Égisthe, qui régnaient tranquillement sur Mycènes. Acquitté de son matricide par l'Aréopage, le tribunal d'Athènes, Oreste régna en paix sur Mycènes jusqu'à un âge avancé.

Détail d'un vase grec (vers 470 av. J.-C.). La scène représente l'assassinat d'Agamemnon après son retour de Troie. À droite, sa femme Clytemnestre ; à gauche, Égisthe armé d'une épée.

*Vue en contreplongée de l'intérieur de la coupole.
Le parfait appareillage des pierres est obtenu par un
montage des assises en encorbellement exécuté avant
l'ensevelissement de la tombe. Une pierre circulaire
tient lieu de clef de voûte.*

toutes retrouvées dans les environs du site,
alors que la plupart des autres villes mycéniennes n'en ont qu'une, deux, trois tout au plus ?
Y aurait-il eu, à Mycènes, une telle succession
de dynasties, ou bien plusieurs familles s'y
seraient-elles partagé le pouvoir ? Cela paraît
improbable parce que cette forme de gouvernement multiple est étrangère à la cité mycénienne telle que nous la laissent entrevoir les
textes administratifs parvenus jusqu'à nous, et
que l'existence d'un seul palais à *mégaron*
implique bien une royauté unique.

On a vainement tenté d'imaginer les rites
qui se déroulaient au moment de l'inhumation, ou plus tard, lors de cérémonies en
l'honneur du défunt devenu un héros.

Nous sommes également incapables de
déterminer la date approximative de construc-

ment équarries. La porte s'élève à une hauteur
de 5,40 m, ses jambages sont légèrement
inclinés, la largeur étant de 2,70 m à la base
pour 2,46 m au sommet.

La maçonnerie en pierres équarries de la
coupole est si épaisse près de la porte qu'elle
constitue une véritable galerie d'accès, couverte par les deux énormes dalles de pierre du
linteau. La dalle intérieure mesure en
moyenne 1,20 m d'épaisseur, 8,50 m de longueur, 5,10 m de largeur ; son poids est évalué
à plus de 120 tonnes ! Un triangle de décharge
soulage le linteau du poids de la partie supérieure de l'édifice. À cette époque, il fallait,
pour mettre en place de si lourdes pierres,
faire une levée de terre accessible par un plan
incliné ; la dalle une fois mise en place et le
monument terminé, on retirait la terre.

La *tholos* elle-même, en forme de ruche, a
un diamètre de 14,50 m à la base. On a d'abord
creusé, dans le roc de la colline, une rotonde
ouverte dans sa partie supérieure. Les pierres
ont été alors disposées en encorbellement tout
contre la paroi rocheuse dans la partie inférieure, à l'air libre pour le haut. On compte
ainsi trente-trois assises annulaires qui s'élèvent en avancée les unes sur les autres jusqu'à
la dalle circulaire qui constitue la clef de voûte,
à 13,20 m de hauteur. Les pierres avaient été
ornées de rosaces de bronze. Elles sont parfaitement taillées, et si habilement jointoyées
que, vues de l'intérieur, elles forment une
sorte de coupole. La légère courbure de chaque pierre dut être soigneusement calculée
pour obtenir une surface aussi lisse et régulièrement arquée. L'édifice fut enseveli ensuite
sous une épaisse couche de terre rapportée,
puis ceinturé de grosses pierres pour éviter que
la terre ne s'étale sous l'effet de son poids ou
de l'érosion.

Sur la droite en entrant dans la *tholos*
s'ouvre une salle aménagée dans le roc, de
6 mètres de largeur, 8,50 m de longueur et
6 mètres de haut. Deux fosses sont creusées

*Cette gravure ancienne représente l'intérieur de la
salle circulaire telle qu'elle était lorsque Edward
Dodwell la visita vers 1805. La coupole est
sérieusement endommagée et la porte de la chambre
sépulcrale, à gauche, est presque entièrement
obturée par des amas de terre.*

dans le sol pour recevoir les dépouilles royales.
Car on ne peut douter qu'une tombe aussi
monumentale n'ait été destinée à un souverain
puissant et opulent. Était-ce Atrée ou Agamemnon dont les Grecs ont conservé le souvenir ? Nous ne le saurons jamais. Était-ce la
sépulture d'une famille ? Mais alors comment
expliquer la présence des huit autres tombes à
tholos moins belles et moins importantes mais

tion. Nous savons seulement que les premières
tombes à *tholos* apparaissent en Grèce tout au
début du XVIe siècle av. J.-C. et qu'elles ont
continué d'être construites, ou tout au moins
utilisées, jusqu'au milieu du XIIIe siècle. Ce
laps de temps correspond à la grande période
d'expansion de la civilisation mycénienne, qui
florissait dans la majeure partie de la Grèce et
débordait jusqu'en Sicile à l'occident et en
Syrie vers le levant. Ainsi les navigateurs
mycéniens drainaient-ils les richesses d'une
grande partie du monde méditerranéen. Ce
qui explique la puissance économique et les
moyens dont disposaient les souverains de
Mycènes pour édifier de pareilles tombes.

GUY RACHET

Les informations qui nous parviennent, depuis une quinzaine d'années, sur le tombeau de Qin Shi Huangdi, le fondateur de la Chine impériale à la fin du IIIe siècle avant notre ère, ne cessent de nous étonner. Plus que d'un tombeau, il s'agit d'un complexe funéraire digne des plus grandes réalisations de l'humanité. En effet, le seul volume du tumulus dépasse d'un tiers celui de la plus grande pyramide de l'Égypte pharaonique. Néanmoins, la volonté d'inscrire le mausolée dans le paysage tend à le confondre avec l'œuvre de la nature. Cette particularité apparaît comme l'un des traits les plus marquants de la civilisation chinoise. Elle souligne le caractère double de toute création, qui est à la fois affirmation d'une intention humaine face à la nature et vénération de ses rythmes profonds. Cette remarque s'applique sans exception à toute œuvre, quelle que soit sa matérialisation, qu'il s'agisse de l'architecture cyclopéenne de la Grande Muraille ou de la plus modeste peinture de paysage des Song.

L'histoire écrite en Chine nous préparait déjà à recevoir cette découverte — la plus grande trouvaille archéologique du XXe siècle. Deux historiens des Han (206 av. J.-C.-220 apr. J.-C.), Sima Qian et Ban Gu, nous ont légué le récit de cet événement. Ainsi apprenons-nous que l'empereur mourut en 210 av. J.-C., alors qu'il était en voyage au Hebei, mais que son décès ne fut pas annoncé immédiatement, probablement par crainte d'émeutes. Quand l'enterrement eut finalement lieu, il fut conduit en grande pompe par son fils. La bière fut inhumée dans le vaste

Le prince de Qin, le futur Shi Huangdi, lorsqu'il accéda au pouvoir, commença par absorber tous ses voisins les uns après les autres « comme un ver à soie dévorant une feuille de mûrier », selon l'expression de Sima Qian. En 221 av. J.-C., la Chine, entièrement conquise, unifiée sous son autorité, il prend le titre de huangdi *(empereur).*

LE TOMBEAU DE QIN SHI HUANGDI
Royaume souterrain du premier empereur de Chine

L'avant-garde de cette armée de fantassins a été découverte en mars 1974. Elle se trouve dans la fosse n° 1, dont la plus grande partie n'a pas encore été fouillée. Des sondages ont permis d'en dresser un plan d'ensemble. Il s'agit d'une vaste salle divisée en onze travées est-ouest de 200 m de long avec, aux deux extrémités, une galerie orientée nord-sud longue de 60 m. Chaque travée revêt l'aspect d'un couloir, haut de plus de 3 m et large d'autant. Les murs sont en terre damée, le sol pavé, et le plafond était constitué à l'origine de grosses poutres. La salle contient sans doute 6000 statues alignées sur quatre colonnes en ordre de marche.
Les recherches ont montré que le plafond s'était effondré à la suite d'un incendie (provoqué peut-être par l'armée rebelle de Xiang Yu?). C'est pourquoi la plupart des statues ont été retrouvées brisées.

complexe funéraire entrepris dès 246 et sans doute hâtivement terminé. Sima Qian est celui qui nous livre la narration la plus détaillée. Il écrit que, après l'unification de l'empire en 221, « ce sont plus de sept cent mille ouvriers ayant subi le supplice de la castration qui furent requis pour la construction. Au cours des travaux, ils rencontrèrent trois rivières souterraines. Ils coulèrent du bronze pour l'enveloppe extérieure du cercueil. Dans la chambre mortuaire, on accumula des modèles en terre cuite de palais, de tours et d'édifices publics, ainsi qu'un grand nombre de vases somptueux, de pierres rares, d'objets extraordinaires. Des artisans reçurent l'ordre d'installer des arbalètes à déclenchement automatique afin de mettre à mort les pilleurs de tombeaux. Ils gravèrent une carte de l'empire avec les grands cours d'eau, qui, réalisés en mercure, étaient mis en circulation au moyen d'une machinerie. Au plafond étaient représentés les corps célestes. Ils installèrent aussi des lampes à huile de phoque, capables de brûler très longtemps... Le Second Empereur, fils de Qin Shi Huangdi, ordonna aussi que toutes les concubines de son père qui n'avaient pas eu d'enfants le suivraient dans la tombe. Après qu'elles eurent été ensevelies vivantes, on décida également d'enfermer les artisans qui avaient travaillé à la construction du tombeau pour que ses secrets ne soient jamais révélés. On scella donc les trésors, puis on verrouilla toutes les portes. Par la suite, on planta des arbres et de l'herbe au-dessus du mausolée, afin de lui donner l'aspect d'une

colline ». C'est ainsi qu'il apparut aux premiers explorateurs européens au début du siècle. Aujourd'hui encore, le mont Li, situé à 25 kilomètres à l'est de Xi'an, près de la petite ville de Lintong, est un vaste cône aplati d'environ 50 mètres d'élévation pour un diamètre de 350. Il était à l'origine entouré d'un double rempart. L'enceinte intérieure mesure 685 mètres dans le sens nord-sud et 574 dans le sens est-ouest. Quant à l'enceinte extérieure, son plan diffère : elle apparaît nettement rectangulaire, s'étendant sur plus de 2 kilomètres du nord au sud et sur un peu moins de 1 kilomètre de l'est à l'ouest. Encore très récemment, on était porté à croire que les aménagements du tombeau se limitaient à ces 2 kilomètres carrés, les quelques découvertes fortuites des années 60 semblant confirmer

cette hypothèse. Pourtant, en mars 1974, à près de 1,5 km de l'enceinte extérieure, des paysans creusant un puits découvrirent une première fosse contenant des statues d'argile grandeur nature. Puis, bientôt, c'est toute une armée de 6000 hommes en ordre de marche qui fut repérée et progressivement mise au jour. En 1977, au nord du tumulus, un nouveau site fut reconnu. Il doit s'agir d'un ensemble de bâtiments qui furent élevés pour le culte funéraire. Bien qu'il soit encore trop tôt pour interpréter ces vestiges, il paraît vraisemblable qu'ils étaient destinés au personnel religieux et à la maintenance du mausolée. La découverte, en 1981, d'un palais à proximité de l'armée en terre cuite contredit le texte de l'historien Ban

Cet arbalétrier revêtu d'une cuirasse, représenté accroupi, a été modelé, comme l'ensemble de l'armée, dans une terre grisâtre. À l'origine, officiers et soldats étaient peints de couleurs vives dont les traces demeurées visibles sur les statues ont permis la reconstitution (dessins ci-dessus). La tête très droite, tandis que le tronc pivote légèrement, l'homme semble regarder au loin. Un arc a été trouvé près de lui, et l'on peut imaginer qu'il saisissait le bois de la main gauche d'après la position des doigts, tous refermés à l'exception du pouce qui s'écarte comme pour prendre appui sur la corde tendue. Le réalisme de l'attitude donne à cette œuvre toute sa force et sa beauté.

Gu, qui parle d'un terrible incendie qui aurait tout anéanti. Une enceinte de 460 mètres par 400, avec ses murs en terre damée, subsiste, intacte. Cinq tunnels permettent d'y accéder. Le mur extérieur, flanqué aux angles de tours de guet, est percé de quatre portes, tandis que l'enceinte intérieure en comporte six. Autour, on a relevé beaucoup de fosses sacrificielles remplies de chevaux et d'animaux rares, notamment des oiseaux, ainsi qu'un groupe d'une centaine de tombes consacrées aux ouvriers bâtisseurs et portant, inscrits sur des plaques de terre cuite, leur identité et leur métier. Une forte teneur en mercure a été relevée sur une surface d'environ 12000 mètres carrés dont la disposition géométrique évoque incontestablement le plan intérieur d'un palais.

La paire de chars en bronze exhumée au milieu de squelettes de chevaux s'avère désormais être l'une des plus grandes fontes métalliques de l'Antiquité chinoise. Les quadriges mesurent 2,88 m de longueur et sont hauts de 1,07 m. Chaque équipage présente quatre chevaux à l'arrêt, attelés de front et tirant un char muni d'un dais, conduit par un cocher. Tous les chevaux portent un harnachement réel ; la caisse du char est figurée avec ses roues à essieux, ses portes mobiles et son toit à armature métallique. Chaque conducteur tient les rênes avec fermeté, et son regard semble se porter au loin. La maîtrise plastique de ces œuvres qui sont d'une grande vigueur fait écho au célèbre Aurige de Delphes, partageant avec ce dernier une égale intensité d'expression.

De toutes ces découvertes, la plus impressionnante reste l'armée en terre cuite. Le gisement comporte quatre fosses numérotées de 1 à 4. La fosse n° 1 abrite une unité d'infanterie ; la fosse n° 2 une formation de chars et de cavalerie appuyée par des fantassins ; la fosse n° 3 paraît être le quartier général ; la fosse n° 4 est vide. La charrerie est en tête, l'infanterie suit, tandis que des éléments de cavalerie viennent appuyer latéralement l'action des chars. La cavalerie, envisagée ici comme une véritable force de combat, constitue une nouveauté par rapport aux traditions militaires chinoises. Cette nouvelle disposition des armées est due à l'assimilation des techniques équestres des nomades. Quant aux chars, leur nombre est en diminution par rapport aux conceptions antiques. Au char, véhicule de combat du prince, est substituée la cavalerie. Les conflits armés cessent, avec Qin Shi Huangdi, d'être des joutes d'aristocrates pour devenir d'impitoyables mêlées. La prépondérance de la cavalerie était une donnée reconnue pour la période postérieure, celle des Han (206 av. J.-C. - 221 apr. J.-C.), mais on ne soupçonnait pas, avant la découverte de ces fosses, l'importance qu'elle revêtait déjà sous les Qin.

La fosse n° 1, longue de 210 mètres et large de 60, est la plus grande. Elle fut découverte en 1974 et transformée en musée à partir de 1977. Les trois autres fosses ont été dégagées sur leur face est. Peut-être existe-t-il à chaque orient des armées comparables ? Quoi qu'il en soit, l'ensemble actuel est impressionnant, avec ses onze couloirs parallèles de 200 mètres de long reliés aux extrémités par des galeries orientées nord-sud.

Construit en terre damée, avec des piliers en bois portant les poutres du plafond, il comprend neuf couloirs mesurant 3 mètres de large et deux couloirs plus étroits de 2 mètres seulement, à l'extérieur. Tous ces couloirs sont carrelés de dalles jointives. Au-dessus du plafond, pour éviter les infiltrations, furent disposées plusieurs couches d'argile alternant avec des nattes végétales.

Le plan au sol s'explique par le souci de disposer ces 6000 statues à la façon d'une armée en ordre de bataille. Depuis que durent les fouilles, un tiers à peine de cette troupe a été dégagé.

Sépultures dynastiques en Chine

Le soin apporté à l'inhumation des morts en Chine remonte au néolithique. Il se manifeste, comme souvent, par des dépôts d'offrandes. Un peu plus tard, au cours du IIIᵉ millénaire, on assiste à une transformation des types de sépultures, reflet d'un début de hiérarchisation sociale : certaines tombes comportent des chambres funéraires en bois avec un important mobilier. Mais il faut attendre la fin des Shang pour voir apparaître de vastes ensembles funéraires.

Le cimetière royal de Xibeigang à Anyang, la capitale Yin (XIVᵉ-XIᵉ siècle av. J.-C.), au Henan, offre de véritables mausolées souterrains présentant un plan en forme de croix, au centre duquel gît la dépouille du souverain. Cette sorte d'architecture en creux est orientée et axialisée. Des plans inclinés en terre damée conduisent au caveau en bois. Le long de ces rampes d'accès et autour du défunt est inhumée sa suite, exécutée au moment des obsèques de ce dernier. Des objets personnels, et notamment de précieux vases rituels en bronze, sont disposés dans le caveau.

Au Xᵉ siècle, les Zhou héritent des mœurs Shang-Yin ; mais à partir du Vᵉ siècle avant notre ère, on assiste à la désintégration du pouvoir central au profit de petits princes ambitieux qui vont s'affronter en des luttes incessantes. Les potentats rivalisent de prestige, programmant pour l'au-delà de fastueuses demeures, telles celles exhumées au Henan, et qui appartenaient aux souverains de Zhongshan. Désormais, l'ensemble souterrain se double d'une partie aérienne aussi prestigieuse, révélant le besoin d'ostentation de ces monarques. Mais le complexe funéraire le plus célèbre reste celui du Premier Empereur.

Sous les Han, aux alentours de notre ère, les projets deviennent moins démesurés mais plus raffinés. Parfois, les proches de la famille impériale portent des linceuls de jade comme parure pour la vie future. Plus d'une vingtaine ont été exhumés au cours de ces trente dernières années.

Mais, surtout, un bouleversement se produit dans le domaine de l'architecture. On abandonne les caveaux en bois pour les chambres en brique, qui sera désormais le revêtement classique. Ces parois sont décorées de scènes vivantes évoquant souvent la carrière du défunt. Sous les Sui (580-618), et surtout sous les Tang (618-907), les murs des chambres funéraires seront l'occasion pour les peintres d'improviser de vastes compositions se déployant dans un milieu naturel : chasses, jeux, cortèges princiers. De nombreuses statuettes en céramique aux tons éclatants complètent ces évocations. Dans

l'art des Song (960-1279), puis des Yuan (1271-1368), aux thèmes aristocratiques succèdent des représentations plus populaires mises en page très souvent dans une architecture en trompe-l'œil.

Les Ming (1368-1644) et les Qing (1644-1911) vont se démarquer des principes instaurés par les Tang en créant de vastes complexes funéraires destinés aux empereurs. Un axe principal commande ces ensembles, le *shendao*, le long duquel se déploie un cortège de grandes statues monolithiques qui semblent figées pour l'éternité. Une série de monuments rituels scande ensuite cette voie. Des ponts, des portes, des temples marquent ce cheminement, qui aboutit aux différents tumulus impériaux.

C'est là qu'est disposée la stèle gravée au nom de l'ancêtre. Le mort ainsi n'est plus un mort mais devient un ancêtre auquel on voue un culte.

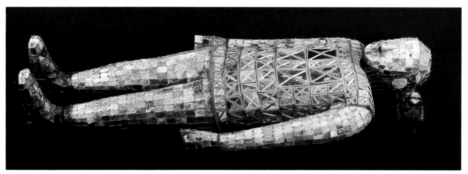

Linceul de la princesse Dou Wan, l'une des belles-sœurs de l'empereur Wudi, décédée au cours du IIᵉ s. avant notre ère. Le linceul de jade représente la parure ultime du défunt et, à ce titre, la plus précieuse, ses vertus magiques devant contribuer à la métamorphose du corps.

La fosse nᵒ 1 renferme une troupe d'infanterie avec ses éléments d'appui. Le gros en est constitué par plusieurs milliers de fantassins disposés en rangs par quatre dans les allées centrales et par deux le long des travées extérieures. Ces fantassins portent une cuirasse, et l'on distingue les officiers à leur coiffure. Alignés sur trois rangs et en avant-garde, les archers et les arbalétriers, sans armure, forment de petites unités mobiles appuyées par une véritable « artillerie » lourde constituée de chars de combat. Ces derniers sont tirés par quatre chevaux et transportent généralement deux hommes, un conducteur et un combattant armé d'une lance flexible pour écarter l'ennemi. Quelques chars, destinés au commandement, sont munis d'une cloche et d'un tambour pour transmettre les ordres et montés par des officiers.

Identifiable à sa coiffure et à ses galons, cet officier, commandant de l'avant-garde, est la plus haute figure exhumée à ce jour : sa taille atteint 1,96 m. La cuirasse est faite de lamelles articulées maintenues par des rivets. Son uniforme est complété par des braies et des chaussures à bouts relevés. Il s'agit d'un vêtement conçu pour le combat et protégeant le corps tout en lui laissant le maximum de liberté de mouvement plutôt que d'une tenue de parade.

Soldats et officiers sont modelés dans la même terre grise cuite à feu relativement puissant — vers 1 000 degrés après dégourdissage. Ces milliers de sculptures ont été réalisées sur place. Chaque pièce mesure environ 1,80 m et est constituée de deux couches d'argile. La première couche a une épaisseur qui varie de 3 à 10 centimètres. Il s'agit d'un matériau formé de grosses molécules qui a pour but d'assurer la structure de l'ensemble. Il est moulé la plupart du temps à l'aide de modules bivalves.

Certaines parties sont pleines, notamment le bas ; d'autres sont creuses, comme les sections supérieures des membres et le tronc. La seconde couche est posée en surface et son épaisseur n'excède pas 3 centimètres. Cette argile fine et bien épurée sert à l'assemblage et à la finition. Elle est modelée à la main et permet le polissage. Quelquefois, on ajoute des accents nerveux à l'aide d'un ciseau. L'ensemble était peint de couleurs vives posées à froid après cuisson. À cet effet, l'artisan disposait de nombreux pigments : blanc, noir, jaune, bleu, vert, rouge et violet.

L'extrême variété des œuvres, la vie intense qui en émane, l'humanisme qui s'en dégage font de cet ensemble la plus grande galerie de portraits de toute l'Antiquité.

JEAN-PAUL DESROCHES

PALENQUE

Au cœur de l'ancienne cité maya, le tombeau du roi-prêtre livre son secret

La cité maya de Palenque — dont nous ignorons le nom dans le langage autochtone — s'élève sur les contreforts des montagnes du Chiapas, dominant la plaine du Tabasco qui s'étend jusqu'au golfe du Mexique. Marginale, elle veillait à la frontière du monde maya. Le style de son architecture, de sa sculpture, s'apparente à celui des villes anciennes de la vallée de l'Usumacinta, telles que Yaxchilán et Piedras Negras, mais non sans certaines particularités : Palenque a été la capitale de l'art du stuc, qui y a été poussé au plus haut degré de perfection. Un dosage subtil de force et de grâce caractérise les panneaux de stuc, les bas-reliefs, les dalles sculptées comme le *Tablero* du Palais avec ses 262 élégants hiéroglyphes. Enfin, c'est à Palenque qu'a été découvert ce chef-d'œuvre unique : le tombeau royal du temple des Inscriptions.

Palenque semble n'avoir été pendant les premiers siècles de l'époque classique qu'une bourgade d'importance moyenne. C'est seulement à partir du VIᵉ siècle qu'elle s'éveille et devient pour deux cents ans un foyer rayonnant d'un exceptionnel éclat. Peut-être cet élan fut-il imprimé à la cité-État par une série de souverains dont le premier, Chaacal, régna de 501 à 524 de notre ère.

À son apogée, la ville occupait une superficie de l'ordre de 15 kilomètres carrés. Telle que nous la voyons aujourd'hui, elle est adossée aux collines que recouvre une forêt tropicale riche en lianes et en fleurs, peuplée d'oiseaux multicolores et de singes. Son centre, qui fut certainement le cœur vivant de la cité, c'est le Palais, ensemble de bâtiments construits entre la fin du VIᵉ siècle et celle du IXᵉ sur une terrasse surélevée de 10 mètres, longue de 100 mètres sur 75 de large. Patios et corridors relient des salles oblongues, que surmonte une tour de trois étages haute de 15 mètres. À en juger par une dalle gravée d'une inscription, cette tour aurait été achevée en 782, époque tardive; sans doute la cité

Une des deux têtes en stuc trouvée en 1959 dans la crypte funéraire du temple des Inscriptions. Il s'agit d'un homme présentant les caractères de la noblesse de Palenque (crâne déprimé, arête du nez prolongée jusqu'au milieu du front), portant une coiffure très élaborée et un panache de plumes. On ne sait pas qui elle représente ; selon une des hypothèses, il pourrait s'agir du défunt : Pacal.

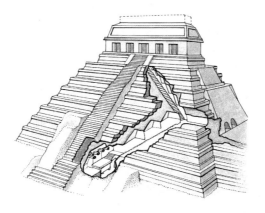

Le temple des Inscriptions, érigé au sommet de la plus haute des pyramides de Palenque (22 m), doit son nom aux 620 caractères hiéroglyphiques qui sont gravés sur la paroi postérieure du sanctuaire. Il s'ouvre en façade par 5 portes et ne comporte qu'une grande salle au centre de laquelle une dalle mobile fermait l'entrée de l'escalier permettant de descendre au tombeau royal.

Perspective éclatée de la pyramide montrant l'escalier qui conduit à la crypte. Longue de 9 m, large de 4, sa voûte renforcée par de massives entretoises en pierre s'élève à 7 m. Elle a été creusée en 682 avant la construction de la pyramide.

ressentait-elle déjà la pression des peuples non-mayas de la côte qui devaient la submerger plus tard, comme permettent de le penser les objets découverts dans certaines parties du Palais : pierres sculptées dans le style propre aux cultures de la région de Veracruz et du Tabasco. Il s'agissait certainement d'une tour de guet, dont on n'observe nulle part l'analogue en pays maya.

Au pied des collines, trois tertres artificiels servent de socles aux temples de la Croix, de la Croix-Feuillue et du Soleil, sanctuaires bâtis au VIIᵉ siècle, qui contiennent quelques-uns des plus beaux bas-reliefs de l'art précolombien. La face extérieure des piliers qui encadrent l'entrée des temples, comme d'ailleurs celle des piliers du Palais, était décorée de magnifiques reliefs en stuc qui ont, malheureusement, subi les effets destructeurs de pluies diluviennes pendant plus de mille ans.

D'autres groupes d'édifices entourent ce centre religieux et administratif ; on les désigne sous des noms plus ou moins arbitraires : temple du Comte, groupe du Nord, temple de la Lune morte, sanctuaire du Beau Relief. La jungle avait tout recouvert jusqu'à ce que le labeur des archéologues la fît reculer. Une petite rivière, l'Otulum, traverse le site. Les architectes mayas l'avaient canalisée et couverte d'une voûte qui, sauf en un point, est encore intacte aujourd'hui.

Un peu à l'écart au sud-ouest du Palais s'élève le temple des Inscriptions, pyramide de 22 mètres de haut surmontée d'un édifice s'ouvrant par 5 travées sur un escalier de 69 marches. Contrairement aux pyramides très élancées de Tikal, celle-ci est massive, son escalier beaucoup moins abrupt que ceux de la grande cité du Petén. Le sanctuaire ne contient qu'une seule salle, dont le panneau du fond porte une inscription faite de 620 caractères hiéroglyphiques.

Ce temple était connu depuis les premières explorations faites à Palenque, dès la fin du XVIIIᵉ et le début du XIXᵉ siècle, et nombreux ont été depuis lors les archéologues nord-américains, européens et mexicains qui ont débroussaillé, dégagé, consolidé les monuments. En 1925, Frans Blom dormit, au sommet de la pyramide des Inscriptions, sur une dalle située au milieu de la salle dans l'axe de la travée centrale du temple. Vingt-quatre ans plus tard, en 1949, l'archéologue mexicain Alberto Ruz Lhuillier, observant cette même dalle, remarqua qu'elle était percée aux quatre coins d'orifices circulaires obturés par des bouchons en pierre très étroitement ajustés. Ayant fait ôter ces bouchons et passer des cordes dans les trous de la dalle, et celle-ci ayant été soulevée, il vit apparaître les premières marches d'un escalier qui s'enfonçait dans le corps même de la pyramide.

L'escalier voûté aménagé dans le corps de la pyramide du temple des Inscriptions et menant à la chambre funéraire. Il fut découvert fortuitement en 1949. Il était comblé par des pierres et 3 ans de travaux furent nécessaires pour le dégager et aboutir à la crypte où reposait le défunt.

La découverte de Palenque

Abandonnée par les anciens Mayas dès le IXᵉ siècle, la cité de Palenque est restée oubliée jusqu'au milieu du XVIIIᵉ siècle. Vers 1750, des voyageurs espagnols signalèrent des ruines, qu'ils avaient découvertes par hasard. Le capitaine Antonio Del Rio fut chargé par le roi d'Espagne, en 1787, d'explorer ce qu'on appelait alors « las casas de piedra » (les maisons de pierre). Du 3 mai au 27 juin, Del Rio dégagea quelques monuments et rédigea un rapport superficiel et entaché de nombreuses erreurs. Celui-ci ne fut publié qu'en 1822, après qu'un certain Dr. Cabrera y ait ajouté ses élucubrations. Cet « érudit » ne voyait à Palenque que sculptures égyptiennes et même romaines, témoignages de cultes à Osiris et à Mercure !

La première découverte sérieuse est due à un officier autrichien d'origine française, au service de l'Espagne, le capitaine Guillermo Dupaix. En 1805, le Mexique était encore colonie espagnole, quand le roi Charles IV chargea Dupaix de rechercher les antiquités mexicaines. Assisté d'un excellent dessinateur, Luciano Castañeda, Dupaix consacra trois années à étudier les vestiges antiques de la vallée de Mexico, de Tlaxcala, d'Oaxaca et finalement de Palenque. Ayant quitté Mexico en décembre 1807, il séjourna à Palenque jusqu'au milieu de l'année suivante, observant méthodiquement et faisant dessiner par Castañeda les monuments et les sculptures, en particulier le sanctuaire et les bas-reliefs en stuc de la façade du temple des Inscriptions que Dupaix appelle « de las Lajas » (des dalles) par allusion aux panneaux de pierre sur lesquels sont gravés les textes hiéroglyphiques. Mais textes et dessins disparurent dans la tempête révolutionnaire qui aboutit à l'indépendance du Mexique.

Plus tard, en 1840, l'Américain John L. Stephens, accompagné du dessinateur anglais Catherwood, explore à son tour le site. C'est à Catherwood que l'on doit la première transcription des hiéroglyphes du temple des Inscriptions, dont certains sont aujourd'hui effacés. Les résultats de leurs recherches ne seront publiés qu'en 1855. Or, en 1830, un chercheur français, Henri Baradère, ayant retrouvé les documents de Dupaix, obtint du gouvernement mexicain l'autorisation de les publier. Quatorze années s'écoulèrent encore avant la parution des deux magnifiques volumes intitulés *Antiquités mexicaines* (chez Firmin Didot), qui contiennent, avec les textes de Dupaix et les dessins de Castañeda, de savantes dissertations et des considérations poétiques de divers auteurs, dont le baron de Humboldt et le vicomte de Chateaubriand. C'est par cette publication que la cité maya de Palenque a réellement fait son entrée dans l'histoire mondiale.

Dessin paru dans le livre de John L. Stephens et représentant la pyramide des Inscriptions vers 1840. La végétation a tout envahi, les racines font éclater les murs. En comparant l'état des lieux avec des photos récentes on mesure l'ampleur du travail réalisé par les archéologues depuis plus d'un siècle.

La pyramide, donc, était creuse ! Qu'allait-on découvrir dans ses profondeurs ? L'escalier avait été comblé de pierres et de gravats. Il fallut une saison de travaux, dans l'ombre étouffante et dans l'humidité ruisselant des voûtes, pour dégager 21 marches. En 1951, on retrouva 13 marches et une galerie d'aération qui aboutissait au flanc ouest du monument. En 1952, à 2 mètres sous le niveau du sol, donc à 24 mètres au-dessous de la plate-forme du temple, Ruz entra dans le couloir horizontal qui conduisait d'abord à une sorte d'antichambre, où gisaient les ossements de 6 jeunes gens (dont probablement une femme), puis, après avoir déplacé une dalle triangulaire, à la crypte dont la pyramide et le sanctuaire n'étaient que les majestueux gardiens. Extraordinaire vision ! Les faisceaux des lampes électriques dissipaient les ténèbres de la chambre mortuaire fermée depuis treize siècles.

Dans la crypte, la dalle recouvrant le sarcophage. Longue de 3,8 m, large de 2,20 m, épaisse de 0,25 m et pesant 8 t, cette pierre tombale est ornée de très beaux reliefs représentant entre autres le monde terrestre, l'arbre de vie et le défunt.

La crypte, longue de 9 mètres et large de 4, sous une voûte de 7 mètres de hauteur renforcée par d'épaisses poutres en pierre brune, est presque entièrement occupée par le sarcophage que recouvrait une lourde dalle entièrement sculptée. Sur les murs que les infiltrations, pendant plus d'un millénaire, ont revêtus d'une couche de calcaire translucide, 9 personnages en reliefs de stuc, somptueusement ornés, avec leurs panaches et leurs robes brodées, montent la garde : neuf, c'est le chiffre du monde souterrain, celui des dieux de la nuit et de la mort. Quand on souleva la dalle, on s'aperçut que le sarcophage était scellé par un couvercle de pierre de forme ovale. Enfin apparut le squelette de l'homme à qui la cité avait rendu cet éclatant hommage : un masque fait d'environ 200 pièces de jade, de nacre et d'obsidienne avait été posé sur son visage ; ses bijoux de jade, une statuette du dieu solaire l'accompagnaient dans son dernier repos.

Le bas-relief qui couvre le sarcophage d'une dentelle de pierre est un des plus brillants chefs-d'œuvre de l'art précolombien, peut-être même de la sculpture mondiale. Il résume avec force et élégance les croyances des anciens Mayas relatives à la vie, à la mort, à l'au-delà.

Au centre de la dalle, un homme richement vêtu, orné de plumes et de bijoux, est saisi pour ainsi dire au moment où il se renverse en arrière, où il entre dans la mort. Au-dessous de lui, un masque complexe, avec des traits squelettiques, symbolise le soleil de l'Inframonde, le séjour souterrain des Neuf Dieux. Surgissant comme du corps même du défunt, l'arbre sacré *ceiba,* arbre de la vie, s'élève vers le ciel ; au sommet est posé un oiseau dont les plumes évoquent le merveilleux *quetzal* des forêts tropicales, mais dont la tête est celle du dieu à long nez (que nous appelons « Dieu K » faute de mieux), divinité protectrice des souverains et symbole du pouvoir.

Comme les sculpteurs de nos cathédrales, l'artiste de Palenque a su rassembler en un tableau admirablement équilibré ce qu'on pourrait qualifier de credo maya. Mais les autres parties de la dalle, le pourtour du bas-relief et le rebord de la pierre, puis le sarcophage lui-même, servent de support à des bas-reliefs — portraits de personnages — et à de nombreux glyphes. Si l'on laisse de côté les signes qui se réfèrent aux corps célestes — la Lune, Vénus, l'Étoile polaire —, on trouve essentiellement retracée ici une histoire dynastique : les portraits et les inscriptions concernent les ancêtres du défunt.

Que savons-nous, d'abord, de ce défunt lui-même ? Il portait le nom de Pacal, « bouclier », écrit avec un préfixe *Kin*, « Soleil » : « bouclier du Soleil ». On ne peut douter qu'il n'ait marqué profondément son époque, ne serait-ce que par la durée de son règne, probablement aussi parce qu'il sut porter très haut le prestige et la puissance de son État. Né en 603, il n'avait que douze ans quand il fut porté au pouvoir. Les inscriptions déchiffrées jusqu'à présent nous révèlent une situation qui semble exceptionnelle : c'est sa mère, Quetzalbrillant, qui détenait le pouvoir, peut-être une sorte de régence, et qui l'introduisa quand il eut douze ans révolus. Nous connaissons le nom de son père, Jaguar-Ara, mort en 642, mais dont la date de naissance n'est pas mentionnée, peut-être parce que c'était un étranger, ce qui expliquerait aussi qu'il n'ait pas eu accès au pouvoir suprême. Quoi qu'il en soit, le jeune Pacal dut probablement exercer ses fonctions sous le contrôle de la reine mère jusqu'à la mort de celle-ci en 640. Il avait alors trente-sept ans ; il devait mourir en 683 à l'âge de quatre-vingts ans.

Le temple des Inscriptions, sanctuaire et mausolée, est véritablement le haut lieu de la dynastie. Sur les quatre faces du sarcophage figurent dix bas-reliefs qui représentent les prédécesseurs et les parents de Pacal (ayant régné ou non) depuis le premier quart du

Les pyramides précolombiennes

La pyramide s'impose comme élément caractéristique du paysage mexicain. Le rapprochement avec l'Égypte surgit irrésistiblement : serait-ce de la vallée du Nil que les bâtisseurs de cités méso-américaines auraient reçu leur inspiration ? Certains auteurs ne vont-ils pas jusqu'à supposer que de hardis navigateurs égyptiens auraient pris pied sur les côtes du golfe du Mexique et suscité l'éclosion de la civilisation olmèque ?

Les pyramides des grands pharaons de la IVe à la VIe dynastie ont été édifiées presque 3 000 ans avant notre ère ; la première pyramide véritable du Mexique est celle de Teotihuacán, dite « du Soleil », dont la construction commença au Ier siècle av. J.-C., soit à peu près trois millénaires après celle de la pyramide de Chéops.

C'est en fait par erreur que l'on a qualifié de « pyramide » le monument qui domine le site olmèque de La Venta et dont la construction peut remonter aux environs du Xe siècle avant l'ère chrétienne. Les premiers explorateurs, tel Frans Blom, qui ont observé les vestiges olmèques de La Venta, n'ont vu qu'une masse confuse entièrement dissimulée sous une végétation luxuriante. Tout naturellement, ils ont conclu qu'il s'agissait d'une pyramide. En réalité, lorsque le défrichage complet du site en 1968 a permis de contempler cette structure, la prétendue « pyramide » s'est révélée être un cône pointu, irrégulier, sans escalier ni rampe, creusé de dix profonds sillons séparés par des nervures en saillie : un cône volcanique artificiel, semblable à ceux des montagnes de Las Tuxtlas, reconstitué sur cette île parmi les marécages. Haut de 34 m, ce vaste tumulus de terre et de pierres dont la masse est évaluée à 99 000 m³ est unique en son genre.

De même, le monument le plus ancien du plateau central, dit « pyramide », qui s'élève à Cuicuilco dans la banlieue de Mexico, et qui date de la période « pré-classique récente » (Ve-Ier siècle av. J.-C.), est un tumulus tronconique en terre, briques séchées au soleil *(adobe)* et pierres, s'achevant en plate-forme à 27 m au-dessus du sol. Toutefois, on peut y relever une particularité, qui sera par la suite propre à toutes les pyramides mexicaines : un escalier aménagé sur un des côtés permet d'accéder à la terrasse du sommet, où se trouvait probablement un sanctuaire en matériaux légers.

La pyramide mexicaine « vraie » présente les caractéristiques suivantes : plusieurs corps superposés, chacun en retrait par rapport à celui qui se trouve au-dessous de lui ; une plate-forme carrée ou rectangulaire au sommet ; sur cette plate-forme, un sanctuaire. La fonction évidente de ce type de monument est de servir de piédestal à un temple. Il se distingue en cela de la pyramide égyptienne, qui est destinée à contenir un tombeau. Toutefois, rarement il est vrai, la pyramide recouvre une sépulture : tel est le cas de celle dite « du Grand Prêtre » à Chichén-Itzá, du Temple I de Tikal et surtout de l'extraordinaire temple des Inscriptions construit à Palenque en 682 au-dessus de la crypte contenant le sarcophage du roi Pacal.

Les pyramides sont souvent entièrement pleines, formées de couches de pierres et d'un remplissage de terre et d'adobe, ce qui est le cas par exemple à Teotihuacán et à Tikal, mais on y trouve parfois des superpositions : des monuments plus anciens qui ont été purement et simplement recouverts, englobés, dans les pyramides. On peut citer comme exemples de cette technique la pyramide de Cholula, celle de Chichén-Itzá dite « El Castillo », qui recouvrait un sanctuaire solaire, celle de Tenayuca, où l'on retrouve six superpositions réalisées entre le XIIIe siècle et l'époque de la conquête espagnole.

Sous le vocable général de « pyramide » se trouvent regroupés des édifices très différents en ce qui concerne leurs formes et leurs dimensions. Alors que les sanctuaires des plates-formes terminales ont souvent disparu, comme c'est le cas par exemple à Teotihuacán et à Cholula, d'autres, construits en dur, ont subsisté comme à Tikal, à Palenque, à Teayo et à Quauhtochco (Veracruz), à Chichén-Itzá. La pyramide qui domine le site d'époque classique à El Tajín est la seule connue dont les flancs soient creusés de 364 niches. Celle de Tula, capitale toltèque (IXe-Xe siècle), était surmontée de colossales statues-caryatides représentant des guerriers. La plus haute pyramide du Yucatan, « el Adivino » à Uxmal, s'élève à 26 m ; celle de Tikal jusqu'à 75 m. La pyramide de Cholula, avec ses 62 m de hauteur et sa base couvrant 160 000 m², est le monument le plus colossal de l'Amérique et surpasse en volume la pyramide de Chéops.

La pyramide du Soleil à Teotihuacán (Ier s. av.J.-C.-Ier s. apr. J.-C.). Hauteur : 62 m. Volume : 840 000 m³.

Un des neuf dieux du monde souterrain, séjour des morts, représentés par des bas-reliefs en stuc sur les parois de la crypte. Il tient dans la main droite un bouclier solaire (allusion au nom du défunt Pacal : « Bouclier du Soleil ») et brandit dans la main gauche le sceptre à l'effigie du dieu K, symbole de la souveraineté.

VIᵉ siècle. De cette dynastie, le personnage le plus prestigieux à part Pacal lui-même fut sans doute sa mère, car elle est représentée deux fois sur les parois du sarcophage, et c'est elle aussi qui est figurée en stuc sur un des piliers de la façade, tenant un enfant dans ses bras. Bien que les effigies féminines soient assez fréquentes dans l'art maya classique — à Bonampak par exemple, de nobles dames luxueusement vêtues assistent, à côté des chefs de guerre, au jugement des prisonniers —, et bien qu'un préfixe féminin soit souvent combiné avec des hiéroglyphes correspondant à des noms propres dans les inscriptions, l'importance conférée, à Palenque, à « Madame Quetzal-brillant » est exceptionnelle.

La représentation d'enfants en bas âge, de bébés tenus dans les bras d'un adulte, est un des motifs caractéristiques de l'art olmèque tel qu'il s'est développé entre 1000 et 400 avant notre ère dans la région côtière du golfe du Mexique. Mais l'enfant dont il s'agit est un être bien particulier et étrange, avec des traits de félin, une sorte de « bébé jaguar » : il s'agit sans doute d'un dieu, de l'incarnation d'une divinité, surtout si l'on tient compte de la présence presque obsédante du masque du jaguar dans l'art de cette civilisation ancienne. Ici, comme à Bonampak d'ailleurs, l'iconographie n'est pas mythique, religieuse, mais historique et dynastique. Ce n'est plus l'Enfant-Dieu, mais l'Enfant-Roi. Plus nous avançons dans le labyrinthe des hiéroglyphes, plus s'impose avec force la notion du pouvoir souverain à la tête de la cité.

Il est vrai que ce pouvoir est pour ainsi dire nimbé de religion. Pacal fut probablement à la fois grand roi et grand prêtre. Ce n'est pas par hasard que son tombeau recélait une belle statuette de jade représentant le Soleil. *Ah*

Kin, « celui du Soleil » en maya, c'est le prêtre. Le préfixe solaire est combiné avec le glyphe de son nom. Alors que les splendides bas-reliefs de la cité de Yaxchilán, sur l'Usumacinta, nous montrent des souverains belliqueux, armés, dans des attitudes guerrières — par exemple saisissant un ennemi par une mèche de cheveux, symbole méso-américain de la capture — à Palenque le grand Pacal est représenté dans sa majesté toute pacifique : sur le panneau qui occupe le fond du temple de la Croix, on le voit vêtu comme un prêtre remettre à son fils un emblème du pouvoir.

Le panneau central du sanctuaire de la Croix-Feuillue montre également Pacal associé à l'arbre de vie dont les deux branches se terminent en épis de maïs à visage humain, tandis que le tronc est marqué d'une figuration solaire. De même, Pacal et son fils apparaissent, dans le temple du Soleil, de part et

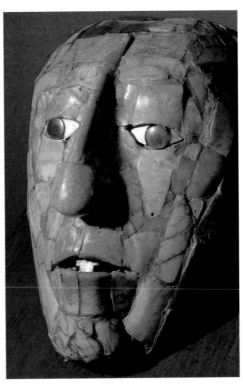

Masque de jade trouvé en 1952 dans le sarcophage. Composé d'environ 200 pièces de jade, il a sans doute été réalisé aussitôt après la mort de Pacal par application de plaquettes de jade sur le visage du défunt enduit de stuc. Il était exposé au musée d'Anthropologie de Mexico, où il a été volé en décembre 1985 ainsi que 140 autres objets.

d'autre d'un disque solaire en forme de bouclier. Ainsi, thèmes religieux et dynastiques s'enchevêtrent. Il en est de même au Palais, où une sculpture, le « Panneau ovale », demeurée en place derrière un siège d'apparat, sorte de trône, représente la mère de Pacal au moment où elle lui remet solennellement une coiffure ornée de plaquettes de jade et surmontée d'un panache de plumes.

La Pyramide des Inscriptions et sa crypte présentent un trait de construction original, unique dans le monde maya : c'est ce qu'on

pourrait appeler un *psychoduc* par analogie avec un aqueduc ou un oléoduc. Il s'agit d'un tuyau en stuc qui, serpentant au long de l'escalier intérieur, reliait la crypte à la plate-forme supérieure. Quel pouvait être l'usage de ce singulier conduit? Peut-être permettait-il aux prêtres de « capter » les oracles que Pacal était censé leur dicter de son séjour souterrain. Cela implique, évidemment, une conception de la vie dans l'au-delà symbolisée à la fois par les sculptures de la dalle du sarcophage et par les Neuf Dieux de l'Inframonde qui veillaient silencieusement sur le tombeau.

Deux très belles têtes en stuc, de taille naturelle, avaient été placées, au moment des funérailles, près du sarcophage. Il s'agit probablement de deux portraits. L'une des têtes est celle d'un homme jeune, aux traits fins, dont les cheveux sont coiffés en courtes mèches bien séparées. L'autre représente le visage d'un homme mûr, à la coiffure très élaborée : fleurs, coquillages surmontés d'un panache. Ces deux personnages se conforment au style aristocratique de Palenque, avec leurs lèvres minces, leur nez proéminent qu'une sorte d'arête prolonge jusqu'au milieu du front, une expression d'élégante sérénité. Qu'il y ait entre eux comme un « air de famille » est assez évident. Faut-il en conclure que ces deux têtes représentent Pacal lui-même et un de ses fils? L'absence de tout hiéroglyphe sur ces sculptures n'en facilite pas l'interprétation. On peut, naturellement, comparer la tête à panache avec le visage de Pacal tel qu'il est figuré sur la dalle du sarcophage, puisque l'on peut être certain que ce bas-relief est bien le portrait du souverain défunt. La ressemblance est très impressionnante. Mais s'agit-il vraiment de traits individuels? Ou bien n'a-t-on pas voulu seulement reproduire les caractères idéalisés de la caste sacerdotale dirigeante? Pourquoi, d'autre part, aurait-on juxtaposé au sarcophage une image de Pacal et celle d'un autre personnage plus jeune, voire, comme le supposent certains archéologues, celle de Pacal jeune et de Pacal dans la force de l'âge?

Une autre hypothèse consiste à supposer que les deux personnages représentés sont des morts — ils semblent bien, en effet, avoir les yeux fermés — et qu'ils symbolisent un double sacrifice humain offert au souverain dans sa sépulture. Mais les squelettes trouvés dans le corridor qui conduit à la crypte ne sont-ils pas la preuve que des sacrifices humains, réels et non symboliques, ont bien eu lieu lors de l'enterrement de Pacal? Dès lors, pourquoi un pseudo-sacrifice dont les têtes en stuc sont l'emblème?

Il faut bien admettre que la raison de la présence de ces deux têtes en stuc nous échappe. Ce qui n'empêche pas d'admirer leur étonnante beauté plastique.

Le tombeau de la Pyramide des Inscriptions marque, en cette année 682 de notre ère, le point culminant d'une civilisation qui a su allier dans son art, à un degré rarement atteint, la majesté et la grâce, la puissance et l'élégance.

Jacques SOUSTELLE

'excès de louanges amène souvent la déception. Or il n'est guère de monuments qui n'aient été autant vantés que le Tadj Mahall d'Agra et aussi peu de gens qui aient été déçus en le voyant. Depuis des siècles, malgré quelques voix discordantes auxquelles on ne peut sérieusement se fier, écrivains, artistes, honnêtes hommes s'entendent à chanter sa beauté, et les Indiens eux-mêmes, actuellement si fermés aux merveilles de leur passé, s'accordent à se reconnaître en lui et se pressent en foule pour le visiter. Bref, le Tadj est souvent considéré comme un des chefs-d'œuvre les plus purs, par certains même comme le plus beau monument que la terre porte encore.

Je regarde sa photo. Et je doute. J'ai envie de m'écrier : Non, le Tadj Mahall ne mérite pas les titres qu'on lui donne! Puis je me souviens. Je me revois à Agra, envoûté, sous le charme, incapable, malgré le froid de l'hiver, la chaleur de l'été, de m'en aller et convaincu que nul n'a su dire à quel point ce monument était unique, irremplaçable. C'est que la photographie, quel que soit le talent de celui qui l'a prise, loin de l'embellir comme elle le fait généralement de tout, est incapable de rendre ce qui en lui ne peut être rendu. Ce n'est pas le site qui manque alors, dont la présence ajouterait quelque chose de plus. Celui-ci est si ingrat que Babur, après avoir conquis la ville, voulant selon son habitude commencer par y construire un jardin, faillit y renoncer faute de trouver un lieu assez acceptable pour l'accueillir. C'est le ciel. Non le ciel immobile, le ciel dur des heures équatoriales, mais celui de la nuit et, plus encore, celui des aubes et des crépuscules. Il importe de le bien savoir. Il ne faut pas se rendre au Tadj à midi : la lumière l'écrase, lui rend son évidence. La nuit, enchanteur, romantique, presque irréel, il est le rendez-vous des amoureux et des Indiens qui viennent y flâner au clair de lune. Aux premiers et aux derniers rayons du soleil, il devient féerique. Blanc, il ne l'est plus, mais rose, mauve, bleu; et il bouge. Il semble se détacher du sol et planer dans les airs, tourner lentement sur lui-même. Il n'est plus matière. Il vit comme s'il possédait une âme. Mais il y a plus encore : c'est quand le soleil n'est pas levé ou qu'il est couché, quand son reflet seul l'éclaire. L'instant est bref. Il est inoubliable et, comme certains de ces mystères, indicible. Il ne faut pas dire : j'ai vu le coucher du soleil à Agra. Il faut rester devant le mausolée jusqu'à ce que la dernière étincelle se soit éteinte pour être sûr de n'être pas passé à côté de ce qu'il ne fallait surtout pas manquer.

Reconnaissons-le, tout concourt à donner au Tadj Mahall sa réputation : le prestige de l'Inde; l'éclat reconnu de l'art moghol, dont il

est sans doute l'aboutissement avant une irréversible décadence; l'effort qu'il a exigé; la science de ses constructeurs; la beauté des matériaux; l'harmonie des proportions; la finesse du décor; les symboles qu'il exprime; le paradoxe qu'il représente dans une civilisation islamique hostile à l'art funéraire tout en l'utilisant de longue date, dans un pays où la tradition veut que les morts soient incinérés; le roman d'amour qu'il rappelle; son destinataire, une femme, dans une société réputée à tort ou à raison (là n'est pas le problème) pour son antiféminisme.

Il est, qu'on le veuille ou non, le résultat du mariage de l'Inde et de l'islam. Celle-là avait connu celui-ci une première fois quand les Arabes avaient atteint l'Indus. Mais il avait fallu de nouvelles vagues de conquérants issus de l'Asie centrale, Turcs et Afghans, pour que la foi jadis prêchée par Mahomet commençât à s'acclimater dans le sous-continent. Ces nouveaux venus avaient fondé le sultanat de Delhi et, en diverses régions, des principautés qui avaient propagé leur religion, jeté les fondements d'une civilisation neuve et créé un art indo-islamique.

Le Tadj Mahall, vu de la rive droite de la Yamuna. Ce mausolée a été édifié par l'empereur moghol Chah Jahan pour commémorer l'amour qu'il éprouvait pour son épouse Mumtaz Mahall. On voit, à droite du mausolée, la mosquée de grès rouge et, plus loin, l'un des petits pavillons sous coupole placés aux quatre angles du jardin.

LE TADJ MAHALL

Gage d'amour éternel

Quand, au début du XVIᵉ siècle, Babur, un descendant de Timur Lang, notre Tamerlan, donc un Timouride, n'ayant pu se maintenir dans son fief de Transoxiane ni s'emparer de Samarkand, la prestigieuse capitale de son aïeul, eut fondé un royaume à Kaboul, il s'en servit de base pour la conquête de l'Inde. Chassant la dernière dynastie de Delhi, celle des Lodi, il avait sur ses ruines constitué un empire turc, mais de culture très iranienne, appelé, après une éclipse sous le règne de son fils Humayun chassé par l'Afghan Chir Chah, à dominer la quasi-totalité de l'Inde. En souvenir de Gengis Khan et de la paix mongole qu'il avait établie après ses massacres, et parce que Babur descendait des Mongols par sa mère, cet empire finit par être connu comme celui des Grands Moghols, bien que ce fût en propre un empire timouride. Il devait être illustré par le grand prince que fut Akbar, puis par Jahangir, auquel succéda son fils Chah Jahan, le « Roi du Monde ».

Ce dernier, de son vrai nom Khurram, était né en 1592 et avait obtenu en 1616 le titre sous lequel il est connu en récompense de ses victoires dans le Deccan. Ce n'était pas, malgré l'auréole qui l'entoure, un personnage bien

Chah Jahan. Gouache et or sur papier, école moghole du XVIIIᵉ s. La nouvelle théorie d'Akbar sur la peinture permit de dépasser la représentation stéréotypée des souverains par les artistes musulmans. Dans la peinture indienne, les personnages sont souvent debout, corps de trois quarts, tête de profil et auréolée.

recommandable. Il avait commencé sa carrière en assassinant son frère que lui avait confié son père, en se révoltant contre celui-ci, puis, lors de son accession au trône, en 1628, en mettant à mort une grande partie de sa famille. Bon soldat, ses campagnes avaient été couronnées de succès, mais accompagnées d'atrocités, de persécutions et de brutalités gratuites. Traître, tyran, félon, dénué de tout scrupule, il ferait figure de triste sire s'il n'était partiellement racheté par son intérêt passionné pour les beaux-arts et par l'amour profond qu'il porta à sa femme, les deux seules vertus qu'il avait conservées de ses aïeux. Tous avaient été artistes ou mécènes et l'amour avait bien souvent joué chez eux un grand rôle. Khalil, le premier successeur de Timur, avait manqué ruiner et perdre l'empire de son père pour une femme de rien à laquelle il avait tout sacrifié et qui ne supporta pas sa mort : on enterra les deux époux ensemble, car « ils n'avaient fait qu'un seul être en deux personnes ». Plus tard, Babur avait aussi sacrifié à l'amour, dans le calme et l'harmonie, par son attachement indéfectible à celle que nous connaissons seulement par le surnom qu'il lui donna : Mahum, « ma Lune ». Plus tard encore, Jahangir, épris, s'était fait le jouet de la célèbre Nur Jahan, aussi réputée pour sa beauté que pour son intelligence.

Le grand amour de Chah Jahan eut pour objet une grande dame, la belle Arjuman Banu Begum, une cousine de Nur Jahan, épouse de son père. Il l'épousa en mai 1612, alors qu'elle avait dix-neuf ans, et lui donna le titre de Mumtaz Mahall, l' « Élue du Palais ». Elle mourut trois ans après son accession au trône, en juin 1631, ayant donné à son mari de nombreux enfants, sans doute quatorze, en accouchant d'une fille. Chah Jahan en conçut un chagrin immense dont il ne se consola jamais. L'ayant fait inhumer provisoirement là même où elle avait péri, à Burhanpur, il décida de commémorer son amour par un monument digne d'elle. Il acquit donc du radjah Djai Singh un terrain à quinze cents mètres du fort d'Agra, sur les rives de la Yamuna, pour y faire élever son mausolée, le Tadj Mahall. Quand lui-même, au cours d'une grave maladie, fut détrôné mais épargné par son fils Aurangzeb en 1657, il aurait demandé comme seule faveur que sa détention perpétuelle se déroulât dans une pièce d'où il pourrait voir le

Le mausolée, de la terrasse dominant le fleuve, inscrit ses harmonieuses proportions sur un vaste fond de plaine qui met en valeur la finesse de l'architecture. Le socle carré, délimité par les quatre tourelles à pavillon non clos, joue, en quelque sorte, un rôle de présentoir.

Grands mausolées

On a pu dire, non sans exagérer, que les mausolées représentaient la plus haute expression de l'art des Grands Moghols : mosquées du Vendredi, châteaux ou miniatures n'ont rien à leur envier; mais il reste vrai que l'art funéraire, inconnu de l'hindouisme et en principe interdit par l'islam, a trouvé son plein épanouissement en Inde, principalement sous leur domination, et y a créé des chefs-d'œuvre. Dans leur forme la plus accomplie, ce sont des bâtiments immenses et magnifiques, situés au milieu de somptueux jardins clos de murs, avec porte d'accès monumentale et mosquée annexe, constituant de vrais palais pour les morts.

Ils sont l'ultime aboutissement d'une longue évolution commencée dès le VIIIe siècle en Irak puis en Iran, sans doute sous l'impulsion d'une idéologie turque préislamique, dont une étape importante est marquée par le Gur-e-Mir (1405 sq.) de Samarkand, le tombeau de Tamerlan, fondateur de la famille timouride, à laquelle appartenaient ceux qui sont connus sous le nom impropre de Grands Moghols. Que le Gur-e-Mir, et avec lui l'art iranien classique, ait eu une influence sur les mausolées indiens des XVIe-XVIIIe siècles est certain, mais ne doit pas faire oublier celle des traditions indiennes.

Stimulés par le goût personnel de Babur, fondateur de l'empire moghol, et de ses successeurs, les mausolées ont alors emprunté aux œuvres indigènes musulmanes antérieures. On trouve déjà dans la tombe de Sultan Ghauri de Delhi (1231) un goût pour le monumental et l'enclos, aux angles soulignés par des bastions; dans celle de Ghiyath al-Din (1320), apparaît le marbre blanc dans le grès rouge, tandis que le plan octogonal, dont le souvenir ne disparaîtra plus, est de règle sous les dynasties tughluq, sayyid et lodi (1321-1526). Le mausolée de Sikandar Lodi à Delhi (1517), qui obéit encore aux formes traditionnelles, innove par son jardin entouré de hauts murs, son porche autonome et la mosquée qui en dépend. C'est pourtant le tombeau de Chir Chah à Sassaram (1540), déjà plus palatial que funéraire et d'une beauté qui devrait lui valoir une réputation qu'il n'a pas, qui forme la transition entre l'art pré-moghol et l'art moghol : vaste bâtiment érigé au milieu d'un lac, il dégage pour la première fois l'idée de pyramide en présentant deux massifs octogonaux superposés qu'entourent de nombreux chatri (pavillons de style indien) et une terrasse le supportant.

Quoi qu'il en soit de ce grand passé, après le très pur mais très modeste cénotaphe de Babur à Kaboul, le mausolée de son fils Humayun à Delhi paraît profondément novateur (1565). Cette colossale réalisation offre d'emblée tous les caractères des grands mausolées ultérieurs et tout d'abord l'immense jardin qui l'entoure et qui évoque la demeure de l'âme dans le para-

dis. Le mausolée, en son centre, est comme présenté au visiteur sur un socle de 6,10 m de haut et de 61 mètres de long dont les façades rythmées par des baies donnent accès à des chambres sépulcrales souterraines. Construit en grès rouge, décoré de bandeaux de marbre blanc, il se divise en trois parties, celle du centre portant un grand dôme en marbre blanc, les deux autres latérales, sous plafonds avec, épars, des chatris à jour, à coupole sur colonnettes. La porte d'entrée, juste dans l'axe du dôme, est un grand iwan, c'est-à-dire une haute salle voûtée en berceau brisé, fermée de trois côtés et béante sur l'extérieur, élément emprunté à l'Iran musulman, qui l'a lui-même pris à l'Iran sassanide. Deux autres iwan donnent accès aux salles latérales parfaitement symétriques. Une multitude de petits iwan occupent le fond de l'iwan principal et les pans coupés. L'ensemble est à la fois très homogène, d'une grandeur imposante, d'une parfaite sérénité et animé d'un sens très vif de la vie.

Si le Tadj Mahall d'Agra s'inspire directement, mais non sans le pousser au sublime, du tombeau de Humayun, tous les autres mausolées impériaux suivent plus ou moins le prototype qu'il offre. Le mausolée d'Akbar à Sikandara (1613), à 8 kilomètres d'Agra, au porche imposant que dominent quatre minarets, élève sur

exceptionnelle valeur est son décor de claustra admirablement ajourées, de peintures et d'incrustations de pierres de couleur dessinant cyprès, vignes, fruits, coupes, vases, aussi harmonieux par leur forme que par leur finesse et leur coloris.

Le dernier des grands tombeaux, celui de Safdarjang à Delhi (1754), clôt l'histoire de l'architecture moghole en Inde, comme celui de Humayun l'avait inaugurée. Son architecte se place délibérément dans la plus étroite dépendance de la tombe de Humayun et du Tadj Mahall, mais dans la mesure où il entend ne pas copier ses modèles, il leur demeure très largement inférieur. Certes, le jardin funéraire, dessiné en carré avec sa grande allée centrale, ses bassins, ses fontaines, est enchanteur; et sa silhouette ne manque pas d'allure avec ses pierres rouges et jaune clair et ses touches de marbre blanc. Mais, trop étiré, il manque de proportions, donne trop de place à la terrasse et souffre d'une hypertrophie décorative au demeurant souvent faible.

Pour être complet, il faudrait évoquer encore maints autres tombeaux, moins importants ou moins réussis, ne serait-ce, à Delhi, que ceux d'Adam Khan (1562) et de Jamali-Kamali (vers 1530). Mentionnons au moins une œuvre modeste, mais immaculée, qui constitue

Le mausolée d'Akbar, avec son jardin, sa haute terrasse, ses pavillons d'une grande légèreté évoque, plutôt qu'un tombeau, un véritable « palais funéraire ».

une terrasse percée d'une série de baies interrompues en leur milieu par une haute porte en iwan trois étages successifs de plans rectangulaires en retrait les uns sur les autres et que vient alléger une multitude de petites coupoles blanches de bel effet. Celui de Jahangir à Lahore, situé dans les jardins de Chahdera, qui semble inachevé, est remarquable par sa longue terrasse et ses quatre forts minarets d'angle. Ce sont des tourelles puissantes et un assez grand pavillon rectangulaire qui constituent le premier étage du mausolée d'Itimad ad-Daula à Agra (1622-1628) tandis qu'un rez-de-jardin faisant la moitié de la hauteur totale (16 m) remplace la terrasse. Ce qui donne à ce tombeau relativement modeste et tout en marbre blanc son

sinon la plus belle du moins la plus délicate parure de la grande mosquée de Fatehpur-Sikri, le tombeau du saint Salim Chisti (1571), situé dans la partie nord-ouest de sa cour. C'est, tout en marbre blanc, une simple pièce carrée entourée d'un écran perforé avec une incontestable maîtrise. On peut encore ajouter qu'à la veille de la conquête de l'État de Bijapur par les Moghols (1636), et sous l'influence de leur culture, y a été édifié le Gol Gumbad, tombeau de Mohammed Adil Chah, l'un de ses derniers souverains turcs : impressionnant cube de pierres flanqué aux quatre angles de tours qui font un peu songer à des pagodes, il est couvert par un des plus grands dômes du monde.

tombeau de celle qu'il aimait toujours par-delà la mort. Il l'y rejoignit en 1666, n'ayant pas pu réaliser le projet qu'on lui prête de faire ériger sur l'autre rive de la Yamuna, en réplique au Tadj Mahall, son propre tombeau en marbre noir. Peut-être, dans ces derniers faits, y a-t-il quelque légende, mais comment le

Tadj Mahall pourrait-il n'en pas faire naître?

Le Tadj Mahall fut mis en chantier quelques mois après le décès de Mumtaz Mahall, en 1632, après un long travail préparatoire. Des appels d'offre avaient été lancés dans le monde entier; des projets et des plans avaient été soumis et discutés. Finalement, on retint celui

d'Ustad Isa, un Ottoman ou un Persan de Chiraz. De grands artistes, venus sans doute d'horizons différents et parmi lesquels on a voulu voir des Italiens, y apportèrent leur concours et sans doute leurs goûts et leurs idées. Toutefois, le maître d'œuvre fut Chah Jahan lui-même : il étudia les plans, les fit aménager, veilla personnellement, tant qu'il put, au chantier. Certes, peut-être par suite de l'intervention de tant de personnalités étrangères les unes aux autres, on découvre des éléments architecturaux ou décoratifs d'origines bien diverses ; mais, en dernière analyse, ils se sont tous si étroitement mêlés dans une œuvre qui offre une exceptionnelle unité qu'on a peine à croire à une synthèse rapide plutôt qu'au résultat d'une longue gestation. Tout ce qu'il présente existe bien, épars, auparavant, surtout dans la tombe de Humayun, mais aussi ailleurs, dans le mausolée de Timur, le Gur-e Mir de Samarkand, dans les traditions indiennes, voire dans l'art ottoman d'Istanbul. Mais tout, redisons-le, s'est ici harmonieusement et splendidement fondu, sans qu'il y ait une seule fausse note. Quant à croire que l'œuvre serait du Vénitien Geronimo Veroneo comme l'affirme le P. Manrique, cela relève de la pure fantaisie, si ce n'est de l'étrange idée qu'un monument aussi beau ne peut sortir des cœurs et des mains de *natives*.

Les travaux durèrent pendant plus de vingt ans et exigèrent l'emploi permanent de 20 000 ouvriers. Ils affectèrent un rectangle aplani, en surplomb de la rivière, mesurant 580 mètres sur 305 et qu'on délimita par un mur élevé, aux angles duquel furent érigées quatre tourelles surmontées de pavillons. On y accède du côté nord par un porche monumental et superbe qu'entourent divers bâtiments annexes et d'où part un plan d'eau rectiligne flanqué d'allées qui entraîne le regard directement vers le mausolée et forme l'axe central du parc. Un second plan d'eau coupe le premier à mi-course, de telle sorte que le jardin est divisé en quatre carrés identiques et symétriques. Ensemble, ils forment un grand carré de 305 mètres de côté.

Au-delà de ce jardin subsiste, directement au bord de la Yamuna, un espace rectangulaire non arboré où sont disposés les principaux édifices : au centre, le mausolée ; à droite et à gauche, deux bâtiments en grès rouge qui font repoussoir vers l'éclatante blancheur du marbre avec lequel le mausolée est construit. Ce sont, rigoureusement identiques, une mosquée à nef parallèle au mur du fond (mur de la *qibla*, ou direction de La Mecque indiquée par le *mihrab*, la niche vide percée en son milieu), couverte de trois coupoles, et une « réplique » ou « réponse », salle de réception et de fêtes (une fausse mosquée, puisqu'elle en a le plan et les organes, mais non l'orientation et la fonction). Le mausolée proprement dit est construit sur une terrasse ou un socle carré ayant 95 mètres de côté et 7 mètres de haut : le rapport entre ces deux dimensions, un peu supérieur à un sur treize, n'est qu'un à peu près et ne répond pas aux normes (un sur dix au tombeau de Humayun), mais a été imposé par des soucis architecturaux et esthétiques. Bien que le soubassement soit inspiré des modes indiennes, il joue ici le rôle de présentoir. Son décor de niches à fond plat que surmontent des panneaux rectangulaires à faible relief est assez discret pour ne pas détourner l'attention de l'architecture qu'il supporte — alors qu'au contraire, dans la tombe de Humayun, le décor intègre totalement la terrasse à l'ensemble par les baies profondes menant aux salles sépulcrales annexes. Une balustrade ajourée, assez basse pour ne pas gêner la vue de l'édifice, d'un type usuel et si apprécié à l'époque que les miniaturistes en feront grand usage, borde la terrasse et ceint le mausolée. Celui-ci, bien que se référant à la tombe de Humayun, est moins large et plus élancé qu'elle et présente une bien plus forte unité. Son plan manque de franchise, étant un compromis entre le carré et l'octogone, celui-ci, qui mesure 52,60 m de côté, ayant ses pans rabattus ou coupés — mais ce qui pourrait apparaître comme un défaut contribue puissamment à l'harmonie de l'ensemble et est une recherche subtile qui permet le double mariage de deux figures géométriques essentielles et de deux plans antérieurs.

Cénotaphes de Mumtaz Mahall et Chah Jahan, dans la salle principale du mausolée. (Les corps des deux époux sont inhumés dans la crypte.) « Tombes » classiques de l'art musulman, elles reposent sur un grand soubassement, au décor somptueux, dépourvu d'arabesques, où la recherche du naturalisme l'emporte.

Splendeur des Grands Moghols

La splendeur de la vie des Grands Moghols, telle que l'attestent leur architecture et leur art, est mise en scène magistralement par les miniatures. Celles-ci ne se contentent pas de nous inviter à une fête perpétuelle où toutes les ressources procurant la joie et la douceur de la vie sont réunies — musiciens, danseuses, conteurs, échansons, acrobates, pavillons enchanteurs, jardins de rêves aux fleurs multicolores, estrades de marbre sur des bassins, entourées de jets d'eau et couvertes de parasols, richesse des costumes, somptuosité des objets d'utilité quotidienne. Elles nous font aussi connaître, par le portrait, assez rare en Islam, la petite classe privilégiée qui profitait sans mesure des moyens financiers colossaux dont elle disposait et qui n'eurent sans doute jamais leur égal dans le monde.

Important peu, exportant plus, l'Inde n'était avide que d'or et d'argent. Elle tirait en outre de

son sol des pierres précieuses venant accroître l'importance du trésor. Tout allait au luxe ; l'armée elle-même, bientôt, était plus de parade que de guerre ; les armes semblaient être les bijoux des hommes : les poignards aux formes variées (kandjar, katar, djambiya) avaient des lames en acier damassé, mais damasquinées d'or, des poignées en jade, souvent à forme de tête de cheval ou de bélier, incrustées de diamants ou, à défaut, de rubis, grenats, saphirs, émeraudes ; et les fourreaux des plus humbles couteaux en bois étaient recouverts de soie ornée de fils d'argent.

On aimait avec passion s'habiller. Les tissus, l'une des principales productions industrielles du pays, n'étaient jamais de soies assez fines, de velours assez lourds, jamais assez lamés d'or. On n'aurait pas mangé ou bu dans des céramiques et des verres, mais dans des vaisselles d'or ou d'argent, plus encore dans des coupes en jade, gris marbré ou vert de toutes nuances, piqué de pierres précieuses, ou encore en cristal de roche aussi prestigieusement orné. Parmi les bijoux, les camées montés sur or exerçaient un attrait particulier. On

Le polo (en haut), l'un des plus anciens jeux de l'Asie musulmane, figurait parmi les sujets privilégiés des miniaturistes (XVIIe s.).

Les musiciens de cour (ci-dessus) jouaient, souvent seuls ou à deux, devant les grands pour accompagner les danseuses ou rythmer poèmes et chants (miniature du XVIIe ou XVIIIe s.).

Une princesse et sa suite — uniquement féminine — chassant au faucon (ci-dessus à droite). Corps de trois quarts, tête de profil ; nez très droit, yeux noirs : cette miniature (XVIIIe s.) est typique de la tradition indienne des peintures intimistes.

Trois empereurs moghols (miniature du XVIIe s.). Au centre, Akbar ; à sa droite, son fils Djahangir ; à sa gauche, Chah Djahan. Les visages n'ont pas été peints d'après nature (Chah Djahan n'avait que sept ans à la mort d'Akbar). Par le mouvement de leurs mains, l'aïeul et le petit-fils semblent établir un lien privilégié entre eux.

s'asseyait sur des tapis de soie ou de laine où l'originalité des motifs affirmait, face à l'Iran et à la Turquie, la personnalité des créations locales.

Oui, splendeur, splendeur probablement sans égale ! Elle ne doit pas faire oublier la disparité des conditions sociales. Quand un haut fonctionnaire touchait 40 000 roupies par jour, un artisan n'en recevait qu'une. La masse, surtout paysanne, n'avait aucun statut. L'impôt, lourd, qu'elle payait, ne servait qu'à accroître la prospérité citadine. Peut-être, en général, ne vivait-elle pas autrement que le paysan européen, mais elle était sujette aux caprices de la nature : la pluie insuffisante entraînait pénurie de nourriture ; trop abondante, crues et inondations — dans les deux cas, de terribles famines dont les chroniques de l'époque ne se font que trop l'écho. La classe moyenne, souvent riche, vivait modestement, cachant sa richesse par crainte du fisc.

Quant à la haute société féminine, son statut était ambigu. Harem et voile, signes de noblesse, attiraient maintes hindoues. En revanche, la musulmane accédait parfois aux affaires et pouvait vivre libre. L'artiste, surtout au XVIIIe siècle, pénétrait dans son intimité pour la peindre à sa toilette, à demi nue ou ivre, tournant ainsi le dos aux traditions pudiques de l'Islam, mais renouant avec celles de la sensualité indienne.

Les quatre côtés de la construction sont semblables. Chacun présente en son milieu, héritage de l'art d'Iran, un large *iwan* peu profond, à fond plat, percé d'une porte et d'une fenêtre haute qui élève son arc brisé à plus de 32 mètres. Il est flanqué de très minces tourelles, un peu plus élevées que lui et que l'on retrouve aussi à chaque angle de l'édifice, souvenir évident des minarets iraniens accolés aux porches-*iwan* et leur servant de contreforts. Les murs latéraux et ceux des pans coupés reçoivent chacun deux *iwan* plus petits et placés l'un au-dessus de l'autre. L'ensemble est couronné par un dôme de marbre blanc d'un diamètre de 20,30 m, dont le sommet surplombe de 74,10 m le jardin et de 60,10 m la terrasse. Il a la forme d'un bulbe très outrepassé qui permet d'imaginer une sphère dont la base rentrerait dans le tambour. Cette vision est nouvelle en cela qu'elle remplace l'image traditionnelle de la voûte du ciel par celle du

Panneau de fleurs de marbre. Technique de sculpture, absence de relief, mais sens du modelé, rigidité relative du dessin : influence européenne ou création spontanée ? En tout cas, nulle référence aux traditions hindoues ou musulmanes.

globe tout entier, qui est celle des astronomes. Une sorte de cône le coiffe. Une terrasse couvre les parties du monument que n'abrite pas le dôme ; elle porte quatre petits pavillons ouverts, à arcs polylobés et coupole, version islamique des *chatri* hindous, ici très heureusement disposés pour combler les vides et faire transition entre les lignes verticales de la salle et les lignes courbes du dôme, à l'élévation duquel elles préparent. Quatre minarets à trois galeries terminés par un pavillon non clos, à dôme, hauts de 42 mètres, ont été construits aux quatre angles du socle.

Vu de près, le dôme semble se continuer à l'intérieur du mausolée pour former une sphère, image du monde. La décoration, pratiquement invisible de loin, se révèle d'une prodigieuse richesse, notamment dans les écoinçons du grand arc de l'iwan ; elle demeure rigoureusement tapissante, selon les canons de l'art islamique.

Détail de la balustrade ajourée bordant le socle sur lequel se dresse le mausolée. Ici encore, aucun rappel des traditions hindoues ou musulmanes — sauf l'incrustation de pierres de couleurs vives dans le marbre blanc. Les motifs floraux du soubassement, assez réalistes, et le vigoureux modelé de la partie ajourée laissent à penser qu'une « rencontre » avec l'art européen n'est pas fortuite.

Les deux cénotaphes de Chah Jahan et de Mumtaz Mahall sont situés dans une salle octogonale aménagée sous la coupole, tandis que les sarcophages se trouvent dans un caveau voûté creusé sous la terrasse. Aux quatre coins de l'édifice sont disposés quatre petits appartements répartis sur deux étages.

À l'exception du dôme, toute la façade est décorée par des inscriptions ornementales en caractères arabes et par de riches compositions de guirlandes, de grecques, d'arabesques faites par incrustation de pierres dures, précieuses ou semi-précieuses, aussi exquises de dessin

Le mausolée, vu de la porte d'entrée monumentale. On aperçoit à droite et à gauche la mosquée et sa réplique, toutes deux en grès rouge. Le dessin des parterres de fleurs montre que l'art des jardins moghols, bien que différent de celui des arabes, ne peut échapper au modèle fixé depuis des siècles.

que de coloris et travaillées avec la précision et la finesse de la joaillerie. Elles sont assez discrètes pour disparaître quand on contemple le monument dans son ensemble et assez éclatantes pour retenir l'attention émerveillée quand, de près, on est obligé d'oublier le tout pour la partie et de se consacrer aux détails. La lumière ne pénètre dans les salles qu'à travers des cloisons doubles formées de treillis de marbre. À l'intérieur, dans la pénombre, on retrouve le même décor, et il prend une beauté particulière sur les cénotaphes qu'entourent des écrans de marbre ajouré.

Tel qu'il a été fait, tel qu'il a été conservé, parfaitement, le Tadj Mahall est une œuvre de grand artiste ; mais il n'est pas que cela. Sans administration et intendance il eut été irréalisable. Le marbre venait de Djodhpur, au Rajasthan ; le bois des échafaudages, de diverses régions lointaines. Il fallait acheminer ces matériaux, recruter de la main-d'œuvre, entre-

tenir constamment vingt mille ouvriers — une vraie ville. Il fallait un encadrement de techniciens pour les adductions d'eau, l'étude du sol, l'aménagement des infrastructures et leur complexe système de piles soutenant la terrasse. Il fallait des mathématiciens et des philosophes hellénisants, aucun élément n'ayant été construit sans savant calcul préalable. De ces dernières recherches le visiteur peut se rendre partiellement compte. Dans le porche d'entrée, quand on passe de la porte donnant sur la route à celle ouvrant sur le jardin, on a trois visions successives du monument, qu'un arc entoure comme d'un cadre à sa mesure : d'abord l'*iwan* et le dôme seuls, puis l'ensemble sans les minarets, enfin toute la terrasse et les minarets. De même, dans la mosquée et sa « réplique », il faut être assis dans le *mihrab* pour voir la totalité du mausolée. Le professeur Alexandre Papadopoulo, éminent spécialiste de l'esthétique musulmane, s'est fait l'écho de recherches moins immédiatement perceptibles. Si l'on trace deux droites partant de la pointe du dôme pour aboutir aux extrémités du socle, celles-ci sont tangentes aux coupoles des *chatri*, à l'arête du mur latéral et au pied des minarets. Formant au sommet un angle apparemment droit et à la base deux angles de 45 degrés, elles constituent un triangle rectangle, le plus beau des triangles selon Platon, celui de la pyramide et celui du feu — ce qui, notons-le, fait songer aux bûchers funéraires hindous. Deux autres triangles sont aussi réalisés par des droites tracées du sommet des minarets en direction de l'angle des murs et se rejoignant exactement au centre des grands *iwan*. Ces recherches mathématiques introduisent des rapports formels d'une grande richesse et donnent à l'édifice son classicisme et son équilibre.

L'art islamique, contrairement à l'idée reçue, a le goût des symboles et cherche à s'intégrer dans le cosmos, notamment en transmettant par ses monuments les images du monde et de la montagne cosmique. Il n'y est arrivé totalement qu'avec la mosquée de Sélim à Édirne et le Tadj Mahall, ce dernier si parlant que le spécialiste du symbolisme architectural roman, O. Beigbeder, cherchant à mettre en évidence ce symbole, n'a pas trouvé de meilleur exemple que celui-ci. Aux quatre angles, les minarets représentent les quatre orients et les quatre piles du monde ; leur division en trois étages évoque les trois étages du ciel. Et le mausolée, par sa forme pyramidale stricte, sa base carrée, comme la terre, son dôme semblable au ciel, est bien un microcosme. Pourtant, malgré son élan vertical, les courbes l'emportent sur les droites ascendantes, les minarets s'élèvent peu et rien ne suggère un monde idéal vers lequel on tend. Le monde décrit n'est pas aspiration vers le ciel, mais réalité suprême, le paradis atteint. Le jardin des élus l'indique d'ailleurs sans ambiguïté, comme le font aussi les noms *post mortem* donnés, depuis Tamerlan, aux princes timourides qui, tous, veulent dire qu'ils sont des habitants du paradis.

JEAN-PAUL ROUX

PALAIS
ET CHATEAUX

CNOSSOS
En Crète, le plus grand des palais-sanctuaires

Au milieu des vignes, des figuiers, des cyprès et des oliviers, sur le sommet aplani et au flanc est d'un tertre qui domine de ses 25 mètres le lit du Kairatos, un mince cours d'eau, à 6 kilomètres de la mer Égée, les fouilles commencées par Minos Kalokairinos en 1878 et poursuivies par Arthur Evans de 1900 à 1931 ont dégagé les ruines du plus vaste et du plus ancien palais de l'âge du bronze européen : 17 400 mètres carrés d'édifices, enfouis sous la terre depuis plus de trente siècles.

Vers l'an 2000 av. J.-C., un peuple d'agriculteurs et de marins construit, sur des fondations de pierres taillées, le premier édifice monumental. Avec lui commence la phase que l'on appelle protopalatiale ou, selon la terminologie d'Arthur Evans, le minoen moyen I et II. Cette phase dure environ trois siècles. Elle est caractérisée par l'emploi d'une céramique à décor polychrome, de cachets et de sceaux à motifs naturalistes, et par l'existence de deux écritures : l'une hiéroglyphique, l'autre dite linéaire A, encore incomplètement déchiffrée.

Un séisme suivi d'incendie, vers 1700 av. J.-C., contraint à rebâtir l'ensemble des bâtiments qui sont agrandis. Alors s'ouvre la période dite néopalatiale, ou encore du minoen moyen III et du minoen récent I et II. Elle va durer plus de trois cents ans, du XVIIᵉ au XIVᵉ siècle av. J.-C. C'est la belle période du palais. Les XVIᵉ et XVᵉ siècles av. J.-C. voient fleurir les arts, le commerce, régner l'administration d'un grand domaine sous l'autorité du légendaire Minos, un titre apparemment religieux qui signifie le Bienheureux. Au moins trois séismes, vers 1580, 1520 et 1450, obligent à des réfections du palais.

À une date indéterminée du XIVᵉ siècle, peut-être assez proche de 1300, des envahisseurs, venus de la Grèce continentale et des îles avec l'Athénien Thésée, installent leurs chefs, leur clergé et leurs fonctionnaires dans les deux tiers subsistants de l'édifice.

La première impression d'Arthur Evans devant la complexité des corridors, des salles, des cours et des escaliers exhumés fut qu'il avait découvert le « labyrinthe » construit par Dédale sur l'ordre de Minos pour enfermer le Minotaure, fruit des amours contre nature de la reine Pasiphaé et d'un taureau divin.

Il suffit de parcourir les ruines en partie restaurées ou d'en prendre du ciel une vue d'ensemble pour s'apercevoir que ce palais offre un plan simple, à quadruple entrée et sans aucun réduit central où l'on pourrait

Plan du palais des Minos

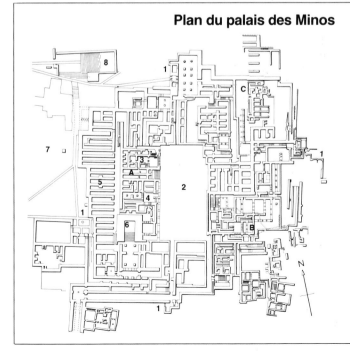

A. Partie cultuelle. B. Partie habitable. C. Ateliers. 1. Entrées. 2. Cour centrale. 3. Salle du trône. 4. Sanctuaire triple. 5. Magasins. 6. Grand escalier. 7. Cour occidentale. 8. Aire théâtrale.

Galerie d'accès à la partie orientale du palais, depuis la cour centrale. Les piliers minoens en bois peint et verni reposent sur un disque de pierre et sont coiffés d'un chapiteau en bois également. Ils sont disposés autour d'un puits de lumière éclairant les parois ornementées de fresques à décor de boucliers bilobés, symboles de la déesse Rhéa mère de Zeus.

Bastion dominant l'entrée nord du palais. Il est orné d'un bas-relief géant représentant le taureau sacré fonçant fougueusement au milieu d'êtres humains, dans un paysage parsemé d'oliviers.

nicher un monstre anthropophage tel que le légendaire Minotaure. Cnossos a été conçu comme un tout organique dès le début du IIe millénaire av. J.-C. Le centre n'est pas telle ou telle crypte, telle ou telle salle pourvue d'un trône ou d'une banquette, mais une vaste cour intérieure rectangulaire, dont le grand axe est rigoureusement orienté un quart nord-nord-ouest, comme dans tous les édifices crétois analogues. Sa largeur, mesurée du portique qui la bordait à l'ouest jusqu'au mur d'en face, est de 27,32 m, soit 90 pieds de 30,36 cm, et la plus grande longueur semble avoir été de 54,64 m, soit 180 pieds minoens.

Autour de cette cour centrale de 1500 mètres carrés, étaient disposés, au nord et au sud, des vestibules monumentaux, des salles d'accueil, de contrôle et de purification; à l'ouest, trois sortes de salles faisant office de sanctuaires, doublées de leurs celliers ou magasins sacrés; à l'est, des ateliers, des salles d'apparat et d'habitation, des réserves de vivres avec leur comptabilité. Visiblement, la partie sacrée était à l'ouest, toutes ses façades tournées vers le soleil levant à l'équinoxe de printemps. Nulle confusion, mais une stricte répartition des masses fonctionnelles. De belles cours dallées, au nord et à l'ouest de l'édifice, avec des chaussées surélevées; à l'est et au sud, deux escaliers coudés et ornés de doubles cornes donnaient accès à chacun des côtés du palais.

L'architecture minoenne des palais repose sur trois principes qui lui sont propres : la disposition des édifices sur les quatre côtés d'une vaste cour; la dissymétrie en plan et en élévation des masses construites autour de cette cour, un des côtés, étagé sur la pente de la colline, étant plus bas et plus étroit que l'autre; l'irrégularité de tracé, enfin, du mur extérieur : on peut parler de façades à redans. À Cnossos, la façade orientale qui domine la vallée du Kairatos fait penser à un bastion.

À l'actif des bâtisseurs de Cnossos, on peut mettre plusieurs réalisations architecturales qui distinguent ce palais de tous les autres. Il s'agit surtout des puits de lumière, destinés à éclairer des cages d'escalier ou des chambres intérieures *(thalamoï)*. Il s'agit aussi de ce qu'on a appelé le *mégaron* crétois, qui est une salle de séjour dallée, une sorte de hall largement ouvert sur deux côtés consécutifs, avec un portique en équerre. C'est encore ce que les archéologues nomment *polythyra*, c'est-à-dire des pièces dans lesquelles un ou plusieurs murs sont remplacés par des portes juxtaposées. Il s'agit enfin des salles dites « de bains » ou plutôt « de lustration », creusées en contrebas des salles voisines.

Si l'on ajoute à ces dispositifs quelques exemples de murs à doubles parois, le tout-à-l'égout, l'aménagement des étages supérieurs en pièces officielles, en bureaux, en sanctuaires, en lieux d'apparat ou de réception, on doit admettre que le légendaire Dédale, architecte en chef de Minos, n'était pas seulement un bon constructeur, mais un ingénieur soucieux du confort et du bonheur des habitants du palais.

Parmi les mots que cette civilisation a légués aux Grecs, il y a *asaminthos,* la « baignoire », et *sôlen,* le « tuyau ». Les canalisations, dans ce pays très chaud en été et fort humide en hiver, font l'étonnement des visiteurs de l'aile orientale du palais.

Il faut tenir compte aussi d'autres raffinements. Si le gros œuvre était constitué de parpaings de calcaire taillé, sommés par endroits de murs de briques, les parois intérieures étaient revêtues de divers enduits de mortier, de plâtre, et de stucs peints. Dans les pièces les plus luxueuses, le gypse et l'albâtre recouvraient le sol de leurs dalles minces, habillaient le bas des murs, les côtés et les montants des portes, les grands escaliers. De gypse également étaient les trônes. Le plus souvent, le sol était revêtu d'un quadrillage de dalles de schiste vert à joints d'enduit rouge.

Pour protéger ces éléments fragiles qui, comme le calcaire blanc, le torchis ou le gypse, se dissolvent sous la pluie, les constructeurs apportaient le plus grand soin à imperméabiliser les terrasses servant de couvertures à l'aide de plusieurs couches d'argile, qu'ils armaient de branchages ou de joncs. Les colonnes intérieures de bois peint et verni étaient faites d'un tronc d'arbre renversé, d'un cyprès généralement. La partie la plus étroite reposait sur

Crète centrale jusqu'à Kydonia, l'actuelle Khania (La Canée). À côté (ou au-dessus) des scribes et des magasiniers, il semble, d'après les représentations figurées, qu'il y eût au moins 350 femmes, prêtresses ou hiérodules en robes à volants, au service des Déesses souveraines, *wanakanas,* et du Seigneur Dieu, *wanax.* Elles partageaient leur temps entre les cérémonies religieuses et les travaux artisanaux : filature, tissage, confection, teinture, peinture, et peut-être même poterie. Ainsi l'ensemble palatial jouait-il le même rôle — en changeant ce qu'il faut changer — que, plus

l'on suit un corridor peint. C'est le couloir dit « de la procession », au milieu de laquelle figurait la déesse ou la prêtresse recevant des offrandes.

Vers le sud du palais, on traverse un ancien puits de lumière dans lequel, entre 0,30 m et 1,50 m de profondeur, ont été trouvés, en mai 1901, les débris de trois reliefs de stuc peint représentant deux boxeurs en présence d'une prêtresse ou d'une déesse couronnée : c'est ce qu'on a transformé abusivement en un Prince (ou Roi-prêtre) aux fleurs de lis. Ce dont on est sûr, c'est que, des salles entourant la cour

un cube ou sur un disque de pierre claire, la partie la plus large, coiffée d'un chapiteau rond en bois, soutenait les poutres.

Des jardins en terrasses et à portiques s'étageaient aux flancs est et sud de la butte qui porte le palais. Les peintures murales, autant que les gravures des bagues et les tablettes inscrites, montrent l'intérêt que les gens de Cnossos portaient aux lis, aux narcisses, aux crocus et aux plantes aromatiques, à la nature en général.

Comment vivaient les habitants de ce palais somptueux ? Au XVᵉ siècle av. J.-C., un personnel administratif considérable s'occupait de la rentrée et de la distribution des denrées, du contrôle de la production lainière ou de la fabrication des tissus, bref de la vie économique d'un domaine qui s'étendait de la

tard, les grands sanctuaires de la Grèce classique, Éleusis, Délos, Delphes, par exemple, et que les grands monastères de la Grèce chrétienne avec leurs cellules, leurs chapelles, leurs celliers et leurs ouvroirs.

L'élément de beaucoup le plus important du palais de Cnossos est en effet d'ordre religieux. Ce qui frappe tout d'abord lorsqu'on pénètre par la cour de l'ouest, ce sont trois larges puits où étaient jetés jadis les vases sacrés après usage, les tables d'offrande et les ossements des animaux sacrifiés, puis deux autels construits devant l'enceinte occidentale de l'édifice, enfin les chaussées surélevées au-dessus du dallage et dessinant une mystérieuse figure triangulaire. On évoque des danses, des défilés rituels. À l'angle sud-est de cette première cour, on franchit un poste de garde et

La « chambre de la reine », reconstituée par Piet de Jong (1921). Il s'agit en réalité d'un hall de la partie orientale ouvrant sur deux puits de lumière. Les banquettes sous chaque baie devraient être rehaussées de 1 m. Quant au décor floral et marin et aux personnages, ils sont de pure fantaisie.

centrale, les habitants essentiellement religieux du palais assistaient à deux sortes de jeux rituels et tragiques : à l'affrontement sans arme d'un taureau et à des scènes de pugilat. Le saut périlleux exécuté par-dessus les cornes ou la croupe du taureau par les garçons et par les filles comme la mise à mal d'un adversaire avec des gants de boxe constituaient des ordalies, ou jugements divins, ou peut-être même des épreuves initiatiques. On assistait aussi à des sauts au-dessus de lames d'épées. Parmi les cérémonies les plus assurées et qui avaient lieu dans les six ou sept chapelles de la partie ouest du palais, citons l'intronisation du roi, le mariage mystique du dieu du soleil et de la déesse de la lune, représentés par le roi et la grande prêtresse (ou sa fille?), le salut au soleil levant, l'offrande du vin, du lait, du miel et peut-être du sang des victimes animales ou humaines, égorgées dans les périodes de calamités, les purifications par ablutions et onctions, l'habillage et la parure des idoles, les encensements et fumigations, la manipulation

bien mieux pour désigner le vaste complexe cnossien que le simple nom de palais.

Il s'est passé en Crète ce qui s'est passé à la même époque en Méditerranée orientale, où l'on distinguait soigneusement le temple, la ville, le palais, et où les dieux étaient toujours mieux logés que les hommes. Les grands temples, qui feraient tant défaut à la Crète du IIe millénaire av. J.-C. — au sommet de sa puissance et de sa gloire face à l'Égypte, à la Mésopotamie et à l'Asie Mineure — s'ils n'étaient pas les prétendus palais que l'on visite aujourd'hui, se dressent toujours à

mêmes symboles religieux (doubles cornes, doubles haches, animaux héraldiques, fleurs de lis), les mêmes places ou voies d'accès faites pour les pompes et les représentations rituelles : danses, tauromachies, acrobaties et pugilats.

De tels édifices, qui font tant penser à leurs homologues de Mari et d'Alalakh, ne manquent pas de poser d'énormes problèmes aussi bien aux historiens qu'aux architectes. Ces créations artistiques majeures, quelle en est l'origine? Les gens de Cnossos imitaient-ils, vers l'an 2000 av. J.-C., ce qui se passait en

La « salle du trône » de la partie ouest du palais. Le trône de gypse poli est censé être celui de Minos, que gardent ses griffons divins, dans un champ de fleurs de lis ; mais il s'agirait plutôt du trône d'une prêtresse ou d'une déesse.

des serpents sacrés — on a retrouvé les vases où ces derniers étaient nourris et gardés.

Si, comme le prétend la tradition littéraire, Minos était le fils du dieu suprême des Crétois, l'époux d'une déesse (Pasiphaé) et le père de quatre déesses (Phèdre, Ariadne, Akakallis, Xénodikè), le juge souverain des morts dans l'au-delà, sa demeure sur terre ne pouvait être qu'un temple. Les termes de palais-sanctuaire ou de « sanctuaire palatial » conviendraient

Arkhanès, à Phaistos, à Malia, à Zakro, à Prophitis Ilias (antique Lykastos), à La Canée (Kydonia), à Monastiraki..., distincts des villas royales de leur voisinage, avec les mêmes traits principaux qu'à Cnossos : une même grande cour centrale rectangulaire, un même secteur occidental plus chargé que les autres, s'il est possible, de fonctions liturgiques, la même orientation rigoureuse de la façade de ses chapelles vers un point équinoxial, les

Égypte ou en Syrie? Comment ont-ils été amenés à transformer les minuscules lieux de culte de l'âge du bronze ancien en édifices géants? Une nouvelle classe sociale, celle du clergé, est-elle apparue soudain pour s'imposer aux autres? Qui commandait ici : une grande prêtresse nommée Europe ou Pasiphaé, ou un prêtre-roi nommé Minos? Était-ce une communauté de femmes ou, comme en Asie, la maison des prêtres face à la maison des femmes? Et enfin, comment et pourquoi le « palais » de Cnossos est-il tombé en ruine et a-t-il disparu? Fut-ce à la suite d'un séisme, d'un incendie, d'une invasion, d'une guerre civile, d'une épidémie? Autant de questions que, seule, l'archéologie, fort active en Crète, pourra résoudre un jour.

Paul FAURE

VILLA HADRIANA
Le rêve d'un empereur

L
e souvenir de la villa que l'empereur Hadrien construisit au pied de la petite cité de Tibur (Tivoli) ne fut jamais perdu : la hauteur des murs était telle que la terre ne put les recouvrir entièrement. Vers le milieu du xvᵉ siècle, le pape Pie II, Énea Silvio Piccolomini, écrivait : « On voit encore là des édifices à demi ruinés entourant des cours, les restes de bassins et de thermes... Le temps a tout massacré... ».

Ces ruines, éparpillées sur une surface de quelque 120 hectares, ne sont pas encore complètement dégagées. Une grande partie, celle que l'on appelle l'Académie, n'a été explorée que superficiellement. Pendant longtemps, la villa fut pillée par de grands seigneurs, des cardinaux, des papes, qui la considéraient comme une mine d'œuvres d'art destinées à enrichir leurs collections et orner leurs villas. Ce pillage dura près de trois siècles. Ce n'est qu'après 1870 que Pietro Rosa, chargé de la surintendance des monuments antiques du Latium, entreprit l'étude systématique de cet ensemble unique. Les travaux se poursuivent toujours. Voûtes et murs sont consolidés ou restaurés, les bassins dégagés, nettoyés, emplis d'eau, si bien que l'on peut aujourd'hui se faire une idée précise de ce que fut ce palais.

Hadrien en commença la construction dès le début de son règne, comme le montrent les marques des briques utilisées dont les plus anciennes sont datées de 118 — Hadrien était empereur depuis l'année précédente. On y travaillait encore à sa mort, en 138. Aupara-

vant, le site était occupé par une ou plusieurs villas, élevées à l'époque de Sulla (vers 80 av. J.-C.), puis au temps de César, enfin sous Auguste. Ces édifices antérieurs, modestes, se trouvaient sous la cour des Bibliothèques, au cœur même de la villa.

Ce n'était pas la première fois qu'un empereur se faisait construire une résidence digne de sa puissance. Auguste avait autrefois affecté de se satisfaire d'une demeure modeste, sur le Palatin, mais à mesure que le régime devenait plus monarchique et renonçait à la simplicité républicaine, que l'administration de l'empire devenait plus centralisée, exigeant un personnel plus nombreux, la résidence impériale s'était agrandie. Tibère avait commencé la construction d'un palais sur la colline du Palatin. Caligula avait continué. Avec Néron, un nouvel esprit avait fait surgir la Maison d'Or, qui occupait une grande partie des quartiers détruits par l'incendie de 64. Ce bâtiment était déjà une véritable villa, avec un

très grand parc planté autour d'un lac (là où s'élève maintenant le Colisée) qui figurait peut-être la Méditerranée, l'ensemble symbolisant la Terre, sur laquelle régnait l'empereur, Cosmocrator, dans son palais solaire. Devant l'accroissement de la population de Rome, il fallut chercher ailleurs l'espace nécessaire à une grande résidence impériale. Domitien s'établit sur les bords du lac d'Albe. Hadrien choisit Tibur.

La date à laquelle il conçut le dessein de ce palais complexe interdit de penser qu'il ait voulu accumuler autour de lui les souvenirs de ses voyages, comme on l'a maintes fois répété. D'emblée, au contraire, il installe l'univers autour de lui. Comme Néron, il s'affirme comme Cosmocrator, et sa demeure est, littéralement, un microcosme.

Hadrien au seuil de la vieillesse (il vécut soixante-deux ans). Il porte la barbe comme les philosophes grecs. À l'empereur militaire succède un « intellectuel », sous lequel va grandir le rôle de l'hellénisme dans l'empire.

Le portique bordant le Canope (ci-contre), œuvre typique du style cher à Hadrien : alternance des lignes droites et courbes, plan d'eau offrant un miroir pour les statues et les portiques. L'imitation n'est pas copie, mais reflet du modèle.

Mais l'idée même de placer dans une villa des symboles évoquant des sites ou des monuments prestigieux n'est pas née brusquement dans l'esprit d'Hadrien. Ici encore, il reprend une très ancienne tradition, chère à l'esprit romain, pour qui la réalité doit se parer des prestiges de l'imagination. Dans sa villa de Tusculum, Cicéron avait deux ensembles, dont l'un s'appelait l'Académie et l'autre le Lycée : ainsi la vie quotidienne semblait se dérouler dans les hauts lieux d'Athènes. Un petit canal dans un jardin était appelé Euripe, comme le détroit séparant l'Attique de l'Eubée, et qui était célèbre parce que le flot s'y inversait chaque jour. Ce goût de l'imaginaire avait dominé l'art romain des jardins, ceux-ci formant comme le décor du quotidien, qui devenait ainsi une sorte de drame et s'en

trouvait magnifié. Cette passion du théâtre, de tout ce qui est au-delà du réel, rejoignait chez Hadrien une autre tradition, ancienne elle aussi à Rome, celle de l'*evocatio* : on appelait ainsi le rite, attesté depuis au moins le IVe siè-cle av. J.-C., qui consistait à transporter sur le sol de la Ville une divinité étrangère, apparte-nant par exemple à un pays ennemi, pour se la concilier et ainsi, magiquement, prendre pos-session de la cité qu'elle protégeait jusque-là. Lorsque Octave, le futur Auguste, devint maî-tre de l'Égypte, il fit transporter à Rome deux obélisques, qui enchaînaient ainsi sur la terre romaine le dieu soleil, Amon Rê, dont se disaient issus les pharaons et leurs successeurs, les Ptolémées. De la même façon, la villa d'Hadrien devait maintenir captifs de l'Italie les symboles du monde oriental.

Le biographe d'Hadrien, dans l'*Histoire Auguste,* nous dit que l'empereur donna aux différentes parties de sa villa « les noms de provinces et de lieux particulièrement célè-bres, comme le Lycée, l'Académie, le Pryta-née, Canope, le Pœcile, Tempé. Et pour ne rien négliger, il y avait même imaginé des Enfers ». Cette énumération (qui n'est évi-demment pas complète puisqu'il y manque le nom des provinces — mais y en avait-il ?) a été prise au sérieux par tous ceux qui ont voulu découvrir une « clef » de ce langage codé que serait la Villa. D'où les noms qui ont été attribués à ces parties. Certains conviennent, probablement ; d'autres semblent bien arbi-traires. Les identifications, sauf dans quelques cas, sont rendues assez problématiques par le fait que les monuments évoqués ne sont pas

reproduits dans leur forme et leur aspect. Par exemple, les mots de lycée et d'académie ne signifient pas autre chose que « portique » et « gymnase ». Le Pœcile (nom que portait à Athènes le portique où l'on voyait des peintures de Polygnote) n'est autre que l'endroit où enseignait Zénon. Ce qui se réfère au stoïcisme, comme l'Académie à Platon et le Lycée à Aristote. Peut-être y avait-il, en quelque endroit, un « jardin » clos, qui perpétuait le souvenir d'Épicure...

En fait, une partie des édifices révélés par les fouilles ne diffère pas des éléments architecturaux présents dans d'autres villas beaucoup moins somptueuses. Ainsi la tour dite tour de Timon le Misanthrope, qui s'élève parmi les oliviers de Roccabruna, à la limite sud de la Villa, avec sa base cubique et sa superstructure circulaire à deux étages (seul l'étage inférieur subsiste ; l'autre, probablement en forme de temple rond, est détruit), est un belvédère semblable à la tour des Jardins de Mécène, à Rome, à celle de la villa des Papyri, à Herculanum, aux deux tours de la villa de Pline aux Laurentes, et à d'autres encore.

La cour dite « aux piliers doriques » doit son nom au portique quadruple qui l'entourait, formé de piliers cannelés surmontés d'un entablement dorique. Ce thème est sans doute repris de modèles italiques anciens, mais la « modernité » s'affirme avec la finesse des piliers et l'écartement, inhabituel dans ce style, des formes verticales.

Leur silhouette se dresse sur bien des peintures représentant des paysages de villas.

Deux ensembles clos, celui que l'on appelle le Pœcile et celui qui porte le nom moderne de stade, font eux aussi partie du répertoire architectural propre aux jardins. Nous en avons des exemples, dont les plus connus sont l'hippodrome de Pline dans sa villa de Toscane et, surtout, celui du palais de Domitien, au Palatin. L'aire découverte, au milieu, était plantée en jardin, du moins dans la villa de Pline. Ici, il est possible que le prétendu Pœcile ait été un hippodrome véritable dont la *spina* (l'arête axiale), au lieu d'être formée par un mur bas comme au Cirque Maxime de Rome, était matérialisée par le long bassin maintenant restauré et empli d'eau. Il est certain en effet que le mur du Pœcile n'était que l'un des côtés de cette aire dont les petits côtés (à l'est et à l'ouest) étaient courbes, selon la tradition des hippodromes et des stades.

Quant au stade, immédiatement à l'est du Pœcile, il s'étend du sud au nord, l'extrémité sud étant en abside. Sa longueur est de 127 mètres, et sa largeur de 22,50 m. Il pouvait servir à des exercices athlétiques, mais il semble y avoir eu une palestre non loin du théâtre grec, à l'extrémité nord de la Villa. Hippodrome, stade, palestre sont des édifices essentiellement urbains que l'on ne s'étonnera pas de rencontrer ici. Depuis la fin de la République, les Romains se plaisaient à élever, dans leurs demeures campagnardes, des édifices qui, en Orient, se trouvaient dans les villes.

Le théâtre maritime. Comme au Canope, le portique circulaire délimite un monde clos, peut-être le « saint des saints » de la villa. L'architecture du pavillon de l'île centrale fuit la rectitude, symbole d'infinité, donc d'imperfection : idée fondamentale de la philosophie hellénique.

Cette mode peut s'expliquer par diverses raisons : d'abord, un désir de magnificence, les hippodromes, gymnases, portiques de toutes sortes étant traditionnellement des présents que les rois hellénistiques faisaient aux cités. Chaque sénateur romain n'était-il pas un « roi », comme l'avait autrefois déclaré Cinéas à Pyrrhus? De plus, la ville était le centre des plaisirs, de la culture, de la civilisation; aussi donnait-on à ces riches villas, qui surgirent pendant le dernier siècle de la République, le nom de *pseudo urbanae*. C'est ainsi que s'explique, au moins en partie, l'adoption du péristyle dans les maisons pompéiennes dès le début du Ier siècle av. J.-C. La cour à quatre portiques était en effet l'une des formes des *agorai* (places publiques) hellénistiques. Cette forme est présente à la villa d'Hadrien. Nous la trouvons dans la cour des Bibliothèques et dans ce que l'on appelle le Palais impérial. Mais là, il ne s'agit certainement pas d'imiter l'urbanisme hellénistique. Hadrien a simplement suivi la tradition, ancienne en Italie, et probablement apparue d'abord en Campanie, celle du palais de Domitien, sur le Palatin, avec ses enfilades de portiques et ses appartements centrés sur des cours intérieures.

Et ici nous rencontrons un choix entre deux types de villas, et même deux manières de vivre. Les représentations de villas des peintures pompéiennes montrent généralement des portiques linéaires, ouverts sur le paysage. Il semble qu'au milieu du Ier siècle apr. J.-C., au temps de Néron, la préférence allait à ce style. Cela apparaît clairement dans la villa récemment découverte d'Oplontis, non loin d'Herculanum, et plus encore dans la Maison d'Or et sa terrasse, dominant le jardin « cosmique ». Dans la villa d'Hadrien, rien de semblable : les lieux de vie sont fermés sur eux-mêmes, et l'existence du maître se déroule dans le secret. Ce n'est pas là une conjecture. Nous savons que Domitien, habité par la peur des complots, avait fait garnir les murs de ses portiques avec des plaques de marbre poli comme des miroirs, qui lui permettaient de voir si quelqu'un approchait. Hadrien semble avoir été hanté par le souvenir de Domitien et avoir redouté lui aussi d'être assassiné. Une vingtaine d'années seulement séparent la mort de Domitien et l'avènement d'Hadrien. D'autres raisons, peut-être, ont poussé l'empereur à préférer les appartements centrés sur un péristyle : un certain goût pour l'intimité, pour la conversation avec des amis; le désir, parfois, de se dépouiller de sa grandeur, comme le montrent les petits vers qu'il échangea avec le poète Florus.

Quoi qu'il en soit, ce retour au plan fermé (qui, dans une certaine mesure, peut correspondre à la préférence d'Hadrien pour l'archaïsme) a suscité l'une des plus admirables

Hadrien bâtisseur

Hadrien fut sans doute l'empereur auquel les villes antiques durent le plus grand nombre d'édifices. Certains, qui existaient déjà, furent restaurés par lui, mais il prenait alors grand soin de ne pas substituer son nom à celui du constructeur, qui continuait d'en avoir la gloire aux yeux de la postérité (ainsi pour le Panthéon, à Rome). Cela nous montre avec évidence que le motif profond de cette activité de bâtisseur n'est pas le désir d'une vaine ostentation, mais quelque chose de plus profond, où l'on peut discerner plusieurs mobiles. D'abord, le souci de conserver le patrimoine humain; on sait qu'il aimait le passé pour lui-même — préférant Ennius à Virgile, le poète contemporain des Guerres puniques à l'ami d'Auguste. Puis un instinct qui le portait à étudier et pratiquer tous les arts. En architecture, il eut fort probablement comme maître Apollodore de Damas, architecte officiel de Trajan. Une tradition veut qu'il soit devenu jaloux d'Apollodore et qu'il l'ait fait exécuter en 125 apr. J.-C., après l'avoir exilé. Apollodore aurait critiqué le plan et les proportions du temple de Vénus et de Rome, élevé par Hadrien sur la Velia, à Rome, où on le voit toujours entre le Forum et le Colisée.

La liste des édifices élevés par Hadrien est longue. Son biographe écrit : « Dans presque toutes les villes, il construisit quelque chose et donna des jeux », indication qui montre le désir du prince d'apparaître en « oekiste » (fondateur, héros recevant un culte) dans les cités. À Athènes, il acheva le temple de Zeus

Olympien (Olympieion), de dimensions immenses, commencé par le roi Antiochos IV Épiphane et laissé inachevé. À Rome, on cite la Basilique de Neptune, dont la colonnade est encore visible, au Champ de Mars, les *Saepta* (lieu de vote voisin), le Pont, qui relie la rive gauche à son mausolée, le château Saint-Ange, et surtout le Panthéon, œuvre d'Agrippa (en 33 av. J.-C.), qu'il transforma totalement. Le temple primitif était de plan carré. Hadrien conserva la façade, mais remplaça la cella rectangulaire par une autre, de plan circulaire, et la surmonta d'une coupole, percée en son centre d'un oculus qui donne la lumière à l'ensemble. La hardiesse technique en est extraordinaire. Jusque-là, les architectes utilisaient, pour des constructions analogues, des voûtes croisées. Ici, la coupole

Le Panthéon de Rome, coupe (ci-dessous) et maquette (ci-contre), montrant l'édifice tel qu'il était sous Hadrien. Le fait d'accoler au temple rectangulaire classique une cella circulaire a une signification religieuse — la cella est un microcosme : c'est le disque plat terrestre que surmonte la coupole céleste. Au centre de cette dernière, une ouverture laisse pénétrer les rayons du soleil dont le parcours sur le dallage mesure le temps et ménage un regard à Jupiter, dieu du pouvoir impérial et garant de la justice.

repose sur un cylindre porteur haut de 30 mètres dont les parois sont épaisses de 6,80 m. Elle est formée de lits superposés, en encorbellement, coulés en matériaux de plus en plus légers à mesure que l'on approche de l'oculus. Il est très probable qu'Hadrien intervint dans la conception de l'ouvrage.

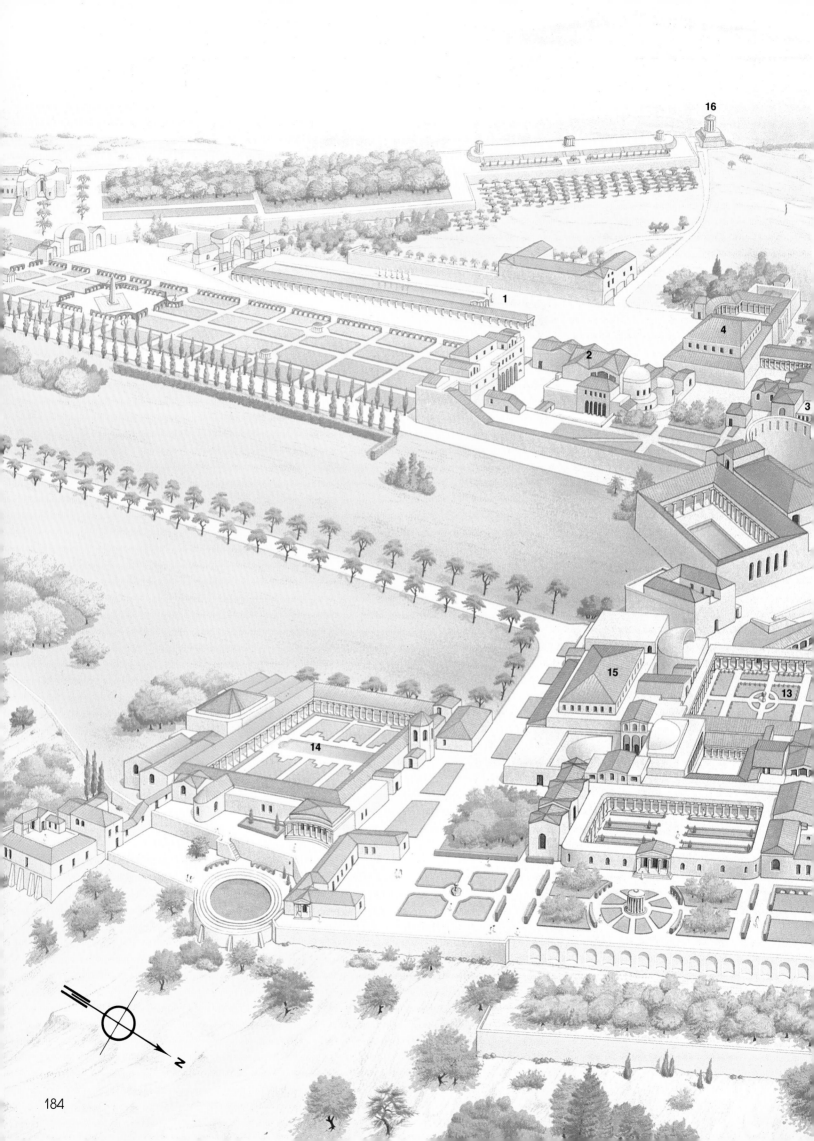

La villa Hadriana marque l'apogée de l'architecture romaine privée. Cette reconstitution ne saurait rendre justice au foisonnement d'édifices qui la composaient. Les bâtiments, juxtaposés, ne forment pas un ensemble ayant une structure définie ; ils sont autant de « cellules », dont chacune est un cadre de vie. Tantôt ce sont des portiques tournés vers l'extérieur, tantôt, plus souvent, des cours péristyles, dans le style traditionnel de la maison pompéienne. Les espaces situés entre ces édifices, aussi bien que ceux qui se trouvaient à l'intérieur des péristyles, étaient plantés d'arbres comme des pins parasols, des cyprès, des peupliers, de grands lauriers, etc. De tels ensembles, moins vastes, ont été retrouvés à Stabies et dans la villa dite de Poppée entre Pompéi et Herculanum. Sur ces jardins, destinés à la promenade et aux entretiens philosophiques ou autres, ouvraient des salles — des *diaetae* ou « pavillons de vie » — souvent couvertes d'une voûte croisée, parfois d'un toit supporté par une charpente.

Si l'on essaie d'imaginer la vie quotidienne dans la villa, il faut distinguer entre l'Empereur et ses amis (de hautes personnalités qui composaient son conseil et sa cour — juristes, officiers, anciens consuls, archivistes, secrétaires, écrivains, poètes...), et les nombreux serviteurs qui avaient la charge d'assurer la sécurité du Prince, sa subsistance quotidienne et aussi ses plaisirs (mimes, acteurs, danseurs, etc.). Une véritable caserne était aménagée pour les prétoriens, avec des couloirs de circulation invisibles de l'extérieur. Il faut songer aussi à la vie quotidienne des princesses et de la famille d'Hadrien, qui le suivaient dans tous ses déplacements.

Bien des aspects de la villa nous échappent en raison de l'état dans lequel elle se trouve : abandon pendant des siècles et fouilles « sauvages » pendant plusieurs autres. Pour cette raison, et parce que tous les édifices n'ont pu être identifiés, nous n'avons indiqué que ceux qui avaient une appellation passée dans l'usage, appellation qui, pour un certain nombre d'entre eux, est le plus souvent hypothétique.

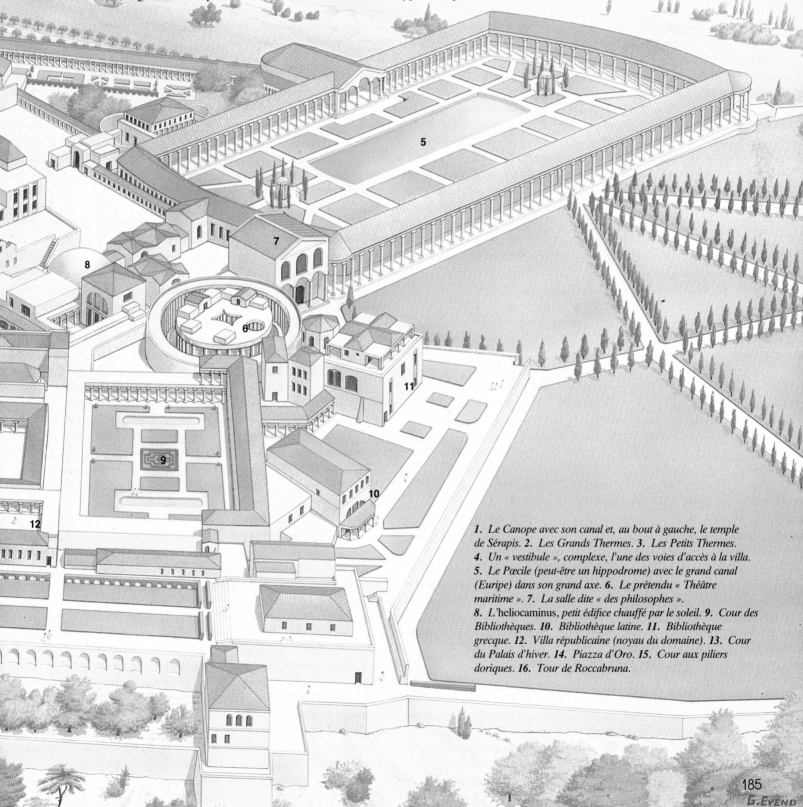

1. *Le Canope avec son canal et, au bout à gauche, le temple de Sérapis.* 2. *Les Grands Thermes.* 3. *Les Petits Thermes.* 4. *Un « vestibule », complexe, l'une des voies d'accès à la villa.* 5. *Le Pœcile (peut-être un hippodrome) avec le grand canal (Euripe) dans son grand axe.* 6. *Le prétendu « Théâtre maritime ».* 7. *La salle dite « des philosophes ».* 8. *L'heliocaminus, petit édifice chauffé par le soleil.* 9. *Cour des Bibliothèques.* 10. *Bibliothèque latine.* 11. *Bibliothèque grecque.* 12. *Villa républicaine (noyau du domaine).* 13. *Cour du Palais d'hiver.* 14. *Piazza d'Oro.* 15. *Cour aux piliers doriques.* 16. *Tour de Roccabruna.*

185

G.EVEN

Les statues du Canope

On se serait attendu à trouver, autour du Canope, un grand nombre de divinités égyptiennes. Bien que l'ensemble soit consacré à Sérapis, ce ne sont pas les statues des dieux égyptiens que l'on rencontre d'abord lorsque l'on arrive devant le canal, mais les formes classiques de Caryatides et les statues de divinités romaines : Mars et Minerve.

On a retrouvé également une statue d'Amazone et des têtes de Silènes, une statue du Tibre ; le dieu du fleuve est représenté à demi couché, il tient une corne d'abondance, et, à ses pieds se trouvent les deux jumeaux, Romulus et Rémus. Du Canope aussi provient la statue d'un crocodile. Mais la plupart des statues découvertes au cours des temps dans cette partie de la Villa ont été transportées au musée du Vatican. Elles sont soit authentiquement égyptiennes, soit imitées de l'art égyptien.

La plus célèbre d'entre elles est celle du chef des médecins et amiral Oudjahorresne, qui représente le personnage offrant au roi une chapelle (naos) d'Osiris. Un long texte précise la date et les circonstances de cette offrande. Le haut dignitaire présente cette chapelle au Perse Cambyse, qui a conquis l'Égypte, et il rappelle comment il a persuadé ce roi étranger de conserver les temples et le culte des divinités égyptiennes, ainsi que les grandes institutions du pays. On peut se demander si le choix d'Hadrien, lorsqu'il a ramené cette statue à Rome, n'est pas significatif. Lui-même avait fait élever un obélisque où il apparaît avec sa titulature de pharaon. Cet obélisque se trouve maintenant sur le Pincio, à Rome.

Le Canope a livré aussi une statue de Ptah (le dieu des couronnements des rois), plusieurs images d'Apis, un assez grand nombre de statues d'Isis, une statue (de type hellénique) du dieu du silence Harpocrate, enfin une statue d'Antinoüs, ce jeune favori d'Hadrien mort noyé dans le Nil et qui avait, dans des conditions mystérieuses, sacrifié sa vie pour son ami. Celui-ci le divinisa.

Une atmosphère mystique indéniable nous rappelle qu'environ vingt ans plus tard Apulée écrivait au livre XI des *Métamorphoses* des pages célèbres à la gloire d'Isis, mère universelle.

Statue de Ptah, dieu égyptien. Le clergé de Memphis imaginait la naissance du monde comme l'œuvre de Ptah, créateur, dieu suprême. Les Égyptiens le représentaient généralement en homme au crâne rasé, gainé dans une momie, mais les mains libres.

diamètre de 42,56 m, entourée d'une colonnade ionique qui comprend quarante colonnes. Ce portique borde un canal circulaire revêtu de marbre blanc, qui entoure la partie centrale du pavillon ; celle-ci forme donc une île, reliée au portique par deux ponts mobiles en bois. La fonction de ce petit ensemble, dont la partie centrale avait la forme d'un atrium à quatre côtés curvilignes concaves, ne se laisse pas aisément deviner. Une hypothèse récente, formulée par Henri Stierlin, propose d'y voir un pavillon destiné à des observations astrologiques, une science familière à Hadrien.

Autour du palais ainsi défini, un certain nombre d'édifices urbains utilitaires sont répartis sur les pentes qui descendent vers la vallée du Canope : ce sont deux Thermes, comme en comportaient toutes les villas depuis des siècles. Lieux de détente et de conversation, ils sont indispensables à la vie quotidienne. L'ampleur de ceux-ci permet d'entrevoir le nombre considérable de personnes vivant dans le palais. Ces personnes, affranchis, soldats du prétoire, etc., étaient logées dans de petites pièces en contrebas des terrasses. La circulation de service se faisait par des couloirs dissimulés, de sorte que rien n'empêche les habitants de cette villa de rêve de trouver le calme, que rien n'interrompe les plaisirs de l'esprit.

créations de la Villa : cette Piazza d'Oro (la « Place d'Or »), qui forme un ensemble d'une très grande beauté. Les soixante colonnes de son péristyle étaient les unes en marbre cipolin, les autres en granit. Le pavage était en marbre de différentes couleurs, et l'on a découvert, dans les salles adjacentes, des mosaïques d'une grande finesse. Dans l'axe du péristyle, à son extrémité sud-est, s'élève une salle d'une forme très curieuse, couverte sans doute, à l'origine, d'une coupole maintenant disparue. Cette coupole était portée par des colonnes disposées de manière à former une croix grecque aux branches curvilignes. Un dessin analogue se retrouve au prétendu Théâtre maritime, avec une alternance de courbes convexes et concaves, disposition dont on ne connaît guère d'autres exemples et que, pour cette raison, il faut sans doute attribuer à l'invention d'Hadrien lui-même. On dit souvent que ce pavillon de la Piazza d'Oro, qui

s'inscrit dans un carré de 20 mètres de côté, aurait été la salle du trône, destinée à l'apparition du maître « en majesté ». Cela nous semble bien peu probable. Nous y verrions plus volontiers une *cenatio*, un salon destiné aux banquets, qui tenaient une grande place dans la vie aulique. L'ensemble du pavillon était ce que l'on appelait une *diaeta*, un lieu de vie autonome, indépendant des autres appartements.

À l'extrémité ouest du Palais impérial, adjacent à la cour des Bibliothèques, le Théâtre maritime est une pièce de plan circulaire, d'un

La Piazza d'Oro (ainsi nommée par les premiers fouilleurs en raison de sa riche décoration) est un ensemble fermé se composant d'un vestibule octogonal et d'une cour entourée d'un portique formé d'éléments convexes et concaves alternés, modèle de l'architecture curviligne romaine.

Nous avons dit les allusions à la culture philosophique ; un théâtre grec, orienté vers le nord pour que les gradins fussent toujours à l'ombre, permettait aux acteurs de la cour de représenter les pièces du répertoire classique. Ses dimensions restreintes n'autorisaient pas les mises en scène plus chargées du théâtre romain. Un autre aspect de la poésie était symbolisé par un vallon appelé Tempé, du nom de la célèbre vallée du Pénée, en Thessalie, lieu aimé des Muses. Ainsi la Villa offrait à l'imagination à la fois l'univers de la tragédie et celui de la comédie, le lyrisme, inséparable du pays des dieux, avec ses rochers et la fraîcheur de ses sources (l'eau coulait en abondance un peu partout dans ce jardin), et, dans les calmes bibliothèques qui n'étaient pas très éloignées de la Tempé, les ouvrages laissés par les grands auteurs du passé.

Au terme de cette promenade dans la villa d'Hadrien, nous comprenons peut-être mieux la personnalité de celui qui la conçut et en poursuivit l'aménagement pendant tout son règne : magnificence des ornements (statues, mosaïques, qui font la gloire de nombreux musées depuis la Renaissance), raffinement du décor, choix des vues, souvent magnifiques, tournées vers la plaine du Latium et s'étendant jusqu'à la mer, souci de préserver l'intimité du maître et d'assurer aussi sa sécurité, ainsi que

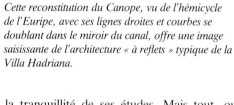

Cette reconstitution du Canope, vu de l'hémicycle de l'Euripe, avec ses lignes droites et courbes se doublant dans le miroir du canal, offre une image saisissante de l'architecture « à reflets » typique de la Villa Hadriana.

la tranquillité de ses études. Mais tout, ou presque tout, y parle de l'Orient grec. Du monde romain, nous ne trouvons que l'hippodrome, le stade et les thermes. Cependant, l'un des derniers ensembles créés par l'empereur évoque l'Égypte. Il s'agit du Canope, un grand canal qui occupe un vallon et aboutit à un sanctuaire consacré à Sérapis : une grande partie de ce temple consiste en salles souterraines, comme il convenait pour un dieu qui régnait sur les morts.

Hadrien avait voulu ici évoquer un bras du Nil, celui qui aboutissait à Canope où, effectivement, se trouvait un sanctuaire de Sérapis, et où se rendaient les malades qui venaient y chercher la guérison. Le canal qui y menait était bordé de cabarets, où l'on pouvait se procurer tous les plaisirs possibles — tout ce qui exaltait le désir et le plaisir de vivre. C'est ce lieu de joie et de vie intense que le Canope d'Hadrien symbolise sans vouloir imiter l'architecture égyptienne. Le long des rives, un portique dont les colonnes supportent des arcs légers semble être une innovation de l'architecture romaine, comme le montrent aussi certaines maisons pompéiennes.

Telle fut la villa du Cosmocrator : un monde où l'Orient domine, mais projeté dans l'univers de Rome, et pensé selon les formes imaginées par elle.

Pierre GRIMAL

L'ALHAMBRA
Un joyau de l'Espagne musulmane

Il faut aller le soir sur la terrasse de l'église San Nicolás, dans le vieux quartier d'Albaicín, dernier refuge des Maures, là où des ruelles tortueuses bordées de maisons blanches et de villas aux beaux jardins évoquent si vivement l'antique présence musulmane — qui à Grenade dura 718 ans — pour voir le soleil se coucher sur l'Alhambra. Muet d'étonnement, on a l'impression d'assister à un jeu d'illusionniste ou à une féerie.

Le site est admirable, et l'on devine, derrière les murs rougeoyants, les prodigieuses échappées que l'on a du château... On ne peut s'empêcher de songer à la sorte de miracle qui veut que, dans la ruine générale de l'architecture musulmane espagnole, il ait, avec quatre ou cinq autres monuments célèbres, été préservé, alors même qu'il était conçu pour le plaisir d'un jour, conformément à la philosophie musulmane qui sait que tout, ici-bas, doit ne pas avoir de durée.

Miracle d'autant plus heureux qu'il est, ou peu s'en faut, le seul ensemble palatial médiéval qui ne relève pas de fouilles archéologiques et, en même temps, l'ultime réalisation de l'école arabe espagnole, créatrice d'une des civilisations les plus prestigieuses et les plus florissantes qui aient jamais été.

La féerie du soleil couchant n'est qu'une promesse que le palais tiendra. Quand on a franchi ses portes, on quitte vraiment le monde réel pour entrer dans un univers qui semble purement imaginaire. Il faut alors oublier les leçons reçues, ne pas chercher à se référer à quoi que ce soit que l'on connaisse, et accepter le conte de fées. Les plus austères des historiens de l'art, et ils ont raison, parlent de symphonie décorative, de pierres qui chantent au murmure de l'eau, de supports qui sont des colonnes de lumière, de lieu magique, de rêve éthéré trop exquis pour être l'œuvre de l'homme. « J'ai imaginé, dit l'artiste, un monu-

ment sculpté, dont le voile de splendeur est fait de perles et qui illumine les environs d'un rayonnement de pierres précieuses. » Jamais imagination n'a su aussi bien se concrétiser. On peut affirmer qu'il n'y a jamais eu et qu'il n'y aura jamais une œuvre plus enchanteresse et plus fantasmagorique — j'entends faite dans le plus pur respect de l'art.

Non que tout y soit parfait. Le froid analyste pourrait se montrer sévère. Certes, plusieurs techniques sont parfaitement maîtrisées, ainsi l'épigraphie, qu'on a dite parfois la plus belle de toutes celles de l'Islam, ainsi la céramique de revêtement (azulejos), sans égale, du moins en son temps, et le décor, même réalisé sur un matériau aussi modeste que le stuc et ayant perdu sa belle vigueur du XIIᵉ siècle, reste d'une grande science et d'une réelle beauté. Mais les défauts abondent : l'architecture n'existe guère en elle-même, mais comme support du décor ; celui-ci dépasse la ligne

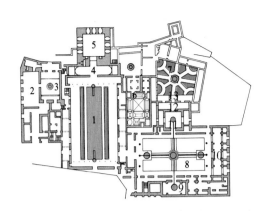

Plan du palais : 1. Cour des Myrtes. 2. Mexuar. 3. Patio du Mexuar. 4. Salle de la Barca. 5. Salle des Ambassadeurs. 6. Bains. 7. Jardins de Daraxa. 8. Cour des Lions. 9. Salle des Abencérages. 10. Salle des Rois. 11. Salle des Deux-Sœurs. 12. Salle des Ajimeces. 13. Mirador de Daraxa.

Plan de l'Alhambra. A l'ouest, l'Alcazaba. Au nord, le palais qui s'étendait jusqu'à l'Alcazaba et sur une partie de l'emplacement du palais de Charles Quint. Au sud-est, la ville avec la mosquée et la nécropole (disparues). A l'est, il y avait des jardins ; sur la colline voisine, le Generalife.

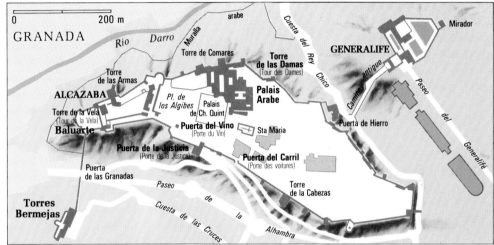

L'Alhambra occupe une position stratégique, dominant de plus de 100 m la ville qui s'étend dans la plaine en contrebas. On reconnaît au premier plan les palais et jardins des Nasrides, avec la tour carrée de Comares qui abrite la salle des Ambassadeurs ; derrière, les fortifications de l'Alcazaba ; au fond à gauche, le palais de Charles Quint et l'église qui se dresse à l'emplacement de la mosquée des souverains musulmans.

La baie géminée du mirador de Daraxa. Les arcs festonnés ou découpés en stalactites, de formes et de hauteurs différentes, vus en enfilade s'imbriquent les uns dans les autres pour former un cadre à la baie. Mais, circonscrite par les azulejos, en bas, et les bandeaux d'inscriptions calligraphiées en haut, à son tour elle enferme le paysage, forçant ainsi le regard à le considérer comme une composante de l'ensemble.

architecturale et la tue ; il s'amenuise avec excès, tend à la mollesse et ne parvient guère à se renouveler ; on crée des éléments architecturaux qui ne servent à rien qu'à la joliesse, ce qui est illogique, si romantique ou sentimental — ainsi les corbeaux qui ont pour fonction de porter les linteaux sont seulement des coffrages de bois cloués sur les poutres et les piles, subterfuge qui révolte.

Mais le subterfuge est voulu, comme l'est, dans sa majorité, tout ce qui pourrait vraiment choquer : le manque de symétrie, le désordre apparent de l'ensemble, l'incohérence de l'agencement, le goût trop marqué pour le pittoresque. Réalisé avec une science consommée, tout cela est indispensable à l'œuvre telle qu'elle a été conçue et contribue à sa parfaite réussite. C'est grâce à cela, en partie au moins, que naissent les merveilleuses perspectives ; qu'entre les cours et les salles ouvertes se réalise une articulation unitaire d'espaces intérieurs et extérieurs soulignés non seulement par les éclatants motifs des murs, mais aussi par la manière vraiment extraordinaire d'y faire concourir la lumière du soleil, les mouvements et jusqu'aux bruissements des eaux ; que l'ordonnance de l'ensemble acquiert toute sa subtilité, son harmonie et sa vie.

En fait, rien n'est laissé au hasard, et sont soigneusement étudiés la découpe des arcs, l'emplacement si fantaisiste des colonnes isolées ou géminées qui semblent jouer entre elles, les lobes, le jumelage des baies ; ou encore la disposition même du décor tapissant, d'un principe relativement simple, avec en bas, des revêtements de céramique ; dans la partie médiane, des grandes surfaces de plâtre

Mahomet en 632 avaient commencé la conquête du monde, débarquèrent avec des masses de Berbères à Gibraltar en 711 et progressèrent si vite qu'en 732 ils se heurtèrent à Charles Martel à Poitiers. Du petit royaume des Asturies, qu'ils n'avaient pas soumis, partit aussitôt une contre-offensive qui connut des périodes de fièvre et de longs moments d'arrêt. Obligés dès le VIIIe siècle de se replier, les conquérants, vers l'an 800, n'occupaient plus que les deux tiers de la péninsule. Ils se maintinrent solidement sous la direction des Omeyyades venus de Syrie, émirs puis califes, gouvernants de Cordoue, et élaborèrent une très brillante civilisation. Celle-ci atteignit son âge d'or au Xe siècle, quand la capitale, avec ses 300 000 habitants, était la plus grande ville d'Occident : on y dénombrait 700 mosquées et, dans sa bibliothèque, 400 000 volumes, nombre inouï pour l'époque. La destruction du califat au début du XIe siècle favorisa la reprise de la reconquête chrétienne. Dès 1085, Tolède tombait, suivie en 1118 de Saragosse. Le retour offensif des Africains permit une stabilisation du front jusqu'à ce qu'ils fussent vaincus à Las Navas de Tolosa (1212). Dès lors, tout croula : entre 1228 et 1268, les Baléares, Cordoue, Valence, Séville, Cadix, Murcie furent enlevées. Toutefois, la culture islamique ne souffrit pas tout d'abord. Un nom, un seul entre tous, suffit à l'évoquer,

épigraphiées, géométriques ou florales où triomphe l'arabesque ; et, en haut, jusqu'au sommet de la couverture, le jeu fantastique des stalactites miniaturisées, échevelées, chatoyantes dessous la lumière qui, du sol, rejaillit sur elles.

Il y a dans tout cela bien du truquage, et en même temps un héritage, l'aboutissement ultime d'une civilisation pluricentenaire qui a conduit au seuil d'une décadence qui, en tout état de cause, eût été irrémédiable. L'art islamique d'Espagne était à bout de course, à son couchant — mais au couchant le soleil brille souvent de ses plus beaux feux — et on ne peut le comprendre si on veut le détacher de l'histoire de l'Espagne musulmane. La mainmise par les musulmans sur la péninsule Ibérique fut d'une rapidité et d'une facilité extrêmes si elle n'a jamais été complètement achevée. Les Arabes, qui après la mort de

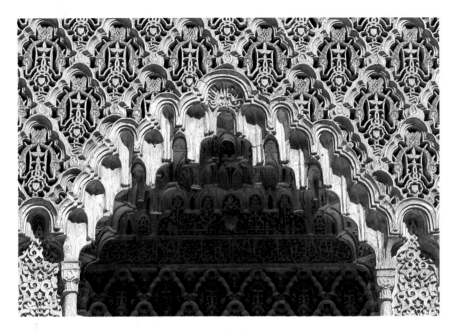

celui d'Ibn Ruchd, notre Averroes (1126-1198), le maître inimitable, celui qui domina la pensée de l'Occident médiéval.

Tout semblait politiquement fini pour l'islam espagnol quand, en 1238, Mohammed Ier al-Ghalib, descendant des derniers rois de Saragosse, s'empara de Grenade, où il fonda la dynastie des Nasrides. Soucieux de ne pas affronter les Rois Catholiques, il se déclara leur vassal et leur paya tribut. Sous l'énergique et prudente direction de ses princes, le royaume de Grenade fit belle figure. Héritier de tout le grand passé musulman, il attira à lui des artisans, des artistes, des écrivains, des savants, tout ce que le monde arabo-berbère, qu'on nommait maure ou moresque, comptait encore de meilleur et, avec eux, d'innombra-

Détail d'une des arcades de la cour des Lions. Le décor, expression d'un art à son apogée, est un prodige de fantaisie, d'élégance et de raffinement. La recherche et la virtuosité y ont été poussées à l'extrême.

Détail d'une peinture sur cuir (fin XIVe s.), ornant le plafond d'une des alcôves de la salle des Rois. Dix personnages sont représentés. Selon la tradition, il s'agirait des premiers rois de la dynastie des Nasrides.

bles juifs, acteurs efficaces dans la genèse et l'expansion de la civilisation arabe d'Espagne. Aux XIVe et XVe siècles, avec ses 50000 musulmans et juifs, Grenade était une des principales cités d'Europe, rivale heureuse de Florence et de Rome, et son État, un des plus prospères grâce à l'agriculture, à l'artisanat et au commerce.

Mohammed s'installa dans la casbah *(alcazaba)* des Zirides (IXe s.), située à l'avancée extrême vers l'ouest du plateau de la Saliha, presque à pic sur le Darro, plateau long de quelque 640 mètres pour une largeur de 220, et ordonna aussitôt la construction d'un palais et d'une ville royale. Cela était bien dans la tradition espagnole : on en avait eu une preuve éclatante à Medinet az-Zahra, proche de Cordoue, au temps du califat. Il commença par faire aménager un aqueduc destiné à amener l'eau en quantité suffisante pour qu'elle pût

Les bains. Bâtis sous le règne de Yousouf Ier, ils comprennent un caldarium, un frigidarium, un tepidarium et une salle de repos dont on voit ici une des deux alcôves. Cette salle comporte une galerie supérieure du haut de laquelle, dit-on, le roi observait les baigneuses, puis jetait une pomme à celle qu'il avait choisie pour la nuit.

fleurissent les myrtes et de galeries aux gracieuses arcades. Au nord, une salle oblongue qui occupe toute la largeur de la cour mais n'est profonde que de quelques mètres, dite de la Barca (de la *baraka*, la célèbre « bénédiction » ou « chance » des Arabes), forme une sorte d'antichambre à la salle des Ambassadeurs, construite dans la tour de Comares, en saillie sur l'ensemble palatial pour former un véritable belvédère. Carrée (11,30 m de côté), très élevée, couverte d'une magnifique coupole en bois de cèdre, elle est souvent considérée comme le joyau de l'Alhambra.

ruisseler partout dans la cité et les palais, puis il mit ces derniers en chantier. Il eut soin d'enfermer ses futurs édifices dans une haute et impressionnante enceinte transformant la cité en une puissante place forte. Cette enceinte était soutenue par vingt-trois tours, dont plusieurs fort belles et assez larges pour contenir à leur sommet de petits appartements ; elle était percée de trois portes, deux faites dans le plus pur style marocain, la troisième, celle de la Justice, douée au contraire d'une vigoureuse élégance personnelle. Ces portes, coudées, étaient des organes défensifs, mais, décorées abondamment et avec finesse, elles étaient un signe d'accueil riant pour le visiteur.

L'Alhambra, en arabe Qalat al-Hamra, le Château Rouge, n'occupa qu'une faible partie de la zone délimitée par l'enceinte. À son côté prit place toute la cité royale avec ce qui était nécessaire à son fonctionnement : bureaux, ateliers de la monnaie, casernes, logements du personnel et de certains grands ateliers, magasins, bains et grande mosquée. Il n'en reste plus que des vestiges, et notamment la grande mosquée a été détruite pour faire place à une église. De même disparurent la Rawda, ou nécropole royale, et tous les monuments situés entre l'Alcazaba et le Mexuar, cour carrée et salles de petites dimensions. Des jardins, le château inachevé de Charles Quint, des bâtiments sans intérêt occupent les emplacements ainsi dégagés. Les palais, comme les murailles, qui ne furent jamais attaquées, demeurent à peu près intacts. À ceux-ci les souverains nasrides travaillèrent inlassablement, mais l'essentiel de la construction fut réalisé par Yousouf Ier (1334-1353) et Mohammed V (1353-1391). Au premier on doit la partie antérieure (occidentale), dont le centre est formé par la cour des Myrtes ; au second, la partie postérieure (orientale), entourant la cour des Lions. Ces deux parties, entre lesquelles s'insèrent des bains et un oratoire plus anciens, constituent encore les deux complexes architecturaux les plus importants du site.

Malgré leurs différences — notamment la plus grande exubérance du décor, un paradoxal retour aux sources des constructions plus tardives de Mohammed V — et l'opposition de leur orientation (l'un et l'autre suivant le grand axe des deux cours perpendiculaires l'une à l'autre), les deux palais obéissent à des règles identiques : la cour en forme le centre ; elle est entourée sur ses quatre côtés de portiques et de bâtiments qui, au rez-de-chaussée, servent de salles de réception et, à l'étage, de pièces — assez étroites — d'habitation.

Les constructions de Yousouf s'organisent autour de la cour des Myrtes (patio de los Arrayanos), dite aussi de Comares ou de la Alberca, mesurant environ 45 mètres sur 25. C'est un long miroir d'eau, de quelque 8 mètres de large, bordé de deux plates-bandes où

Celles de Mohammed enserrent la cour des Lions, sensiblement moins vaste, qui doit son nom aux statues de douze fauves, assez naïves et grossières, qui supportent la vasque centrale, *spolia* d'un palais du XIe siècle. De conception différente, elle reprend le plan classique des jardins à canaux se croisant au centre. Deux pavillons portés sur de sveltes colonnes font saillie en avant des galeries qui règnent sur les deux petits côtés. Trois salles

Jardins d'Islam : une rêverie hors du monde

Le Coran promet aux musulmans fidèles une vie éternelle dans des jardins ombragés où courent des ruisseaux. Nulle image paradisiaque ne pouvait mieux parler aux Arabes du désert, exposés à la lumière et à la chaleur implacables, et nulle ne parlerait mieux aux citadins enfermés dans des villes souvent étouffantes. Si le jardin répond à une profonde aspiration des hommes des pays chauds et secs, la promesse coranique a orienté les recherches des paysagistes dans une direction qui n'aurait peut-être pas été la leur. Remarquons d'abord que ce n'est pas dans leur résultat qu'on peut trouver l'attitude du musulman envers la nature. Il ne manque pas de maisons qui, loin d'être enfermées sur elles-mêmes, s'ouvrent sur l'extérieur, qui s'installent dans de beaux sites pour en jouir, de jardins aux larges perspectives. Tels sont, par exemple, ceux du Cachemire moghol ou encore les *menzeh* marocains, si mal nommés maisons de campagne, plantés au milieu de vergers, soucieux avant tout d'air, de lumière et de vues sur de lointains horizons.

Mais ces réalisations demeurent en marge du véritable jardin de la tradition. Celui-ci est né d'une méditation du texte sacré et cherche, sur terre, à transcrire une vision de l'au-delà. Il rejette la nature, la nie (ce qui est contraire à la conception occidentale telle qu'elle s'exprime depuis Rome jusqu'à nos jours), se replie sur lui-même, regarde vers l'intérieur, vers le centre comme vers le cœur de l'homme. On a pu dire qu'il était une rêverie hors du monde.

Cela se traduit concrètement par « l'irrigation d'une parcelle de désert » qu'on enferme dans de hautes murailles par-dessus lesquelles le regard ne passe pas, préservant l'intimité des hôtes et les isolant du monde extérieur. Très légèrement architecturé, le jardin adopte une forme rectangulaire idéalement divisée en quatre parterres que séparent des canaux ponctués d'eaux jaillissantes qui se coupent à angle droit. Ce plan, qu'on trouve aussi, à plus petite échelle, dans les cours des mosquées et dans des cloîtres chrétiens, transcrit une vision cosmique essentielle : l'axe du monde est formé par le bassin central et le zénith d'où rayonnent les quatre bras étendus en direction des quatre Orients. Pour des raisons pratiques évidentes, une telle composition s'enrichit d'allées secondaires se croisant à la perpendiculaire : c'est ce dernier plan qu'on rencontre le plus souvent dans les rares œuvres anciennes préser-

Le Generalife était en quelque sorte la maison de campagne des souverains nasrides. Bâti vers la fin du XIIIᵉ s., il a subi beaucoup de remaniements et il ne reste guère de constructions datant de cette époque, hormis le rez-de-chaussée du pavillon qui ferme au nord ce patio dit de la Alberca.

vées, dans les modernes qui s'en inspirent encore, et qui est reproduit sur les tapis d'Iran précisément nommés « tapis-jardins ».

L'influence européenne et la décadence ont profondément altéré les jardins de l'Islam classique. Il en subsiste encore, plus ou moins intacts, en divers pays, notamment en Espagne, dans les voluptueux carmels grenadins et dans leurs correspondants de Séville et d'ailleurs, et surtout au Maroc, où, nommés *riad*, ils sont pléthore. On peut les trouver monotones, mais, comme dans toutes les œuvres islamiques où règne l'uniformité apparente, la diversité naît des détails. Ce sont ici le choix des fleurs, le dessin des tonnelles, des dallages, des balustrades souvent en treillis de roseaux, les kiosques, les fragiles loggias ou les fontaines.

Le plus beau et le mieux préservé des jardins arabes médiévaux est celui du Generalife de Grenade (Jenan al-Arif, « Jardin de l'Architecte »), seul survivant de tous ceux qui furent aménagés dans la Vega et sur les pentes des

monts voisins. Achevé sans doute en 1319 sur les hauteurs du Silla del Moro proches de l'Alhambra, sa partie principale est composée d'une longue terrasse rectangulaire à laquelle on accède par deux petits patios, et où court un ruisseau bordé de jets d'eaux et de deux parterres. Par exception, cette surface oblongue n'est pas entièrement close : un de ses côtés est ajouré d'arcs permettant de voir le paysage. Aux deux extrémités, se faisant face, sont situés des pavillons, dont l'un, celui du nord, richement décoré de plâtre sculpté, s'élève sur trois étages. C'est sans doute là qu'on peut le mieux sentir ce qu'était la vie privée, luxueuse et raffinée, des souverains et des grands seigneurs musulmans du Moyen Âge ; là que se réalise le plus complètement l'étroite alliance du paysage, de l'architecture, des eaux et de la végétation, suprême recherche des artistes musulmans, et, d'une manière générale, surtout dans les derniers siècles de la domination musulmane en Espagne.

principales l'entourent : au sud, celle des Abencérages, avec une fabuleuse couverture de nids d'abeilles, si extravagante qu'on se croirait dans une grotte phosphorescente d'où l'eau coule en formant des stalactites ; à l'est, celle des Rois, la plus vaste, sur la voûte de laquelle sont peintes sur cuir les figures de dix nobles Arabes, rare témoignage des costumes et des traits de l'époque ; au nord, celle des Deux Sœurs — en l'occurrence deux grandes dalles identiques —, couverte par une coupole à alvéoles et d'une décoration rutilante, qui est, bien que plus petite, la rivale de la salle des Ambassadeurs. Elle ouvre sur une longue galerie, dite salle des Ajimeces, puis sur un mirador qui domine le frais jardin de Daraxa au-delà duquel se trouvent les appartements de Charles Quint.

La fascination exercée par l'Alhambra fut inouïe et c'est à elle qu'on doit sa survie : on lui pardonna d'être musulmane ! Dès 1360, Pierre le Cruel chercha à l'imiter, avec des *spolia* de Cordoue, de Séville et d'ailleurs, et à l'aide d'artistes venus de Grenade, en érigeant l'Alcazar de Séville. Le plan de celui-ci est plus simple : il se développe autour du patio des Dames et de celui, plus petit, des Poupées. Le plus pur style grenadin y voisine avec le mudéjar, le style des musulmans au service des chrétiens après la reconquête, notamment éclatant dans le somptueux portail à auvent édifié sur la façade. Puis ce fut toute l'Afrique du Nord, et surtout le Maroc, tandis qu'en Espagne même, inlassablement, revenaient consciemment ou inconsciemment des souvenirs de lui. Jamais cependant, ici ou là, on ne

parvint à se rapprocher, même de loin, du modèle. Le roi Jean II de Castille avait été ébloui par lui. Ce fut sa fille, Isabelle la Catholique, qui, avec son mari Ferdinand d'Aragon, y entra : elle avait hérité de son père un certain sens du respect, et elle le respecta. Leurs héritiers firent comme eux. On pourrait presque pour cela pardonner aux Rois Catholiques d'avoir par ailleurs poursuivi de leur haine les monuments de l'islam hispanique. Quant au dernier roi nasride de Grenade, celui que nous nommons Boabdil, il savait bien pourquoi il pleurait, en 1492, quand il quittait Grenade. Sa mère fut dure quand elle lui dit : « Va ! Pleure en femme ce que tu n'as pas su conserver comme un homme. »

Jean-Paul ROUX

LE PALAIS MÉDICIS

Une grande demeure de la Renaissance florentine

orsque au milieu du XVᵉ siècle le pape Pie II Piccolomini rendit visite à Florence à Cosme de Médicis, qui était « moins un simple citoyen que le maître de sa ville », il put admirer sa toute nouvelle demeure, « un palais digne d'un roi ». Aujourd'hui encore, le palais Médicis, que Vasari salue comme « le premier à être construit dans un style moderne avec une aussi bonne distribution », reste l'archétype du *palazzo signorile* de la première Renaissance florentine.

La richesse et le pouvoir des Médicis, marchands et banquiers, commencent à s'affirmer au cours du XIVᵉ siècle. Dès la fin du XIIᵉ siècle ils s'étaient établis dans le quartier de l'église Saint-Laurent. Vers 1350-1360 ils y achètent « un palais avec une cour, un jardin et un puits », donnant sur la via Larga. Très vite, selon une habitude commune à Florence, le clan Médicis se regroupe, possédant en 1375 six maisons et en 1427 dix-sept maisons mitoyennes le long de la via Larga, axe de la vie florentine au *quattrocento*. Dans les années 1420-1430, l'emprise des Médicis sur les affaires de la république oligarchique se fait déterminante. Suivant l'exemple du libéralisme éclairé de Giovanni di Bicci (1360-1429), son fils Cosme, dit l'Ancien (1389-1464), devient en 1434, après un bref exil, le « Père de la patrie », le prince. En même temps, leur richesse s'accroît de façon considérable : seulement troisième famille de Florence par la fortune en 1427, les Médicis se hissent à la première place en 1457. Gouvernant la ville sans coercition apparente, par un subtil jeu d'influences, Cosme l'Ancien, puis son fils Pierre le Goutteux (1416-1469) et son petit-fils Laurent le Magnifique (1449-1492) réussissent à garder la faveur populaire jusqu'à la fin du XVᵉ siècle, et, réunissant autour d'eux artistes, lettrés, hommes de science, sont les premiers à incarner l'idéal du prince humaniste.

Longtemps, à Florence, sous l'influence franciscaine, s'exprime une certaine résistance devant le luxe privé — en 1355, des lois somptuaires étaient venues contrôler les

*La cour intérieure est le cœur du palais.
Les portiques aux légères arcades en plein cintre
qui l'entourent retombent, selon l'usage
courant de la première Renaissance florentine,
directement sur les colonnes corinthiennes
sans l'interposition d'un entablement.*

dépenses des particuliers —, mais au XVᵉ siècle se fait jour une nouvelle éthique qui justifie la magnificence. Les grandes demeures deviennent un objet d'orgueil civique, et les familles florentines les plus riches, les Pitti, les Gondi, et bien sûr les Médicis, se font bâtir de véritables palais, dont l'ordonnance et l'échelle, proches de celles des bâtiments publics, tranchent sur le tissu urbain médiéval. Giovanni Rucellai écrit dans son journal : « Je pense que je me suis donné plus d'honneur et plus de satisfaction en ayant dépensé mon argent qu'en l'ayant gagné, surtout au regard de l'édifice que j'ai construit. » Et un peu plus tard, Michel-Ange affirme qu' « une noble

*Le palais Médicis a perdu son aspect primitif,
la loggia angulaire ayant été fermée par
Michel-Ange au début du XVIᵉ s. et la façade
allongée considérablement le long de la via Larga
au XVIIᵉ. Mais avec son superbe appareil en
dégradé — bossages très saillants et irréguliers
au rez-de-chaussée, plus légers au premier
étage, paroi lisse au second — et sa grande
corniche débordante, il occupe encore
avec autorité l'angle de la rue.*

Plan primitif du palais

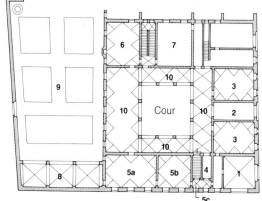

Rez-de-chaussée   Premier étage

Au rez-de-chaussée : loggia publique ouverte sur la rue ; fermée et transformée en chambre en 1518 par Michel-Ange (1). Vestibule (2). Bureaux de commis et chambres (3). Grand escalier (4). Appartement des hôtes (5) : *a)* salle ; *b)* chambre ; *c)* cabinet sous le palier de l'escalier. Grande chambre dite de Lorenzo (6). Salle des laquais *(staffieri)* (7). Loggia ouvrant sur le jardin (8). Jardin (9). Portiques entourant la cour (10). Au premier étage : grande salle (11). Appartement de Pierre le Goutteux, puis de Laurent le Magnifique (12) : *a)* chambre ; *b)* garde-robe ; *c)* cabinet *(scrittóio)*. Chapelle (13). Corridors (14). Appartement de Cosme l'Ancien (15). Appartement de Julien de Médicis (16). Salle du commun (17).

maison dans une ville donne un honneur considérable, car elle est le plus visible de tous les biens ». Aussi, tout naturellement, vers 1440, Cosme, qui subventionne la reconstruction de l'église Saint-Laurent et suit avec enthousiasme l'achèvement de la sacristie commandée par son père à Filippo Brunelleschi, décide de se faire bâtir une nouvelle résidence familiale, plus en accord avec sa nouvelle position de « seigneur de Florence ».

Dans sa *Vie de Brunelleschi*, Vasari affirme que Brunelleschi, informé des projets de Cosme, fit « un grand et magnifique modèle ». « Il voulait placer, écrit-il, le palais en face de Saint-Laurent, complètement isolé sur la place. L'imagination de Filippo s'y était tellement déployée qu'il parut trop grand et trop fastueux à Cosme, qui renonça à le faire exécuter par crainte de l'envie plus que de la dépense (...). Lorsqu'il comprit que Cosme avait décidé de ne pas donner suite à ce projet, de dépit, il brisa en mille morceaux le modèle. »

Cosme s'adresse finalement à Michelozzo, qui fait un projet plus modeste, à l'angle de la via Larga et de la place devant Saint-Laurent. Sur l'emplacement d'une vingtaine de maisons qu'on abat alors — les unes possédées depuis longtemps par les Médicis, les autres acquises dans ce but entre 1443 et 1446 — on commence à élever le palais en 1444. Le gros des travaux semble achevé vers 1454. En 1457, Cosme s'installe dans sa nouvelle demeure et, si les travaux de décoration intérieure se poursuivent encore (en 1459, Benozzo Gozzoli peint notamment la chapelle), en 1460, Filarete, de passage à Florence, parle du palais comme achevé.

Luca Giordano (1632-1705), le prodigieux virtuoso « Luca fa presto », peignit en 1682-1683 avec sa virtuosité et sa fougue habituelles cette grande galerie à la gloire de la dynastie Médicis, construite au nord du noyau primitif, pour les Riccardi, nouveaux propriétaires du palais.

Les villas médicéennes

Entre 1599 et 1602, le peintre flamand Just (Giusto) Van Utens peignit pour le grand-duc de Toscane, dans un salon de sa villa d'Artimino, dix-sept lunettes représentant les villas médicéennes. De cet ensemble subsistent aujourd'hui quatorze toiles conservées au palais Pitti et au Musée topographique de Florence, qui donnent des possessions des Médicis sur le territoire florentin à la fin du XVIe siècle et, à l'exception de la villa d'Artimino qui les contenait, une image extrêmement précise.

Dès le XIVe siècle, les Florentins les plus fortunés avaient pris l'habitude de passer « quatre mois et plus à la campagne », au témoignage de Giovanni Villani, et dans un rayon de 6 milles autour de la ville, il y avait « autant de riches et nobles demeures que deux Florence n'en contiendraient ». Toutes ces possessions combinent en fait un domaine agricole et une maison de villégiature, mais au XVe siècle, sous l'influence de Virgile et de Varron, la « vie en villa » est perçue comme une voie vers l'idéal humaniste d'équilibre entre vie active et vie contemplative, et la frontière entre le lieu de délices et la ferme agricole n'est jamais nette.

Construites entre 1451 et 1595, les villas médicéennes présentent des caractères variés ; elles reflètent l'évolution architecturale au cours de ces deux siècles, mais aussi la diversité de fonctions de ces villas : domaines agricoles qui assurent un revenu foncier plus sûr que les opérations bancaires ; villas de plaisance et pavillons de chasse ; lieux de fête suburbains, nécessaires à une vie de cour qui se cristallise lorsque les Médicis, premiers citoyens de Florence, deviennent grands-ducs de Toscane.

Les villas les plus anciennes sont des villas-forteresses avec des tours crénelées et des murs fortifiés — comme Cafaggiolo ou Careggi, situées dans la région du Mugello d'où sont originaires les Médicis, maisons fortes transformées par Michelozzo en résidences, où aux XVIe et XVIIe siècles les grands-ducs viennent passer l'été ou chasser à l'automne —, ou des villas suburbaines, comme la villa de Belcanto, à Fiesole, ou Castello.

La première villa « moderne » est celle de Poggio a Caiano, que Laurent de Médicis fait bâtir à partir de 1485, sur les plans de Giuliano da Sangallo, sur des terrains bonifiés au nord de Florence. Avec son podium percé d'arcades, sa loggia couronnée d'un fronton, sa distribution symétrique et son grand salon central voûté en berceau, elle a quelque chose d'antique, sans être comme la villa Madame, près de Rome, une reconstitution quasi archéologique. Elle s'élève au centre d'un vaste domaine agricole modèle, signe d'un repli de la banque Médicis vers des investissements fonciers, mais les bâtiments d'exploitation ne participent pas à la composition comme dans les villas que Palladio bâtira pour les grands bourgeois vénitiens lorsqu'ils redéploieront leur fortune sur la terre ferme.

Les villas postérieures, bâties à la fin du XVIe siècle par Buontalenti — Pratolino pour François de Médicis et Artimino pour son fils le cardinal Ferdinand —, s'inspirent du modèle de Poggio, comme le remarque Montaigne, mais elles accordent surtout la première place aux jardins. Partie constituante de la vie en villa, les jardins prennent un tour spectaculaire dans ces nouvelles constructions, comme dans les anciennes qu'on modernise, ainsi Castello, ou qu'on transforme en villa suburbaine, comme le palais Pitti. Les villas médicéennes ne sont pas les seules à développer l'art des jardins, mais comme les réalisations des cardinaux romains : la villa d'Este à Tivoli ou la villa Lante à Bagnaia, elles retiennent l'attention de toutes les cours européennes, et leurs fontaines, leurs jeux d'eau, leurs grottes, leurs parterres et leurs terrasses restent une référence inégalée.

Située au sud de Florence, la villa La Peggia fut achetée par Francesco de Médicis en 1569 et transformée pour lui par Buontalenti en 1581-1585. Profondément modifiée au XVIIIe s. pour Cosme III, dégradée au XIXe, elle ne présente plus guère de rapport avec l'image qu'en a donnée Giusto Utens en 1599.

Le palais Médicis était alors sensiblement différent de ce qu'il est aujourd'hui. Sous son aspect primitif, il se présentait comme un cube sobre et puissant, aux proportions ramassées. Une loggia s'ouvrait au rez-de-chaussée, à l'angle de la via Larga et de la petite place vers Saint-Laurent. En 1518, cette loggia fut fermée et transformée en chambre, dont Michel-Ange dessina les fenêtres. Surtout, dans les années 1670, la famille Riccardi, qui avait acquis le palais en 1659, le fit agrandir le long de la via Larga, agrandissements qui en ont respecté le style mais ont considérablement altéré les proportions d'origine.

Longtemps, les historiens, prenant au pied de la lettre l'affirmation un peu courtisane de Vasari citée plus haut, ont voulu voir dans le palais Médicis non seulement le paradigme superbe du palais florentin, mais encore un prototype. Depuis une dizaine d'années, on redécouvre tout ce qui le rattache à la typologie de la demeure florentine, qui se cristallise dès la fin du XIVe siècle à partir de l'architec-

« Dans toute l'œuvre [de Gozzoli], écrit Vasari en 1568, sont dispersés de nombreux portraits d'après nature, mais on ne les identifie pas tous. » On voit généralement dans ce Roi mage un portrait de Laurent de Médicis. Avec ses couleurs éclatantes, son foisonnement de détails luxueux, sa composition en frise par plans superposés, la fresque de la chapelle Médicis peinte en 1459 par Benozzo Gozzoli s'inscrit dans la tradition de l'art de cour de Gentile da Fabriano et de Pisanello.

ture des palais publics des XIIIe et XIVe siècles (Bargello, palais de la Seigneurie).

À l'extérieur, le palais Médicis apparaît comme un gros bloc cubique dont la massivité est renforcée par l'emploi d'un appareil en bossage, c'est-à-dire dont le parement seul reste grossièrement taillé en bosse. Michelozzo a structuré toute sa façade en jouant sur une gamme de bossages dont la saillie diminue

d'étage en étage et souligne le rythme des travées en mettant en valeur l'appareil rayonnant des claveaux autour des baies.

Ni ce type de baies en plein cintre à bifora ni ce type d'appareil à rustication en dégradé ne sont des innovations. Associé si intimement à l'image du palais florentin de la Renaissance, l'appareil en bossage est employé en Toscane aux XIIIe et XIVe siècles dans de nombreux palais publics, où l'on observe déjà un système de voussoirs rayonnants autour des baies ainsi qu'un contraste délibéré entre les bossages plus saillants et plus grossiers du rez-de-chaussée et les bossages plus réguliers et mieux épannelés des étages. Seul le très grand raffinement avec lequel est mis en œuvre ce parti traditionnel fait événement. Car le palais Médicis est loin de se présenter comme un ouvrage pionnier en termes de symétrie et d'équilibre ; on note en effet que Michelozzo ne s'est pas soucié d'axer les fenêtres des étages au-dessus du portail, négligence typique des incertitudes formelles de la première

Renaissance, qui explique peut-être que Cosme se soit, au dire de Vasari, « bien repenti de ne pas avoir exécuté le projet de Filippo [Brunelleschi] ».

Le portail donne accès à un vestibule qui débouche dans une cour carrée bordée de portiques. Longtemps irrégulière et de dimensions modestes, la cour centrale devient en effet, selon l'expression d'Alberti, « le princi-

pal membre de tout l'édifice ». « Les maisons des gentilshommes doivent avoir vestibule et cour », écrit Francesco di Giorgio.

Les distributions primitives ont été bouleversées, mais les inventaires faits en 1492 à la mort de Laurent le Magnifique et les plans levés au milieu du XVIIe siècle, avant les extensions et embellissements exécutés pour la famille Riccardi (nouvel escalier, galerie peinte par Luca Giordano, etc.) permettent de les reconstituer au temps de Cosme et de Laurent. Au rez-de-chaussée, on trouvait — outre la loggia ouvrant sur la rue, pièce typique de la vie sociale florentine aux XIVe et XVe siècles, où pouvaient se tenir les réunions du clan Médicis — divers offices et bureaux de la banque Médicis et un appartement dans lequel fut reçu plus tard Charles Quint. Un escalier monumental à rampes droites, voûté d'un berceau rampant, conduisait à l'étage noble. Celui-ci comprenait, distribués par un large corridor correspondant au portique du rez-de-chaussée, la salle d'apparat ouvrant par deux fenêtres vers Saint-Laurent et par cinq baies sur la via Larga, le grand appartement qui fut celui de Pierre le Goutteux puis de Laurent le Magnifique, avec chambre, garde-robe et petit cabinet *(scrittóio)*, ainsi que la chapelle dans laquelle Gozzoli peignit son *Cortège des Rois mages,* où l'on retrouve les figures de Laurent, de son père et de notables florentins. Un second grand appartement, qui fut celui de Cosme, donnait vers Saint-Laurent. Un appartement de bains avec une étuve et un jardin sur lequel ouvrait une loggia surmontée d'une terrasse complétaient ces appartements, tandis que les services proprement dits, cuisines, offices, logements des domestiques, des parents et alliés, étaient répartis dans les maisons voisines.

Cette distribution semble davantage guidée par un pragmatisme tempéré que par un souci théorique de décorum et de symétrie — on note, par exemple, comment, au premier étage, les corridors superposés aux loggias du rez-de-chaussée ont encore un développement limité. Mais il y a une recherche évidente pour grouper les appartements de façon claire autour de la cour, véritable cœur de la maison, dont les portiques sont rythmés de fines colonnes corinthiennes, sur lesquelles retombent des arcades en plein cintre, typiques du retour aux modèles romans locaux qui caractérise la première Renaissance florentine.

Au XVIe siècle, lorsque les Médicis devinrent ducs, puis grands-ducs de Toscane et s'installèrent au palais de la Seigneurie, le palais familial de la via Larga fut un peu abandonné avant d'être vendu. Dès la fin du XVe siècle, toutefois, sa splendeur avait commencé d'être éclipsée par les architectures plus antiquisante du palais Rucellai (vers 1458-1460 pour la façade) ou plus monumentale du palais Strozzi (1489-1504). Et lorsqu'en 1459 le Pape Pie II s'était fait bâtir un palais dans sa ville de Pienza, il avait pris pour modèle non le palais Médicis, en dépit de l'admiration qu'il lui portait, mais le palais Rucellai.

CLAUDE MIGNOT

LE KREMLIN

Enceinte sacrée
des tsars de toutes les Russies

La première Russie groupait, à partir du IXe siècle, différentes tribus slaves autour de Kiev et de l'axe nord-sud unissant la Baltique et le monde scandinave à la mer Noire (et Constantinople) par Novgorod, Smolensk et la vallée du Dniepr. Mais la colonisation paysanne se dirigea plutôt vers le nord-est, « au delà de la forêt », c'est-à-dire dans cette Zalessie des plaines fertiles de la Moskova, de l'Oka, de la Kliazma et de la Volga.

Quand le sud des pays du Dniepr fut emporté et ravagé par l'explosion mongole (sac de Kiev en 1244), le Nord-Est, moins touché, devint le centre des terres russes et Vladimir céda peu à peu la primauté à Moscou dont la citadelle (Kreml'), triangulaire, se dressait sur une butte entre Moskova et Neglinnaïa, dont elle dominait le confluent d'environ 40 mètres. Cette citadelle fut réorganisée sous le règne d'Ivan III le Grand (1462-1505). Il suffit alors de trente-trois ans pour

élever, sur plus de 2 kilomètres, les murailles épaisses de 10 à 20 mètres, leurs dix-neuf tours et portes, et la plupart des monuments qui font du Kremlin un des ensembles les plus denses et les plus prestigieux qu'ait conçus le génie des hommes : à la fois une Acropole et un Capitole où se trouveraient Notre-Dame, la Sainte-Chapelle, Saint-Denis, Reims et le Louvre.

Ivan III ne fut pas seulement victorieux devant les Tartares sur l'Ougra (1480) ou en Livonie, ou autour de Smolensk (1503). Il fut le premier « souverain de toute la Russie » qui rassembla et domina l'ensemble des vieilles terres russes. Tous les princes furent obligés de reconnaître leur subordination et de venir à la cour, ou de grossir l'armée moscovite. Par ailleurs, des relations furent établies avec le Danemark, l'ordre Teutonique, la Hongrie, la Turquie, Venise, l'empereur germanique… Mais l'événement marquant fut le mariage (1472) avec Zoé Paléologue, nièce du dernier empereur byzantin.

Zoé, qui prit le nom de Sophie, apporta, outre l'emblème de l'aigle à deux têtes, l'habitude de l'étiquette byzantine et le prétexte attendu pour renforcer le rayonnement du siège métropolitain de Moscou, devenu rempart de l'orthodoxie. Sophie fournissait également des arguments permettant de fonder le pouvoir « autocratique » du prince, qui ne tarda pas à intituler son héritier (1492), puis lui-même (1547), « tsar », c'est-à-dire César, installé à Moscou, troisième Rome, face au César d'Occident, le *Kaiser* de Vienne.

*Le Kremlin depuis le pont de la Moskova.
À l'intérieur des remparts du XVe s., longs de 2 400 m et ponctués de 19 tours, le cœur médiéval se reconnaît à l'ensemble des tours à bulbe, dominées par le clocher d'Ivan le Grand.
À l'extérieur, au fond à droite, la fameuse église du bienheureux Vassili, Saint-Basile, érigée sous Ivan le Terrible entre 1554 et 1560.*

*L'église de l'Annonciation, élevée au XIVe s.,
fut entièrement reconstruite entre 1484 et 1489
par des architectes russes de Pskov. C'était
la véritable chapelle palatine. Moins ample que
sa voisine, la cathédrale de la Dormition, elle
ne comportait que 3 coupoles, mais, en 1564,
Ivan le Terrible la fit agrandir.*

Le nouveau Kremlin est ainsi à considérer comme le centre d'un pouvoir divin, d'envergure internationale, financé par les ressources d'un vaste État centralisé.

Il est tout à fait exagéré de parler à ce sujet d'un Kremlin « italien » sous prétexte que, dès 1474, Ivan envoya en Italie un de ses boïars, Tolbuzine, pour y recruter les meilleurs architectes, car il faut bien souligner que ces Italiens s'inspirèrent profondément de l'art russe ; Fioravanti prit comme modèle la cathédrale de Vladimir pour édifier celle de la Dormition et Solario suivit de près le plan de la grande salle de la Trinité-Saint-Serge — élevée en 1469 par l'architecte moscovite Ermoline — pour le célèbre Palais à Facettes. Il faut aussi évoquer les architectes russes venus de Novgorod et de Pskov, qui aidèrent à concevoir, et même conçurent, une partie des nouvelles églises, enfin, la main-d'œuvre, qui, sauf quelques spécialistes, était russe.

Le Kremlin de la fin du XVe siècle enserre, entre ses nouveaux murs et tours de briques (que le XVIIe siècle se bornera à surmonter de pinacles et de lanternes), à la fois les inconfortables maisons de bois du petit peuple, des demeures de marchands et d'artisans, des hôtels de boïars et les logements de leurs

Cette aquarelle du milieu du XIXe s. campe, dans un arrière-plan vaporeux, la masse récente du Grand Palais. Devant, l'église de l'Annonciation et le Palais à Facettes érigé par Ivan III à la fin du XVe s. Ce palais, qui abritait la salle du trône, vit se dérouler la plupart des cérémonies constitutives de l'Ancienne Russie.

serviteurs, enfin, les bâtiments des puissants : ceux hébergeant l'archimandrite et ses moines, ceux construits pour le métropolite et les prélats, par-dessus tout, à côté des fonctionnels arsenal et greniers à blé, le centre du pouvoir, de l'orthodoxie, de la justice et du commandement militaire, symbole de domination et d'unité : l'ensemble palatin.

Ces bâtiments sont, pour la plupart, restés tels qu'ils ont été construits à l'époque d'Ivan III. En particulier, les admirables églises ou cathédrales de la Dormition de la Vierge (1475-1479), de la Déposition de la Robe du Christ (1480-1486), de l'Annonciation (1484-1489), de l'Archange Michel (1505-1508), le clocher d'Ivan le Grand (1508), auquel furent adjointes les arcades (1532-1543) et dont le sommet fut surélevé et couronné par Boris Godounov (1600). Mais nom-

bre de bâtiments civils et la multitude d'appartements privés et de salles communes, reliés entre eux par des vestibules et des petites cours, n'ont malheureusement survécu que jusqu'au milieu du XVIIIe siècle ; la cour du Trésor où étaient déposées les archives, les Palais du Quai (Petit Palais) avec salle à manger et salle des réponses, et le Palais Moyen (ou Palais d'Or)... Ne demeurent donc des XVe et XVIe siècles, outre les églises dont celles de l'Annonciation est la véritable chapelle palatine, que le Palais à Facettes et le Palais d'Or de la tsarine, réincorporé au XVIIe siècle dans le Palais des térems.

Le Palais à Facettes, dit Grand Palais, a été élevé en quatre ans seulement (1487-1491) sous la direction de Pietro Solario et de Marco Ruffo. Premier palais en dur construit au Kremlin, remplaçant un palais de bois et dominant un ensemble de bâtiments en bois, le Palais à Facettes a toujours conservé le rôle qui lui avait été dès le début assigné. Consacré à la représentation, à la manifestation du pouvoir, aux réceptions et aux célébrations des grands événements, il était essentiellement une salle du trône, ce qui explique la plupart de ses caractères : son plan comme son ampleur, correspondant à la superficie laissée

disponible à l'endroit voulu, le plus prestigieux qui soit, sur la place des cathédrales, édifice du prince entre les édifices de Dieu. Ce palais doit être à l'épreuve du feu ; ses murs sont en briques mais ne renoncent pas au prestige de la pierre puisqu'ils portent le célèbre parement à pointes de diamant *(Granovitaïa)* dit à facettes, qui évoquent les édifices de Ferrare, de Milan, ou même de Florence (palais Pitti).

Cet aspect extérieur n'a guère été modifié, ce qui est unique dans cet ensemble palatin qui, en moyenne, a été retouché voire réorganisé tous les dix ans jusqu'au milieu du XIXe siècle, et même du XXe siècle : à noter cependant que le toit, d'abord de cuivre et en pavillon à quatre pans, a été abaissé, refait en fer, avant de devenir l'actuel toit à trois pentes ; les fenêtres ont également été remaniées en 1684, à l'époque baroque : elles sont munies d'une élégante colonnette centrale et d'un arc plein cintre, cependant que toute la façade a été encadrée de colonnes torses grimpant jusqu'à la corniche... Enfin les petites portes du bas ont été légèrement adaptées et sont restées le plus effacées possible, car elles ne servent qu'à pénétrer dans le local où s'affairent les « chauffeurs » alimentant l'immense poêle qui répand sa chaleur à l'étage.

Fastes de la cour moscovite

A l'époque d'Ivan le Terrible, la haute société russe comporte un certain nombre de groupes. Tout d'abord les kniaz — princes descendants généralement de l'ancêtre commun Riourik —, encore au pouvoir dans leurs villes, où ils ont diverses attributions judiciaires, fiscales ou administratives, et propriétaires d'immenses domaines. Mais depuis Ivan III, ils ont perdu l'essentiel de leur autonomie. Viennent ensuite les nobles, généralement seigneurs fonciers, les boïars. Certains vivent au loin sans la moindre possibilité de promotion ; d'autres jouissent de la faveur du maître, sont grands officiers de la couronne ou membres du conseil du tsar, la douma ; d'autres encore sont des « hommes de service », mobilisés pour fournir les cadres de l'armée, voire de l'administration et de la diplomatie. Sont également appelés ou utilisés à Moscou de riches marchands, chargés de l'économie, de l'approvisionnement, de la finance...

Mais ce sont surtout les prélats qui font partie de la classe dirigeante grâce à l'influence de la religion et à l'extraordinaire richesse due à l'ampleur des donations et des achats, à l'importance de leurs domaines, au trafic des reliques, aux taux usuraires des prêts qu'ils consentent. A leur tête, le métropolite, dont le prestige peut balancer, voire surpasser celui du tsar, puis les évêques, les archimandrites des grands monastères... Certains sont cultivés, pieux et irréprochables, mais beaucoup savent à peine lire et écrire.

Les femmes sont tenues à l'écart. Elles doivent demander conseil à leur mari en toute chose : sur les invités qu'elles peuvent recevoir, les visites qu'elles désirent faire, et même sur les thèmes à aborder dans leurs conversations. Elles sont exclues de la plupart des réceptions, festins, cérémonies et beuveries. Même la tsarine et ses filles ne peuvent assister à ceux du Palais à Facettes que d'une invisible loggia. Il est possible que la jeune Xénia et sa mère, femme de Fedor et sœur de Boris Godounov, n'aient aperçu que de cette manière l'aimable Jean de Danemark que ses père et frère lui destinaient comme époux.

Tant que Moscou fut capitale, c'est-à-dire jusqu'à ce que Saint-Pétersbourg soit créé et habitable (1703-1721), le Palais à Facettes vit la célébration de la plupart des victoires et des mariages les plus importants, les investitures, les grandes réceptions. Des décisions fondamentales y furent prises, concernant la politique intérieure ou étrangère.

En 1552, on y fêta la prise de Kazan. En 1653, le tsar Alexis, avec la douma des boïars, y décida la réunion de l'Ukraine, et en 1672 y célébra la naissance de son fils, futur Pierre le Grand. En 1709, ledit Pierre y fêta la victoire de Poltava contre Charles XII et en 1721 la paix de Nystad avec la Suède.

Cette lithographie de 1672 ne représente pas avec exactitude la grande salle du Palais à Facettes, dont le pilier central n'a jamais eu cet aspect élancé. En revanche, les peintures primitives avaient à peu près disparu. Sont bien restitués l'éclairage intérieur, par les quatre fenêtres doubles sur chacun des quatre côtés, et surtout l'organisation du banquet, qui correspond tout à fait aux descriptions qui nous sont parvenues : dressoirs surchargés de vaisselle précieuse, trône surélevé du tsar, table en L des dignitaires, table des boïars, absence totale de femmes...

On a de très nombreuses descriptions de ces cérémonies et de leur déroulement grâce, en particulier, aux rapports des ambassadeurs occidentaux, dont l'un des premiers, Sigismond de Herberstein, fut accueilli dès 1516. On peut ainsi imaginer le long des murs les bancs couverts de tapis sur lesquels conversent à voix basse

Intérieur du Palais à Facettes. La restauration, qui s'est terminée dans le courant des années 1970, a porté non seulement sur les stucs du massif pilier central mais aussi sur l'extraordinaire ensemble iconographique qui court sur les murs et les voûtes. Refaites à la fin du XIXe s. d'après des descriptions du XVIIe, ces peintures représentent des épisodes bibliques, des vies de saints et des scènes historiques, tirées de la biographie des premiers princes de Kiev.

boïars, « diaki » (clercs et secrétaires) ou « okolnitchi » (dignitaires). Aucun bruit, car le sol est également recouvert de tapis. Entre alors le tsar dans un somptueux habit de soie, brocart et fourrures constellé de pierreries. Il s'installe sur le trône scintillant. On lui présente ceux qui ont demandé audience et qui se prosternent (« frappent du front »). Le souverain leur donne sa main à baiser (l'essuie promptement pour effacer les stigmates de ces lèvres impures) et convie à dîner.

Près de deux cents domestiques s'affairent alors pour transformer la salle du trône en salle de festin. Pendant que les assistants et le tsar se retirent, la vaisselle précieuse est présentée dans les dressoirs. Des cadeaux pour les convives sont déposés sur les tables, que l'on a soigneusement disposées en L.

Le tsar est à la place d'honneur, sur une estrade surélevée de trois degrés, ses frères s'installent à ses côtés, mais plus bas, puis les personnes à honorer : les boïars sont à la droite du souverain. Les dignitaires occupent la table perpendiculaire à la table principale. Les ambassadeurs arrivent généralement les derniers, lorsque tout le monde est placé, mais on leur rend de grands honneurs.

Le repas, décrit entre autres par Herberstein, mais aussi par l'Anglais Chancellor (1553) ou l'Italien Barberini (1565), peut durer plusieurs heures tant les plats sont copieux... et arrosés.

Il commence traditionnellement par les cygnes rôtis, que sonde le tsar pour déterminer celui qui est le meilleur, et se poursuit par une succession interminable de plats de viande ou de poisson. De temps en temps, le tsar boit à la santé de tel ou tel : les invités se lèvent alors, boivent, puis posent leur coupe retournée sur leur tête pour bien prouver qu'elle a été vidée.

Il n'est pas rare que ce cérémonial se produise plusieurs dizaines de fois au cours d'un repas. Un ambassadeur du Danemark prétend avoir compté soixante-cinq toasts consécutifs !

Les nombreuses chambres et antichambres du Palais d'Or, construit pour Ivan III et son fils Vassili, ont été incorporées dans le Palais des térems. Le contraste est saisissant entre l'immense salle de réception du Palais à Facettes et ces pièces basses, surchargées de fresques où dominent les ors.

Vu le rôle de représentation et de pouvoir de ce bâtiment bien détaché, l'architecte a particulièrement insisté sur l'importance des accès et l'aménagement intérieur.

C'est par un imposant escalier d'or *(zolo-taïa)*, à la fois beau et rouge *(krasnaïa,* en russe, voulant dire l'un et l'autre), probablement recouvert d'un tapis de cette couleur lors des grandes occasions, que l'on accède à un perron depuis la place des cathédrales.

Cet escalier est clos d'une grille dorée et orné de lions sculptés en pierre blanche à chacun des trois paliers interrompant les quatre volées de marches. Il est doublé (ou triplé) par deux autres escaliers, le « moyen » *(sred-naïa),* réservé aux non-chrétiens (Tatars, Turcs...), et celui de l'Annonciation *(Blago-vetchenskaïa),* qu'empruntent les chrétiens.

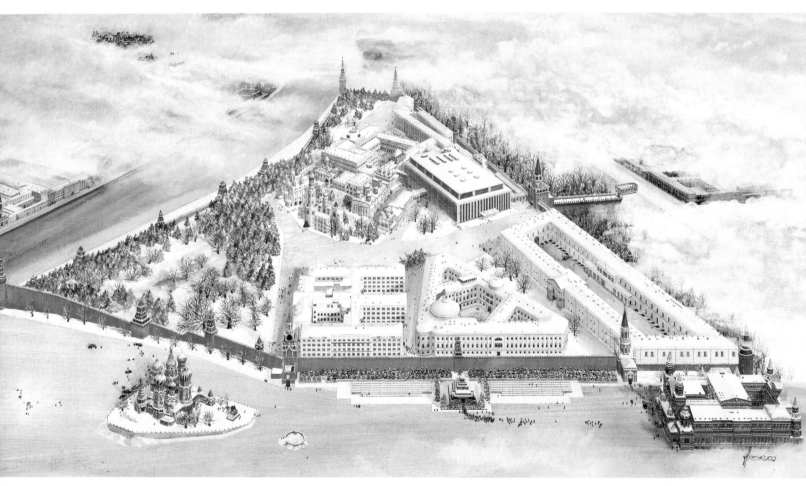

Cette vue du triangle sacré attire l'attention sur la masse énorme des constructions soviétiques qui semblent dévorer tout l'espace intérieur. Le cœur médiéval apparaît d'autant plus restreint, tassé, réduit au foisonnement des tours à bulbe des cathédrales, des églises et du clocher d'Ivan III. Les « palais » ne se distinguent que par leurs toits aplatis, plus réguliers. Peut-être faut-il voir dans cette juxtaposition surprenante la même pensée qui, sur la place Rouge (au premier plan) regroupe le mausolée de Lénine et l'admirable Saint-Basile. Bâtiment extraordinaire, dérivé de l'architecture en bois traditionnelle, l'église de l'Intercession de la Vierge résulte du vœu prononcé lors de la prise de Kazan, le 1er octobre 1552. Neuf églises-tours, dont chaque coupole est traitée de manière différente — en tranche de melon, pomme de pin, etc. —, jaillissent d'un seul soubassement. La pyramide centrale, les escaliers, les perrons, la galerie furent ajoutés au XVIIe s., mais l'ensemble apparaissait déjà si exceptionnel à l'origine qu'une légende se répandit selon laquelle Ivan le Terrible aurait ordonné de rendre aveugles les architectes — Barma et Posnik —, afin qu'ils ne puissent construire ailleurs semblable chef-d'œuvre.

La cathédrale de la Dormition. Construite entre 1475 et 1479 par un architecte italien, Aristote Fioravanti, sur le modèle de la cathédrale homonyme de Vladimir, du XIIᵉ s., elle en a la blancheur éclatante, le plan, la division des façades, les 5 coupoles et les fenêtres étroites... C'est ici que les tsars se faisaient couronner.

res visent à édifier, à instruire, et leur beauté plastique et colorée est au service de leur signification, de l'idéologie dont elles sont reflets. Leurs sources sont d'abord les livres saints, la Bible, et par exemple les nombreuses scènes à personnages qui descendent le long des murs et soulignent l'orthodoxie de la sainte Russie, dont l'autre caractéristique (nationalisme, respect du pouvoir, obéissance absolue à la sagesse du tsar) est ici mise en évidence par des scènes issues du *Dit des princes de Vladimir*, chroniques plus ou moins mythiques fixées au XVᵉ siècle et qui évoquent des faits marquants de l'histoire des Riourikovitch. Au Palais d'Or se trouvaient ainsi le baptême de saint Vladimir, le martyre des saints Boris et Gleb (de la famille princière), la vie de Vladimir Monomaque, etc.

Le Palais à Facettes était entouré de palais résidentiels en bois dont la plupart disparurent lors des incendies de 1492 et 1493. De toute manière, Ivan III avait décidé de faire construire une résidence en dur. Les travaux du Palais d'Or débutèrent en 1499 sous la direction d'Alvisio, dit Novyi; en 1508, Vassili III put inaugurer cet autre palais, qui constitue à l'heure actuelle les étages inférieurs du Palais des térems et en particulier ce que l'on a par la suite appelé le Petit Palais d'Or de la tsarine, en souvenir d'Irène, sœur de Boris Godounov et femme de Fédor Iᵉʳ, fils et successeur d'Ivan le Terrible. L'ensemble palatin avait été en effet fort secoué par l'incendie du 22 juin 1547, qui avait fait exploser les réserves de poudre du Kremlin. D'où les réfections et peintures postérieures.

Le contraste architectural entre le palais de représentation et le palais d'habitation est saisissant, puisqu'il ne s'agit plus d'une salle immense et unique mais d'une succession de pièces basses, petites, voûtées, souvent sombres et d'autant plus intimes, décorées de riches ornements polychromes, d'images peintes semées d'or à profusion. La plus célèbre, éclairée par sept baies à arcs et dont la voûte est portée par la croisée de deux arcs, est la chambre d'Or, salon de réception de la tsarine où avaient lieu les cérémonies familiales, mais aussi où se pressaient princes, boïars de haut rang, métropolite, bientôt patriarche.

L'extérieur de ce palais, malgré quelques descriptions ou gravures, est moins aisé à représenter puisqu'il a été très habilement incorporé dans l'admirable Palais des térems (courant du XVIIᵉ siècle), lequel, malgré le léger anachronisme, est le meilleur témoin et le plus évocateur de cet ensemble des XVᵉ et XVIᵉ siècles qui, moins heureux que les cathédrales, a plus difficilement survécu.

ROBERT DELORT

A part ces accès officiels et éclatants, le palais possède vers l'occident, le reliant aux appartements privés, le parvis dit « des boïars » où se proclamaient les ukases : c'est l'actuelle salle Saint-Vladimir. L'accès au palais lui-même se faisait par un vestibule, rénové en 1848, dit le Vestibule sacré en raison des peintures extraites de l'histoire sainte qui en décorent les murs.

Franchi le porche gardé par l'aigle à deux têtes et le lion, c'est alors l'arrivée brutale et écrasante, propre à inspirer crainte, respect et admiration, dans la salle du trône ; pièce unique, carrée (22,1 × 22,4 m), immense (500 m²), de 9 mètres sous voûte, chef-d'œuvre longtemps inégalé d'une architecture russe qui, comme à Zagorsk, fait retomber les voûtes sur un énorme et unique pilier central, sculpté et décoré. Percées dans un mur qui atteint jusqu'à 1,5 m d'épaisseur pour absorber la poussée des voûtes, de nombreuses fenêtres (quatre grandes, plus deux hautes par côté, dont toujours une au soleil) l'emplissent d'une lumière que n'arrête aucun obstacle intérieur.

Invisible, et tout autant dans la tradition italienne (que l'architecte a suivie en ménageant dans les murs d'enceinte tant de corridors secrets) que dans la tradition des Russes, qui souvent désirent voir sans être vus (et principalement les femmes de haut rang, écartées par l'étiquette de tous les festins et réunions), une lucarne masquée, aménagée au ras des voûtes, permet à celles qui auraient accès à la « chambre d'observation », au-dessus du vestibule d'entrée, de plonger leurs regards sur les assistants, les convives, les ambassadeurs...

Cette salle immense et nue a été couverte de peintures, dans le plus pur style russe, à la fin du XVIᵉ siècle, sous le règne du fils d'Ivan le Terrible et la régence de Boris Godounov. Cet ensemble remarquable, décrit et restauré par Ušakov de 1663 à 1672, a été repeint et réinterprété à partir des restes et des descriptions originales par les Beloussov à partir de 1882, puis restauré à nouveau lors de la dernière décennie (1968-1978).

Comme celles du Palais d'Or — qui les ont précédées, puisque c'est Ivan le Terrible qui les fit exécuter à partir de 1553 —, ces peintu-

VERSAILLES
Symbole de puissance et de gloire, l'œuvre du Roi-Soleil

Un gros bourg entouré de forêts avec un château délabré et, au sommet d'une faible éminence, un moulin à vent, tel se présente Versailles au début du XVIIᵉ siècle. Cette seigneurie appartient à la famille de Gondi, qui en a fait un domaine de chasse où vient souvent le futur Louis XIII. Devenu roi, celui-ci y achète des terres et fait élever à l'emplacement du moulin à vent un modeste pavillon de chasse

(1624). Il n'y a qu'une vingtaine de pièces, mais le roi s'y plaît. Aussi, en 1632, après avoir acquis la seigneurie, décide-t-il d'agrandir le pavillon devenu trop petit. Les travaux sont confiés à l'architecte Philibert Le Roy. C'est un château tricolore aux murs de briques coupés de chaînages de pierres blanches et coiffé d'un toit d'ardoises. « Un château de cartes », écrit Saint-Simon. Ce sera la résidence préférée de Louis XIII jusqu'à sa mort.

Louis XIV, au début de son règne, ne semble guère s'intéresser à Versailles, depuis 1652 il n'y est venu qu'une dizaine de fois. Puis, en 1662, il se décide. Il entreprend la transformation du château de son père, où il veut fixer la cour. Pourquoi ce choix ? Pourquoi Versailles, plutôt que le Louvre, qui n'est pas achevé ? Trois raisons justifient la décision du Roi-Soleil. Louis XIV n'aime ni Paris ni le Louvre, qui lui rappellent les mauvais souve-

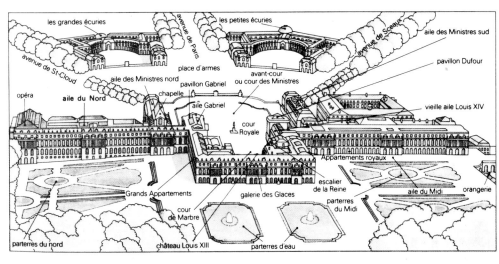

Corps central du château. À gauche, l'aile du Nord. Au premier plan, la Seine, par Le Hongre. C'est l'une des huit statues de bronze qui entourent les deux bassins du parterre d'eau, et qui symbolisent les quatre grands fleuves de France et leur principal affluent.

nirs de la Fronde. Il admire le magnifique palais de son parrain le cardinal de Mazarin et il envie la splendeur de Vaux-le-Vicomte, qu'il a découvert au cours de la fête fastueuse que le surintendant des Finances, Fouquet, lui a offerte. Enfin, et surtout, il veut laisser à la postérité et à la France un monument digne de sa gloire. A Versailles, on peut construire un immense édifice. Le terrain ne manque pas, les hommes de talent non plus : le roi fait appel à l'architecte Louis Le Vau (1613-1670), qu'il charge d'habiller la construction ancienne, à Le Nôtre (1613-1700), qui va agrandir et transformer le parc de Louis XIII, aux peintres Érard et Coypel, qui ont tous travaillé pour Fouquet. Les travaux commencent, ils se poursuivront jusqu'en 1710.

C'est le miracle de Versailles : sur l'emplacement où se dressait jadis un humble moulin à vent, un immense château va s'élever. Mais cela a demandé quarante ans et l'emploi de plus de 30 000 ouvriers, qui, même après 1682, date de l'établissement définitif du roi, du gouvernement et de la cour à Versailles, n'ont cessé d'y travailler, au point que le bruit des scies, des grues, des marteaux couvre parfois le brouhaha des courtisans. Les maçons viennent pour la plupart du Limousin ou de la

Marche, province réputée pour l'habileté des tailleurs de pierre. On monte des grues de bois. Pour ceux qui se blessent, Louis XIV crée l'Infirmerie royale. On construit partout, car le roi veut faire sortir du sol une ville nouvelle qui servira de cadre au château. Les rues sont tracées, les maisons se bâtissent. A la fin du XVIIe siècle, Versailles compte déjà près de 25 000 habitants. Il y en avait 1 000 quarante ans plus tôt.

Par piété filiale, Louis XIV veut conserver le château de son père. Toutes les constructions vont donc s'ordonner autour de ce « saint des saints », où est située la chambre du roi.

Le Vau transforme d'abord entièrement la façade qui s'ouvre sur la cour d'entrée. Puis il édifie deux ailes latérales. Surtout, il remplace les toits d'ardoises par des terrasses bordées de balustrades qui s'ornent de vases, de trophées, de pots à feu. Ces terrasses rappellent les palais italiens. Elles donneront bien des soucis aux architectes, car le ciel d'Ile-de-France, souvent chargé de pluie et d'humidité, n'est pas celui de l'Italie.

En même temps, Le Nôtre se consacre au parc. Les jardins à la française prennent peu à peu un nouvel aspect. Le parterre d'eau est entouré de dieux barbus qui représentent les fleuves de France. Les allées se peuplent de statues mythologiques, et les frères Francini commencent à lancer vers le ciel ces jets d'eau qu'on admire toujours. Dès 1664, Louis XIV donne une grande fête à Versailles, *les Plaisirs de l'Isle enchantée*. Les travaux se poursuivent. Entre les deux ailes du corps central du côté des jardins, Le Vau crée une longue terrasse d'où l'on domine le parc. Puis il bâtit les communs. Après sa mort, en 1670, son élève, François D'Orbay, achève son œuvre tandis que, sous la direction de Le Brun, la décoration intérieure est confiée aux meilleurs artistes. La guerre de Hollande n'interrompt pas les chantiers.

La cour de Marbre. Les bâtiments qui l'entourent datent de Louis XIII, mais ils ont été transformés et enrichis par Louis XIV, à qui l'on doit, entre autres, l'avant-corps central, les balcons et les bustes. Les trois fenêtres cintrées du premier étage sont celles de la chambre du Roi-Soleil.

La construction de Versailles. Tableau exécuté vers 1680 par le Flamand Van der Meulen, peintre ordinaire de Louis XIV. Au premier plan, l'achèvement des travaux de la Grande Écurie et, dans le fond, des ailes des Ministres. À côté de l'aile droite, l'emplacement où Louis XV fera bâtir l'Opéra royal (1768).

Après la signature du traité de Nimègue (1678), ils reprennent avec une ardeur accrue, car Louis XIV, arrivé à l'apogée de sa puissance, décide d'agrandir encore Versailles pour s'y fixer définitivement. Il veut aussi grouper autour de lui la haute noblesse du royaume, car celle-ci, quand elle n'est pas aux armées, cherche trop souvent à fronder l'autorité royale. Il faut donc la neutraliser. Le Roi-Soleil va s'y employer ; en instituant l'étiquette la plus minutieuse, en multipliant les charges et les offices, il lui accorde des faveurs insignifiantes, de ces riens (le mot est de Saint-Simon) qui tiennent en dépendance les plus grands seigneurs de France : assister à la toilette du roi, au choix de sa perruque ou de ses mouchoirs, tenir le bougeoir qui éclaire son livre de prières sont des honneurs qu'il faut désormais mériter. Il faut donc loger, ne fût-ce que dans des galetas de deux pièces, tous ceux qui auront l'insigne honneur de posséder un appartement au château.

Les grands travaux se multiplient. Jules Hardouin-Mansart (1645-1708), petit-neveu de François Mansart, devient le premier architecte du roi : il reprend à son tour l'œuvre de ses prédécesseurs et va lui donner sa forme définitive. Du côté de la ville, il relie d'anciens bâtiments qui deviennent, de chaque côté de la cour d'honneur, les ailes des Ministres ; il surélève ceux de la cour de Marbre. Du côté du parc, il ferme la terrasse occupant le corps central de l'édifice, qui devient la galerie des Glaces, dont les plafonds, décorés par Le Brun (1619-1690), rappellent les victoires remportées sur la Hollande. Puis il construit, de 1678 à 1681, l'aile du Midi, et de 1687 à 1689, l'aile du Nord, qui donnent à cette nouvelle façade un développement de 580 mètres de long et 375 fenêtres.

En 1682, Louis XIV, impatient, fait de Versailles le siège de la cour et du gouvernement, sans attendre la fin des travaux. Il faut donc assurer l'intendance, car, jusqu'alors, les cuisines se répandaient jusqu'à l'entrée du château, et les gentilshommes enrubannés, les dames de qualité étaient accueillis par une nuée de marmitons et de gâte-sauce bruyants et querelleurs : en face de l'aile du Midi, Hardouin-Mansart bâtit le Grand Commun, qui réunit les cuisines, la paneterie et l'échansonnerie. Il faut aussi loger tous les chevaux : en face de la cour d'honneur, au débouché des

trois grandes avenues qui mènent au palais, il construit les Grandes et les Petites Écuries. Puis, dans le parc dessiné par Le Nôtre, du côté du Midi, pour masquer la chute des terres, il entreprend la construction de l'Orangerie, aux dimensions d'une cathédrale, ainsi que celle du double escalier dit des Cent Marches.

En même temps, pour s'y reposer des solennités de la cour, qu'il avait lui-même créées pour son plaisir, Louis XIV fait construire par Hardouin-Mansart, de 1687 à 1689, le Grand Trianon, qui remplace le Trianon de Porcelaine de Le Vau. Avec son péristyle de marbre vert et rose, qui unit les deux ailes, et sa façade dépouillée, Trianon offrait au roi la simplicité qui manquait à la cour.

Enfin, Hardouin-Mansart entreprend la chapelle royale, sa dernière œuvre, achevée deux ans après sa mort (1708), par son beau-frère, Robert de Cotte (1656-1735). Des chapelles qui avaient précédé, celle-ci est la plus belle, la plus vaste : c'est « la maison de Dieu dans la maison du Roi ». C'est là qu'eurent lieu toutes les grandes cérémonies religieuses de la monarchie, baptêmes ou mariages.

Dans le même temps, le parc s'est encore embelli et étendu. Après la pièce d'eau des Suisses, le parterre du Midi, voilà, au-delà de la longue pelouse bordée de statues, le Grand Canal de Le Nôtre qui permet au roi d'offrir des fêtes et des collations originales. Les jets d'eau se sont multipliés : la grande cascade où ruissellent les eaux, la colonnade tricolore, blanc, rouge et bleu, l'escalier d'eau orné de charmantes statues d'enfants, le bassin de Neptune, le plus somptueux de tous. Les nombreuses statues de pierre et les bronzes qui ornent les jardins sont dus au sculpteur Coysevox et aux fondeurs Marsy et Tuby.

Après soixante-douze ans de règne, le 1er septembre 1715, Louis XIV s'éteint dans sa chambre d'apparat située au cœur de ce palais qui fut durant près de quarante ans son plus beau souci. A sa mort, la nouvelle ville de Versailles compte 30 000 habitants.

Combien avait coûté la construction de Versailles ? Le château a-t-il contribué à ruiner la France ? Les Comptes des bâtiments du roi, conservés aux Archives nationales et tenus avec la plus grande rigueur, nous livrent avec précision les sommes dépensées chaque année pour Versailles, de 1662 à 1710. Ces dépenses varient beaucoup : elles sont de 300 000 à 600 000 livres entre 1664 et 1668, dépassent 10 millions de livres au moment des grands chantiers, et retombent à 300 000 ou 400 000 livres en 1700 et 1710. La moyenne est de 2 millions de livres par an, soit au total 80 millions de livres. Des économistes ont tenté d'évaluer cette somme en monnaie actuelle : Versailles aurait coûté près de 2 milliards de nos francs. La somme peut paraître énorme, mais, répartie sur les quarante années qu'ont duré les travaux, elle ne représente qu'une dépense de 40 à 50 millions actuels par an.

Devenu régent, Philippe d'Orléans quitte Versailles et installe le nouveau roi d'abord au château de Vincennes, puis à Paris. Le château

est déserté ; la surintendance des bâtiments s'efforce de veiller à son entretien, jusqu'au retour du roi et de la cour en 1722.

Louis XV maintient à Versailles le siège de la cour. Mais, sous son règne, le palais subit encore d'importants remaniements. De 1729 à 1738, les anciens appartements royaux, dits Grands Appartements, déjà doublés depuis Louis XIV d'un appartement intérieur plus intime et plus confortable, sont modifiés complètement : ce sont les Petits Appartements ou Petits Cabinets, dont le décor reflète le goût et l'élégance du style auquel Louis XV

La chambre du Roi. Cette pièce fut d'abord un salon, ouvrant par trois portes sur la galerie des Glaces, qui fut transformé en chambre à coucher en 1701 ; les boiseries, les bordures de glaces et de dessus-de-porte datent de cette époque. Louis XIV y mourut le 1er septembre 1715.

La galerie des Glaces. Elle mesure 73 m de long et possède 17 fenêtres, auxquelles correspondent 17 miroirs cintrés. Les murs sont revêtus d'un décor de marbre, enrichi de trophées de bronze doré. Le mobilier est la reconstitution de celui que Louis XV avait fait exécuter en 1769.

a attaché son nom. Au-dessus, d'autres appartements, reliés à ceux du roi par un petit escalier dérobé, ont été aménagés pour les maîtresses royales : Louise de Mailly et sa sœur Pauline, auxquelles succèdent la duchesse de Châteauroux, puis la marquise de Pompadour et Mme du Barry. Tous ces travaux entraînent la disparition du magnifique escalier des Ambassadeurs, pendant de l'escalier de la Reine situé dans l'aile sud, et des appartements des Bains.

Le décor de la chambre de la reine est également renouvelé. Au rez-de-chaussée, on crée de nouveaux logements pour la famille royale.

Le château de Versailles ne possédant pas de salle de spectacle, Louis XV charge Jacques-Ange Gabriel de la construction d'un opéra. Les travaux débutent en 1768. De plan ovale, il comporte une colonnade corinthienne au niveau des avant-scènes, mais les colonnes sont en bois pour favoriser l'acoustique. Le plafond, de Durameau, représente Apollon offrant des couronnes aux hommes qui se sont illustrés dans les arts. La scène, presque aussi profonde que celle de l'Opéra de Paris, est conçue de telle sorte que, en jetant un plancher sur le rez-de-chaussée, on crée une immense salle de bal avec promenoir. Il est achevé en 1770 et inauguré la même année, à l'occasion du mariage du dauphin, le futur Louis XVI, avec l'archiduchesse d'Autriche, Marie-Antoinette.

Parallèlement, Gabriel construit le Petit Trianon, de 1763 à 1768, que Louis XV réservait à la marquise de Pompadour, qui mourra avant l'achèvement des travaux. C'est une construction de pierre rectangulaire, percée

sur chaque côté de cinq fenêtres coupées de pilastres et surmontées d'un attique ; l'ensemble est couvert d'un toit en terrasse bordé d'une balustrade sans ornement.

En 1771, Gabriel présente au roi son « grand projet de rénovation », qui ne prévoit rien de moins que la destruction totale du château de Le Vau, dont il juge l'architecture trop archaïque. Fort heureusement, le temps n'est plus aux grands travaux : la guerre de Sept Ans a ruiné la France, et le déficit budgétaire s'alourdit d'année en année. Il ne peut transformer qu'une partie des anciens communs, l'aile qui

L'Orangerie, construite entre 1684 et 1686, sert de soubassement au parterre du Midi que longe l'aile sud du château, dite aile des Princes. Elle comprend trois galeries voûtées de 13 m de haut sur 13 de large, dont la plus longue mesure 155 m, et qui abritent, en hiver, les orangers, palmiers et grenadiers qui, l'été, ornent le parterre.

À l'extrémité de l'Allée royale, le bassin d'Apollon, dieu du jour et de la clarté, rappelle que le décor du château et des jardins est inspiré par le mythe solaire. Le char du Soleil, jaillissant de l'eau, est l'œuvre de Jean-Baptiste Tuby.

Le rayonnement de Versailles en Europe

La magnificence de Versailles a suscité, durant tout le XVIIIe siècle, et jusqu'au XIXe, l'admiration de l'Europe entière. Les princes européens non seulement imitent l'existence quotidienne de Louis XIV, mais encore se font construire des palais et des châteaux à l'image de Versailles en faisant appel aux architectes qui l'ont conçu, ou à leurs élèves.

La galerie des Glaces du château d'Herren-chiemsee (ci-dessous) en Bavière, bâti de 1878 à 1885. Elle possède 44 candélabres et 33 lustres pouvant contenir près de 1 900 bougies.

Le château de Queluz (ci-dessus), près de Lisbonne, construit vers la fin du XVIIIe s., sous la direction de l'architecte français J.-B. Robillon et du Portugais Mateus Vicente de Oliveira. Devant la façade de cérémonie, le jardin de Neptune, dessiné par Robillon en 1762 dans le goût de Le Nôtre.

Guillaume III d'Orange, aux Pays-Bas, adversaire le plus acharné de Louis XIV, est un fervent admirateur de la résidence du Roi-Soleil; il commande à Daniel Marot, un architecte français, la décoration du château de Het Loo, dont l'organisation des bâtiments et des jardins selon un axe central rappelle le plan de Versailles. Le tsar Pierre Ier le Grand, subjugué par Versailles lors d'un séjour en France (1717), adopte les plans de la ville royale pour Saint-Pétersbourg, sa nouvelle capitale; il s'attache les services de l'architecte Leblond, élève de Le Nôtre, qui dessinera des jardins calqués sur ceux de son maître. Voulant éclipser Versailles, les impératrices Élisabeth Ire et Catherine II de Russie font construire le colossal château de Tsarskoïe Selo.

Pour ceux qui y ont vécu, Versailles reste le symbole d'un luxe et d'un art auxquels ils ne peuvent renoncer : les Bourbons, descendants du Roi-Soleil, commandent à Robert de Cotte, qui avait achevé la chapelle du château de Versailles, les plans des palais de Madrid et de Buen Retiro. Devenu le beau-frère de Monsieur (frère de Louis XIV), le prince Maximilien II de Bavière, exilé à Versailles pendant plusieurs années, se fait construire à son retour en Bavière des châteaux qui lui rappellent les fastes de la cour du Roi-Soleil. Élisabeth de France, fille de Louis XV, fait bâtir à Colorno, dans le duché de Parme sur lequel elle règne désormais, une réplique modeste du château de sa jeunesse.

Même lorsqu'on n'emprunte au style « versaillais » que quelques éléments d'architecture ou de décoration, Versailles reste le modèle incontesté de tous les architectes : les jardins du château de la Granja, en Espagne, sont ornés de statues mythologiques et allégoriques, œuvres de sculpteurs français, semblables à celles que l'on pouvait admirer dans les jardins de Le Nôtre. La décoration intérieure du château de Versailles par Le Brun inspire celle de la Grande Galerie et des salons de la Paix et de la Guerre du palais royal de Stockholm. La cour d'honneur de la résidence des princes-évêques à Wurtzbourg, en Bavière, évoque, avec son corps central à trois travées tourné vers la ville, la cour de Marbre de Versailles. Quant au parc du château de Nymphenburg, près de Munich, il a été dessiné à l'origine par deux disciples de Le Nôtre. Enfin, on a surnommé Postdam le « Versailles prussien », et son château de Sans-Souci le « Trianon de Frédéric II ».

Mais la plus extravagante imitation de Versailles est le château d'Herrenchiemsee, conçu au XIXe siècle par Louis II de Bavière, où l'on retrouve mêlés les souvenirs du Grand Siècle et ceux des légendes allemandes : la galerie des Glaces flanquée des salons de la Paix et de la Guerre, le salon de l'Œil-de-bœuf et la chambre du Roi rappellent Versailles, mais avec une ampleur qui rompt l'équilibre des volumes.

Salon central du pavillon d'Amalienburg, dans les jardins du château de Nymphenburg, près de Munich. Ses boiseries et ses stucs bleu et argent en font l'un des chefs-d'œuvre du rococo bavarois (à gauche).

Gravure du château de Het Loo, aux Pays-Bas. Édifié de 1685 à 1692 par l'architecte Jacob Roman, sa décoration intérieure et ses jardins sont dus au Français Daniel Marot. (À droite.)

Dans les années qui suivent, le château lui-même ne souffre pas du changement de régime, mais ses meubles sont vendus aux enchères sur l'ordre de la Convention, du 10 juin 1793 au 11 août 1794. Le Directoire y installe l'École centrale du département, une bibliothèque et le musée de peinture de l'École française. Le parc a passablement souffert. De 1810 à 1820, Napoléon Ier, puis, après lui, Louis XVIII restaurent partiellement le château.

S'il n'y réside pas vraiment (il préfère Saint-Cloud ou la Malmaison), Napoléon séjourne souvent chez sa mère installée au Grand Trianon, tandis que sa sœur Pauline habite le Petit

porte aujourd'hui son nom, une construction de style classique, d'une ordonnance sévère.

Pendant toute la fin du siècle, il n'y a plus de travaux spectaculaires à Versailles. Louis XVI se contente d'entretenir le château, en cherchant vainement à diminuer les dépenses d'une cour devenue pléthorique. En revanche, Marie-Antoinette apporte de nouveaux aménagements, plus conformes à l'évolution du goût de l'époque, aux appartements de la Reine, déjà modifiés au temps de Marie Leszczyńska. Elle les transforme en une suite de pièces au décor élégant, au mobilier et aux soieries raffinés. Puis, par opposition au vieux parc, trop grandiose et solennel, elle fait dessiner et construire pour elle le Hameau du Petit Trianon. De 1775 à 1785, elle charge l'architecte Richard Mique d'élever le pavillon du Belvédère, le temple de l'Amour et de créer les jardins paysagers du Petit Trianon. Quant au parc, il se transforme encore. Les arbres sont replantés. On dessine de nouveaux bosquets, on crée ces voûtes de verdure qui sont un des charmes de Versailles. A la grandeur géométrique des jardins à la française, on préfère la simplicité élégante d'un parc plus proche de la nature. C'est dans ce jardin où elle se plaît que la reine se repose quand, le 5 octobre 1789, on l'avertit que la foule des émeutiers se presse contre les grilles du château. Le lendemain, le roi, la reine et la famille royale prennent la direction de Paris. Versailles est abandonné.

Trianon. Le parc retrouve son ancienne splendeur. Avec quelque brutalité, l'architecte Dufour restaure les façades.

Grâce à Fontaine, les Grands Appartements et la galerie des Glaces reprennent sous Louis XVIII leur aspect ancien, les toitures sont refaites, les peintures rafraîchies. Enfin, Dufour édifie, pour faire pendant à l'aile de Gabriel, le second pavillon qui encadre la cour d'entrée du château. Mais l'entretien semble devoir être ruineux, et le goût public évolue, rejetant tout ce qui évoque l'âge et le style classiques. L'avenir de Versailles semble donc incertain, lorsque Louis-Philippe le fait restaurer à ses propres frais et décide d'y installer un musée historique, consacré « à toutes les gloires de la France » (1837). A cet effet, on transforme, une nouvelle fois, de nombreux appartements. Dans l'aile du Midi, Fontaine et Nepveu édifient la galerie des Batailles destinée à recevoir d'immenses tableaux, d'un goût médiocre, rappelant les grandes victoires de la France. Le musée est inauguré le 10 juin 1837. Versailles est sauvé, mais les ailes du Nord et du Midi, ainsi que la plupart des appartements sont défigurés.

Si Napoléon III se contente de prendre des mesures conservatoires, l'impératrice Eugénie, en revanche, s'intéresse au Petit Trianon et s'efforce de recréer le cadre où avait vécu l'ancienne souveraine.

Pendant la guerre de 1870-1871, les Allemands occupent Versailles et, le 18 janvier 1871, le roi Guillaume de Prusse est proclamé empereur d'Allemagne dans la galerie des Glaces. Le 20 mars 1871, l'Assemblée nationale vient siéger au château de Versailles, dans

Pour la construction de l'Opéra royal, inauguré le 16 mai 1770, l'architecte Jacques-Ange Gabriel s'est surpassé : l'audace du plan en ovale tronqué, l'harmonie des proportions, la beauté des sculptures de Pajou, la perfection de l'acoustique, la richesse de la décoration et la grandeur de la scène en font un des plus beaux théâtres du monde.

Le Nôtre, paysagiste de génie

Fils d'un jardinier du roi, André Le Nôtre (1613-1700) grandit dans une maison située en bordure du jardin royal des Tuileries. Il apprend à dessiner dans l'atelier du peintre Simon Vouet, où il rencontre peut-être Le Brun, reçoit sans aucun doute une formation d'architecte, comme l'atteste son jeu savant des plans et des volumes qui évoque l'art de François Mansart, et s'intéresse vivement aux recherches sur la perspective. Successivement jardinier en chef des Tuileries, premier jardinier, puis directeur des jardins du Luxembourg, il est nommé « controlleur général des bâtiments du Roy » en 1656. C'est avec la conception du parc de Versailles que Le Nôtre fait triompher le jardin à la française.

La première grande innovation de Le Nôtre consiste d'abord à ouvrir les jardins — qui jusque-là étaient clos de murs ou de haies (Villandry, Chenonceau) — sur des perspectives infinies. D'une manière générale, son style se définit par une géométrie savante et témoigne d'une grande invention dans l'utilisation des ressources naturelles. Devant les façades donnant sur les jardins s'étendent des terrasses avec des parterres de broderies reproduisant, dans la matière vivante des buis, des fleurs et des bandes de gazon les motifs ornementaux des intérieurs.

Si Le Nôtre voit loin, il voit grand également : à Versailles, les parterres couvrent à eux seuls plus de 50 hectares, les trois voies d'accès au parc sont larges de 70 à 90 mètres, et de la terrasse du château à l'orée du parc il y a plus de 1 kilomètre !

Puis, au cours d'un voyage en Italie, il découvre les multiples ressources offertes par l'eau et intègre définitivement le motif du canal, déjà apparu au début du siècle, dans le schéma géométrique. A Versailles, il fait creuser une grande pièce d'eau sur l'allée principale : le Grand Canal. Peu après, il retouche l'ensemble des parterres et remplace de nombreux massifs par des bassins et des plans d'eau, et, surtout, ajoute d'innombrables fontaines qui nécessitent une mise en scène compliquée et une main-d'œuvre abondante. Ces fontaines contribuent

La salle des Antiques, dans les jardins de Versailles. Ce tableau de Jean Cotelle (1645-1708) figure parmi les vingt-quatre peintures qui décorent la galerie du Trianon. Il représente un bosquet, disparu en 1704, où Louis XIV avait fait placer des statues antiques entre des jets d'eau et des orangers.

au prestige de Versailles, où le « tour des eaux » devient, pour les ambassadeurs reçus à la cour, une obligation rituelle.

Ampleur, harmonie, clarté et majesté sont les caractéristiques du jardin à la française, que Le Nôtre a élevé au niveau de l'art, et qu'admirent les souverains étrangers. Dès 1662, le roi d'Angleterre l'appelle à Londres. Les princes allemands l'invitent. Mais Le Nôtre, qui ne peut dessiner des jardins que s'il travaille sur place, refuse leurs offres et leur envoie ses élèves.

la salle de l'opéra, transformée en salle des séances, où siégera ensuite le Sénat. La Chambre des députés est transférée dans l'aile du Midi, où l'architecte Joly lui construit une salle. Le 28 juin 1919, le traité de Versailles, qui met fin à la Première Guerre mondiale, est signé dans la galerie des Glaces.

Mais le château a souffert, il est menacé. Dès lors, plusieurs campagnes de restauration seront entreprises, les plus importantes à partir de 1950. Elles se poursuivent encore aujourd'hui. Les conservateurs se sont attachés d'une part à restituer les décors anciens et à remeubler les appartements, dans la mesure du possible, avec le mobilier d'origine, d'autre part à enrichir les collections du musée d'histoire. Le palais a retrouvé la splendeur que tant de souverains européens essayèrent d'imiter et qui fit dire à Mme de Sévigné : « C'est un enchantement... tout est grand, tout est magnifique. »

Jacques LEVRON

VILLES ET CITÉS

MOHENJO-DARO

Une cité « moderne » 2500 ans av. J.-C.

En 1920, les premières fouilles entreprises près du village d'Harappa, dans la vallée de l'Indus, ce grand fleuve qui irrigue l'est du Pakistan depuis des millénaires, révélèrent l'existence d'une étonnante civilisation urbaine. Deux ans plus tard, à 640 kilomètres au sud, le « squelette » de la ville de Mohenjo-Daro surgissait à son tour des sables, stupéfiant les archéologues, qui croyaient impossible qu'une civilisation aussi avancée puisse exister en 2500 av. J.-C.

De tous les sites analogues repérés depuis (plus d'un millier), c'est celui de Mohenjo-Daro qui est le mieux conservé et qui nous renseigne le mieux sur la vie des cités de l'Indus, au IIIᵉ millénaire avant notre ère.

Entièrement construit en briques crues ou cuites, et sur le même modèle que celui d'Harappa, l'ensemble urbain de Mohenjo-Daro est constitué à l'ouest d'un haut tertre rectangulaire, la citadelle, et à l'est d'une colline moins élevée mais plus étendue, la ville proprement dite. Les fouilles n'ont pas permis

de déterminer avec précision les relations qu'entretenaient la citadelle et la ville basse, nettement séparées l'une de l'autre. Il semble qu'elles formaient deux ensembles indépendants entourés de murailles, celles de la ville basse mesurant au moins 6 mètres de haut.

La citadelle, sorte d'acropole qui domine la ville basse d'une quinzaine de mètres, était probablement le centre administratif et religieux, et le quartier où habitaient les dirigeants de la cité. On y a mis au jour un ensemble de cellules, réparties autour du monastère boud-

Un quartier de Mohenjo-Daro. Les murs faits de briques crues étaient protégés par un revêtement de briques cuites. Ce système de construction obligeait à faire des parois très épaisses, mais cela avait pour avantage d'assurer aux édifices une excellente isolation thermique.

dhique et de son stoûpa, construit postérieurement (II⁰ siècle apr. J.-C.) sur des ruines qui pourraient bien être celles d'un temple. C'est également à l'intérieur de la citadelle qu'on a découvert deux édifices d'un grand intérêt, le Grand Bain et le Grenier de Mohenjo-Daro.

Le Grand Bain est un bassin en briques admirablement conçu, sorte de piscine rectangulaire de 7 mètres sur 12 environ et profonde de 2,40 m, parfaitement étanche grâce au jointoiement méticuleux des briques sur un lit de bitume et dotée d'un système de vidange : à l'aide de cruches, on remplissait le bassin de l'eau d'un puits aménagé dans une salle voisine, et on le vidait par une vanne donnant sur un canal où l'on pouvait descendre par un escalier aménagé du côté nord. Il était entouré, semble-t-il, d'un portique à piliers qui donnait accès, au nord et à l'est, à un ensemble de salles et de couloirs. Enfin, l'amorce d'un escalier témoigne de l'existence d'un étage. S'agissait-il d'un bain public ou d'un bassin cultuel — comme tendrait à le prouver l'existence, au nord, d'un groupe de huit cellules réparties autour d'un couloir (ou d'une ruelle?) et pourvues chacune d'un bassin d'ablutions et d'un escalier menant à un étage? Personne ne peut encore répondre, en dépit de la découverte, dans son voisinage, d'un grand édifice de 70 mètres sur 24, entouré d'un mur épais de 1,20 m et qui aurait pu être la résidence d'un personnage important, du grand prêtre, ou d'un collège de prêtres...

À l'ouest du Grand Bain, on a identifié le Grenier de la citadelle : un entrepôt à grains, équivalent de notre Trésor public, où chacun venait payer son tribut à la cité. Seuls quelques vestiges de l'infrastructure ont subsisté, mais on a cependant une idée assez précise de l'ensemble : d'une superficie d'environ 46 mètres sur 23, il était formé de vingt-sept blocs massifs de briques reposant sur un soubassement, entre lesquels l'air circulait par d'étroits passages, assurant ainsi la conservation des grains stockés dans la superstructure de bois, aujourd'hui disparue.

Cette peinture est une tentative de reconstitution de Mohenjo-Daro à son apogée vers 2500 av. J.-C. On distingue nettement à l'arrière-plan les rues et les ruelles délimitant les quartiers en damier. Les maisons, à un étage, étaient couvertes en terrasse et possédaient une cour intérieure autour de laquelle s'ouvraient les pièces d'habitation. La muraille d'enceinte était pourvue de tours carrées. La vie de la cité se déroulait dans les rues et sur les places. Mais, comme dans l'Orient actuel, la vie privée était protégée par l'intimité des cours intérieures et des terrasses.

Au sud de la citadelle, on a également pu mettre au jour les bases de quelques monuments, dont une belle salle, partiellement dégagée, dont le côté le plus complet mesure 30 mètres. Elle est divisée en cinq nefs par quatre séries de cinq piliers. On s'interroge encore sur sa fonction, peut-être celle d'une salle d'audience...

La ville proprement dite, champ de ruines où des quartiers entiers ont cependant pu être dégagés, s'élevait sur une sorte de tertre trapézoïdal situé à 200 mètres environ de la citadelle, dont elle était peut-être séparée par un canal dérivé de l'Indus. Elle présente un plan quadrillé de rues disposées en damier, desservies par une avenue de 9 mètres de large et orientées nord-sud et est-ouest, qui forme des îlots rectangulaires d'environ 240 mètres sur 360, où s'enfoncent les ruelles donnant accès aux maisons. C'est le plus ancien exemple de plan quadrillé connu.

Une rue de Mohenjo-Daro. Pas la moindre ouverture, à quelques exceptions près, ne venait rompre l'harmonie des lignes fuyantes, en particulier dans les grandes artères où se faisait la circulation. Sur le côté gauche, un égout collecteur.

Les façades donnant sur les rues avaient pour seules ouvertures des fentes permettant l'écoulement des eaux usées; les portes, quelquefois assez larges pour permettre le passage de bêtes de somme, et les rares fenêtres ouvraient, à l'intérieur des blocs de maisons, sur les ruelles, qui souvent n'atteignent pas 2 mètres de large. Les maisons elles-mêmes étaient le plus souvent mitoyennes, parfois indépendantes; petites ou spacieuses, elles comportaient toutes au moins un étage. Les plus petites ouvraient directement sur la ruelle, mais les maisons plus importantes, dont la façade sur rue pouvait atteindre 25 mètres et plus, possédaient un couloir d'entrée flanqué d'une loge où se tenait un gardien, en face de l'entrée principale, tradition que l'Inde moderne a conservée. Un étroit passage coudé donnait accès à une cour intérieure à ciel ouvert, pourvue d'un dallage de briques, comme la plupart des autres pièces de la maison, et où se déroulaient les activités domestiques.

Construites en briques cuites, les maisons étaient surélevées par des plates-formes en briques crues, qui les protégeaient sans doute des crues fréquentes de l'Indus.

Mais ce qui fait la particularité de Mohenjo-Daro, c'est l'étonnante sophistication de ses installations hydrauliques. La plupart des maisons étaient alimentées en eau par un puits intérieur, à haute margelle ronde ; celles qui en étaient dépourvues avaient accès à un puits public aménagé dans les ruelles. Elles possédaient aussi une salle de bains, où une canalisation en argile, aménagée dans le mur, permettait l'écoulement des eaux usées vers un caniveau extérieur. En outre, certaines maisons étaient dotées — raffinement surprenant pour l'époque — d'un cabinet d'aisance en briques avec siège, qui communiquait avec l'égout commun. Contigu à la salle du puits, il était pourvu d'une ouverture par où l'on pouvait faire passer les jarres remplies d'eau.

Dans les maisons trop pauvres, les architectes avaient pallié le manque d'installation

La fabrication des briques en Orient depuis 5000 ans

Une peinture égyptienne de la XVIIIe dynastie nous montre, saisie sur le vif, la méthode qu'utilisaient, il y a trente-quatre siècles, les artisans du Nil pour la fabrication des briques crues. On y voit deux hommes puiser l'eau d'un bassin, à l'aide de cruches, et la déverser sur des tas de terre argileuse, que d'autres ouvriers pétrissent avant d'en remplir des moules en bois dans lesquels elle prendra sa forme définitive de parallélépipède rectangle. Ces pains d'argile sont ensuite exposés au soleil, pendant deux ou trois jours, pour être séchés. Puis les briques ainsi obtenues sont démoulées et mises en tas sous l'œil attentif d'un scribe chargé de les dénombrer. Elles sont ensuite suspendues par petits tas à des cordeaux attachés à chaque extrémité d'un bâton, que des hommes placent en travers de leurs épaules et acheminent jusqu'aux chantiers où des maçons les disposent en assises régulières pour en faire des murs.

Pour assurer une meilleure cohésion à l'ensemble, on incorporait parfois à l'argile de la paille pilée. Celle-ci fut ensuite remplacée par la brique cuite écrasée. En effet, le manque de résistance de la brique crue aux agressions extérieures — vent, pluie, sel ou sable — a rapidement conduit les architectes à utiliser la cuisson pour pétrifier l'argile. Mais s'il était aisé d'étaler les briques au soleil pour les sécher, il était plus difficile, et surtout plus long, de les cuire dans des fours aux dimensions restreintes. C'est sans doute pour cette raison que l'utilisation des briques cuites fut limitée aux revêtements extérieurs, sous lesquels la brique crue était protégée de l'érosion et des variations climatiques.

C'est grâce à ces revêtements qu'ont été conservés jusqu'à nos jours les monuments de Mohenjo-Daro, même les plus hauts. En revanche, autant en Égypte qu'en Mésopotamie, la brique crue ayant été presque exclusivement utilisée pour la construction des demeures et des palais, il ne reste aujourd'hui que peu d'éléments de l'architecture civile pour témoigner de ces civilisations.

Aujourd'hui, les ouvriers des petites briqueteries disséminées le long du Nil, du Tigre ou de l'Indus respectent ces méthodes ancestrales de fabrication : une fois modelés, les blocs d'argile sont mis à sécher au soleil, avant d'être cuits dans des foyers rudimentaires de charbon de bois.

Et si, parfois, pour amener l'eau et livrer les briques aux maçons, les tuyaux et les brouettes remplacent les bras et le dos humains, les techniques de construction, l'appareil et le jointoiement n'ont guère changé depuis des millénaires. Jusqu'aux briques qui conservent les mêmes dimensions que celles trouvées sur le site de Mohenjo-Daro : 14 centimètres de large sur 28 de long.

Ces ouvriers pakistanais préparent des briques comme il y a 3000 ans à Mohenjo-Daro. La terre glaise prélevée dans le sol tout proche (les briqueteries sont généralement implantées sur le terrain même) est soigneusement pétrie avec de l'eau et mise en tas. Un ouvrier place la glaise dans un moule ; un autre la compresse avec un couvercle gravant une empreinte de forme géométrique dans la brique : c'est la marque du fabricant ; chaque entreprise a la sienne.

Reconstitution graphique d'un quai du port. L'Indus constituait une grande voie de communication. Par le sud et l'océan Indien affluaient les produits du Deccan et de l'Arabie (métaux, objets manufacturés, dattes) et par le nord, en particulier d'Harappa, le coton, les tissus et l'étain, provenant de la partie orientale du plateau iranien.

Un égout collecteur. Une partie de la couverture ayant été enlevée, le coffrage de brique est bien visible. Cet égout collectait les eaux usées des égouts secondaires qui étaient aménagés en partie dans les maçonneries des murs des maisons.

hygiénique en ménageant dans les murs des ouvertures par lesquelles se déversaient les eaux résiduelles ; celles-ci étaient recueillies dans des jarres sans fond partiellement enterrées, sortes de puisards qui évitaient que les déchets ne fussent répandus dans la rue.

Chaque demeure, vaste ou modeste, était également pourvue d'une canalisation aménagée transversalement dans l'épaisseur des murs, et qui aboutissait à un petit caniveau individuel, lui-même relié à un collecteur central couvert qui suivait le tracé des rues.

Cet ingénieux système de tout-à-l'égout dissimulé sous le pavement des rues emportait les eaux usées hors de la ville, jusqu'à un champ d'épandage. Tous ces raffinements techniques font de Mohenjo-Daro, à cinquante siècles de distance, une cité beaucoup plus moderne que certaines bourgades actuelles voisines du site.

Comment vivaient les habitants de Mohenjo-Daro ? Les maigres informations que nous possédons à ce sujet nous sont livrées par les nombreux objets que l'on y découvre chaque jour : une profusion d'objets miniatures en terre cuite (peut-être des jouets) représentant des animaux familiers : des chiens, des colombes, des poules, etc., mais surtout des bœufs ou des carrioles à deux roues tirées par une paire de zébus qu'utilisent encore les paysans de la province du Sind ; des dés en agate ; un grand nombre de statues grotesques et de figurines féminines en terre cuite ; de nombreux bijoux : colliers, perles, bagues, bracelets ; des poteries en terre cuite décorées de motifs géométriques ou figuratifs, noir sur fond rouge, dont l'abondance témoigne de

Les vestiges du Grand Bain constituent l'ensemble le plus imposant du site de Mohenjo-Daro. On accédait au bassin, à fond en pente, par deux escaliers en vis-à-vis. Tout autour subsistent des soubassements d'édifices : sans doute s'agissait-il de portiques, de galeries menant à des cabines particulières, voire d'un véritable premier étage.

Un puits — et non une tour. Aménagé à une époque tardive, il avait été creusé dans des couches plus anciennes constituées par les matériaux accumulés lors de la démolition des maisons précédentes. Les archéologues ont mis au jour les niveaux plus anciens, mais ont laissé en place cette remarquable structure de brique.

l'existence d'une véritable industrie ; mais aucune arme, excepté quelques pointes de lance.

Toutes ces trouvailles permettent de penser que cette communauté des rives de l'Indus était plutôt pacifique, aimait les enfants, et que la femme y occupait une place importante. Mais ces hypothèses resteront gratuites tant que n'aura pas été décryptée l'écriture de Mohenjo-Daro : en effet, le site a livré un millier environ de sceaux et de cachets de forme carrée, la plupart gravés d'un motif allégorique (animal ou être surnaturel) et d'une inscription. Grâce à cela, les chercheurs disposent pour l'instant de 396 pictogrammes. Mais aucun spécialiste n'a pu encore en découvrir le sens, en dépit des nombreuses méthodes employées, y compris l'informatique.

Le mystère que représente l'écriture de Mohenjo-Daro a donné lieu aux théories les plus variées, dont l'une établit un rapprochement entre cette écriture et celle de l'île de Pâques... En réalité, seul un texte plurilingue, que les archéologues ne désespèrent pas de trouver à condition que les autorités locales leur donnent le droit de creuser plus profondément, permettrait enfin le décryptage.

En attendant, le buste d'un homme barbu arraché aux sables est peut-être, outre l'architecture, un des vestiges importants susceptibles de leur fournir un indice sur l'organisation politique et religieuse de Mohenjo-Daro. Surnommé le « roi-prêtre » par les archéologues, ce personnage énigmatique au regard dominateur, le front ceint d'un bandeau et vêtu d'une robe décorée de motifs trifoliés, présidait peut-être aux destinées de cette cité, brutalement disparue aux environs de 1500 av. J.-C.

GUY RACHET

TIMGAD
Une colonie romaine en Afrique du Nord

Timgad fut fondée en l'an 100 de notre ère par Trajan, qui confia le soin de mener le projet à bien à son *legatus,* L. Munatius Gallus. Celui-ci l'exécuta grâce à la main-d'œuvre que lui fournit la Troisième Légion Auguste, cantonnée alors à Lambèse, la grande place militaire située à 21 kilomètres plus à l'ouest, sur la rocade qui, par Théveste et Mascula (aujourd'hui Tebessa et Khenchela), reliait le Sud tunisien (Afrique proconsulaire) et la province de Maurétanie Césarienne en suivant le revers nord de la chaîne des Aurès.

Au moment de sa fondation, Timgad (appelée, par la volonté de son fondateur, *colonia Marciana Traiana Thamugadi*) est aux avant-postes de la romanité. Le problème qui se pose alors est de créer des zones destinées à des populations sédentaires, distinctes de celles que parcourront les tribus nomades. Une fois de plus, comme dans la Sicile du IIe siècle av. J.-C., laboureurs et pasteurs s'opposent, Rome favorisant la culture du sol (blé, olivier), les peuples indigènes pratiquant l'élevage depuis des temps immémoriaux. Les deux types de société résultant de ces modes de vie se trouvent ici face à face, et la fondation ainsi que l'urbanisme de la ville expriment les coutumes, les valeurs, la mentalité de la civilisation romaine avec une particulière clarté.

Quoi qu'on en ait dit, Timgad n'est pas un poste militaire. Certes, le choix de son emplacement tient compte de quelques impératifs stratégiques. Les zones dangereuses, occupées par les Numides pasteurs, se trouvent au sud des Aurès, et l'on peut redouter leurs incursions sur le plateau du nord. C'est pourquoi Timgad surveillera deux points de passage,

ouverts par l'oued Abdi et l'oued el-Abiod ; mais sa muraille, assez légère, sans soubassements profonds, n'est pas celle d'une forteresse destinée à soutenir un siège en règle. Tout au plus peut-elle protéger les habitants contre un coup de main mené par des pillards. Les véritables forces militaires se trouvent à Lambèse, d'où, en cas de soulèvement grave, elles peuvent être dirigées vers le sud et prendre l'ennemi à revers. Dans son ensemble, Timgad est une ville pour le temps de paix, et

L'arc dit de Trajan comporte trois ouvertures : celle du centre pour la circulation des véhicules et les deux autres pour le passage des piétons. Deux inscriptions, datant de Septime Sévère et de ses fils, sont des dédicaces à Mars et à la Concorde ; une autre, sur l'attique, porte le nom de Trajan.

c'est dans cette perspective qu'il convient de la regarder vivre et se développer.

Certes, elle ressemble à un camp militaire dans la mesure où son espace est ordonné par rapport à deux axes perpendiculaires, le *cardo* (axe nord-sud) et le *decumanus* (axe est-ouest), qui se croisent en son centre. À partir de ces deux axes, a été dessiné un quadrillage de rues qui délimitent des îlots carrés de 20 mètres de côté. Mais il existe de très grandes différences entre le plan de Timgad et celui d'un camp. Même si, comme on l'a dit, il y eut d'abord à cet endroit un « gîte d'étape », celui-ci ne pouvait avoir la superficie de 11 hectares de la ville primitive, la fondation de Trajan. De plus, on chercherait en vain le *praetorium* (résidence du général) avec ses services annexes. À la place, nous trouvons le forum sur lequel s'ouvrent les édifices de l'administration civile : curie, où se réunissait le conseil municipal, l'ordre des décurions ; basilique, destinée à divers usages et notamment aux tribunaux ; temple (probablement dédié à Trajan) avec, sur le podium, une tribune qui rappelle les Rostres de Rome, en des proportions plus réduites. Le forum et ses dépendances interrompent le *cardo* et empêchent toute circulation directe du nord vers le sud, ce qui n'était pas le cas dans un camp. Enfin le théâtre, qui s'élève immédiatement au sud du forum et dont l'orientation, conforme à celle du quadrillage urbain, montre qu'il a été prévu dans le plan primitif, même s'il n'a été

exécuté qu'une soixantaine d'années après la fondation, est évidemment étranger à toute installation militaire. L'explication des ressemblances comme celle des différences est simple : la ville de Timgad, établie sur un terrain parfaitement vierge de toute occupation urbaine antérieure et ne présentant qu'une pente relativement faible, se prêtait à l'application du plan traditionnel de la ville romaine, avec ses deux axes orientés, enceinte religieuse propice à la prise des auspices, où la commodité de la circulation et aussi (ce qui est important pour une colonie de citoyens) l'égalité dans la répartition des lots se trouvaient assurées, ainsi que le respect des formes religieuses traditionnelles.

Cette ville, fondée au moment où Trajan installe la romanité plus solidement au contact des Numides, devait être peuplée de vétérans, citoyens romains qui avaient achevé leur temps de service et qui, généralement, s'étaient donné une famille dans le pays même. Ils trouveraient les ressources nécessaires grâce à la mise en valeur des terres voisines. Ce qui supposait des travaux d'irrigation : captage des quelques filets d'eau de la vallée et surtout des sources. Ce n'est assurément pas un hasard si, au sud de la ville, se trouvait celle qui fut plus tard honorée d'un temple, l'*Aqua Septimiana Felix* (ce nom indique que cela advint à la fin du IIe siècle de notre ère, ou au début du IIIe, sous le règne de l'un des Sévères), et qui fut ensuite incluse dans le fort

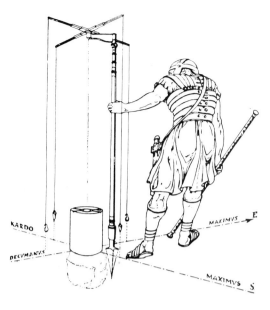

On voit ici un militaire romain en train de déterminer les deux voies principales d'un camp ou d'une cité. Il utilise une groma *ou* gruma *(forme latine populaire du mot grec gnomon). L'opération consiste à tracer des alignements conformes aux points cardinaux, à partir d'un point choisi comme centre du camp. On effectuait une visée dans la direction du soleil levant à partir du centre, qui permettait de déterminer la première voie, le* decumanus. *Le* cardo, *seconde voie, était la perpendiculaire élevée sur le* decumanus. *En raison de la signification religieuse attachée à l'orientation de ces deux axes principaux, l'opération était menée avec beaucoup de précision.*

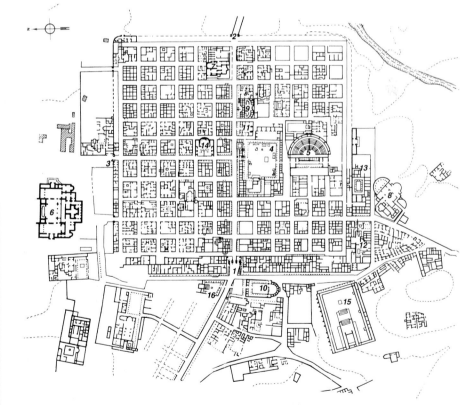

Plan de Timgad. (1) L'arc de Lambèse (dit arc de Trajan) donne accès au decumanus *par l'ouest. (2) Porte de Mascula, à l'autre bout du* decumanus. *(3) Porte du Nord, ouvrant sur le* cardo. *Au centre, le forum (4). Le théâtre (5), creusé dans le flanc de la colline. La cité comportait de nombreux thermes,* notamment : les thermes du Nord (6), de l'Est (7) et du Sud (8), et des marchés : marchés de l'Est (9) et de Sertius (10). Quelques maisons caractéristiques : maison aux Jardinières (11), maison de Sertius (12), maison de l'Hermaphrodite (13). Bibliothèque (14). Capitole (15). Temple du Génie de la colonie (16).

byzantin. Mais d'autres travaux de drainage, dans la plaine, et diverses adductions montrent l'effort qui fut consenti pour la mise en valeur de la terre. Il faut ajouter aussi que, à l'intérieur même de la ville, les habitants avaient souvent construit des citernes dans leur maison, selon une ancienne coutume.

Tout dans Timgad est fait pour que les vétérans et leurs familles mènent une vie « à la romaine ». On compte quatorze thermes publics, et quelques maisons privées possédaient aussi les leurs. Les plus importants furent construits alors que la ville avait débordé de son enceinte, mais beaucoup paraissent avoir existé dès sa fondation. Et c'est là un fait significatif, puisque les thermes étaient le lieu par excellence du loisir et du plaisir. Une inscription, découverte à Timgad, résume le genre de vie souhaité par les Romains de ce temps. L'un d'eux déclare que « chasser, s'amuser, se baigner et rire, c'est cela qui est vivre ». Les terrains de chasse ne manquaient pas, sur le plateau et dans la montagne. Les autres distractions on les trouvait, avec de bonnes aventures, comme au temps d'Ovide, sous les portiques qui bordaient le forum ou certaines grandes rues, ainsi que dans les « souks », les marchés, comme celui de l'Est, avec ses portiques courbes et ses boutiques ; et plus tard, dans le grand marché de Sertius, qui fut construit vers la fin du IIe siècle apr. J.-C. hors de la vieille enceinte (celle-ci ayant alors disparu). Des plaisirs plus sévères étaient dispensés par les livres que l'on trouvait dans une grande bibliothèque qui contenait plusieurs milliers de volumes, située à l'intérieur de la ville primitive, mais dont on ne sait si elle est contemporaine du premier établissement. Sous sa forme actuelle, elle remonte au IVe siècle.

Le forum était le centre de la ville, le siège de l'administration et un lieu de rencontre. C'est un rectangle d'environ 100 m sur 60, qu'entouraient des portiques. On y trouvait des fontaines et des statues érigées en l'honneur des empereurs et des bienfaiteurs de la cité.

D'autres plaisirs étaient dispensés par le théâtre. Celui-ci, conforme au plan du théâtre romain, avec ses gradins *(cavea)* en demi-cercle et sa scène *(pulpitum)* rectiligne, se prêtait à plusieurs sortes de représentations ; on incline à penser que la préférence allait aux pantomimes, c'est-à-dire aux pièces à sujet mythologique où la gesticulation et la danse, accompagnées de musique, formaient l'essentiel. On en juge ainsi en se référant à ce que dit Apulée sur les jeux de son temps (qui est celui où fut élevé le théâtre de Timgad) et aussi en s'appuyant sur une inscription de Timgad même, l'épitaphe d'un certain Vincentius, que l'on dit avoir été l'ornement des pantomimes et qui, tandis qu'il « dansait des pièces connues, a tenu sous son charme tout le théâtre jusqu'au lever des étoiles ». Il n'avait que vingt-trois ans lorsqu'il mourut. L'inscription mentionne ses vertus — ce qui n'est pas indifférent, car la réputation des mimes était en général assez mauvaise, et leur moralité douteuse. À Timgad, il faut penser que l'on plaçait très haut la pratique de la vertu !

Cette société, que son origine tendait à rendre homogène puisqu'elle était formée d'anciens soldats, jouissait d'une grande autonomie politique, comme l'impliquait son statut de colonie dont tous les membres possédaient le droit de cité romain. L'organisation admi-

Le théâtre. Sa largeur totale est d'environ 63 m. On y pénétrait par deux accès, situés l'un en bas, près de la scène, l'autre tout en haut de l'hémicycle, ou cavea. En bas de celui-ci, on remarque trois gradins séparés des autres ; ils étaient réservés aux spectateurs particulièrement importants.

nistrative était celle des villes de ce type : à la tête, deux magistrats élus par le peuple, les duumvirs, puis l'ordre des décurions, analogue au sénat, à Rome, enfin l'assemblée des simples citoyens. Les décurions sont recrutés dans les plus riches familles, ce sont les « pères », ceux qui assument, en raison de leurs ressources et de leur influence, les principales responsabilités dans la ville ; ils ont la charge de financer la plupart des édifices publics. C'est sur eux que repose la vie sociale, et l'on ne s'étonnera pas que l'un des temples élevés autour du forum soit dédié à la Concorde, celle qui doit régner entre les maîtres de la vie publique.

Dès sa fondation, sous le règne des Antonins, la ville connut un développement rapide. À l'origine, elle abritait peut-être deux cents ou, au maximum, trois cents familles. Assez vite, le cadre se révéla trop étroit, moins peut-être pour l'habitat proprement dit que pour la vie publique. La vieille muraille fut rasée, les portes qui terminaient le *decumanus* repoussées loin de la ville, la porte ouest à 350 mètres, sur la route de Lambèse, la porte est de 200 mètres, sur la route de Mascula, et plusieurs grandes constructions vinrent s'agglomérer autour du carré primitif. Et d'abord, à l'angle sud-ouest, un Capitole, temple élevé à Jupiter et à ses deux parèdres, Junon et Minerve. Symbole de l'*imperium*, du pouvoir romain, on peut s'étonner qu'il n'ait pas été prévu lors de la fondation. La raison de cette anomalie nous échappe.

Dans l'ensemble, la vie religieuse dans la ville païenne ne semble pas avoir été très intense. On n'y rencontre que des sanctuaires modestes : temple à Cérès (on pensera à la vocation agricole de la ville), à Mercure (Timgad est aussi un lieu d'échanges et, dans l'excroissance qui se forma au sud-est du Capitole, on a découvert tout un petit « faubourg industriel », où travaillaient des potiers, des forgerons, des fondeurs), au Génie de la ville, non loin de l'ancienne porte ouest, qui est alors remplacée par un arc monumental appelé traditionnellement, mais sans aucun doute à tort, arc de Trajan. C'est là que l'on construisit le marché de Sertius, mentionné plus haut. Le même Sertius fait édifier, non loin du Capitole, à l'angle sud-ouest de l'enceinte primitive, une grande maison dotée de plusieurs cours intérieures, de colonnades, de bassins ; non moins magnifique, une autre maison de plan analogue, dite de l'Hermaphrodite, occupe un emplacement immédiatement à l'est de la précédente, avec la même orientation. C'est le temps de la dynastie sévérienne, d'origine africaine ; elle marque l'apogée économique et politique des provinces africaines.

Il convient de situer à la même époque les thermes du Nord, construits eux aussi en dehors de la ville de Trajan et qui sont d'une grande magnificence, au point que l'on peut les comparer à ceux de Caracalla et de Dioclétien, à Rome. Là, tout est disposé pour le plaisir et le confort d'un grand nombre de baigneurs à la fois : un grand *frigidarium* (salle froide), flanqué de deux promenoirs, qui

étaient des lieux de rencontre. De part et d'autre de l'axe principal se trouvaient les deux séries habituelles de *caldarium, tepidarium* et *laconicum* (salle chaude, salle tiède, étuve), avec des bassins d'eau froide.

C'est aussi en dehors de la ville de Trajan, dans ses faubourgs, que l'on trouve les témoignages de la présence chrétienne. Timgad avait un évêque, attesté dès 256, et la communauté chrétienne devint rapidement très importante. Mais au début du IVᵉ siècle survint le schisme du donatisme, et les chrétiens de Timgad, comme ceux de toute l'Afrique romaine, se divisèrent en deux clans, chacun ayant son évêque et sa cathédrale : les catholiques possédaient celle qui s'élève à l'angle nord-ouest de la ville, les donatistes l'ensemble que l'on a retrouvé à quelque 300 mètres à l'ouest du Capitole.

Vers l'année 430 arrivèrent les Vandales, qui submergèrent toute la province et causèrent de nombreuses destructions. Eux-mêmes furent chassés par les Numides, descendus des Aurès à la fin du siècle. Au VIᵉ siècle, les Byzantins entreprirent la reconquête de l'Afrique. Sous la conduite de Solomon, préfet du prétoire de l'empereur Justinien, Timgad fut réoccupée. La ville était alors déserte ; ses monuments, ruinés, fournirent des matériaux pour la construction d'un fort, à l'emplacement du temple de la Source ; cette citadelle byzantine, à environ 400 mètres au sud de la ville, a été récemment fouillée. C'est le dernier vestige de la romanité sur ce plateau qui fut ensuite abandonné pendant des siècles aux tribus berbères.

Pierre GRIMAL

TIKAL
Une cité maya au cœur de la forêt vierge

a région du Petén, au Guatemala, aujourd'hui inhabitée et couverte d'une épaisse forêt tropicale, a été jadis le berceau d'une des plus brillantes civilisations de l'histoire mondiale, celle des Mayas. Au centre du Petén, la ville antique de Tikal dresse vers le ciel, au-dessus du moutonnement de la jungle, les crêtes orgueilleuses de ses pyramides.

Grâce à l'habitude qu'avaient les Mayas de dater leurs monuments et d'élever à intervalles réguliers des stèles à inscriptions chronologiques, nous connaissons la plus an-

L'acropole nord. Cette plate-forme d'une superficie de 1 ha domine de 12 m la grand-place. Du IIIᵉ au Xᵉ s. de notre ère, les Mayas n'ont pas cessé de construire, entassant les temples les uns par-dessus les autres. On a ainsi dénombré près d'une douzaine de couches superposées.

cienne et la plus récente des dates relevées à Tikal : 292 et 869 de notre ère. Telle que nous la connaissons, la ville s'étendait sur plus de 60 kilomètres carrés (soit environ 60 pour 100 de la superficie actuelle de Paris) et comptait à peu près 100 000 habitants. Le centre cérémoniel et gouvernemental, peuplé à lui seul d'environ 50 000 habitants, couvrait 16 kilomètres carrés ; on y dénombre plus de 3 000 édifices, plus de 200 monolithes, stèles et autels, des centaines de sépultures et de caches à offrandes, et 300 greniers ou entrepôts souterrains *(chultun)* destinés à conserver les céréales ou les fruits comestibles du *ramón* (arbre à pain). Cet espace relativement restreint présente une extraordinaire densité de constructions : si l'on tient compte de la coutume maya de superposer aux bâtiments anciens, sans les détruire, les monuments nouveaux, on estime à environ 10 000 les édifices entassés dans ce centre.

A Tikal comme dans toutes les villes de la période maya classique (IIIᵉ-Xᵉ siècle), deux catégories de monuments se juxtaposent : les temples, sanctuaires, pyramides, à vocation religieuse et cérémonielle, et les « palais », bâtiments horizontaux destinés à l'habitation et sans doute aussi à l'administration. Ces édifices sont groupés autour de places et reliés par des chemins pavés, les *sacbé-ob*, traits caractéristiques de l'organisation maya. Entre ces groupes s'étendaient des jardins et des vergers dont il subsiste des traces. En s'éloignant du centre où vivaient les prêtres et les dirigeants, on traversait des quartiers d'habitation ; la maison maya d'autrefois, telle que la représentent certaines sculptures (par exemple, les bas-reliefs de l'arc de Labná), était semblable à celles que bâtissent les Indiens Lacandons de la vallée de l'Usumacinta : case rectangulaire en bois et pisé, toit à deux pentes en feuillage.

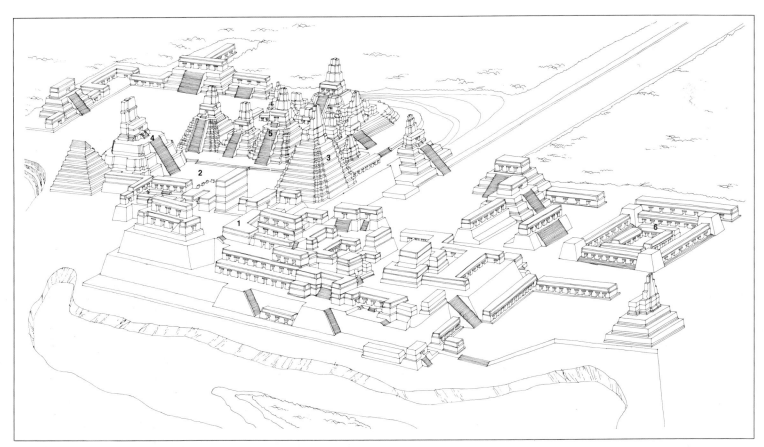

Reconstitution du grand ensemble monumental de Tikal. Au premier plan, l'acropole centrale (1) avec ses édifices résidentiels et administratifs ; elle borde le côté sud de la grand-place (2), fermée à l'est par le temple du Grand Jaguar, ou temple I (3), à l'ouest par le temple II (4). De l'autre côté, faisant face à l'acropole centrale, s'élèvent les temples de l'acropole nord (5), cœur cérémoniel de la cité. A droite, le marché (6) formé d'une double enceinte quadrangulaire.

La région était fort peuplée à l'époque classique : à peine avait-on traversé les faubourgs de Tikal qu'on approchait d'un autre grand centre, Uaxactún. Une couronne de villes plus ou moins importantes l'entourait : Nakum, Yaxhá, Xultun... Et c'était sans doute près des temples de Tikal, sur ses places, au pied de ses acropoles, que des foules bigarrées se pressaient pour les rites ou pour les marchés.

Les inscriptions hiéroglyphiques mayas, que l'on ne déchiffre encore qu'en partie, montrent que chaque ville, cité-État à la manière des antiques cités grecques, se gouvernait elle-même, mais qu'à certaines époques se formaient des ensembles, alliances ou confédérations, que dominait une cité.

Quant à la structure de la société maya à Tikal, nous pouvons nous la représenter à travers l'organisation sociale des Mayas telle qu'ont pu l'observer les conquistadors au Yucatán. Sans doute, la civilisation maya classique, celle de Tikal, fut-elle moins belliqueuse, plus pacifique et plus sacerdotale que celle du Yucatán, et les prêtres ont-il dû y exercer directement ou indirectement une part, sinon même l'essentiel, du pouvoir. A cet égard, il convient de mentionner les rapports étroits qui ont existé entre Tikal et Teotihuacán, la grande métropole religieuse du haut plateau central. Cette cité-État du Mexique central avait pris pied depuis le début de notre ère en pays maya : les traces de sa civilisation sont évidentes à Kaminaljuyú et à Escuintla, au Guatemala. A Tikal, l'influence de Teotihuacán est attestée par de nombreux

Le temple II et, au fond, les temples III et IV. L'architecture religieuse de Tikal est caractérisée par le profil abrupt des pyramides, l'exiguïté des sanctuaires et les dimensions gigantesques des crêtes sculptées qui les dominent.

objets découverts dans les tombes. Une stèle célèbre représente un souverain maya encadré par deux personnages dont le vêtement et l'armement indiquent clairement l'origine ; l'un d'eux arbore même sur un bouclier d'apparat le visage du dieu Tlaloc, la grande divinité de Teotihuacán. Il est donc logique de penser que les dirigeants de Tikal, comme ceux de la cité du Mexique central, étaient

revêtus, à l'origine tout au moins, d'un caractère religieux. En cas de conflit, problablement avait-on recours à un chef de guerre, un *halach uinic*, « homme véritable » selon le terme employé plus tard au Yucatán. Même en temps de paix, il y avait certainement une catégorie de magistrats, de « seigneurs », juges et administrateurs.

Située sur la ligne de communication entre les plateaux du Chiapas, le Yucatán et la côte de la mer Caraïbe, Tikal devait jouer le rôle d'un centre commercial où s'échangeaient les produits des Terres chaudes, comme le cacao, et ceux des zones tempérées, notamment l'obsidienne, matière première importante d'une économie sans métal. Sans doute aussi l'élevage des abeilles — le miel constituant le seul édulcorant connu — était-il largement pratiqué, comme chez les Yucatèques de la période récente. Naturellement, les arts plastiques et l'artisanat, la sculpture et la peinture murale, le travail du bois, la ciselure des pierres dures, la fabrication des tissus de luxe et des ornements de plumes occupaient nombre de professionnels. Enfin, c'était à l'agriculture que la majeure partie de la population, autour de la ville, se consacrait, produisant du maïs, des tubercules, des fruits, du coton, du tabac.

Avec une économie de type néolithique (mais sans animaux domestiques), la paysannerie pouvait-elle indéfiniment porter sur ses épaules une population urbaine qui exigeait d'elle tant d'efforts ? Et n'est-ce point là que réside, fondamentalement, l'explication de l'étonnant déclin que cette civilisation

La Venta : premier centre urbain au Mexique

Peut-on qualifier de ville la plus ancienne agglomération connue au Mexique, celle de La Venta, dans l'actuel État de Tabasco, et dont la naissance se situe vers 1100 avant notre ère ? Centre urbain serait plus approprié pour définir cet espace aux fonctions cérémonielles et gouvernementales évidentes. On suppose qu'il était habité par la classe dirigeante de la société olmèque, par des prêtres et des chefs, peut-être des commerçants, tandis que les maisons occupées par le peuple et les paysans se dispersaient au loin dans la campagne.

La Venta est une petite île oblongue de 4,5 km de longueur ; trois « complexes » monumentaux dominés par une pyramide, en réalité un énorme tumulus conique de 34 m sur une base de 140 m de diamètre, occupaient l'essentiel de son territoire. Au nord et au sud de ce monument s'élèvent des cours cérémonielles orientées du nord au sud avec une légère déclinaison de 8 degrés vers l'ouest. Les terrasses qui délimitent les cours étaient probablement surmontées de constructions en matériaux légers (bois, feuillage) qui n'ont pas laissé de traces.

L'incroyable abondance des vestiges de la civilisation olmèque découverts à La Venta ne cesse de nous étonner. Dès l'époque la plus reculée, la sculpture et la ciselure ont atteint un très haut degré de perfection. On dénombre à La Venta dix-neuf offrandes enterrées au pied des monuments, trois « offrandes massives » contenant chacune près de 1 000 tonnes de serpentine, trois mosaïques de pierres semi-

précieuses représentant des têtes de jaguar, sept autels monolithiques couverts de bas-reliefs, cinq stèles sculptées et gravées, un monument (« l'Ambassadeur »), où est sculpté un personnage entouré d'hiéroglyphes, quatre têtes colossales en basalte, environ quatre-vingt-dix statues et dalles à bas-reliefs : témoignages d'une intense activité qui s'est déroulée de 1100 av. J.-C. à 400 apr. J.-C.

L'art olmèque de La Venta, avec ses personnages hiératiques — dieux ou prêtres —, nous paraît essentiellement inspiré par la religion. Une religion dont nous ne savons rien, sinon qu'une divinité à tête de jaguar et une sorte de

bébé félin y occupaient une place privilégiée.

Mais La Venta fut aussi un centre intellectuel : c'est la civilisation olmèque qui, la première, a utilisé des signes hiéroglyphiques pour noter les dates du calendrier typique de l'Amérique moyenne. Aussi a-t-elle marqué de son empreinte, siècle après siècle, toutes les cultures précolombiennes de cette partie du continent non seulement au Mexique mais en Amérique centrale. Les sculptures typiquement olmèques de Chacaltzingo, de San Miguel Amuco, de Xoc et de la côte du Pacifique jusqu'à Chalchuapa (Salvador) rendent manifeste l'extension de cette civilisation mère.

Tête colossale n° 1 de La Venta, art olmèque (entre 1000 et 400 av. J.-C.). Portrait d'un personnage coiffé d'un casque sur lequel est sculpté un hiéroglyphe. Ce bloc de pierre volcanique mesurant 2 m de hauteur, pesant plus de 15 t, provient de la montagne Cintepec dans la sierra de Las Tuxtlas à 120 km de La Venta ! Trois autres têtes semblables ont été trouvées sur le même site ; leur poids est évalué entre 11 et 24 t.

vigoureuse et brillante a subi entre 800 et 900 environ? On assiste, en effet, à une sorte de désagrégation de la société maya, qui cesse peu à peu d'être créatrice.

L'histoire de la ville s'inscrit pour nous essentiellement dans cette partie centrale où s'élèvent les hautes pyramides des principaux temples, l'acropole du Nord et l'acropole du Centre, ainsi que des bâtiments divers, des terrains de jeux de balle, un bain de vapeur et un marché public. Rien n'est plus imposant et majestueux que les temples qui dominent la grande place, sanctuaires juchés sur des pyramides particulièrement abruptes, avec des escaliers vertigineux et surmontés de crêtes sculptées qui semblent s'élancer vers le ciel. Construits pendant la phase récente du développement de Tikal, entre le VIIe et le IXe siècle, ils reflètent le pouvoir des souverains

Détail de la frise du palais des Nonnes à Uxmal. Il s'agit de la représentation stylisée de la maison traditionnelle du paysan maya, avec son toit de chaume, ses murs de pisé, que l'on rencontre encore dans certains villages indiens.

qui se sont succédé à ce moment. Le temple I, haut de 45 mètres, a été bâti sur l'ordre du roi qui a régné de 682 à 734. Un des linteaux sculptés le représente tenant à la main le curieux sceptre (un petit dieu à long nez) de la royauté. Un autre bas-relief présente un serpent à plumes dans le style de Teotihuacán. Le tombeau de ce grand seigneur a été découvert dans une chambre voûtée au-dessous de la pyramide. Son successeur, entre 734 et 768, a érigé en 741 le temple le plus élevé, haut de 75 mètres (temple IV). Quant au dernier grand temple, il a été inauguré en 810 par un personnage obèse, vêtu de peaux de jaguar, dont un panneau sculpté reflète de façon saisissante l'attitude pleine de morgue et de vanité. C'est de la même période que relèvent sept groupes de « pyramides jumelées » construits entre 692 et 790.

Quant aux acropoles, ce sont des ensembles complexes de salles reliées par des corridors autour de cours intérieures. De nombreuses tombes contenant un riche mobilier funéraire ont été trouvées dans ces ruines : céramiques polychromes, jades ciselés, lames de silex « excentriques », idoles entouraient les

squelettes des dignitaires ensevelis sous le sol des palais. L'acropole du Centre, avec ses longues rangées d'édifices, groupés, sur deux ou même trois niveaux, en quadrilatère autour des *patios*, était sans doute le cœur administratif de la cité. Les parois intérieures et extérieures de ces bâtiments étaient revêtues de stuc poli. Le conquistador Bernal Díaz del Castillo, dans ses mémoires, raconte avec humour qu'un soldat espagnol crut que les édifices mayas du Yucatán, revêtus de stuc, étaient en argent massif !

Les longues pièces voûtées des anciens palais mayas du Petén devaient être, au demeurant, des résidences quelque peu austères, ne recevant air et lumière que par les portes, quelquefois par d'étroites lucarnes. Des plates-formes en maçonnerie où l'on étendait des nattes (la natte en vannerie, *pop*, est le symbole du pouvoir), des tentures, des peaux de jaguar constituaient l'ameublement très simple dont se contentaient les dignitaires. Une partie des activités officielles se déroulait vraisemblablement en plein air.

Contrairement à ce que l'on observe à Teotihuacán, la grande cité du haut plateau, rigoureusement dessinée et construite autour d'axes se coupant à angle droit, Tikal s'est développée à la manière d'un organisme vivant. Les irrégularités du terrain ont été savamment utilisées pour faire alterner espaces découverts et blocs de constructions, esplanades de maçonnerie et de stuc, secteurs

Dieu solaire. Détail du linteau nº 2 du temple IV. Ce linteau haut de 2,16 m est un des rares exemples de sculpture sur bois que nous possédions, la plupart de celles qui ornaient les monuments de l'époque maya classique ayant été détruites.

laissés à la forêt. C'est ainsi qu'à l'acropole du Sud, gigantesque amoncellement de plates-formes et de palais entourant une pyramide-sanctuaire, succèdent trois enceintes de jeu de balle, puis la place des Sept-Temples. De là, on passait à une place encore plus vaste tournée vers le temple III, le plus récent des « colosses » de Tikal, puis au palais des Chauves-souris, au temple IV, aux grands *sacbé-ob* qui conduisaient vers le nord et vers la Place centrale.

Le signe hiéroglyphique qui dénote Tikal dans les inscriptions mayas représente une sorte de nœud d'étoffe; et il est vrai que cette ville exceptionnelle a été pendant des siècles comme le nœud qui rassemblait les forces vives d'une grande et belle civilisation. Mais au Petén, contrairement à ce qui s'est passé après l'an mille plus au nord, au Yucatán, aucune renaissance n'est venue inverser l'implacable processus de déclin amorcé au IXe siècle, de sorte que les pyramides, les temples et les palais demeurent déserts et silencieux dans l'immensité des forêts.

JACQUES SOUSTELLE

ANGKOR
La cité-sanctuaire des rois-dieux

Pour désigner l'ensemble des monuments qui jalonnèrent, entre le IXe et le XIVe siècle, la constellation des capitales du Cambodge, on utilise communément le terme Angkor Vat, tout comme on dit Versailles pour évoquer la France du Roi-Soleil.

Vers le début de notre ère, les Khmers reçurent les religions, l'écriture et les techniques des Indiens, venus là chercher or et épices. Ce fut le début d'une nouvelle civilisation. En 802, les rois s'installèrent dans la région d'Angkor, l'actuelle province de Siemreap, centre géographique de l'empire, offrant de plus des plaines alluviales fertiles et bien arrosées.

Au prix de gigantesques travaux, les Khmers produisirent en abondance le riz, base (avec leur armée!) de leur puissance. Les pluies de la trop courte mousson d'été furent recueillies dans d'immenses réservoirs artificiels, et les rivières furent captées pour irriguer les rizières. Cette substructure remodela complètement le pays. S'il y eut une « ville » khmère, ce fut une cité hydraulique. Étagés au long de la pente du terrain, des réservoirs, des écluses, des canaux, des aqueducs souterrains,

des ponts et des chaussées sur digue dessinaient un immense réseau d'eaux vives et nourricières. Pour un roi khmer, créer une capitale, c'était étendre le pays irrigué, et donc la richesse.

Les temples, seuls visibles aujourd'hui parce que bâtis en pierre, couronnaient en réalité une œuvre immense, dont il ne reste plus que le squelette, dépouillé de sa chair et de son réseau sanguin. Les habitations, en bois, ont disparu. Les maisons sur pilotis des simples sujets devaient, comme aujourd'hui, border les canaux et les lacs artificiels, sous les frondaisons des cocotiers et des aréquiers. Au cœur de la cité, derrière son enceinte de pierre, le palais royal était également en bois. Seuls les bas-reliefs permettent de retrouver ses vastes galeries sur piliers, aux toits de tuiles vernissées, où s'activaient les servantes et où flânaient les favorites. De nos jours, quelques bassins envasés, l'alignement d'une ancienne digue sont les seuls vestiges d'Angkor, avec, bien sûr, ses temples, qui jalonnent la succession des cités et qui finirent par former un espace de 40 kilomètres de long sur 20 de large. Au premier rang de ces monuments vient Angkor Vat, élevé par Sûryavarman II.

Façade ouest du temple d'Angkor Vat, où se trouve l'entrée principale. Ce sanctuaire est l'un des nombreux joyaux d'Angkor, la « ville royale », qui en compte une centaine d'autres, répartis sur quelque 800 km².

Celui-ci, prince royal par les femmes, et probablement héritier contesté, arracha le trône à son grand-oncle (vers 1113). Il mena ses armées au nord jusqu'à Vieng Chan du Laos, à l'ouest sur le Ménam, en Thaïlande, d'où il menaça la Birmanie et la péninsule malaise. À l'est, il soumit le Champa, royaume indianisé s'étendant sur l'actuel Viêt-nam central, rival héréditaire d'Angkor. Il voulut pousser plus au nord, vers le bassin du fleuve Rouge et le Dai-Viet, ancêtre du Viêt-nam, mais il semble bien avoir succombé dans cette ambitieuse entreprise peu après 1150. Simultanément, il enrichit l'art khmer, vieux de six siècles, de nombreuses constructions, dont Angkor Vat, la ville-sanctuaire.

Sur le modèle indien, le temple khmer est une simple cella cubique abritant la statue du dieu. Ce sanctuaire est surmonté d'une pyramide de faux étages reproduisant chacun, à

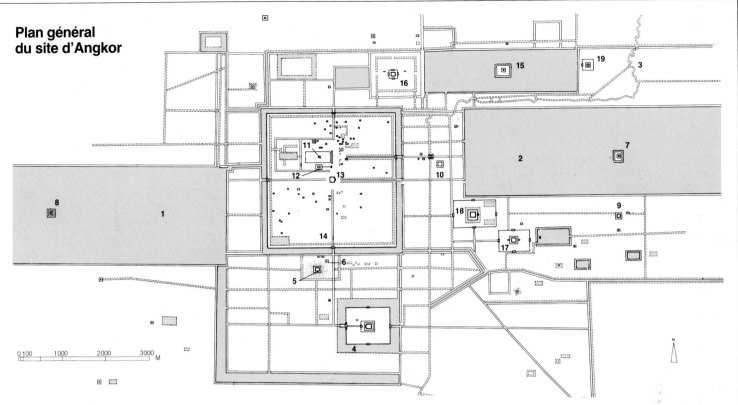

Plan général du site d'Angkor

```
0 100   1000      2000      3000   M
```

A Angkor, plus de 1 000 km² de terres furent quadrillés par un immense réseau d'irrigation : canaux, digues, réservoirs (ou Baraï) stockant les eaux vives et recueillant les pluies pour les redistribuer dans des rizières rigoureusement cadastrées. Ainsi était assurée la subsistance d'une population nombreuse groupée en une suite de villages et de cités. De cet impressionnant réseau d'ouvrages hydrauliques, pour la plupart à sec ou colmatés, ne subsistent aujourd'hui que les Baraï (1, 2) alimentés par les rivières — tel le Stung Siem Reap (3) — descendues des collines voisines, et les douves

d'Angkor Vat (4). L'architecture khmère se définit principalement par le temple-montagne, symbole du mont Mérou qui, dans la mythologie hindouiste, domine l'univers. Le Bakhêng (5) est le premier temple de ce type. Il est entièrement bâti en grès à même la colline qui lui fournit un socle naturel, contrairement au Baksei Chamkrong (6), aux Mébons (7, 8) ou au Prè Rup (9), dont les tours de brique reposent sur une pyramide artificielle en latérite. Plus tard, les temples s'enrichirent de galeries couvertes reliant entre eux les différents sanctuaires : ainsi à Ta Keo (10), au Phiméanakas (11) et surtout au

Baphûon (12). Le chef-d'œuvre incontesté reste cependant Angkor Vat (4). Le Bayon (13) inaugure les premières tours à visages, qui marquent le triomphe du bouddhisme. Le plan d'ensemble d'Angkor Thom (14) est « classique » et simple, mais celui de Néak Pean (15), par exemple, est plus confus, chargé d'un symbolisme plus complexe. Cette période, qui précède de peu le déclin de la civilisation khmère, voit ainsi s'élever une multitude de monuments à l'ornementation de plus en plus riche et ouvragée, tels Preah Khan (16), Banteai Kdei (17), Ta Prohm (18) et Ta Som (19).

Chaussée des Géants et tours à visages de l'enceinte sud d'Angkor Thom (fin du XIIᵉ s.). De chaque côté, les génies du ciel (à gauche) et ceux du monde souterrain (à droite) portent le corps du serpent Vâsuki qui sert de balustrade.

une échelle décroissante avec la hauteur, le corps de l'édifice. Orientée régulièrement et ouverte à l'est, marquant le zénith par son sommet, et, par un puits aménagé dans les frondaisons, le nadir, cette tour-sanctuaire, représente le mont Mérou, pivot de l'univers. Au sommet trône Çiva, maître de la Création, flanqué de Vichnou et de Brahma, tandis que les dieux mineurs et les créatures de tous les règnes s'étagent sur les pentes. Le temple est entouré d'une muraille et d'une douve qui symbolisent les montagnes et l'océan primordial délimitant notre monde. Le tout constitue, au sens propre du terme, un microcosme, une véritable maquette de l'univers, où les fidèles, par leurs offrandes, obtenaient des dieux la stabilité de l'ordre naturel, à commencer par le retour assuré des pluies fécondantes.

Le dieu habitait son temple, où il était entouré du faste approprié, depuis sa toilette jusqu'à sa nourriture, en passant par les divertissements comme la musique, le chant et la danse. Le temple était, ainsi, conçu comme le palais royal. Une ville de bois l'entourait, où logeaient prêtres et serviteurs, esclaves et courtisanes sacrées. Des guirlandes de fleurs aux nymphes du paradis, le décor ciselé sur la pierre pérennisait les offrandes et les dévots. Pour enseigner les fidèles, des bas-reliefs racontaient les grands mythes tirés des poèmes indiens comme le *Mahâbhârata* et le *Râmâyana*, très tôt devenus épopées nationales au Cambodge. Sous ces hyperboles littéraires, chacun reconnaissait le roi triomphant du Mal, incarné par ses ennemis, et recueillant les pluies célestes dans ses ouvrages hydrauliques. Pour ces hommes qui croyaient à la métempsychose, ces dévotions permettaient d'échapper aux réincarnations expiatoires et même — pour le roi, au moins — d'accéder directement

Vue générale d'Angkor Vat, avec ses trois enceintes constituées par les galeries du temple. On aperçoit la chaussée longue de 350 m qui relie l'entrée principale ouest aux propylées situés au bord de la douve.

Le Bayon, dernière œuvre des bâtisseurs d'Angkor

Après la construction d'Angkor Vat, sous le règne de Sûryavarman II, les Khmers semblaient épuisés. En outre, hier soumis, les Chams se libérèrent, envahirent Angkor et l'incendièrent en 1177. Catastrophe matérielle, certes, mais surtout morale : pour avoir subi une telle défaite, le roi hindouiste ne pouvait plus apparaître comme le favori des dieux et leur représentant sur terre.

Pourtant, un dernier grand souverain allait tenter de reformer le royaume autour d'une foi nouvelle. De modeste lignée provinciale, Jaya-varman VII, profitant de la haine tenace des habitants d'Angkor pour leurs envahisseurs, saisit le pouvoir vers 1181, écrasa les Chams et reconstitua l'empire, sur lequel il régna jusque vers 1219. Voué au bouddhisme (probablement sous l'influence de maîtres chassés du Bengale par les invasions musulmanes), il multiplia les fondations pieuses à travers ses provinces.

C'est ainsi qu'au centre de la ville se dresse l'étrange et fascinant Bayon. Son aspect général est celui du temple-montagne classique, d'autant plus qu'un édifice de ce type, en cours de construction, semble avoir été utilisé pour aller plus vite. Un premier étage, de 141 mètres sur 228, est entouré d'une galerie à bas-reliefs. Le second niveau affectait initialement un plan en croix grecque. Des rajouts en fermèrent les angles, le transformant en carré. Des galeries ponctuées de tours-sanctuaires, aux angles et au centre, suivent ce plan complexe. Plus tard, on devait y ciseler des reliefs. Sur la troisième terrasse, jaillissant de seize chapelles rayonnant comme les pétales d'un lotus, se dresse un formidable massif central circulaire qui monte encore à plus de 42 mètres. Au centre, le saint des saints abrite une statue du Bouddha méditant. Si les bas-reliefs du premier étage, qui racontent la vie du roi, témoignent d'une grande verve narrative et d'un grand réalisme, si quelques-unes des divinités décorant les sanctuaires sont d'un charme subtil, les multiples changements de plan et les incohérences auxquelles ils conduisirent découragent le visiteur. Si le Bayon fascine, c'est par ses étonnantes tours à visages. Au-dessus du corps et sous la tiare de faux étages des tours-sanctuaires, un visage colossal a été sculpté sur chaque côté. Ce sont ainsi 49 tours superposées montant à l'assaut du ciel qui déploient, sur l'horizon et sous toutes les lumières, quelque deux cents visages mystérieux et sereins. Les interprétations divergent : la plus vraisemblable y voit une figuration du grand miracle de Srâvastî, par lequel le Bouddha, afin de convaincre les impies, multiplia dans le ciel ses images tournoyantes et irradiant mille rais de lumière. C'est en tout cas le sens du Bayon : ce dédale de pierre, où le roi, sentant venir sa mort et celle de son empire, a réuni tous les dieux du pays, tous ses parents et tous ses sujets, est un effort désespéré de sauvegarde. Pourtant, après lui, Angkor mourra lentement, au cœur de cette forêt qui avait abrité sa naissance et qui, reprenant ses droits, allait désormais lui servir de tombeau.

Le Bayon, d'après une gravure exécutée par Louis Delaporte en 1868, au cours de l'expédition scientifique de Doudart de Lagrée au Cambodge. En 1872-1873, il fit d'autres explorations du site d'Angkor et en rapporta des statues et des moulages qui permirent la première étude sur l'art khmer.

au paradis. Après la mort du roi fondateur, le temple-montagne devenait, sinon son mausolée en abritant ses cendres, du moins un cénotaphe, symbole éclatant de sa destinée accomplie et donc de sa libération méritée.

Si les dispositions générales de la tour-sanctuaire n'ont guère varié, les rois khmers en multiplièrent le nombre, la taille et l'ordonnancement. Ils superposèrent en pyramides à degrés de puissantes terrasses de pierre portant une constellation de tours et de sanctuaires, représentant, presque à l'échelle, le Mont sacré, axe du monde. Angkor Vat est l'aboutissement de ces efforts et de ces recherches. Une douve de 190 mètres de large l'entoure, qui mesure 1 550 mètres sur 1 280. Sur ses deux berges, elle est bordée de 14 marches en pierre (soit 14 fois 10 kilomètres) qui permettaient aux fidèles de se purifier, quel que soit le niveau de l'eau. L'entrée principale, à l'ouest ici, est un pavillon déployant, sur 235 mètres de front, trois tours reliées par des galeries, projection de la façade principale du sanctuaire. La muraille d'enceinte mesure 1 025 mètres sur 800 et délimite quelque 82 hectares de terrain sacré. Une chaussée intérieure en grès, de 350 mètres, mène au pied de la terrasse de

terrasse du troisième étage se dresse la tour-sanctuaire principale, haute de 35 mètres, et dont le sommet — en partie découronné aujourd'hui — se dresse toujours à 57 mètres au-dessus du sol. Des galeries relient le saint des saints aux entrées du troisième étage, ainsi que les portes occidentales du premier et du deuxième niveau. La cathédrale de Paris, commencée au moment même où les Khmers achevaient Angkor Vat, peut donner une idée concrète de cet édifice, un des plus grands du Moyen Âge. Sur le premier étage du monument angkorien, on disposerait aisément cinq Notre-Dame !... La clef de voûte de la nef gothique, à 33 mètres, atteindrait la crête des galeries du troisième étage d'Angkor Vat. Quant aux tours de Notre-Dame — inachevées, il est vrai — avec leurs 68 mètres, elles ne surplomberaient que de peu le sommet original d'Angkor ! Plus séduisante que cette austère et grandiose architecture, la sculpture ornementale fascine le visiteur. Chaque élément architectonique, chaque panneau est rehaussé d'un décor floral, animal ou géométrique. Au long des murs sourient les nymphes célestes promises aux élus accédant au paradis, avec des poses et des costumes tous différents.

tion de l'univers — symbolisée par le Barattage de la mer de Lait (l'océan primordial) —, le Jugement dernier, des épisodes d'épopées, et enfin la vie du roi-bâtisseur lui-même. Le sculpteur, guidé par des décalqués, attaquait directement la pierre, l'entamant sur à peine quelques centimètres, et parvenant pourtant à modeler avec subtilité ses figures, aux détails ciselés avec précision. Les galeries furent décorées par des équipes de talent inégal, et par ailleurs le quart nord-est n'a été exécuté qu'au xvie siècle. Reste que c'est là un des plus admirables ensembles de reliefs connus au monde, tout spécialement le Barattage de la mer de Lait. Le jeu des demi-teintes modulées par les vibrations de la lumière, la sûreté du dessin, la perfection de l'exécution soutiennent toutes les comparaisons.

Angkor Vat est, selon toute vraisemblance, un temple de Vichnou. Mais, sa charte de fondation ayant disparu, tout comme l'idole principale, nous savons peu de chose de son histoire et de sa fonction. Certaines dispositions restent mystérieuses, par exemple l'accès par l'ouest. On a pu montrer qu'il est axé sur le lever du soleil à l'équinoxe de printemps, que ses dimensions et ses proportions correspondent aux grands cycles astronomiques, selon les mêmes rapports numériques. C'est donc un modèle idéal de l'univers et du temps, tout comme il exalte la vie du roi qui a pu, grâce à cette offrande colossale, accéder, comme le dit son nom posthume, au paradis de Vichnou. C'est encore un itinéraire mystique guidant vers la délivrance. Une fois franchie la douve purificatrice et parcourue la chaussée — comme la vie sur terre —, le fidèle parvenait à la galerie des bas-reliefs. Il la parcourait, tenant le temple (invisible d'ici) à sa gauche, rite funéraire par excellence. Il apprenait ainsi l'histoire des dieux qui avaient préfiguré le roi, puis la vie de ce dernier, enfin le jugement rétribuant, après la mort, mérites et péchés. S'il montait au deuxième étage — toujours enfermé dans des galeries closes —, il découvrait que la nouvelle galerie était aveugle sur l'extérieur, ses seules fenêtres ouvrant sur le vide minéral des cours, pour inciter au retour sur soi. Enfin, s'il escaladait le formidable soubassement du troisième étage, il accédait à la dernière galerie, ouverte sur ses deux côtés par des baies lumineuses. Et le fidèle, au terme de ce pèlerinage, découvrait d'une part la sérénité du dieu, d'autre part le monde, jusqu'à l'horizon, avec le miroir des eaux captives et l'opulence verdoyante des moissons.

Comme le roi ou le grand prêtre, le fidèle dominait enfin la ville à ses pieds. Il la commandait ainsi de la montagne de pierres royales comme les dieux dominaient ce bas-monde du sommet éternel. Aucune cité au monde n'est, à la fois, plus concrètement fondée sur le travail de l'homme et plus superbement empreinte de la présence des dieux.

Si la civilisation khmère doit se résumer par un seul nom, celui qui s'impose est bien celui d'Angkor Vat.

Bernard-Philippe GROSLIER

Relief du temple du Bayon à Angkor (xiie s.). Défilé de l'armée royale khmère avec, au registre supérieur, les officiers sortant de la cité, juchés sur des éléphants guidés par un cornac. En bas, les soldats armés de lances et d'arcs.

soutènement du sanctuaire — qui déploie exactement la superficie de la place de la Concorde... Angkor Vat proprement dit mesure, à sa base, 240 mètres sur 212 et comporte trois étages bordés d'une galerie tournante, ponctuée de pavillons d'angle et d'entrées axiales. Les deuxième et troisième étages, décalés vers l'est, voient leurs angles accentués par des tours. Au centre de la

Sur les linteaux et les frontons, des bas-reliefs racontent la légende de Vichnou, dont Sûryavarman II fut un fervent adorateur, et auquel il semble bien avoir dédié Angkor Vat.

Plus étonnants encore sont les bas-reliefs qui se déploient sur tout le pourtour du premier étage. Vers l'extérieur, la voûte en rouleau des galeries repose sur des piliers, contrebutée par une demi-voûte, également sur piliers. Ainsi la lumière pénètre-t-elle à flots sur le mur du fond, où se déploient les reliefs. Entre chaque pavillon d'angle et chaque entrée axiale se déroule une composition continue, haute de 2 mètres et longue, selon la façade, de 47, 64 ou 83 mètres. Ces immenses « bandes dessinées » illustrent les légendes divines, la créa-

VENISE
Une ville sortie des eaux

Venise est, comme le disait Le Corbusier, « le plus prodigieux événement urbanistique existant sur terre ». En effet, son site est radicalement hostile à toute implantation humaine : il est, de plus, condamné par la nature, et son sauvetage par les soins des hommes est un prodige permanent. Enfin, c'est une succession d'événements historiques depuis longtemps considérés comme miraculeux qui ont pu faire naître et perdurer sur ce site impossible la plus riche, la plus vaste, la plus homogène et la plus parfaite des villes de l'Occident médiéval.

Née au temps de Charlemagne et entièrement créée, telle que nous la voyons de nos jours, au siècle de Christophe Colomb, elle est même la cité modèle, l'exacte expression du génie multiforme et l'un des plus significatifs aspects du Moyen Âge occidental ; à ce titre, elle constitue, dans l'étrangeté miroitante des eaux lagunaires, le reflet magique d'une merveilleuse et fascinante adolescence, celle de notre civilisation.

Au commencement était l'eau. L'eau douce descendant par de fortes pentes des murailles alpestres et charriant des masses énormes de débris arrachés aux montagnes et accumulés dans cette région de convergence de fleuves majeurs (Pô, Adige) ou courts mais puissants

ainsi perturbés délaissent inéluctablement des portions de plus en plus importantes des lagunes primitives qui, sans eux, « meurent ».

Ajoutons que le niveau absolu de la mer varie en fonction de la fonte des énormes calottes polaires (phénomène bien connu depuis 1850 et largement repéré avec ses fluctuations d'origine astronomique ou planétaire aux époques historiques) : et encore plus varie le niveau relatif, marqué par les lignes littora-

jusqu'à présent ce continuel sauvetage. Il suffit de voir ce que sont devenues les lagunes qu'ils n'ont pas prises en charge, d'Aquilée et Grado à Comacchio : les villes anciennes ont été abandonnées aux miasmes, généralement rattachées au rivage par des marais peu à peu comblés, et l'on peut actuellement en contempler les ruines quand elles sont visibles et redevenues accessibles et saines. Seules ont pu être sauvées les villes de la ligne littorale entre

Le Livre des merveilles du monde *de Marco Polo a été très souvent recopié. Cette enluminure est une représentation fantaisiste de Venise, identifiable cependant par ce qu'elle a d'unique : les chevaux de Saint-Marc, à gauche, les colonnes au lion et à l'archange, le pont des Soupirs...*

Le Livre des merveilles du monde *de Marco Polo a été très souvent recopié. Cette enluminure est une représentation fantaisiste de Venise, identifiable cependant par ce qu'elle a d'unique : Les chevaux de Saint-Marc, à gauche, les colonnes au lion et à l'archange, le pont des Soupirs...*

(Piave, Isonzo, Tagliamento), de rivières (Brenta, Reno, Bacchiglione, Zero, Sile), voire d'abondants ruisseaux (Botinico, Marzenego, Vallio, Meolo...). Surchargée d'alluvions, la mer, par ses courants littoraux, édifie sans cesse des flèches de sable *(lidi)*, isolant entre elle et les fleuves de vastes et peu profondes lagunes : ces lagunes sont destinées à être peu à peu comblées par des alluvions, malgré les courants de marée qui, pénétrant par les solutions de continuité *(porti)* entre les *lidi*, en nettoient régulièrement une partie, avec plus ou moins de force suivant le rythme diurne, les événements astronomiques (marée de vives-eaux) ou météorologiques (vents violents de nord-est, est ou sud-est, fortes pluies, fontes exceptionnelles). Reste que les *lidi* changent sans cesse et que les courants de marée

les et dépendant tout autant des mouvements du sol ; ici la subsidence de la plaine du Pô, effondrée au pied des Alpes et s'enfonçant lentement sous le poids des alluvions.

Au total donc les lagunes voient descendre le sol qui les enserre, tandis que monte la mer : mais la masse des alluvions fluviales tend à les combler, directement depuis la terre et indirectement par la redistribution des dépôts via les courants littoraux.

Entre les *lidi* et la terre ferme, au sein des lagunes, différentes formes d'îles : fragments d'anciens *lidi* déclassés (Torcello, Mazzorbo) ; pointements plus solides, aux noms évocateurs, « dos dur » (Dorsoduro), « échine longue » (Spina longa) ; rives d'un ancien lit de fleuve envahi (« rivage haut » : Rialto, dominant l'antique sinuosité de la Brenta) ; émersion progressive annoncée par des « roseaux qui pointent » (Canna reggio) ou comblement en cours fixant les « algues » (San Giorgio in Alga)...

Dès le moment où Venise s'est installée et développée autour du Rialto, il a fallu que les hommes s'opposent au lent et irrésistible mouvement de la nature. Ils ont à peu près réussi

Caorle et Chioggia et les quelques îles de Venise ou autour de Venise : Murano, Burano, mais pas Torcello, envasée et désertée.

Le fragile équilibre entre les efforts de l'homme et les forces de la nature ne se conçoit évidemment qu'en fonction de la naissance de Venise, de sa croissance, de sa force, de sa richesse, de sa continuelle survie. Or construire Venise était aussi difficile (et déraisonnable) que de défendre son site.

La légèreté des constructions vénitiennes, élément d'harmonie et de charme, est due partiellement aux contraintes du sol : des escaliers aériens et souvent extérieurs, de nombreuses ouvertures délicatement ouvragées. Ajoutons d'autres éléments typiques : la cheminée haute *(fumaiolo)* évitant escarbilles ou étincelles susceptibles de ravager une ville

Travaux d'atterrissement du VIIᵉ au XVIᵉ siècle

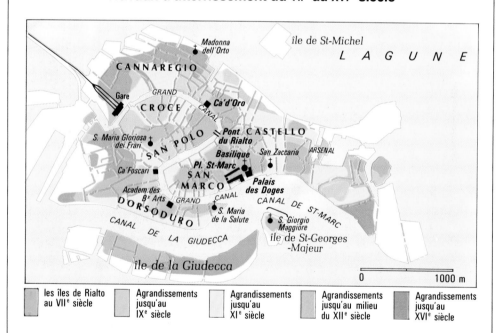

les îles de Rialto au VIIᵉ siècle

Agrandissements jusqu'au IXᵉ siècle

Agrandissements jusqu'au XIᵉ siècle

Agrandissements jusqu'au milieu du XIIᵉ siècle

Agrandissements jusqu'au XVIᵉ siècle

Cette carte attire l'attention sur différents phénomènes que connaît ou a connus le site vénitien. D'abord un phénomène géologique de subsidence, d'enfoncement du sol, de submersion par l'eau lagunaire, particulièrement visible dans ce cours de fleuve ennoyé, en forme de S renversé, qui constitue le Grand Canal. Quelques-unes des rives de ce cours ancien de la Brenta étaient restées émergées (rives hautes : Rialto) sous forme d'un chapelet de petites îles au nom évocateur (« échine longue » : Spinalonga, « dos dur » : Dorsoduro, etc.). C'est à partir d'elles que commencèrent le bourgeonnement et la formation du sol vénitien. D'abord par des émersions naturelles, dues à l'envasement progressif : la plus typique est celle de « Cannareggio », précédée, comme son nom

l'indique, par les « cannes » de roseaux poussant sur un très haut fond. Mais ce sont surtout les « atterrissements » artificiels dus au travail de l'homme qui ont permis le comblement ou le rétrécissement des canaux et la réunion des îlots entre eux : il fallait pour ce faire apporter de la terre sèche du continent et la soutenir par des claies de roseaux. Il fallait également des pierres : trachyte des monts Euganéens, proches de Padoue, calcaire d'Istrie et de la blanche Dalmatie, plus dur et plus fort que le marbre de Grèce, et partout des briques, élaborées à partir de la terre grasse de la lagune, portées par des millions de pieux de bois venus des Alpes et des Balkans. En dix siècles, la superficie de l'archipel rialtin est passée ainsi de 200 hectares environ à plus de 600.

Venise, fille et presque l'égale de Byzance, a consacré à l'évangéliste Marc, son saint patron, une admirable basilique à 5 coupoles, ornée à profusion. L'influence romane frappe dès le plan inférieur dans les proportions, le décor et les arcs, tandis que du toit jaillit le foisonnement des pinacles.

de bois et la *vera da pozzo*, margelle du puits-citerne où s'accumule et se filtre l'eau douce tombée du ciel. Le plan de l'habitation lui-même doit tenir compte des accès, avec ouverture obligatoire sur le canal ; il y a des étages, mais pas trop à cause du poids ; une terrasse (*altana*) pour profiter du soleil dans les vapeurs lagunaires, mais de bois et exactement au-dessus du dernier étage ; et, par tradition ou commodité, une cour (péristyle) et un entre-pôt à marchandises. Enfin un accès (mineur) à la ruelle de derrière.

Ainsi s'est développée autour de rues-canaux et de bassins-places, sur un sol qu'elle a créé et dans le site le plus rebelle qui soit à l'urbanisation, la plus vaste et, après Paris, la plus peuplée des villes de l'Occident médiéval.

Comme la resplendissante Vénus, née de l'écume des flots par la grâce de son tout-puissant père, Venise, reine de beauté, est sortie de l'onde par la grâce d'une histoire singulière et sans exemple.

La ou les raisons d'être et de demeurer de Venise sont en effet loin d'être évidentes. Quel ressort suffisamment puissant a pu pousser les hommes à s'établir dans ces lagunes, à l'extrême fin de l'Empire romain ? La pêche, certes, la production du sel également, et aussi le transit paisible de marchandises par bateaux plats, non exposés aux fortunes de mer et protégés du large par les *lidi*.

Cœur économique de Venise, le Rialto possédait le seul pont enjambant le Grand Canal, et qui demeura unique jusqu'au xxᵉ s. Ce tableau de Carpaccio, peint vers 1495, nous donne une image de la ville au xvᵉ s. avec le pont de bois, couvert, dont le milieu s'efface pour laisser passer les mâts des bateaux ; la foule des gondoles, les loggias ajourées des palais, les « altane », terrasses zénithales, et la forêt des cheminées évasées, les « fumaioli ».

Tout cela ne pouvait faire vivre que quelques poignées d'hommes, et dans les seules îles vivifiées par la marée. Mais les grandes invasions par le Frioul, comme celle d'Attila et des Huns dès 453, les guerres inexpiables avec les Ostrogoths à la fin du vᵉ siècle, par-dessus tout l'arrivée des Lombards (568) firent se réfugier dans les îles vénètes les populations romanisées de terre ferme, qui, repliées en bon ordre, retrouvaient là le plaisir de vivre loin des Barbares, dans la sécurité que leur assuraient les eaux de la lagune et la flotte byzantine, maîtresse de la mer. Ces nouvelles villes gardaient leur encadrement traditionnel, leur administration romaine, leurs évêques, restaient soumises à Byzance et, malgré quelques mécontentements, à son représentant en Italie, l'exarque de Ravenne. Ce n'est qu'après la prise de Ravenne par les Lombards (751) que la lagune byzantine se permet d'élire son chef, son duc *(doge)* mais avec l'approbation de Constantinople.

Quand Charlemagne et les Carolingiens eurent établi leur domination sur toute l'Italie (774), la lagune, malgré l'assaut venu de la terre ferme, put rester fidèle à l'empereur d'Orient ; et le doge, qui avait déjà quitté Héraclée, trop exposée, pour Malamocco, s'établit non loin du nouvel évêque des lagunes, installé à Olivolo, au Rialto. C'est ainsi que naquit Venise, île byzantine arrimée au continent carolingien, au débouché de la plaine du Pô, lieu choisi de transit entre les deux empires, par où passaient esclaves, bois, fourrures, matériaux bruts, en échange d'épices, de soieries, auxquelles s'ajoutaient sel et poisson. L'Adriatique donnait d'ailleurs sur le monde mulsuman, avancé de la Tunisie en Sicile (827) et en Italie du Sud, au moins

Vu du « large », avec sa façade dont les ordres superposés combinent élégance et sobriété, le palais des Doges apparaît bien comme un palais gothique — le plus beau de tous — sans le moindre appareil défensif. Ce sont la mer et les galères qui en assurent la protection.

jusqu'à Bari (871), et sur le monde des Slaves, infiltrés en Dalmatie. Venise devenait ainsi peu à peu la ville à l'état pur, sans support de campagnes ou de paysans, vivant du seul commerce et du capital investi.

D'autres circonstances renforcèrent ce rôle : l'établissement du Saint-Empire (962), décalé vers l'est par rapport à celui de Charlemagne, faisait de Venise une partenaire privilégiée pour le monde germanique, accessible par Milan et l'ensemble des cols alpins; la lutte contre les pirates slaves donnait de solides points d'appui sur la côte dalmate; et surtout l'aide fournie à Byzance par la flotte vénitienne contre les musulmans ou lors de la guerre bulgare, qui amena l'octroi de gros privilèges à ses marchands (993), privilèges considérablement amplifiés en fonction de la lutte contre les Normands (1082). Byzance abandonnait ainsi à ses « fidèles sujets » le commerce dans l'Adriatique et leur accordait dans tout l'empire liberté de commerce, diminution des douanes et, à Constantinople même, droit de tenir boutiques et entrepôts.

Or Venise, en droit byzantine, était en fait partie de l'Occident, ne fût-ce que par sa reconnaissance de la primauté du pape de Rome, maintenue après le schisme orthodoxe de 1054; et ses privilèges en Orient vont jouer à plein quand, à partir de 1099, la croisade fait prendre pied en Palestine aux Occidentaux, dans cette « région des isthmes » où passent, venues par les caravanes du golfe Persique ou par les navires de la mer Rouge, toutes les denrées précieuses de l'océan Indien et de l'Extrême-Orient. Ces avantages sont encore amplifiés quand la quatrième croisade, aidée par Venise, s'empare de Constantinople (1204) et de la plus grande partie de l'Empire byzantin. Venise y gagne, outre une position dominante à Constantinople même, l'accès à la mer Noire, au moment où le monde mongol de Gengis khan unifie l'Asie de la Russie à la Chine (que, le premier, explorera le Vénitien Marco Polo); elle se fait également attribuer un ensemble de points d'appui et de colonies dans toute la Méditerranée orientale : depuis Corfou (dernière occupée), Coron, Modon, jusqu'à l'Eubée (Nègrepont) et surtout la Crète (Candie). Ainsi se trouve constitué un véritable empire de la mer, de l'Istrie et de la Dalmatie (Capo d'Istria, Trau, Sebenico, Zara, Durazzo...) jusqu'aux quartiers, comptoirs et fondouks de Constantinople, La Tana (près de Rostov-sur-le-Don), Trébizonde, Beyrouth, Acre et Alexandrie; sur la fin du xve siècle, la dernière reine de Chypre, la Vénitienne Catherine Cornaro, laisse la grande île à sa patrie (1489).

Malgré les difficultés de la lutte contre les Turcs, qui ont fini par enlever Constantinople (1453) et progressent de manière irrésistible en mer Noire et en mer Égée (comme dans les Balkans et en Europe centrale), malgré les rivalités souvent dramatiques avec les Génois, n'a pas été négligée la Terre-Ferme, non seulement débouché des routes commerciales de l'Occident profond, mais aussi marché et jardin de Venise. Les doges ou les condottieri qu'ils soldent se sont ainsi emparés de Trévise, Padoue, Vérone, Brescia, Bergame, comme de Bellune et de Udine, de ce qui formera les trois Vénéties actuelles (avec la tridentine et la julienne), ensemble étendu, riche en hommes et en productions, qui équilibre pratiquement par le poids de la terre la puissance de la mer.

C'est en ce début du xvie siècle, avant que la découverte de l'Amérique ou de la route du Cap ne déclassent partiellement la Méditerranée, que l'on peut jeter un coup d'œil sur la ville, centre de cet État harmonieux, bien que géographiquement démesuré.

La naissance de Venise

Il n'y avait pratiquement pas de sol susceptible de supporter des habitations et d'accueillir des hommes sans cesse plus nombreux. Il fallut donc en construire un avant d'y établir maisons ou monuments et aménager canaux, bassins, ponts avant de concevoir des rues et des places.

Le petit archipel rialtin offrait certes quelques éléments de sol solide, mais l'extension de la ville obligeait à renforcer les couches de sable et

de boue, à paver les cheminements (*salizada* de silex), à conforter et à rétrécir les rives des chenaux par des *fondamenta* de pierre, à assécher ou combler certains d'entre eux (*piscina* ou *rioterrà*) et à multiplier les « atterrissements ». Venise a bourgeonné de manière continue à partir de ses canaux, dont seuls les principaux n'ont pas été remblayés.

Le sol, radeau spongieux flottant entre nappe phréatique et eau lagunaire, à peine créé ou renforcé, devait être traité pour supporter des constructions. Il faut au préalable enfoncer des pieux de bois d'environ 2 m, assez légers pour ne pas sombrer à travers la boue et le sable (*caranto*), assez solides et assez nombreux pour porter le clayonnage (*zatterone*) soutenant les fondations de pierre et la maçonnerie. C'est d'abord une forêt engloutie de 12 millions de troncs qui porte Venise; le lourd pont du Rialto en a réclamé, à la fin du xvie siècle, peut-être 10000, à 16 pieds de profondeur; l'énorme masse de la Salute flotte, dit-on, sur 1 156 627 pieux (!). L'usage du bois est, de toute manière, constant : en liaison avec la brique dans les murs extérieurs (*rames*); en cloisons internes renforcées de lattes horizontales ou diagonales; simplement recouvert de mortier ou d'enduit; en encorbellements, parquets, plafonds, volets, terrasses... Venise a été la ville par excellence des métiers du bois, constructeurs de galères, de gondoles, de charpentes ou de maisons.

Des îlots primitifs du groupe rialtin, le moins modifié est le plus excentrique, Olivolo, devenu Castelo en fonction de son mur et de son « château »; c'est là que s'élève en 776 la cathédrale et la demeure de l'évêque, puis patriarche.

Le cœur de Venise s'étendait entre le centre d'activités commerciales et artisanales du Rialto, le centre religieux et politique de la place Saint-Marc et le centre industriel de l'Arsenal.

Au Rialto, où se coude le Grand Canal, se trouve le pont de bois popularisé par Carpaccio : son centre est mobile (pour laisser passer les mâts des navires) et, quand il sera remplacé en 1589 par le majestueux pont actuel, il marquera le terme de toute la navigation venue du large. C'est là qu'arrivent de toutes les parties du monde les marchandises les plus diverses, sur les petits caboteurs de l'Adriatique, sur les navires ronds et pansus (coques, nefs) qui peuvent affronter l'océan et, pour les plus précieuses d'entre elles, sur les longues et rapides galères. Là se trouvent également les changeurs et les banquiers, qui y ont assis la

cire, d'ambre, de fourrures, de futaine, et acheteurs d'épices ou de soieries. Autour du Rialto, les innombrables boutiques des artisans ou des revendeurs, des orfèvres et joailliers, des merciers et épiciers, des affineurs de cire, comme des pêcheurs ou des multiples métiers du bâtiment, du bois, du fer, des métaux, de l'alimentation, de la boucherie, du pain, de l'huile, du vin, de l'habillement ou du cuir, des pelletiers, des fourreurs, des tailleurs... Pendant longtemps, Venise n'a pas eu de véritable industrie (à part l'Arsenal) : les draps de laine n'y furent élaborés qu'à partir du XVIᵉ siècle; le verre fut relégué à Murano (en raison des incendies fréquents causés par les fours des verriers), la dentelle à Burano, et la soie passait par seize mains (seize spécialistes différents) avant d'être vendue en tissu.

Ces différents métiers se regroupaient en associations religieuses, de secours mutuel, dans un cadre professionnel, parallèlement à celles qui se réunissaient dans un cadre topographique. Les rapports entre les « confrères » étaient réglés par des statuts et le siège de leurs réunions, de leurs banquets, l'endroit où était

Il y a certes de nombreux quartiers « populaires » à Venise, mais tous sont traités de manière originale par un urbanisme à nul autre semblable. Rue canal avec quai trottoir; circulation des hommes bien séparée grâce à ces ponts harmonieux et tous différents; grouillement de bateaux plats sous des entassements de fenêtres, de loggias, de tours et, çà et là, quelques jaillissements d'arbres.

Face à l'Académie, sur les bords du Grand Canal, le grandiose palais Cavalli, du XVᵉ s., restauré en 1890. Les deux loggias superposées reprennent l'emmêlement des arcs typique du palais des Doges. Derrière le parc jardin, l'église de Saint-Vital, du XIIᵉ s., reconstruite aux XVIIᵉ et XVIIIᵉ s.

Du môle et de la rive des Esclavons on découvre, par-delà le canal de Saint-Marc, l'île de Saint-Georges-Majeur avec la masse harmonieuse de cette église fondée au Xᵉ s. puis reconstruite, comme le vaste couvent bénédictin, par Palladio (1565-1580), et terminée par Scamozzi (1610). Le campanile a été refait en 1791 sur le modèle de celui de Saint-Marc.

primauté de leur monnaie d'or, le fameux et immuable ducat (3,56 g d'or à 24 carats) frappé dès 1284; c'est là qu'ont été inventés la monnaie scripturaire, les comptes courants, les premières lettres de change et les chèques — également les faillites, entraînant à coups de hache la « rupture » du « banc » (la « banqueroute ») où siégeait l'indélicat changeur. Les grands marchands y ont inventé la comptabilité moderne « à la vénitienne » avec « doit » et « avoir » en face à face et la tenue soigneuse des différents livres où se trouvent consignées toutes les opérations (de plus en plus transcrites en chiffres « arabes »).

Là encore, au coude du Rialto, étaient parqués dans un vaste et austère « fondouk » les marchands étrangers entretenant avec Venise des rapports privilégiés, c'est-à-dire les « Allemands », fournisseurs de métaux, de

« Sauver » Venise ?

Protéger Venise consista tout d'abord à éviter le comblement rapide qui aurait amené fièvres, pestilence, donc ruine, et obligea ensuite à sacrifier les parties de la lagune non indispensables et à détourner les fleuves : la Brenta, endiguée, fut dirigée vers la lagune (1327), puis vers le port de Malamocco (1432), enfin vers Brondolo (1507), où elle retrouva le Bacchiglione, détourné au-dessus de Chioggia (1540). S'y adjoignirent, par le Taglio novissimo et le canal de Mirano, les eaux des Botinico, Lusor, Brentella et Musone (1613). Au nord, le canal de l'Osellin (1505-1507) détourna Marzenego, Zero et Dese au nord de Burano, et le Sile fut renvoyé dans l'ancien lit du Piave, lui-même contenu par digue (1534), puis détourné (1579) et canalisé vers Cortellazzo (1683). Le changement du cours des fleuves modifiait l'ampleur, la direction et la charge des courants littoraux : les « ports » devaient donc être protégés pour maintenir la pénétration de la marée et les chenaux vivifiant Venise. Il fallait aussi renforcer les *lidi* que la mer risquait de dévorer... Une autre série de travaux gigantesques fut ainsi réalisée : au début avec des branches souples retenant de la terre et des pierres, puis avec des pieux de chêne *(tolpi)* emprisonnant des blocs venus d'Istrie, enfin (1740-1782) avec d'énormes murs (14 m à la base, 4,5 m au-dessus des hautes marées) ; les ports furent protégés par des digues perpendiculaires renforcées de masses de béton.

Le phénomène dit de l'« acqua alta », qui est une des curiosités de Venise, évoque le danger persistant de voir la ville disparaître peu à peu sous les eaux. Phénomènes astronomiques ou résonances des marées, grosses pluies, vents du sud-est (sirocco) ou du nord-est (bora) repoussent la mer dans la lagune, dont le niveau monte parfois de 1 m au-dessus de celui des plus hautes marées : sont alors envahis les points bas comme la place Saint-Marc dont nous voyons ici les Procuraties Vieilles se mirer dans l'eau tremblotante...

Enfin, aux facteurs naturels s'est ajouté, plus récent mais redoutable, le facteur humain : surcreusement irréfléchi des chenaux dont les bords de boue tendent alors à « couler » vers leur centre et dont le débit change ; pompage exagéré de la nappe phréatique sur laquelle flotte le fond de la lagune ; utilisation généralisée d'embarcations à hélices dont les ondes affouillent les rives des canaux ; passage de gros bateaux... et, bien sûr, pollution due aux implantations industrielles, aux égouts, et à l'emploi généralisé de combustibles fossiles, charbon et surtout mazout, essence, etc., qui provoque d'amples retombées d'acide sulfurique.

Sans oublier les animaux tels que les rats et les mouettes, et surtout les pigeons, dont les déjections corrosives souillent et dégradent de manière accélérée les œuvres d'art qu'un millénaire d'existence a entassées sous le ciel vénitien.

Aujourd'hui, pour « sauver » Venise, il convient donc de réparer les conséquences des méfaits causés par l'homme. Il faut veiller à ce que les aqueducs, nouvellement mis en place, permettent enfin d'éviter le recours à la nappe phréatique ; interdire le passage des gros bateaux par le Lido et le canal de Saint-Marc — (donc les détourner par le port de Malamacco) ; réduire les retombées d'acide sulfurique en filtrant les rejets des raffineries...

Il restera évidemment à poursuivre la lutte millénaire contre les éléments, à maintenir en état les installations, mais surtout à mettre au point une grande réalisation technique probablement inéluctable mais qui ne peut souffrir la moindre erreur de goût : la maîtrise par un système d'écluses de la « respiration » lagunaire et de la montée de l'« acqua alta ».

Du campanile de Saint-Marc la vue se porte sur le confluent des trois grandes voies vénitiennes (à droite, le Grand Canal, au fond, le canal de la Giudecca, à gauche, celui de Saint-Marc), sur la Salute, chef-d'œuvre de Longhena (1631-1681), et sur le triangle abaissé de la Douane de mer (1414) refaite en 1676-1682. Au fond, la Giudecca et l'église du Rédempteur par Palladio (1577-1592).

disposée la caisse était élevé à frais communs et somptueusement décoré : c'était la *scuola*. On connaît, bien sûr, celle de Saint-Georges des Esclavons, et surtout celle de Saint-Roch, où sont restés en place les cinquante-sept chefs-d'œuvre du Tintoret. Mais il y en avait encore, au début du XVIe siècle, deux cent treize autres : plus que d'églises !

Des abords du Rialto, il était facile de gagner Saint-Marc par des rues très fréquentées dont la principale a gardé le nom évocateur de Merzaria, ou de prendre la voie royale, le Grand Canal, au long duquel les plus riches et les plus grandes familles avaient construit les plus beaux palais, depuis la Ca' d'Oro, édifiée pour les Contarini en 1440, jusqu'à la succession des *palazzi* Bembo, Dandolo, Loredan, Corner, Foscari, Giustinian... Avant l'entrée dans le canal de Saint-Marc se trouvait à droite l'emplacement de la future Salute, que Longhena devait élever en 1630, et la pointe de Dorsoduro, occupée par la Douane de mer ; plus à droite, au débouché du Grand Canal, l'île de la Giudecca (sur laquelle Palladio allait construire le Saint-Sauveur [1577-1592]), et Saint-Georges-Majeur. On découvrait alors sur la gauche le cœur monumental de Venise, l'un des ensembles politiques et religieux les plus célèbres du monde. La place Saint-Marc est en effet précédée, à partir du môle, par une petite place, devant la Librairie Vieille, loggia à arcatures sur portique à arches plus amples, chef-d'œuvre de Sansovino (1536-1588). La place elle-même est bordée de la tour de l'Horloge (1496-1499), suivie des Procuraties Vieilles (1514), établies avec une majestueuse simplicité, ensemble de 50 arcades long de 152 mètres. C'est là que siégeaient, dans la pourpre et le velours, les plus hauts magistrats après le doge, les procurateurs de Saint-Marc, qui géraient les biens immenses de la basilique : en face, les Procuraties Neuves (1584-1640), richement ornées, qui accueillirent les procurateurs (quand les vieux bâtiments furent « privatisés ») et qui devinrent, à l'époque napoléonienne, le palais royal.

Face à la mer, le palais ducal fut élevé dès 814. Plusieurs fois reconstruit et embelli, il acquit à la fin du XVe siècle l'harmonieuse façade à trois ordres avec ses arcades inférieures, la loggia surmontée de 71 colonnettes, et la partie supérieure, blanche et rose, percée de vastes fenêtres ogivales et couronnée d'une aérienne dentelle crénelée. L'ornementation des salons et des grandes salles a été à peine modifiée lors d'incendies postérieurs.

Quant à la chapelle palatine, elle ne suffisait pas, en 828, pour accueillir les reliques du saint évangéliste Marc, que deux Vénitiens étaient allés enlever à Alexandrie et avaient rappor-

tées à l'insu des musulmans, cachées entre des quartiers de porc. Dès 829, commençait la construction d'une basilique comparable à celle de Grado et déjà ornée de nombreuses mosaïques et sculptures. Incendiée en 976, immédiatement restaurée et embellie, cette église dut vers 1073 laisser la place au monument actuel. Venise voulait élever une église comparable aux plus belles ; sur plan en croix grecque, couverte de cinq coupoles, elle est d'inspiration et de décoration byzantine, mais interprétée à l'époque romane, dont elle reflète maintes influences ; constamment enrichie, ornée, entretenue, elle constitue un ensemble unique, résumant et concentrant les différents courants de l'art chrétien en Occident. Séparé, mais voisin, son clocher, le campanile, élevé à partir de 888, atteignait dès 1152 sa hauteur actuelle.

Si, de Saint-Marc, on part vers le nord, on passe près de Sainte-Marie-Formose, reconstruite en 1492 et l'on atteint rapidement les Saints-Jean-et-Paul (San Zanipolo), l'église des Dominicains, la plus grande (96 × 43 m) et la plus belle église gothique de Venise avec celle des Franciscains, les Frari (90 × 45 m) ; sur la place, la célèbre statue du Colleone, sculptée par Verrocchio (1488).

En partant vers l'est, on peut suivre le quai des Esclavons, c'est-à-dire des Dalmates, qui y arrimaient leurs bateaux ou y tenaient boutiques pour vendre poisson ou viande d'agneau. On peut aussi passer par Saint-Zacharie, de là, par la Scuola de Saint-Georges des Esclavons (décorée par Carpaccio de 1501 à 1511), on arrive de toute manière à l'extraordinaire arsenal. Ce fut en son temps la plus grande entreprise industrielle de l'Occident : construit

Devant les palais, les gondoles fines et déliées. Peintes en noir depuis 1562, munies à la poupe du large fer à 6 dents qui évoque peut-être les 6 « quartiers » (sestieri) de Venise, elles sont toujours le moyen le plus élégant et le plus rapide, sinon pour traverser le Grand Canal, du moins pour se faufiler dans le dense réseau des canaux.

au total sur 32 hectares, faisant peut-être travailler ensemble les 16000 charpentiers indiqués dans un texte de 1423, plus les calfats, les forgerons, les cordiers, les fabricants de rames, de voiles, les scieurs de bois, il était capable d'armer 100 galères en quelques semaines. Commencé en 1104, agrandi de l'Arsenal Nouveau en 1325 et du « tout nouveau » en 1473, de la darse aux galéasses en 1539, de la cale du Bucentaure (1547), et surtout, en 1579, de la Tana, dont la toiture court sur 316 mètres et repose sur trois nefs de 84 colonnes, cet ensemble élaborait, construisait, entretenait, réparait et accueillait le fer de lance de la puissance vénitienne : les galères.

Venise ne peut être décrite ou résumée en quelques pages : c'est toute la ville, ses maisons, ses monuments, ses canaux et ses rues qu'il faudrait replacer dans cet espace finalement restreint qui concentre la plus grande densité concevable d'histoire et d'art.

C'est aussi toute la vie millénaire de cette sévère et forte cité qu'il faudrait évoquer dans sa couronne de villes sujettes et dans le corset de ses rudes institutions, cimentant un peuple dans la lutte contre les éléments ou les hommes.

ROBERT DELORT

HONG KONG
Les métamorphoses
d'un monstre urbain en quête d'espace

Une île de la mer de Chine qui devient une presqu'île artificielle et se fait aussi grosse qu'une péninsule, un comptoir colonial installé sur un rocher et qui entre dans le concert des grandes puissances industrielles, telle est la croissance phénoménale du géant nommé Hong Kong, dont l'expansion est le prodige urbain le plus surprenant du siècle.

Hong Kong : sous ce seul toponyme à consonance de sésame de l'âge électronique sont rassemblés les éléments d'un puzzle politique unique au monde : la colonie britannique se compose d'une île de 47 kilomètres carrés où se dresse la capitale, Victoria, acquise en « toute propriété » par l'Angleterre en 1842 ; de la péninsule de Kowloon et de l'îlot de Stonecutters, cédés en 1861 ; enfin, des Nouveaux Territoires, une partie continentale située au nord de Kowloon et un archipel d'îlots réputés inhabitables, passés sous mandat britannique en 1898 en vertu d'un bail emphytéotique de 99 ans. L'ensemble s'étend sur 1 041 kilomètres carrés. Après un suspense de deux ans, les pourparlers entre le gouvernement de Margaret Thatcher et celui de son homologue chinois Shao Ziyang ont abouti en septembre 1984 à un accord à concessions mutuelles. Le 30 juin 1997, le pavillon de l'Union Jack sera remplacé par le drapeau de la République populaire de Chine. Londres aurait pu restituer les Nouveaux Territoires et

prétendre garder l'île de Hong Kong. Mais la colonie, privée de ce poumon, serait asphyxiée. Force était de rendre le tout, mais en sauvant les meubles. Londres a donc cédé pour la souveraineté, Pékin pour le maintien du statu quo capitaliste : les maîtres de la Chine rouge se sont engagés à ne pas le changer dans les cinquante années qui suivront l'expiration du bail de 99 ans. La future ex-colonie britannique deviendra sous l'autorité chinoise une « zone à administration spéciale ».

À ce jour, la citadelle de tous les profits a encore soixante et un ans de sursis. Les investissements ont repris après la stagnation pro-

voquée par les inquiétudes qu'ont suscitées les négociations diplomatiques entre la Grande-Bretagne et la Chine populaire. Mais avec une orientation sensiblement nouvelle. Les financiers misent sur l'arrivée au pouvoir à Pékin de cadres plus gagneurs, plus ambitieux, plus carriéristes que les gérontes actuellement en place. Selon ce calcul optimiste, loin de vouloir tuer la poule aux œufs d'or, les dirigeants chinois, au contact direct avec le fer de lance le plus avancé du capitalisme sauvage, se laisseraient gagner aux enseignements et par l'exemple de cette brillante université du profit que représente Hong Kong. Et les hommes d'affaires de se tourner plus vers le marché du continent chinois que vers les États-Unis et l'Europe. Ils participent à des opérations immobilières et industrielles d'envergure en territoire de Chine populaire.

Dans cette cité-État où l'argent n'est jamais honteux, tout est possible lorsqu'on croit tout perdu. Les communistes reconnaissent l'impie et la scandaleuse Sodome asiatique comme un mal nécessaire. Au moins pour cinquante ans et par contrat. Non contente de rafler tous les records de croissance économique aux grandes puissances industrielles, Hong Kong trouve les remèdes aux maladies du système comme

aucun autre de ses partenaires occidentaux. Il en est de son destin comme de celui des créations originales du génie humain : au départ, nul ne croit à cette œuvre et ne voudrait miser un dollar sur elle.

L'île de Hong Kong était à l'origine un territoire déshérité qui paraissait peu propice à l'implantation d'une colonie prospère. Comment établir une population là où il n'y a que sable et rochers et là où l'eau potable fait défaut ? Les acquéreurs anglais, en 1842, étaient les premiers à douter qu'ils faisaient une bonne affaire. Le ministre du Foreign Office déclara avec mauvaise humeur au capitaine Elliott, qui avait négocié le traité de Nankin, épilogue peu glorieux de la guerre de l'Opium et qui dotait l'île du statut de colonie de la couronne britannique : « Vous avez obtenu la cession de Hong Kong, une île improductive et inhabitée. Il est évident qu'il n'y aura aucun marché à Hong Kong. » On mesure aujourd'hui la vue basse de cet esprit chagrin et l'ascension irrésistible de ce caillou de la couronne, mégalithe de l'an 2000 qui enrichit tout le monde.

Tête de pont commerciale de la Chine, la colonie est devenue en trois décennies son plus grand marché et son plus grand atelier. La plaque tournante de l'économie du Sud-Est asiatique. Tous les records mondiaux sont pulvérisés. L'industrie locale, qui emploie un million de personnes (moins que la région parisienne), exporte en valeur le quart de toutes les exportations françaises. La colonie est pour le commerce extérieur le numéro 1 mondial du vêtement, du jouet, des montres (en 1982, elle en a vendu quatre fois plus que

les Suisses), des fleurs artificielles, des flambeaux. C'est le troisième centre mondial de la finance derrière Londres et New York (60 places de crédit, 600 filiales de banques étrangères), bien avant Paris et Tokyo, le troisième marché d'échange du diamant ainsi que de l'or, le troisième port à conteneurs du monde, derrière New York et Rotterdam. Hong Kong se classe dans les vingt premières puissances économiques pour les matières plastiques et les appareils électriques. Victoria, qui possède les plus somptueux palaces de toute l'Asie, royaume du commerce et des clubs privés, a la plus forte densité automobile du monde par kilomètre de route et la plus forte densité de population du globe avec 165 000 habitants au kilomètre carré (100 000 à Kowloon).

Le diplomate myope qui n'avait prévu qu'un désert à cet endroit peut se retourner dans sa tombe. Les gratte-ciel de 20 à 45 étages, qui se reflètent dans la mer de Chine, sont des colosses à cerveau d'ordinateur. Le record pour la verticalité, détenu par la Shanghai Bank (47 niveaux), sera bientôt dépassé par la Bank of China en construction (50 niveaux). La fameuse tour à hublots, le Connaught Center, semble petite avec ses 36 étages.

Le trafic automobile et piétonnier est tel, jour et nuit, qu'on a l'impression que tous les habitants sont descendus en même temps dans la rue. Le nombre des personnes transportées quotidiennement par les ferry-boats, le chemin de fer, les autobus, le métro sous-marin reliant le district central à Kowloon, les voitures particulières, égale celui de la population totale de la colonie, c'est-à-dire près de 5 millions et demi.

Vue de Victoria, capitale de Hong Kong, en 1898, date à laquelle la Chine a cédé à la couronne britannique pour 99 ans les Nouveaux Territoires. Le long de la rade se dressent bâtiments officiels et maisons coloniales. Queen's Road, la première avenue, était sur le front de mer. Le funiculaire qui permet d'accéder au Pic fonctionnait déjà.

La même vue sur Hong Kong et le célèbre pic Victoria, prise aussi de Kowloon, mais en 1986. Tout a changé. Les bâtiments d'origine ont disparu. Le front de mer a considérablement avancé ; presque tout Central District, comme on appelle aujourd'hui la ville de Victoria, repose sur des terrains récupérés sur la mer.

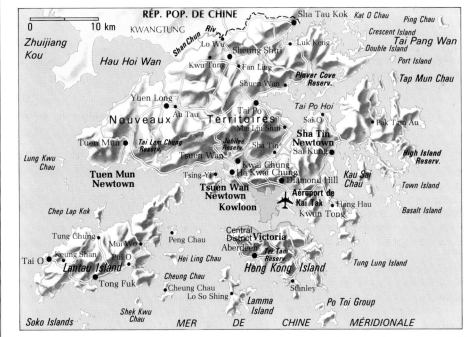

Le territoire de Hong Kong

Des 236 îles de l'archipel, Lantau est la plus grande. On projette de la relier au continent par un tunnel et d'y installer un aéroport. On voit l'importance vitale des Nouveaux Territoires, où ont surgi les villes nouvelles de Tuen Mun, Tsuen Wan, Sha Tin. Les réservoirs d'eau douce les plus révolutionnaires ont été aménagés dans des bassins repris à la mer (Plover Cove, High Island).

formation imbattable. Pari tenu. La production manufacturière réalise au moindre coût un maximum de valeur ajoutée. Les deux tiers sont exportés.

On s'attendait à ce que cette folle croissance fût sanctionnée par toutes les inégalités et misères qu'on rencontre dans les mégalopoles du tiers monde : entassement dans des bidonvilles, malnutritions, épidémies... Ces clichés sont ici dépassés. Au lendemain de la Seconde Guerre mondiale et de l'occupation japonaise, le problème de l'habitat était la plaie de Hong Kong. En 1953, un dramatique incendie dans une « cité d'urgence », où périrent de nombreuses victimes, décida d'une révision déchirante. Hong Kong est une ville neuve. Dans le district central, il subsiste moins de 1 pour 100 des constructions d'avant-guerre. L'objectif semblait chimérique : reloger tous les sans-

Les pistes de l'aéroport international de Kai Tak ont été construites entièrement sur la mer. Les appareils pour s'y poser doivent passer à quelques dizaines de mètres au-dessus des immeubles du quartier de Mong Kok. L'aéroport ayant atteint la limite de saturation, un projet de construction sur l'île de Lantau est à l'étude.

plus au départ de « terrains à bâtir »? Sur la péninsule, 80 pour 100 de la superficie de la colonie sont rocheux et accidentés. Les 13 pour 100 de zone rurale étaient à conserver pour approvisionner Hong Kong en produits frais. Densifier encore plus la zone urbanisée? La saturation était explosive. Alors, que faire? L'architecture verticale a ses limites. Depuis un siècle, Hong Kong gagne le pari impossible de trouver de la place là où, selon nos normes

Au cours des dix dernières années, on a construit une centaine de fly-over, tronçons de chaussée surélevés, qui permettent de passer au-dessus des carrefours trop encombrés et de drainer les véhicules en transit d'une zone à l'autre. Le réseau des voies publiques est en perpétuelle mutation, en particulier dans les Nouveaux Territoires.

En trente ans, trois révolutions industrielles ont permis à Hong Kong de franchir les caps critiques de sa croissance et de rester compétitive. 1950 : des émigrés venus de Shanghai montent des filatures (23 000 métiers à tisser). C'est le démarrage d'une fantastique production de tissus de coton. 1960 : c'est l'ère du plastique et en particulier du polyéthylène. Hong Kong se lance dans la fabrication des fleurs artificielles et emporte 90 pour 100 du marché mondial. 1965 : la bataille de l'électronique s'engage dans la colonie. On commence par monter les transistors fabriqués au Japon à des prix défiant toute concurrence. Cinq ans plus tard, on produit intra-muros les semiconducteurs nécessaires. Plutôt que d'être à la remorque des autres nations pour les produits de haute technologie (ordinateurs, robotique), on préfère être le roi de la montre et du jouet électroniques. Le choix est fait sans retard. Encore une mise gagnante. Dans un pays qui n'a pas de matières premières, pas d'agriculture extensive (1 pour 100 de la population active cultive 8 pour 100 de la superficie), pas de ressources énergétiques et une démographie galopante, il n'y avait qu'une recette possible : développer une industrie de trans-

abri. Dès 1954, on commença par bâtir des immeubles de sept étages avec escaliers extérieurs. Une pièce par famille, 2,20 m² par personne, cuisine sur galerie, sanitaires collectifs sur le palier. La devise : un plancher, un toit. En 1964, l'espace réservé à chaque habitant s'élargit à 3,30 m². On dresse des tours de vingt étages avec ascenseurs, parkings et aires de jeu. De nos jours, 90 pour 100 de la population a l'eau courante, 70 pour 100 des toilettes privées. Les équipements urbains sont comparables à ceux des pays développés du sud de l'Europe. Le secteur privé a construit 1 million de mètres carrés en 1978. Le secteur public (Housing Authority), 40 000 logements entre 1979 et 1985. Depuis 1971, les promoteurs privés offrent 5,30 m² par habitant. Comment ont pu pousser les villes champignons des Nouveaux Territoires : Tsuen Wan (capacité de 900 000 habitants), Tuen Mun (capacité de 530 000 habitants), Sha Tin (capacité de 700 000 habitants), alors qu'il n'y avait

La ville nouvelle de Mei Foo Shu Chuen. La construction de cette cité, énorme complexe résidentiel, a été réalisée il y a vingt ans, à la limite de Kowloon et des Nouveaux Territoires, en bordure de mer. Ces groupes d'immeubles de plan cruciforme, en vue aérienne, évoquent quelque peu ceux de Manhattan.

occidentales, il n'y en a plus. Ici, l'espace ne se conquiert pas *manu militari*. Il faut le créer par le génie civil; en taillant la montagne ou en faisant reculer la mer. Dans les baies, par exemple à Tsuen Wan, à Tai Po, des norias de camions ont fait la chaîne pendant des années pour déverser des millions de tonnes de terre et de roches arrachées aux basses pentes. Au lieu d'expulser les squatters, ou de simplement les indemniser, on les reloge, on leur donne un magasin, on crée des emplois sur place. Les usines sont empilées en hauteur dans des immeubles-tours. On perce des tunnels (un

nouvel ouvrage d'art souterrain, routier et ferroviaire, va relier la partie orientale de l'île de Hong Kong à Kowloon), on fait une extension de la ligne de métro ; les villageois, les pêcheurs sont convertis en petits capitalistes. Cité des défis prométhéens et des records « olympiques », Hong Kong, pour ne pas périr de son hypertrophie, doit sans cesse apporter des solutions originales aux problèmes de la vie urbaine : à Plover Cove, on stocke l'eau douce en bord de mer en isolant un espace de 1 200 hectares par des digues. On pompe l'eau salée, et l'on dispose dès lors d'un bassin pour recueillir l'eau des pluies tropicales. Pour ne pas polluer la mer, une usine de filtrage des eaux usées a été créée. Enfin, on a doté les usines d'incinération de cheminées géantes afin de disperser les fumées en altitude.

Hong Kong est la perle que le dragon chinois tient en équilibre sur le bout de sa langue et qu'il se garde d'avaler. Au pactole des devises s'ajoute la possibilité de recycler les futurs managers de la Chine populaire en voie de modernisation. Le pragmatisme né de cette étrange association sino-britannique met toutes les chances de son côté, en n'oubliant pas qu'il ne suffit pas d'être le plus dur et le plus malin en affaires. Encore faut-il amadouer les divinités de l'eau et du vent et se payer un expert en *feng shui* qui rassure le personnel des entreprises toujours superstitieux. On n'inaugure pas de bureaux sans faire des offrandes aux dieux anciens. Tout n'est donc pas matérialiste dans ces jeux olympiques du business. L'argent n'y est pas la seule religion, s'il en est la principale. Encore une couleuvre dans la gueule ouverte du dragon.

ANDRÉ COUTIN

Du bambou à la balancelle

Immeubles en construction enveloppés de la traditionnelle « cage » en bambous recouverte de filets de protection en matière plastique.

Les Chinois sont des pionniers... traditionalistes. Ils restent longtemps fidèles à des méthodes éprouvées. Mais, dès qu'ils sont convaincus de la supériorité d'un procédé nouveau pratiqué en Occident, ils l'adoptent et l'adaptent avec un enthousiasme de jeunes révolutionnaires. On observe ce « yin et yang » dans les techniques de construction en vigueur à Hong Kong, qui exacerbe le tempérament et transforme en qualités les défauts mêmes de ses ressortissants.

Même pour dresser des tours modernes de 20 à 25 niveaux, la technique de l'échafaudage en bambous accroché au bâtiment restait sacro-sainte jusqu'à ces dernières années. Elle avait fait ses preuves, notamment en cas de typhon : le montage résiste bien, et dans la pire des tempêtes l'effondrement entraîne moins de dommages que les échafaudages métalliques. Pour couler le béton, on mettait en place des coffrages en bois. Le matériau était à chaque niveau réparti et distribué par brouettes. Mais la technique du bambou coûte cher. La main-d'œuvre qualifiée pour ce type d'échafaudage se raréfie. Les monteurs organisés en corporations (sortes de compagnons) sont très demandés et ne sont plus bon marché.

Une « révolution tranquille » est en train de se jouer dans le bâtiment sur les territoires de la colonie, où les programmes de relogement sont de plus en plus ambitieux et pour la réalisation desquels on accélère les cadences. La Housing Authority, l'équivalent de nos H.L.M., veut tenir le rythme de construction de 2 000 logements nouveaux tous les trois mois. Pour les entreprises européennes qui soumissionnent, il n'est pas facile de décrocher le marché. Il faut d'abord respecter les normes prévues pour résister aux typhons. Les Chinois ont adopté des marges de sécurité très importantes. Il faut dire que les tours doivent résister à des vents de 150 à 200 kilomètres à l'heure. Pour la teneur en acier du béton armé, le règlement chinois prévoit 30 pour 100 de plus que le règlement français ne l'exige. Malgré tout, des entreprises comme SPIE Batignolles ont réussi à obtenir la commande de 2 000 logements. Ce fut une expérience pilote. Au lieu de recourir aux échafaudages en bambous, on a utilisé une grue à tour et des balancelles à commande électrique. On a levé des façades préfabriquées, coulé en place des dalles à partir de coffrages métalliques et non plus en bois. Les bennes à béton étaient distribuées par grue, et des pompes amenaient le matériau aux niveaux à travers des tuyauteries. Les Chinois ont retenu de cette expérience que, pour les finitions, les balancelles étaient une innovation intéressante. Ils ont aussi décidé d'adopter la colle française à carrelages pour les revêtements extérieurs. Jusque-là, ils utilisaient un produit américain plus difficile à préparer et moins fiable sous un climat tropical.

Même quand ils font appel à une entreprise étrangère pour un chantier de construction, les promoteurs de Hong Kong ne mobilisent que la main-d'œuvre locale. L'encadrement est aussi chinois. Les ingénieurs de travaux occidentaux reconnaissent que ces ouvriers et techniciens sont tout à fait qualifiés. En particulier pour le forage des fondations et l'enfoncement des pieux, selon les normes de sécurité anti-typhon. Une fois l'assise ancrée, l'empilement des 45 niveaux s'opère à un rythme spectaculaire.

BRASILIA
Citadelle de la lumière

Un promeneur à Brasilia (mais y a-t-il un *promeneur* à Brasilia?) connaît l'une des sensations les plus étranges qui puisse saisir un homme sans méfiance : celle d'être entré par mégarde dans un tableau de Magritte. La ville se dérobe, danse dans l'espace, devient tout transparence — monde d'illusion où rien ne paraît plus aérien que le béton, rien plus solide que les nuages chassés par le vent.

Vous direz à ce promeneur que Brasilia — capitale que le Brésil s'est donnée, la créant de toutes pièces voici un quart de siècle — abrite aujourd'hui près d'un million et demi d'habitants : il ne vous croira pas. Où, la foule? Où, les rires? Ces scènes de rue, ces visages, ce geste ou ce regard à jamais saisis dans notre mémoire quand nous traversons n'importe quelle ville du monde?

Le voyageur ébloui vous répondra : non, rien de tout cela. Je reviens d'une ville superbe, remplie d'espaces vides, une ville-sculpture, mouvante, construite avec le ciel et l'air du désert : un chef-d'œuvre unique. Et vous dites qu'elle est *aussi* habitée?

Tel est le premier paradoxe de la « capitale des sables ». Et si rien, sans doute, ne se démode plus vite que l'avant-garde, l'un des miracles de Brasilia est d'être restée, après vingt-cinq ans, la ville futuriste qui donne toujours le même choc aux visiteurs : une cité un peu surréaliste, un peu sidérale, pas exactement humaine — bref, à tous les titres, la Ville Exemplaire que voulaient ses créateurs.

« Notre génie, m'expliquait un jour un ami brésilien, c'est de voir toujours plus loin, plus grand, plus somptueux que tout le monde. C'est notre force, notre charme, et notre malheur. Voilà pourquoi Brasilia est née ici, comme un défi, follement, en plein désert... »

Folle, pourtant, l'idée ne l'était pas. Tout au contraire. Pour un pays d'Amérique latine, neuf et aussi immense, c'est un handicap mortel que d'avoir sa capitale sur la côte, où s'étaient fort logiquement installées les premières colonies européennes dont le souci immédiat était l'accès facile aux routes maritimes. Mais à échéance, c'était condamner la côte à la surpopulation, et l'arrière-pays à l'inutilité. Les deux premières capitales du Brésil, Salvador (ou Bahia) puis Rio de Janeiro, ont toutes deux été des ports. Mais c'est dès 1750 (donc bien avant l'indépendance en 1822) que germe l'idée d'une capitale toute neuve à l'intérieur du pays. La première constitution de la république, en 1891, prévoit déjà Brasilia, et tous les regards se tournent alors vers l'intérieur, vers les immenses plateaux du Goiás, pour y implanter la « ville de l'espoir », comme un ferment d'éclosion, au cœur d'un territoire sauvage quinze fois plus vaste que la France. Il y avait là tout un continent en friche qui espérait sa « conquête de l'Ouest »... Il faudra tout de même attendre encore soixante-dix ans, et le dynamisme du président Kubitschek, pour que la cité révolutionnaire voie le jour.

Fait significatif (pour qui fut jamais bercé par les langueurs de Rio...), le site définitif sera choisi avant tout pour « son climat et sa salubrité ». Plus de moiteurs tropicales, et finie l'indolence : rigueur et air vivifiant! Il s'agit, après tout, de *mettre au travail* une population dont l'insouciance n'est pas la moindre séduction.

À 1 200 kilomètres de la côte donc, sur de hauts plateaux désertiques que seul hante le vent, on va planter Brasilia comme un phare sur le sol rouge du *cerrado*. Le *cerrado*, c'est la « terre nue », caillouteuse, brûlée de soleil, ravinée par de torrentielles averses. Quelques arbres y poussent à regret. Un emplacement dépouillé à l'extrême, l'exaltation de la nudité — un site idéal pour un monastère... Aucune route n'y mène, pas même un chemin, mais qu'importe? Pierre par pierre, cette capitale-là sera transportée par avion! Les routes suivront plus tard... Et les ouvriers de la première heure sont de cette race, si courante au Brésil, d'hommes hardis et durs à la tâche, mi-pionniers, mi-constructeurs, hommes d'élans et de coups de cœur, disponibles toujours à toutes les grandes aventures humaines, bref :

« Il est impossible, disait Lucio Costa, de juger cette ville sans ses nuages, qui l'animent d'une incessante fantasmagorie d'ombres et de lumières. » Brasilia, « l'endroit où l'espace ressemble le plus au temps », se veut une ville dégagée de la pesanteur. Partout l'architecture enchantée d'Oscar Niemeyer le rappelle. Ici, l'aérien Palais de Justice et ses arches inversées, évoquant l'envol bien plus que l'enracinement. Au premier plan, la statue du président Kubitschek semble participer de la même volonté de libération.

les *Bâtisseurs*, dont la statue admirablement austère est devenue le symbole même de la ville. Et la cité sera construite en un temps record, nuit et jour... Il suffira de quatre ans !

Alors la « folie » de Brasilia apparaît dans toute sa splendeur, quand ses contours prennent forme, quand les premiers palais gracieusement s'étirent hors de la tourbe... Stupeur ! stupeur devant les autoroutes à dix voies, les bretelles en double huit, les chaussées de géants, toutes ces voies royales qui tournent court et s'en vont mourir dans les proches broussailles...

Les deux visionnaires responsables de cette éclosion grandiose sont deux architectes célèbres : Lucio Costa, qui a dessiné la ville, et Oscar Niemeyer, qui en a construit tous les édifices majeurs. Tous deux disciples passionnés de Le Corbusier, ils ont atteint la cinquantaine au faîte de leur maîtrise, après une vie de combat pour le triomphe de l'architecture moderne brésilienne, aujourd'hui l'une des grandes fiertés du pays.

Gagnant du grand concours national ouvert en 1956 pour le plan de Brasilia, Lucio Costa a dessiné sa ville d'espoir (un simple croquis au dos d'une enveloppe, selon la légende) sur la forme d'un avion en plein vol. Les édiles ne s'y tromperont pas : au milieu de tous les projets conventionnels présentés, celui de Lucio Costa brille d'audace, posant d'emblée *l'espace et la vitesse* comme les éléments fondamentaux — comme l'âme, pour tout dire — de la cité moderne (« *La ville qui dispose de la vitesse dispose du succès* », affirmait déjà Le Corbusier trente ans plus tôt). Et ce plan a déchaîné des controverses si enflammées qu'il faut bien situer Brasilia au cœur des inquiétudes contemporaines.

C'est une ville claire, une ville d'*ordre*. En hommes progressistes, Lucio Costa et Oscar Niemeyer ont voulu bâtir la ville du futur heureux. Il s'agissait donc d'abolir le hasard, de donner aux hommes l'égalité au moins dans leur cadre de vie, de réinventer la liberté par les formes — immeubles *libérés* du sol, piéton *libéré* de la voiture, ville entière *libérée* de la « tyrannie de la rue »... Les idées maîtresses de Le Corbusier sont toutes là. Dans le quartier résidentiel, les enfilades de gigantesques *superquadras* autonomes répondent en écho à ses plus tenaces rêves : parfaites « machines-à-habiter » selon ses vœux, chacune couvrant 6 hectares, chacune conçue pour abriter, nourrir, éduquer et distraire quelque 3 000 âmes. Cohérence parfaite. Rien, ici, de ce « *spectacle haché, décousu, divers, multiple, harassant* » qu'offrent les maisons individuelles et qui accablait tant l'œil du maître, ni, non plus, aucun de ces « *magmas dangereux de foules accumulées* » qu'il dénonçait à Paris. Et rien,

finalement, de moins brésilien, dans ce pays de profusion où l'art de vivre n'est jamais plus à l'aise que dans l'effervescent, l'arborescent, l'incandescent...

Mais c'est une ville fonctionnelle, admirablement : la seule au monde qui ait ostensiblement osé construire son quartier résidentiel *autour* d'une autoroute géante, qui en est donc à la fois l'axe central et le principal ornement. De ce toboggan sans fioritures, des bretelles mènent directement aux parkings des usagers. Ainsi le logis de chaque fonctionnaire, qui serait bien impardonnable d'avoir un jour cinq minutes de retard, se trouve-t-il directement relié, en somme, à son bureau. Exemplaire efficacité, excluant la nocive flânerie et que seule la télétransportation pourrait encore améliorer... Formidable « ville-robot », a-t-on dit.

À l'inverse, mais dans le même esprit, le piéton peut jouir à l'aise — trop, peut-être — de ses domaines réservés. La ville limpide n'a pas craint d'offrir l'espace nu à ses méditations : nul enclos, ici, pour délimiter et protéger les zones piétonnières. L'immense esplanade en plan incliné qui mène au Congrès est, à proprement parler, un plan — magnifique — suspendu dans l'espace. On a écrit qu'à Brasilia l'homme à pied se sentait diminué. Vulnérable, en tout cas : c'est que partout l'on s'y

Hommage aux pionniers débarqués du ciel, la sculpture en acier de Bruno Giorgi, Los Candangos (« Les Bâtisseurs ») est devenue le symbole même de la ville plantée à tous vents. C'est la seule capitale au monde où l'homme peut se gorger de silence et, chaque soir, admirer la plongée du soleil sur l'horizon.

aventure en terrain découvert. La cité tout entière se veut la très pure maison de verre où nul n'a rien à cacher. Mais est-il certain que l'homme puisse, mieux que n'importe quel animal, vivre sans sa part d'ombre ?

Je me souviens d'une famille de paysans, tout juste arrivée de Dieu sait où. Près du Théâtre national, sur une nette pelouse verte, ils avaient planté leur drapeau de traîne-la-faim : quelques hardes à sécher, sur des piquets. Terrassés par la fatigue, la femme et les deux enfants dormaient. Mais l'homme, debout, incrédule, scrutait la ville — la ville, l'éternel mirage, pour le paysan pauvre. Je l'entendais qui parlait au vent : « *Mais il n'y a rien ! Mais rien... pas un coin... pas d'ombre... Pas d'ombre !* »

Je regardai la ville avec ses yeux d'immigrant traînant famille et famine, et c'était vrai : il n'y avait rien, pas un coin pour poser un hamac, ni même une chaise... De notre promontoire, c'était une belle, une radieuse cité qui s'étendait à perte de vue, dans la perfection d'un ordre longuement raisonné. L'esplanade des Ministères, sobres cubes frères, aussi nets que des dominos ; le quartier des banques, un peu plus loin ; puis le secteur commercial nord, bien assis devant le secteur commercial sud ; ensuite, le quartier des hôtels ; ensuite... La ville continuait, comme un classeur bien étiqueté : ici, les ambassades, presque invisibles sous des frondaisons importées à grand prix ; là, des bureaux à stores orientables et tous semblablement orientés, ce qui leur

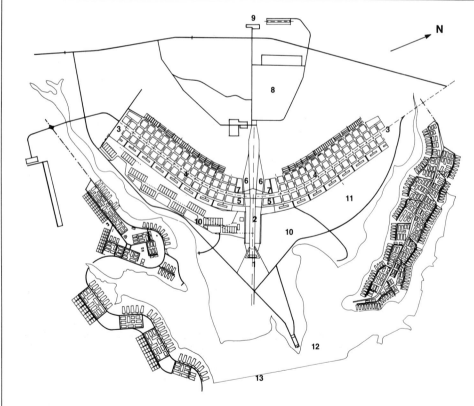

Le plan en forme d'oiseau de Brasilia est tout entier accroché à deux grands axes routiers qui se coupent en croix : l'Avenida Monumental (2) et le Rodovario (3) incurvé qui sert d'ossature aux « ailes » des quartiers résidentiels (4). Autour de ces deux axes, s'articulent toutes les fonctions de la capitale. À la tête de l'oiseau, la place des Trois-Pouvoirs (1), ainsi nommée parce qu'elle regroupe les palais des pouvoirs législatif, exécutif et judiciaire. De là partent les deux grandes rangées de ministères, de chaque côté de l'Avenida Monumental *prolongée par les quartiers des ambassades (10). Après la tête pensante, on pénètre au cœur de la ville : les quartiers des banques (5), des hôtels (6), les centres commerciaux (7), tous disposés au nord et au sud avec la même symétrie. Dans le sillage de l'oiseau, le terrain de sports (8) et la gare ferroviaire (9). L'université (11) est résolument en dehors de la cité, ainsi que le Palais de l'Aurore (12), résidence officielle du président de la République sur le bord du lac artificiel du Paranoà (13).*

Cités bâties *ex nihilo*

Vue aérienne et plan de Pierre L'Enfant daté de 1791 de la ville de Washington, DC. Coupant le quadrillage géométrique, de grands axes rayonnants partent symboliquement du Capitole et de la Maison-Blanche vers tous les coins de l'Amérique.

Brasilia ou Chandigarh, Washington ou Saint-Pétersbourg : depuis que les techniques le permettent, l'homme ici et là s'est donné des capitales administratives dignes de ses nouveaux rêves d'efficacité. Superbes parfois — hérissées de problèmes, presque toujours. Dès le XVIIIᵉ siècle, c'est Pierre le Grand qui donne l'exemple en fondant Saint-Pétersbourg sur l'embouchure de la Neva, en plein marécages. Endroit curieusement choisi pour la capitale qui doit remplacer Moscou, mais où pourrait-on mieux ouvrir cette « fenêtre sur l'Europe » que veut l'empereur ?

Histoire tumultueuse que celle de cette ville bâtie et peuplée par la force. Comme personne ne veut y habiter, la police dresse la liste des personnes tenues d'y résider : les notables ont l'obligation d'y construire des maisons en pierre, les moins riches en pisé, les pauvres en bois.

Pierre le Grand, rêvant d'une capitale grandiose, en avait demandé les plans à l'architecte français Le Blond, disciple de Le Nôtre — plans qui devront être abandonnés, parce que la population, bravant le tsar, refuse de s'installer dans les limites tracées, préférant la rive gauche de la Neva. En 1750 — quarante-sept ans après sa fondation — les urbanistes finissent par suivre les mouvements de la population... « *Intéressante rébellion des citadins,* note Michel Ragon, *qui construisent en quelque sorte leur contre-ville, face à la ville du pouvoir...* »

L'ordre typique des villes nouvelles y règne ; cependant, dans la brillante cité cosmopolite, chaque nationalité se voit attribuer un quartier distinct, tandis que les artisanats bruyants, les abattoirs, les cimetières et les hôpitaux sont exilés à la périphérie, préfigurant le rejet de la ville fonctionnaliste pour l'improductif — et pour tout élément affligeant qui pourrait perturber les citoyens actifs.

C'est sur d'autres marais tout aussi soigneusement choisis qu'est fondée Washington en 1847. Cette fois l'implantation de la capitale fédérale des

Dessiné par Le Corbusier, le Palais du Gouvernement à Chandigarh, capitale de l'État indien du Punjab.

États-Unis sur un terrain neutre, au contact de la Virginie et du Maryland, a des raisons purement diplomatiques : éviter d'exacerber la rivalité opposant les nouveaux États du Sud à ceux du Nord. La cité est dotée d'un plan géométrique « à la française », dû à Pierre L'Enfant, qui lui donne la forme d'un triangle. Le Congrès, la Maison-Blanche et le monument de George Washington en sont les sommets, tandis que sont répartis sur les côtés tous les bâtiments officiels : disposition rationnelle pour une ville de fonctionnaires, où près de la moitié de la population est employée par le gouvernement fédéral.

Mais la beauté des larges perspectives ne peut entièrement dissimuler un certain ennui de vivre, qui paraît bien être la maladie des villes « créées sur papier ». À Canberra, capitale fédérale de l'Australie née en 1912, on a pensé y remédier en plantant deux millions d'arbres d'essences variées...

À Chandigarh, nouvelle capitale (dessinée par Le Corbusier) que s'est donnée l'État indien du Punjab en 1947, la « fureur de rangement » atteint un niveau angoissant. La ville divisée en secteurs réguliers est, en outre, partagée en quartiers de hauts fonctionnaires et quartiers de petits employés... Ses qualités architecturales sont remarquables, et rien ne lui manque pour fonctionner merveilleusement — sauf la vie.

Saint-Pétersbourg, ville-spectacle rêvée par un empereur, à la fin du XVIIIᵉ s.

L'esplanade des Ministères, sobres cubes frères
soigneusement rangés au bord de l'espace nu.
Leur impressionnante simplicité répétitive exalte
l'« efficacité », née sur ce plateau sans tentations.
« L'exactitude et l'ordre... Ce sera la passion
du siècle », disait déjà Le Corbusier en 1925.

donnait l'impassibilité de palissades. Tout cela
d'une beauté de damier, net, propre, tiré au
cordeau, traversé de pelouses carrées et d'axes
routiers aussi superbes que des pistes
d'aéroports.

« *Pardon,* me dit l'homme, *où est la ville ?* »
À la police, qui fort civilement lui demandera
tout à l'heure ce qu'il attend, il répondra qu'il
cherche où dormir, et puis du travail. Que
peut-on bien chercher d'autre, dans une ville ?

L'ordre et le désordre... les deux grands
maux qui accablent l'humanité, disait en substance Paul Valéry. Dans ce saisissant raccourci
tient toute l'histoire de l'urbanisme, éternellement tiraillé entre des nécessités contradictoi-
res. À la vérité, toute grande réussite urbaine
tient finalement d'un impondérable prodige :
l'équilibre qui, parfois, miraculeusement,
s'établit entre ces forces contraires — entre
l'homme de raison qui dessine la ville et le fou
qui l'habite. Très vieux combat ! Le quadril-

lage géométrique et fonctionnel des villes
modernes existait déjà dans la vallée de
l'Indus, entre 2500 et 1500 av. J.-C. La « ville
rectiligne » qui est « poliçable et nettoyable »
n'a jamais cessé de s'opposer à ces « villes
libres » construites par le hasard et les simples
citoyens, et dont les rues courbes sont si
suspectes, puisqu'elles peuvent toujours
cacher quelque chose...

L'ordre, l'égalité, la ligne droite, la *clarté*
n'ont cessé d'inspirer les philosophes, et ce fut
parfois une chance pour leurs contemporains
qu'il ne leur ait pas été loisible d'inscrire leurs
rêves plus durablement, dans la pierre. On
songe, entre autres, à la ville idéale de Platon,
aux maisons aussi semblables que des cellules
monastiques, d'où étaient bannis les poètes,
ces éternels semeurs d'idées troubles. Ou, plus
près de nous, à la célèbre île d'*Utopie* de
Thomas More, où toutes les rues de toutes les
villes sont à ce point identiques qu'elles rendent tout voyage inutile.

Posée comme une gerbe sur le désert, la très pure
cathédrale de verre due à Niemeyer est offerte
à tous les rayonnements de la voûte céleste :
belle invitation à la méditation sereine. À l'entrée
veillent les « Évangélistes » d'Alfredo Ceschiatti.

Le Parlement, place des Trois-Cultures : les deux hautes tours administratives avec, au premier plan, la coupole inversée, tournée vers le ciel, de la Chambre des députés. Tout autour, un superbe vide aseptique, isolant des trop humaines passions. Mais voit-on encore le Brésil de là-haut ?

Notons, au passage, que toutes ces « cités radieuses », que tout ce grand appel à la clarté qu'accompagne si bien la pensée cartésienne n'est pas aussi universel que sa récurrence pourrait le faire croire. L'Orient, dans ses philosophies comme dans sa vie quotidienne, s'accommode mieux du clair-obscur. Dans son *Éloge de l'ombre*, un esthète comme l'écrivain japonais Tanizaki Junichiro s'étonne de l'audace de nos cathédrales lancées vers le ciel, de nos demeures orientées vers la plus grande exposition solaire, alors que les temples et maisons de son pays cherchent avant tout « *l'ombre profonde et vaste que projettent les auvents* ». Tout éclat brutal offense et détruit ; l'Occidental qui « *n'a point percé l'énigme de l'ombre* », ajoute-t-il, ne peut comprendre la beauté de l'or dont la brillance est faite pour être vue dans un lieu obscur. Il est évident que la claire citadelle de Brasilia, vue d'ici, appartient à une autre planète.

Pourtant, le nécessaire contrepoids de la rigueur existe, à Brasilia, mais à distance respectueuse : ce sont les villes satellites qui ont poussé tout alentour, à une vingtaine de kilomètres à la ronde, et qui abritent aujourd'hui 50 pour 100 de la population. Lucio Costa y voyait son plus flagrant échec, lui dont la volonté avait été d'ouvrir sa ville à toutes les classes sociales. Mais la volonté pèse peu en regard des réalités économiques.

Et il est fort dommage qu'aucun visiteur, jamais, ne se hasarde jusque dans ces bourgeonnantes « villes libres ». Car si la grande cité superbe représente une partie du miracle brésilien, c'est ici l'autre moitié du même miracle : la joie éclatante de vivre, le rire pour le plaisir du rire, la musique par toutes les fenêtres, et cette femme noire qui danse toute seule sur le pas de sa porte... À deux pas de sa capitale, le Brésil éternel, irradiant de vie, s'est spontanément reconstruit ici, avec rien, avec des planches et des clous, et tous les éclats de l'arc-en-ciel pour peindre ses cabanes en bois. Et l'on vous aborde, on vous accroche par le bras, les sourires fusent et mille questions... Seigneur ! le Brésil, « pays de la convivialité », je l'avais oublié !

Oscar Niemeyer aussi en conçut quelque désabusement, qui sans doute l'empêcha d'agréer sans arrière-pensée le concert unanime de louanges qui saluait en Brasilia son chef-d'œuvre. Et c'est vrai, pourtant, que jamais son art, jouant de l'espace et des plans d'eau, ne s'était fait aussi léger, aussi pur, aussi aérien. Le génie de cet homme de passion n'a jamais pris toute son envolée que dans la plus totale liberté : Brasilia, qui en fut le sommet, le mit véritablement en état de grâce. Il jongle avec la plasticité des matériaux nouveaux : sous ses doigts, le béton perd toute pesanteur, prend appui sur des arches et devient jaillisse-ment. Mieux, peut-être, il se charge de mystère — comme le palais présidentiel de l'Alvorado (le bien-nommé « Palais de l'Aurore »), qui atteint magiquement à la transparence, et reste accroché à la mémoire comme une image d'intemporelle beauté.

Le monde entier a salué cet ensemble architectural unique, et l'admirable cohérence née du travail des deux hommes, chaque édifice de Niemeyer répondant au plan d'espace de Costa, l'animant, le dynamisant par mille « réverbérations d'harmoniques ». Ceci est langage enchanté d'architecte, pour qui la cité tout entière resplendit comme une seule œuvre d'art homogène.

Mais c'est précisément la question que Brasilia pose : l'homme est-il fait pour vivre dans une œuvre d'art ?

ALINE DE NANXE

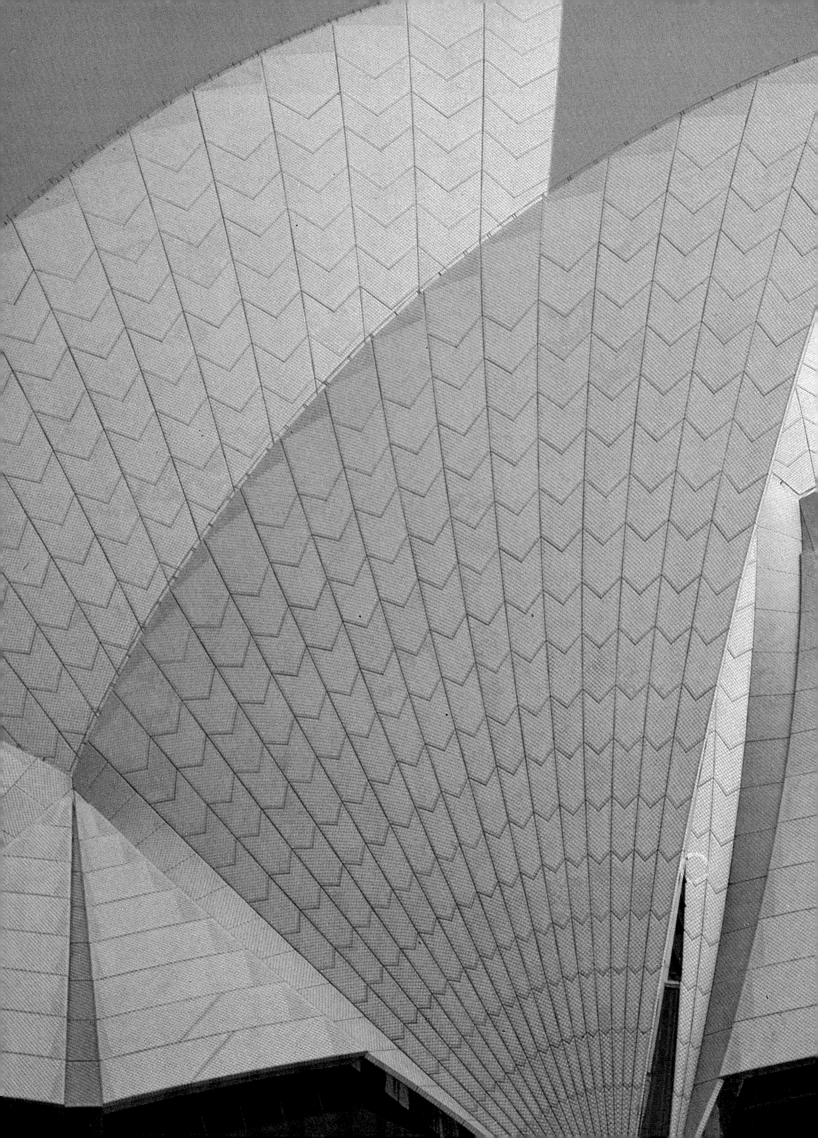

ÉDIFICES PUBLICS

ÉPIDAURE
Le plus parfait des théâtres antiques

De la rencontre d'un lieu privilégié et d'un architecte de génie est né le théâtre d'Épidaure. Ce n'est pas le plus ancien : il a été construit dans la seconde moitié du IVᵉ siècle av. J.-C., alors que ceux de Syracuse et d'Athènes sont antérieurs d'au moins un demi-siècle ; ce n'est pas le plus grand, mais le plus harmonieux. Telle était déjà l'opinion des Grecs, dont Pausanias s'est fait l'écho. Lorsque, à l'occasion de son périple de Grèce, il passe par l'Argolide vers 170 de notre ère, ce voyageur archéologue note : « À Épidaure, il y a dans le sanctuaire un théâtre du plus bel aspect, à mon avis. Car, bien que les théâtres romains soient plus splendides que tous les autres et que le théâtre arcadien de Mégalopolis soit le plus grand, quel architecte peut sérieusement rivaliser avec Polyclète pour l'harmonie et la beauté ? Car c'est Polyclète qui bâtit et le théâtre et la construction circulaire. »

Ainsi est-ce par ce texte que nous connaissons le nom de l'architecte à qui l'on doit le théâtre et le monument auquel on donne le nom de tholos et dont on ignore la destination précise. Il semble que ce Polyclète soit le même que le Polyclète d'Argos, aussi mentionné par Pausanias, qui fit des statues d'athlètes vainqueurs à Olympie. Dans ce cas, il s'agirait du petit-fils du grand sculpteur contemporain de Phidias, auteur du *Diadumène* et surtout du *Doryphore* (porteur de lance) qui, pour la perfection de ses proportions, était considéré par les Grecs comme le canon de la sculpture classique.

Dans l'Antiquité, Épidaure était une petite cité maritime bâtie sur un promontoire du golfe Saronique, sur la côte septentrionale de l'Argolide. On peut en voir encore quelques traces, des pans de murs, des bases de monuments du port en partie englouties, tout près de Paléo-Epidhavros, village de pêcheurs que

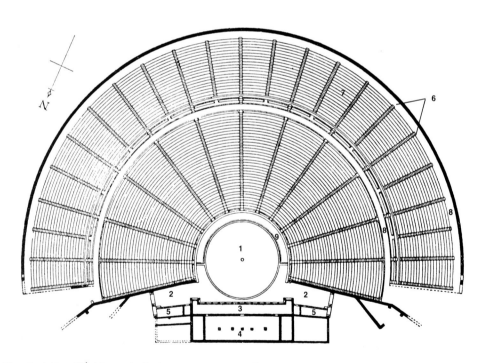

Plan du théâtre d'Épidaure. 1. Orchestra, *où se tenaient les choreutes, lors des représentations. En son centre se dressait un autel consacré à Dionysos.* 2. Parodos : *voies d'accès aux gradins, ils étaient pourvus de portes monumentales ; l'une d'elles a été reconstituée.* 3. Proskênion *et* scène (4), *dont il ne subsiste que les soubassements ; selon certains, les acteurs jouaient sur le proskênion, tandis que les dieux « apparaissaient » sur la scène ; selon d'autres, le proskênion était une sorte d'avant-scène de 3 à 4 m de largeur (dont on ignore l'utilité), les acteurs jouant sur la scène.* 5. Rampes d'accès à la scène. 6. Escaliers (klimax) *séparant les gradins en secteurs verticaux, les* kerkides (7). 8. Promenoirs (diazôma) ; *l'un divisait horizontalement les gradins en deux parties ; l'autre bordait leur sommet.* 9. L'Euripe, *caniveau couvert qui entourait* l'orchestra, *servait à l'écoulement des eaux de pluie.*

domine une belle église d'un blanc éclatant dans la merveilleuse lumière de la Grèce. Il mérite le détour lorsqu'on fait une visite au sanctuaire (le *hieron*, comme disent les Grecs) d'Asclépios. Ce sanctuaire dépendait de l'antique Épidaure, et l'ensemble maintenant en ruine auquel on donne le nom d'Épidaure était appelé, dans l'Antiquité, le *hieron* d'Asclépios. Dieu grec de la médecine, et dieu guéris-

seur, Asclépios était censé être fils d'Apollon et de Koronis, une mortelle, fille de Phlégyas, roi d'Orchomène. Le hameau de Koroni, à quelques kilomètres du sanctuaire, a conservé jusqu'à notre époque le souvenir de la fille de ce mythique roi de Béotie. Selon le poète Isyllos, qui vivait au IVe siècle de notre ère, Asclépios serait originaire de Trikka en Thessalie. Toujours est-il qu'on lui attribuait des

guérisons miraculeuses, voire des résurrections, ce qui aurait singulièrement déplu à Zeus, si l'on en croit une légende selon laquelle le roi des dieux l'aurait foudroyé pour avoir ainsi osé compromettre l'ordre universel.

Les fouilles conduites dans le sanctuaire ont fourni la preuve qu'il fonctionnait au VIe siècle av. J.-C. et que la plupart des monuments dont on a retrouvé les restes ont été bâtis entre le

Vue d'ensemble du théâtre. La courbe des gradins, qui semblent taillés dans le flanc même de la colline, s'inscrit parfaitement dans le paysage. On distingue les escaliers et le promenoir. A gauche, les vestiges de la scène donnent une idée de son tracé. L'ensemble scénique s'élevait jusqu'à environ la hauteur du promenoir, le théâtre constituait ainsi un espace clos. Le personnage, au centre de l'orchestra, souligne la perfection du cercle.

début et la fin du IVe siècle av. J.-C. Cette période voit l'apogée de la renommée du *hieron*, où l'on vient se faire soigner de toutes les régions du monde grec. Les guérisons étaient attribuées à une intervention du dieu venu visiter le patient pendant son sommeil. Mais les prêtres possédaient aussi des connaissances en médecine et prescrivaient aux malades régimes, bains de boue, cure thermale, sans doute afin d'aider le dieu dans l'accom-

plissement de ses miracles. Si l'on en croit les inscriptions votives découvertes sur le site, il y aurait eu beaucoup de guérisons miraculeuses.

Une telle gloire ne pouvait aller sans « jeux » de caractère panhellénique. Ainsi, tous les quatre ans, avaient lieu les Asklepieia, où les athlètes venaient se mesurer comme dans tous les grands jeux grecs, et à partir de 400 av. J.-C., il y eut aussi des concours de musique et de poésie. Toutes ces festivités devaient

être complétées par des représentations dramatiques, comme à Delphes dans les jeux Pythiques, ou encore à Isthmia pour les jeux Isthmiques.

On comprend dès lors que le besoin d'un théâtre de pierre se soit fait sentir, car c'est sur des tréteaux de bois qu'étaient donnés concours poétiques et représentations tragiques dans les premiers temps. La magnificence du dieu et la richesse du sanctuaire incitèrent

Palladio

Le souvenir des créateurs de tant de monuments offerts à notre admiration s'est plus souvent perdu que conservé. En revanche, l'Italie de la Renaissance, qui s'apparente par bien des aspects à la Grèce classique, nous a transmis une multitude de renseignements sur ses artistes, y compris les architectes. Et parmi ceux-ci, l'un des plus prestigieux, des plus originaux et des plus féconds est Palladio (1508-1580).

Palladio est un surnom qu'il prit pour « faire antique ». Son père, un meunier originaire de Padoue, s'appelait Pietro della Gondola, et lui-même avait pour prénom Andrea. Il avait treize ans en 1521 lorsque son père, qui avait pour lui de l'ambition, le plaça dans l'atelier de Bartolomeo Cavazza pour y apprendre la sculpture. Pendant quatorze ans, il va former son esprit et sa main au travail de la pierre, dans une obscurité d'où le tirera l'humaniste Giangiorgio Trissino. Ce dernier confia à Andrea le soin de lui construire une villa près de Vicence. Pendant trois ans, il restera dans l'entourage de cet homme, auprès duquel il découvrit sa vocation, et sans doute aussi l'Antiquité, qui sera sa principale source d'inspiration. À la fin de cette période, en 1540, il prit le nom de Palladio.

En 1546, il reçoit de la ville de Vicence la commande de la reconstruction des loges de la basilique, écroulées depuis un demi-siècle. C'est pour lui le départ décisif ; pendant les années suivantes, il perfectionne ses connaissances, affine ses vues en voyageant dans l'Italie antique.

Le « Teatro Olimpico de Palladio » à Vicence. Le plan ci-dessous permet de se rendre compte que la structure (gradins en ellipse, scène importante) diffère de celle des théâtres antiques. De même, si le front de scène (photo à droite) s'inspire de la décoration des théâtres romains, l'arrière-plan évoque plutôt l'Italie de la Renaissance.

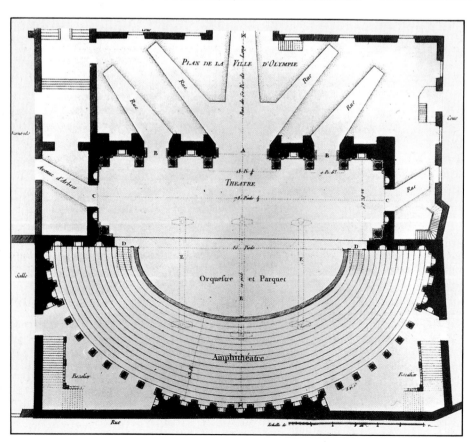

Entre 1540 et 1550, Palladio avait déjà entrepris des œuvres de qualité comme la villa Godi à Lonedo di Lugo Vicentino et, surtout, la basilique de Vicence avec sa magnifique colonnade. À partir de 1550, ses réalisations se multiplient. Il construit des villas et des palais en grand nombre, surtout après 1560. Mais ses plus grands chefs-d'œuvre sont à Venise : l'église du Rédempteur, le couvent de la Charité, et surtout ce joyau de l'architecture religieuse qu'est San Giorgio Maggiore. Enfin, il a pu heureusement rivaliser avec Polyclète le Jeune en réalisant un théâtre. Et quel théâtre ! Le théâtre Olympique, certainement l'un des plus somptueux qui soient, aussi bien intérieurement qu'extérieurement, s'impose comme le testament de Palladio, car il ne fut terminé qu'après sa mort, suivant ses plans et ses maquettes. C'est le fruit génial de ses méditations sur les théâtres antiques romains, et sur le traité de Vitruve *De architectura,* qui fut, dans une grande mesure, sa bible. La salle du théâtre, avec ses gradins à l'antique, son mur semi-circulaire orné de niches abritant des statues, sa scène magnifique à deux étages et aux perspectives fuyantes entrevues à travers les portes voûtées, mérite à elle seule un voyage à Vicence.

Après Palladio, on ne construisit plus comme avant. Le Bernin, en Italie, Inigo Jones, l'architecte des Stuarts, en Angleterre, suivirent son exemple, et sa lointaine influence se fera sentir dans le style Adams, en Angleterre encore, dont est issue l'architecture des riches villas des planteurs du sud des États-Unis.

les prêtres à choisir l'un des plus illustres parmi les architectes de la Grèce. Sans doute le payèrent-ils très cher, car on sait qu'ils accordèrent 900 drachmes à Timothée, l'un des plus célèbres sculpteurs de la première moitié du ıvᵉ siècle av. J.-C., pour exécuter dans la cire les maquettes des deux frontons du temple d'Asclépios nouvellement reconstruit, et 2240 drachmes pour les acrotères en forme de personnages, sculptés dans la pierre au sommet de l'un des frontons, ainsi que nous l'apprend une inscription. La conversion en notre monnaie est difficile, car il faut calculer selon le pouvoir d'achat et non selon la valeur absolue, mais cela représente déjà de beaux honoraires.

L'architecte commença par la *cavea,* dont l'emplacement fut prévu au flanc du mont Kynortion, une haute colline dominant l'ensemble du sanctuaire. Il choisit la face nord-ouest, non seulement parce qu'elle regardait les monuments du *hieron,* mais encore parce que les futurs spectateurs auraient le soleil dans le dos. Outre ces deux conditions essentielles, par un heureux hasard, la forme naturellement incurvée de la colline se prêtait au projet architectural.

Cependant, il fallut tailler le flanc de la colline, en se servant de plans et de maquettes très précis, pour lui donner la concavité voulue pour l'installation des gradins. Étagés en demi-cercle, 55 gradins sont disposés en deux zones, l'une inférieure, de 34 gradins, l'autre supérieure, de 21 gradins, que sépare un promenoir *(diazôma)* large de 1,90 m. Un autre promenoir, large de 2,10 m, borde le haut de la *cavea.* Celle-ci est divisée verticalement en 12 « tranches », les *kerkides,* constituées par 13 escaliers qui rayonnent depuis l'*orchestra* jusqu'au dernier gradin, le septième escalier se trouvant dans l'axe du théâtre. Dans la zone supérieure, chaque *kerkide* est subdivisé en deux par un escalier partant du promenoir inférieur.

Les gradins furent taillés dans une carrière voisine, dans un beau calcaire blanc qui, une fois poli, prend l'aspect éclatant du marbre, malgré quelques taches rouges. Chaque gradin est formé de plusieurs blocs de pierre soigneusement ajustés. Une partie plate et légèrement surélevée sert de siège. L'arrière est creusé pour recevoir les pieds des spectateurs du rang supérieur. Les sièges qui bordent l'*orchestra* et ceux du dernier rang de la zone inférieure, à la hauteur du premier *diazôma,* sont pourvus de dossiers et taillés dans du calcaire rose. Ils étaient réservés aux prêtres, aux magistrats, et aux hôtes de marque.

Comme dans nos théâtres modernes, il y avait des places populaires et d'autres destinées aux gens aisés. Ces dernières se situent dans la partie basse où les sièges, de 33 centimètres de hauteur, sont conçus pour recevoir un coussin que le spectateur apportait avec lui. En revanche, les parties hautes présentent des gradins de 43 centimètres : là le public s'asseyait à même la pierre.

Le bas des gradins cerne l'*orchestra,* place parfaitement circulaire déterminée par un périmètre en pierre, d'un diamètre de 20,28 m,

Melpomène (figurine de terre cuite provenant de la nécropole de Tanagra, en Béotie) contemplant un masque de théâtre. Fille de Zeus et de la déesse de la mémoire Mnémosyne, elle était, parmi les neuf muses, celle de la tragédie. Son nom signifie « chanteuse », ce qui souligne bien l'importance des aspects musicaux et de la psalmodie dans la tragédie antique. Se voiler le bas du visage était une coquetterie propre aux Béotiennes.

où se tenaient les choreutes. Le centre du cercle était marqué par un autel circulaire, la *thumelê,* où s'effectuaient les sacrifices précédant les représentations théâtrales. La dénivellation entre l'*orchestra* et le dernier gradin de la *cavea* est de 22,56 m ; la distance de la *thumelê* à ce gradin, dans l'axe de l'escalier central, de 59 mètres.

Toutes ces dimensions n'ont sans doute pas été laissées au hasard par l'architecte. Celui-ci les a probablement calculées en fonction de la propagation du son, car bien qu'elles soient grandes, l'acoustique demeure parfaite à toutes les places du théâtre. Ainsi les acteurs n'avaient-ils guère besoin d'élever la voix pour se faire entendre des spectateurs les plus éloignés. L'ensemble de la *cavea* est fermé à

chaque extrémité de l'arc de cercle par des murs de soutien *(analêmma)* contre lesquels s'appuient deux doubles portes monumentales en tuf. Celles-ci donnaient accès à l'*orchestra,* d'où le public pouvait gagner les gradins. L'*orchestra* elle-même était encerclée sur une grande partie par un caniveau couvert, l'Euripe, par lequel s'écoulaient vers un égout les eaux de pluie.

De la scène, rectangulaire, appelée *logeion,* ne subsistent que les soubassements. Il semble qu'elle fermait le théâtre, entre les deux portes latérales, et qu'elle comprenait sans doute un étage. La partie inférieure, face à l'*orchestra,* était constituée par un mur, le *proskênion,* orné de dix-huit colonnes engagées d'ordre ionique et percé de trois portes qui s'ouvraient sur les soubassements de la scène. Cette structure, haute de 3,50 m environ et longue de 26, soutenait le plancher de la scène où se tenaient les acteurs. La scène, peut-être pourvue d'un toit, n'avait que 2,40 m de largeur. Elle était fermée, de part et d'autre, par deux ailes destinées à soutenir les décors. On pense que ceux-ci étaient montés sur prismes à pivot, de manière à pouvoir rapidement changer entre les actes le cadre dans lequel se déroulait l'action.

Le théâtre constituait probablement un ensemble clos, comme le sont les théâtres romains qui ont subsisté. Aussi le paysage de collines ondulantes qui attire aujourd'hui les regards du visiteur assis sur les gradins inférieurs du théâtre, n'était-il pas visible dans l'Antiquité. Toute l'attention du spectateur antique se portait vers les acteurs sur la scène ou vers les choreutes dans l'*orchestra,* et elle ne risquait pas d'être distraite par les lointains bleutés de l'Argolide.

On a calculé que le théâtre pouvait contenir facilement 14 000 spectateurs et que 17 000 au maximum pouvaient y prendre place. Les fêtes en l'honneur d'Asclépios attiraient donc un nombre considérable de fidèles.

Si les Épidauriens purent s'offrir un théâtre aussi somptueux, ils le durent à la prospérité du sanctuaire, qui leur permit de recueillir les sommes nécessaires à sa construction. Il y avait en outre un public suffisamment nombreux pour le remplir, et des acteurs de talent pour s'y produire.

On ne sait pas exactement quelles pièces y furent représentées. À l'époque où le théâtre fut construit, les trois grands poètes tragiques d'Athènes, Eschyle, Sophocle et Euripide, étaient morts, le premier depuis longtemps. Le ıvᵉ siècle produisit plusieurs poètes tragiques qui tentèrent de compenser froideur et excès de rhétorique par des effets scéniques nécessitant la présence de décors et d'un mur de scène en pierre sur lequel pouvaient apparaître les dieux descendant du ciel. On peut supposer que le théâtre d'Épidaure accueillit aussi les nouvelles comédies à la mode, qui s'étaient dépouillées des aspects politiques et satiriques de l'ancienne comédie illustrée par Aristophane pour devenir des comédies légères de mœurs et de situation.

Guy RACHET

LE COLISÉE

Les grands spectacles de la Rome impériale

Le nom de Colisée, donné au plus grand amphithéâtre du monde romain, n'apparaît que sur des documents du VIIIᵉ siècle de notre ère. L'origine de ce nom est obscure : est-ce une allusion à la statue « colossale » de Néron, toute voisine, ou aux dimensions de l'amphithéâtre lui-même, on ne sait. Le nom officiel est *amphitheatrum Flavium,* parce qu'il a été construit par les trois empereurs Flaviens *(Flavii),* Vespasien, Titus et Domitien : commencé par le premier probablement en 70, il fut inauguré par son fils Titus en 80, et achevé par Domitien, empereur à partir de septembre 81. Jusque-là, Rome n'avait encore possédé

qu'un seul amphithéâtre, celui de L. Statilius Taurus, élevé vers 29 av. J.-C., qui avait été détruit au cours du grand incendie de 64. Néron l'avait remplacé par un autre, en bois, ouvrage provisoire et très insuffisant. Pendant des siècles, les combats de gladiateurs eurent lieu sur les places publiques, à Rome sur le Forum. Mais ailleurs, la mode était venue d'élever des « amphithéâtres », consacrés à ce genre de spectacles et bâtis « en dur ». Nous connaissons ainsi celui de Pompéi, qui date sans doute de 80 av. J.-C., lorsque la petite cité devint colonie romaine. La Campanie était en effet la province italienne où les combats de gladiateurs étaient le plus appréciés, en vertu

d'une longue tradition des éléments samnites de la population.

Le terme d'amphithéâtre décrit l'édifice : il s'agit de deux « lieux de spectacle » *(theatron* en grec), accolés de telle sorte que les deux espaces libres entre les gradins et la scène *(l'orchestra)* ne forment qu'une arène (ainsi appelée parce qu'elle était couverte de sable — *arena).* Cela permettait d'accueillir un grand nombre de spectateurs (on pense que 45 000 personnes pouvaient trouver place sur les gradins du Colisée) et fournissait à tous une vue excellente. Pour accroître la capacité de l'édifice, on donna à l'arène une forme ovale, et non circulaire. Celle du Colisée mesure

Le Colisée vu d'avion. Cette vision insolite met bien en évidence les trois anneaux de gradins — et la détérioration des deux anneaux extérieurs. Dans l'Antiquité, le Colisée s'élevait dans un espace vide de constructions et fermait la perspective qui s'offrait aux voyageurs venant du sud.

86 mètres sur 54. La dimension extérieure est de 188 mètres sur 156, et la hauteur totale de 48,50 m.

Si Vespasien entreprit une construction aussi grandiose, c'est probablement pour se donner, à lui et à ses fils, une légitimité. Il avait conquis le pouvoir par les armes; ses origines familiales étaient modestes et sa propre carrière n'avait été qu'honorable, sans très grande victoire sur les champs de bataille. Restait la possibilité de s'affirmer par une générosité mémorable. Les « bienfaits », l'évergétisme, étaient choses royales. Ils créaient des liens durables entre donateurs et bénéficiaires. Tous les Romains qui auraient assisté aux spectacles donnés dans le Colisée seraient les « obligés » des Flaviens. L'amphithéâtre de Statilius Taurus s'élevait au Champ de Mars. Celui des Flaviens occupa un emplacement qui avait lui aussi valeur symbolique. Ses fondations, en effet, furent établies dans la cuvette où s'étendait un lac, le *Stagnum Neronis*, au centre du parc de la Maison d'Or. Celle-ci s'était déployée sur les terrains ravagés par l'incendie de 64 et s'était ainsi substituée à des quartiers d'habitation, ce qui avait provoqué la colère du peuple, qui se voyait dépossédé d'une part importante de la Ville. Rendre à ce même peuple une partie des surfaces usurpées ne pouvait que rehausser le prestige de la nouvelle dynastie. Mais ces

Techniques de construction

La construction du Colisée fut rendue possible par le fait que les architectes, les ingénieurs et les maçons de Vespasien bénéficièrent d'une longue expérience, en particulier, du progrès des techniques effectuées au cours du Ier siècle av. J.-C., depuis le temps de Sulla et grâce à l'activité de César et surtout d'Auguste, qui, tout au long de son règne, fut un grand constructeur. Il ne fut pas nécessaire d'inventer, il suffit d'appliquer. On rencontre au Colisée les principaux procédés de construction utilisés jusque-là, et qui, dans le temps, s'étaient succédé. D'abord le plus ancien, l'*opus quadratum*, fait de blocs de pierre taillés et disposés selon les exigences de l'édifice; cet appareil forme les piliers de la façade et des arcades intérieures. Puis on avait imaginé d'utiliser l'*opus caementicium*, ce que l'on peut appeler le « béton », et qui est composé de fragments de pierre (de la grosseur d'une main fermée, par exemple) noyés dans une pâte faite de chaux et de sable — la pouzzolane, sable volcanique qui se prête bien à ce travail. Au lieu de pierres, on utilisa de plus en plus des briques brisées, généralement les déblais d'un édifice antérieur. Les massifs ainsi coulés recevaient un revêtement qui fut d'abord de pierres, imitant ainsi l'appareil de l'*opus quadratum*, puis de pierres plus petites (de la taille d'un pavé de 5 cm de côté environ), disposées d'abord irrégulièrement *(opus pseudo-reticulatum)*, puis régulièrement, à la manière des mailles d'un filet *(opus reticulatum)*; enfin, on utilisa pour ces parements des briques disposées en lits réguliers *(opus latericium)*.

Au Colisée, l'*opus latericium* voisine avec l'*opus quadratum*, les voûtes sont en *opus caementicium*. La pierre est de deux sortes: du travertin, pour les parties visibles; du tuf de la vallée de l'Anio, de moins belle apparence, à d'autres endroits. L'*opus latericium* a servi pour le quatrième étage, en raison de la plus grande légèreté des parois ainsi obtenue.

L'exécution du travail devait être aussi rapide que possible; aussi tout ce qui pouvait être préparé d'avance fut apporté achevé sur le chantier. Ce fut le cas pour les blocs de travertin de la façade, qu'il suffit d'assembler, comme les pièces d'un jeu de construction: chaque bloc était taillé de manière à former, vers l'extérieur, un élément de la colonne engagée et, sur ses trois autres faces, un élément du pilier; les blocs de la partie supérieure portaient, préfabriquées, les moulures correspondant à l'ordre de la colonne. Ces blocs ne sont pas tous de la même hauteur, les légères différences étant en pratique invisibles, après la mise en place. Les voussoirs des arcs étaient, de même, taillés en série. Les arcs étaient indépendants entre eux; la poussée de chacun était reçue par le pilier de travertin. C'était déjà la solution adoptée au théâtre de Pompée. Les blocs préfabriqués étaient fixés entre eux par des crampons (de bronze ou de fer) scellés à l'aide de plomb. Le métal, très recherché au Moyen Âge, fut enlevé crampon par crampon, ce qui compromit quelque peu l'homogénéité de l'ensemble.

Les ingénieurs qui ont étudié la structure du Colisée s'accordent à penser que, une fois établi le sol d'*opus caementicium*, on commença par construire sept lignes de piliers concentriques sur la bande ellipsoïdale qui devrait porter la construction. Les piliers de la façade furent montés jusqu'au troisième étage à l'aide d'échafaudages ordinaires, ceux des autres anneaux construits jusqu'à leur hauteur définitive, compte tenu de la pente prévue pour la *cavea*. Puis on établit, entre ces anneaux, des murs radiaux, qui servirent de support aux voûtes d'*opus caementicium* sur lesquelles viendraient se poser les gradins. Ces murs radiaux sont en partie construits en tuf et en partie en *caementicium*, avec un parement de briques. Celles-ci sont des demi-tuiles rectangulaires, cassées selon une diagonale, ce qui en fait des triangles: la base en est tournée vers l'extérieur, le sommet vers l'intérieur, pris dans le « béton ». Ce mode de construction, déjà en usage depuis quelques années alors, devint usuel pendant toute la durée de l'empire.

Les instruments utilisés étaient ceux des maçons et des tailleurs de pierre de tous les temps. Le levage des blocs pouvait être effectué soit à l'aide de treuils, actionnés par une roue de grand diamètre, soit sur des plans inclinés soutenus par des madriers, grâce à des rouleaux (analogues à ceux qui permettaient de tirer les bateaux sur les grèves) et à des leviers. Les voûtes en *caementicium* étaient mises en place sur des formes de bois, que l'on retirait une fois la masse devenue solide. Enfin, les escaliers construits entre les murs radiaux, ainsi que les gradins, furent revêtus de marbre. Cette technique explique la rapidité avec laquelle le travail fut achevé. Tout dépendait du nombre d'ouvriers affectés aux différents chantiers. Naturellement, nous n'avons aucun chiffre. On peut penser que, comme cela se faisait le plus souvent, pour les chantiers de l'empereur des soldats fournirent une main-d'œuvre aussi nombreuse qu'il était nécessaire, l'armée comportant des unités spéciales de *fabri* (ouvriers travaillant le fer et le bois). Moins de dix années suffirent pour que le Colisée pût être inauguré, avec les grands jeux que donna Titus.

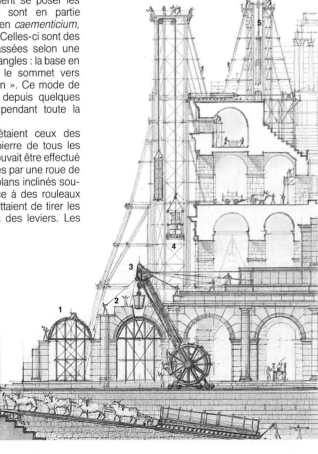

1. Montage d'un arc, à l'aide d'un cintre de bois. 2. Pose de la « clef de voûte » qui assure la solidité de l'arc. Le cintre peut être ensuite enlevé. 3. Machine élévatrice, fondée sur le principe de la roue d'écureuil — un treuil perfectionné qui permet, à l'aide d'une force relativement faible, d'élever de lourds fardeaux. 4. Monte-charge à contrepoids pour hisser jusqu'aux étages les éléments des piliers. 5. Mise en place d'une colonne.

raisons, politiques, qui avaient dicté le choix du terrain créaient quelques difficultés aux architectes, car le lac de Néron couvrait un sol marécageux où confluaient les eaux de ruissellement des collines voisines *(Oppius, Velia)*. On pouvait craindre des glissements de terrain. Pour assurer la stabilité de ce qui devait être une masse énorme de maçonnerie, les architectes enfoncèrent des piliers de travertin à une profondeur de 6 mètres environ, et établirent au-dessus un sol de béton.

Le plan général affecte la forme d'un anneau elliptique, reposant sur un stylobate

Les « coulisses » du Colisée (le sol de l'arène ayant été enlevé pour les besoins de la recherche archéologique). On distingue les couloirs de circulation, les puits des monte-charge, les passages vers l'extérieur, et les souterrains qu'empruntaient les hommes, les bêtes... et l'empereur.

destiné à éviter que les eaux de pluie n'envahissent les accès. La façade est constituée par trois arcades superposées et un quatrième étage percé de fenêtres. À l'intérieur de cette grande ellipse se trouvent les gradins (la *cavea*), disposés sur une pente inclinée à 37 degrés, assurant à tous les spectateurs la vue de l'arène sans angles morts. Cette façade, avec ses arches, est caractéristique du Colisée ; c'est ainsi qu'il apparaît aujourd'hui, masse énorme à l'extrémité de l'avenue qui, partant du Capitole, aboutit à lui. Ces façades sont une invention des architectes romains. Dans les théâtres grecs, les gradins prenaient appui sur un mouvement de terrain, une colline par exemple, dont on évidait la pente pour accueillir cette sorte de conque, semblable à une grande coquille posée sur le sol. Il en va ainsi à Athènes, à Épidaure, à Syracuse. Le grand théâtre de Pompéi est encore de ce type. Et lorsque César forma le projet d'élever un théâtre à Rome même, il pensait l'appuyer aux

pentes du Capitole tournées vers le Tibre. Pourtant, depuis 55 av. J.-C., lorsque Pompée décida d'édifier un théâtre de pierre au lieu des édifices provisoires en bois utilisés jusque-là, les architectes avaient imaginé une autre solution à ce problème. Le terrain choisi était situé sur le Champ de Mars, c'est-à-dire en plaine. Il fallait donc que la *cavea* prît appui sur une structure suffisamment solide pour en supporter le poids et suffisamment haute pour que la pente répondît aux exigences habituelles. Une telle structure, si elle avait consisté en un mur plein, aurait dû comporter une épaisseur de maçonnerie considérable, avec tous les risques de fissurage que cela entraîne. Il fallait trouver le moyen de diriger les poussées. Aussi les architectes eurent-ils recours à une technique qu'ils maîtrisaient depuis longtemps déjà, celle des arcs : ils substituèrent au mur de façade — tel qu'on le trouve dans plusieurs petits théâtres ou odéons, en Orient ou en Italie — une arcature à plusieurs étages. Ce système peut être comparé à un aqueduc triple, fermé sur lui-même dans le cas d'un amphithéâtre, semicirculaire dans le cas d'un théâtre.

Telle fut la solution adoptée pour le théâtre de Pompée, puis pour celui de Marcellus (construit entre 20 et 13 av. J.-C.). Outre ses avantages purement techniques, elle en présentait un autre, d'ordre esthétique. Un mur aveugle et plat de grandes dimensions eût été fort disgracieux. Un ensemble d'arcs, au contraire, était animé, vivant ; il n'était un obstacle ni au regard ni au mouvement. Et d'autre part, les Romains étaient déjà familiarisés avec les façades à arcades, par exemple celle du *Tabularium,* qui, depuis 70 av. J.-C. environ, fermait la perspective du Forum à mi-pente du Capitole.

Toutes ces raisons firent que l'architecte du Colisée (on ne sait qui il fut, peut-être Rabirius, qui avait été au service de Néron) se contenta d'imiter pour le nouvel amphithéâtre

la disposition et le décor des théâtres antérieurs. Quatre-vingts arcs furent nécessaires pour couvrir la totalité du périmètre. Chacun d'eux est large de 4,20 m, sa hauteur est de 7,05 m. Les piliers qui les séparent, construits en travertin, sont larges de 2,40 m sur une profondeur de 2,70 m. Chaque pilier est orné d'une demi-colonne de style dorique. Il est continué, au premier étage, par un autre semblable, orné, lui, d'une demi-colonne de style ionique ; au troisième étage, semblable, la demi-colonne est de style corinthien. L'attique plat qui surmonte ces trois rangées d'arcades était rythmé par autant de pilastres corinthiens, qui délimitaient des rectangles de maçonnerie, alternativement aveugles et percés d'une fenêtre rectangulaire. Il en résulte une impression de légèreté, en dépit de la masse : des lignes verticales indéfiniment répétées entraînent le regard vers le haut de l'édifice et rendent moins sensible l'étalement horizontal. La superposition des trois ordres, déjà utilisée au théâtre de Marcellus, ajoute à cet effet. Les demi-colonnes doriques ont plus de robustesse apparente que celles, d'ordre ionique, qui les surmontent, et les chapiteaux corinthiens du troisième et du quatrième étage couronnent le tout de leur feuillage épanoui. À chaque extrémité des deux axes s'ouvre une porte. Ce sont les entrées principales de l'amphithéâtre, qui donnaient accès directement à l'arène.

L'un des principaux problèmes posés par le nombre inhabituel de personnes que pouvait accueillir le Colisée était celui de leur circulation à l'intérieur du monument. Ici encore, on eut recours à des arcades pour le résoudre. Au niveau inférieur, trois lignes de piliers concentriques, reliés entre eux par une série de passages radiaux ; au premier étage, même disposition, qui ménageait, là aussi, deux couloirs, dont l'un était divisé, dans sa hauteur, en deux parties. Au troisième étage, deux couloirs concentriques. Les murs radiaux, partant de l'arène, servaient d'appui à des voûtes sur lesquelles étaient posés les gradins. Entre eux étaient construits des escaliers, qui assuraient le passage d'un étage à l'autre.

Tout autour de l'arène courait un mur haut de 3,60 m, bordé par un petit canal pour évacuer les eaux de pluie. À l'extrémité sud du petit axe se trouvait la tribune impériale ; en face d'elle, une autre tribune, pour le préfet de la Ville et d'autres magistrats. La porte qui s'ouvrait à l'extrémité ouest du grand axe s'appelait Porte triomphale. À l'extrémité est, c'était la *Porta libitinaria,* par où l'on évacuait les morts. Tout le drame se jouait entre ces deux portes : de l'entrée des combattants en pleine gloire à leur fin, s'ils avaient connu la défaite. Le sol de l'arène était, dans sa plus grande partie, formé par une chape de ciment recouverte d'*opus signinum,* c'est-à-dire un mélange de sable, de chaux et de terre cuite réduite en poudre. On garnissait ainsi le fond des citernes. Le reste de l'arène était couvert d'un plancher, fait de panneaux amovibles. Sous l'arène étaient ménagés des couloirs et des cellules, qui formaient comme les « coulisses » de l'amphithéâtre.

La machinerie scénique

Tandis que, dans les théâtres, l'existence d'un mur fermant la scène permettait d'établir derrière celle-ci des pièces de service analogues à ce que nous appelons des coulisses, la forme de l'amphithéâtre ne permettait pas de telles facilités. Aussi fut-il nécessaire d'aménager le sous-sol de l'arène pour que l'on pût disposer de passages invisibles et de locaux où se tiendraient les « acteurs », bêtes et hommes, en attendant le moment de paraître sur le lieu de l'action. Ces coulisses du Colisée ont été fouillées depuis une cinquantaine d'années avec des résultats divers.

Il existait tout un ensemble de constructions souterraines, dont les murs étaient parallèles à l'axe principal. Deux couloirs aboutissent aux deux portes (la *triumphalis* et la *libitinaria*) ; ils sont construits en travertin. Un autre couloir, analogue, passait sous la loge impériale et conduisait de l'amphithéâtre vers le Caelius et le temple de Claude. Ses murs étaient ornés de stuc, et l'on pense que ce passage était utilisé par l'empereur lui-même, peut-être déjà Domitien, peut-être seulement à partir de Commode.

Tout le long du mur qui entourait l'arène et la séparait des gradins, une sorte de large rainure permettait d'installer une forte grille de fer, pendant les *venationes*, de manière à empêcher les animaux de s'élancer sur les spectateurs. Cette grille, complétée par un filet, prenait appui sur des blocs de travertin que l'on voit encore en sous-sol, le long du soubassement.

De loin en loin, sur les murs longitudinaux, prenaient appui des cellules, apparemment destinées aux fauves, pourvues d'un élévateur qui conduisait la bête jusqu'à un plan incliné, entre les murs d'un couloir trop étroit pour qu'elle puisse se retourner et attaquer son gardien.

Les monte-charge de petite taille étaient utilisés pour hisser les acteurs, les animaux et le matériel léger. Ils étaient manœuvrés par un treuil, dissimulé dans le décor. De là, une galerie menait hommes et bêtes à découvert.

Mise en place d'un décor (ci-dessus). À droite, le décor préparé dans le sous-sol de l'arène sous un plan mobile. À gauche, le décor monté dans l'arène.

D'autres cellules devaient contenir les accessoires nécessaires au spectacle, par exemple les rochers et les arbustes qui servirent de décor lorsque fut représenté le mythe d'Orphée. Les plans inclinés permettaient des changements de décor rapides ; ils aboutissaient probablement à des trappes ménagées dans le sol de l'arène. Les jeux de Titus, par lesquels fut inauguré l'amphithéâtre, comportaient un combat naval. Ce qui créait de sérieuses difficultés pour rendre le sol de l'arène étanche. Aussi ce genre de spectacle fut-il donné en d'autres endroits, dans des naumachies, dont les bassins étaient mieux adaptés.

Les spectacles, au Colisée, duraient des journées entières. Il fallait prévoir le moyen de donner de l'ombre aux spectateurs. On y parvenait à l'aide du *velum*, une grande toile tendue au-dessus des gradins, comme cela se faisait déjà dans les théâtres. Mais les dimensions du Colisée obligèrent à inventer des solutions nouvelles pour couvrir une pareille surface. À la vérité, nous ne pouvons formuler que des hypothèses. Nous savons seulement qu'il existait, tout en haut de la façade, des emplacements destinés à des mâts auxquels était fixé le voile. Mais nous ne savons comment se faisait la manœuvre. Nous savons seulement qu'un détachement des marins de la flotte d'Ostie en était chargé, ce qui permet de supposer que cette manœuvre ressemblait à celle des voiles sur un navire : celles-ci, enroulées autour de la vergue, étaient déroulées graduellement pour prendre le vent. Par analogie, on peut imaginer que le *velum*, divisé en grands triangles dont chacun devait s'étendre au-dessus d'un secteur, était replié sur un câble courant à la périphérie de la *cavea*. Lors d'une représentation, les marins déroulaient le triangle de toile et en fixaient la pointe par un câble retenu de l'autre côté de l'édifice. Mais un grand nombre d'autres solutions peuvent être envisagées.

À quoi servait un tel amphithéâtre ? Essentiellement à permettre au prince d'offrir des spectacles qui seraient vus par le plus grand nombre possible de ses « sujets ». Nous avons dans le petit livre des *Spectacles*, écrit par Martial en préface à ses *Épigrammes*, un témoignage précieux sur cette fonction du Colisée. Là devait se réaliser l'extraordinaire, là devaient s'accomplir des exploits que l'on eût pensé impossibles. Par exemple, on voyait Orphée, le chanteur mythique, qui, au son de sa lyre, attirait à lui des forêts et des rochers, qui se déplaçaient effectivement sur l'arène. Il y avait aussi des fauves, et toutes sortes d'animaux, que la musique aurait dû charmer. Malheureusement, un ours, sorti d'une trappe, se jeta sur Orphée et le déchira.

D'autres fois, le dénouement était moins tragique : ainsi lorsqu'un daim, lâché dans l'arène et poursuivi par des chiens — simulacre de chasse —, finit par se jeter aux pieds de Domitien, dans l'attitude de la prière. Ce qui lui sauva la vie. On assistait, sur l'arène, à des chasses autrement périlleuses. Un certain Carpophore avait successivement percé un ours de son épieu, abattu un lion d'une taille prodigieuse et, de loin, arrêté dans son élan et tué un léopard qui bondissait. Une autre fois, le vieux mythe de Pasiphaé et du taureau fut mis en scène, et le poète assure que la légende n'avait pas menti. Les barbares venus du bout du monde, d'Égypte, de Thrace, les Ciliciens, les Arabes accourent pour voir ces merveilles, et ils restent confondus par la puissance de l'empereur et le témoignage de sa divinité. Ils reconnaissent aussi sa justice, car l'arène était également un lieu d'exécutions, où périssaient les criminels. Lieu d'admiration et de terreur, l'amphithéâtre était un instrument du pouvoir, et l'on comprend les raisons qui avaient imposé de le concevoir aussi grand.

Parmi les idées reçues de notre temps figure la conviction que l'amphithéâtre servait surtout aux combats de gladiateurs, c'est-à-dire à des sacrifices humains, ce que ces jeux avaient été autrefois lorsque le sang répandu sur le sable l'était à l'intention des morts, qui retrouvaient grâce à lui une étincelle de vie. Intention depuis longtemps oubliée : les gladiateurs sont ici des combattants formés pour vaincre ou mourir. La victoire est une « excellence » humaine, au spectacle de laquelle s'enthousiasment les foules. Le gladiateur est un héros, on répète son nom, on griffonne son portrait sur les murs. Les combats de l'amphithéâtre exaltent cette antique valeur, cette *virtus* où ce qui reste de la vieille Rome veut se reconnaître. Mais nous avons vu que les gladiateurs ne sont pas les seuls acteurs de ces jeux. Lors de l'inauguration avait été donné le spectacle d'un combat naval, sorte de reconstitution pseudo-historique opposant les flottes baptisées l'une corinthienne l'autre corcyréenne. Ici encore, c'était le triomphe d'une sorte de vision romanesque du passé, la même qui amenait les auteurs de romans grecs à rapporter les histoires qu'ils contaient à des personnages qui avaient existé, Alexandre ou autre. Le film historique a pris naissance devant les gradins du Colisée.

Le Colisée n'a pas été épargné par le temps. Des incendies, dès l'Antiquité, puis la foudre, par deux fois au moins, en 217 et en 250, lui causèrent de sérieux dommages, mais il était chaque fois réparé au plus vite, tant son importance était grande pour l'idéologie impériale. Au Ve, puis au VIe siècle, des tremblements de terre ébranlèrent sa masse — comme, tout près de nous, cela s'est encore produit. Le dernier combat de gladiateurs qui y ait été donné date de 404. La dernière *venatio* de 523. Du moins pour l'Antiquité. Au Moyen Âge, une tentative pour y présenter quelques jeux semblables aboutit à un tel massacre que, depuis lors, le vieux monument, après avoir servi de carrière aux constructeurs de palais, n'est plus qu'un vestige de très anciens temps.

Pierre GRIMAL

LE MUSÉE GUGGENHEIM

Conception originale
pour une collection d'art moderne

L'un des plus extraordinaires bâtiments de New York est sans aucun doute le musée Guggenheim. Situé sur la Cinquième Avenue, face à Central Park, il surprend encore aujourd'hui, près de trente ans après son achèvement. Sa silhouette hélicoïdale, ses façades curvilignes et apparemment aveugles, le béton couleur ocre dont il est fait, tout contraste avec les immeubles traditionnels de ce quartier élégant et très peuplé de Manhattan.

Sa construction est le résultat de la volonté conjuguée de deux personnalités hors du commun : le collectionneur Solomon Guggenheim et l'architecte Frank Lloyd Wright, tous deux malheureusement morts avant la fin des travaux.

Le père de Solomon Guggenheim avait émigré de Suisse aux États-Unis au milieu du XIXᵉ siècle, et fondé, avec ses sept fils, un trust minier d'importance mondiale. Selon la tradition américaine de mécénat, Solomon avait commencé, dès avant la Première Guerre mondiale, à rassembler une belle collection de peintures anciennes. À partir de 1927, sous l'influence d'une jeune artiste allemande d'avant-garde, la baronne Hilla Rebay von Ehrenwiesen, il s'intéressa à la peinture contemporaine et se mit à acheter des œuvres abstraites. Sa collection privée ainsi élargie fut transformée en fondation et exposée à New York, dans divers bâtiments d'emprunt, entre 1937 et 1959. Le public pouvait admirer dans ce « musée de peinture non objective » des œuvres de Kandinsky, Rudolf Bauer, Kokoschka, Fernand Léger, Chagall, Paul Klee, et d'autres artistes moins célèbres. Dès 1941, Solomon Guggenheim avait souhaité faire construire un édifice digne d'abriter cette collection remarquable. Il envisageait même de le placer dans Central Park. Finalement, ayant acheté un terrain le long de la Cinquième Avenue, entre les 88ᵉ et 89ᵉ rues, il s'adressa à l'architecte américain le plus en vue, Frank Lloyd Wright. Celui-ci avait alors près de soixante-quinze ans. Sa carrière avait été fort mouvementée, depuis ses débuts avec Louis Sullivan à Chicago. Autodidacte, aimant passionnément ce Middle West dont il était issu, il

avait surtout dessiné des maisons particulières, dont la principale caractéristique était leur parfaite intégration au paysage naturel. En 1935, il avait conçu, avec ses élèves, le plan d'une ville idéale, « Broadacre City », dispersée dans la nature, totalement décentralisée, à l'opposé de New York, métropole congestionnée et hérissée de gratte-ciel.

Wright saisit l'occasion que lui offrait Guggenheim pour réaliser une œuvre dont il rêvait depuis longtemps, et qui, de fait, allait devenir son testament architectural.

Le projet connut en réalité plusieurs étapes, entre sa première conception en 1944 et le début des travaux... en 1956. La mise en œuvre avait en effet été retardée, d'abord par la guerre, puis par la mort de Solomon Guggenheim en 1949, et surtout par la difficulté d'obtenir le permis de construire. Car les autorités municipales étaient plus que réticentes devant l'originalité du projet, et exigèrent de Wright de nombreuses modifications de structure et de détails.

Quelle était donc l'intention de Frank Lloyd Wright ? Il voulait d'abord, selon les termes mêmes qu'il emploie dans une lettre à son client, « créer un lieu reposant où l'on pourrait contempler les tableaux mieux que nulle part ailleurs ». Cette idée de contemplation, sans fatigue et sans distraction extérieure, est bien entendu au cœur même de la conception d'un musée. Mais il lui fallut aussi se plier à d'autres exigences : le musée devait disposer d'espaces de rangement pour les œuvres non exposées, d'ateliers pour la restauration, de bureaux pour le personnel et, enfin, d'installations destinées au public : restaurant, toilettes, comptoir de librairie, bibliothèque, salle de conférences, etc. Pour cela, une architecture souple, flexible, susceptible de modifications et d'agrandissements était nécessaire.

Terminé en 1959, quelques mois après la mort de Wright, le musée Guggenheim se présentait, à peu de chose près, tel que nous le voyons aujourd'hui. Il est impossible de décrire séparément l'extérieur et l'intérieur du bâtiment, car, selon un principe très cher à Wright, ils sont intimement liés l'un à l'autre. De la rue, on comprend immédiatement que

l'espace intérieur est formé d'une rampe hélicoïdale entourant un vide central coiffé d'un dôme hémisphérique. C'est en effet la principale galerie d'exposition qui est constituée par ce plan incliné, qui s'élargit en montant vers le dôme : du dehors, le bâtiment prend ainsi l'aspect d'un cône reposant sur sa pointe tronquée, ce qui lui confère une légèreté étonnante, si l'on songe au matériau employé : une coque de béton armé coulé sur place. La galerie principale est flanquée de quelques structures annexes. Vers le nord, un second corps de bâtiment, de forme cylindrique, abrite les bureaux de la Conservation. Le long de la Cinquième Avenue, une sorte de long auvent portant le nom du musée surplombe l'entrée principale, relie les deux corps de bâtiment et s'épanouit, à l'angle de la 88ᵉ rue, en un vaste encorbellement arrondi. Enfin, un bâtiment cubique s'élevant jusqu'au niveau de la deuxième spire contient la « grande galerie » qui ouvre sur la « galerie principale » par une arche intérieure monumentale.

Lorsqu'on pénètre dans le musée, le regard est immédiatement attiré vers le dôme de verre qui couronne l'espace central et diffuse une lumière abondante mais douce dans tout l'édifice. Puis l'œil redescend le long des spires de l'hélice pour en admirer l'élégance. Wright voulait à tout prix éviter deux inconvénients majeurs, communs à tous les musées traditionnels : le compartimentage de l'exposition en salles distinctes, et la fatigue physique provoquée par un itinéraire long et compliqué. Il a magnifiquement réussi à éviter ces deux défauts. Sa galerie principale est un espace continu de haut en bas : le visiteur, transporté par ascenseur au niveau supérieur de la rampe, n'a plus qu'à descendre ce plan doucement incliné jusqu'au rez-de-chaussée, tout en admirant les tableaux exposés à sa gauche, dans « les meilleures conditions possibles ». En effet, l'inclinaison du mur vers l'extérieur — conséquence de la forme conique du bâtiment — est censée reproduire celle d'un chevalet de peintre, et l'étroit bandeau de fenêtres au

L'intérieur du musée vu d'en haut. La rampe comporte six spires dont le dessin est mis en valeur par une partie en saillie abritant les ascenseurs et les installations techniques. En haut à gauche, on aperçoit les alcôves dans lesquelles sont exposées les œuvres. Les formes courbes dominent jusque dans les moindres détails : bacs à fleurs, bassin, au rez-de-chaussée.

Le dôme de verre, qui coiffe la galerie principale, à 30 mètres au-dessus du sol, diffuse un éclairage naturel à l'intérieur du musée. Au centre, on remarque l'une des colonnes, de section ovale, qui donnent à la rampe, construite en encorbellement, un extraordinaire envol. La rampe elle-même se développe sur près de 400 mètres.

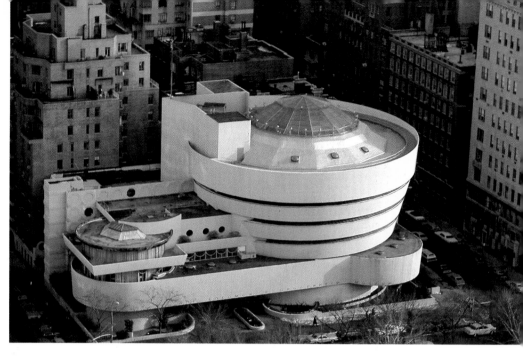

Vue d'ensemble du musée, au milieu d'immeubles où l'angle droit prédomine. A droite, la galerie principale; à gauche, le bâtiment de la Conservation et, derrière celui-ci, l'annexe construite en 1968. Un long balcon (au premier plan) terminé par un encorbellement, relie les deux bâtiments.

sommet de ce mur donne un éclairage naturel changeant que l'on peut compléter si nécessaire par un éclairage artificiel directionnel. Accrochés dans des alcôves bien éclairées, les tableaux n'ont besoin ni de cadres ni de verres, car le musée est entièrement climatisé. D'ailleurs, tout concourt au confort du visiteur, qui peut s'arrêter et se reposer sur des bancs disposés le long de la galerie.

Dans cet édifice, Wright a réussi à créer « une unité nouvelle entre le spectateur, la peinture et l'architecture ». De cet espace intérieur continu, fluide et clair, se dégage une impression d'harmonie. « La peinture, écrit encore Wright, n'est plus soumise à la "tyrannie" de la ligne droite, comme dans les salles des musées traditionnels; elle est "libérée" par l'architecture, et les deux forment ensemble une symphonie ininterrompue. »

Des milliers de curieux se précipitèrent au musée Guggenheim dans les semaines qui suivirent son inauguration. Beaucoup furent transportés d'enthousiasme, certains plus réservés, d'autres scandalisés par ce bâtiment révolutionnaire, presque blasphématoire, planté au cœur de Manhattan.

On lui a tout d'abord reproché de ne pas s'intégrer à l'environnement architectural de la Cinquième Avenue et, en étant refermé sur lui-même tel un escargot dans sa coquille, de tourner volontairement le dos à la cité. Mais les critiques les plus virulentes ont porté avant tout sur la disposition intérieure : il s'est révélé parfois impossible d'accrocher de grands tableaux rectangulaires sur un mur courbe et incliné; l'éclairage zénithal donnait une lumière trop crue; la rampe, trop étroite, ne permettait pas au visiteur de prendre le recul nécessaire à l'appréciation de certaines œuvres; enfin, la pente vous entraînait trop vite vers le bas, aux dépens d'une contemplation attentive des tableaux. Certains de ses détracteurs ont même suggéré que Frank Lloyd Wright, détestant, d'une part, la ville de

L'architecture organique de Frank Lloyd Wright

Pendant plus de soixante ans, Wright a non seulement été un architecte très productif, mais il a également écrit de nombreux ouvrages sur l'architecture moderne. Pour lui, l'architecture ne peut être qu'organique : chaque partie est reliée au tout, de manière à former un organisme complet qui jaillit du sol auquel il appartient, comme un arbre pousse sur la terre. Reprenant la célèbre phrase de Louis Sullivan, « la forme suit la fonction », il la transpose en disant « la forme et la fonction sont Une ». L'unité spatiale, intérieure et extérieure, est donc essentielle.

L'architecte doit utiliser toutes les possibilités plastiques des matériaux, naturels ou artificiels, dont il dispose.

Au début de sa carrière, Wright dessine surtout des maisons privées. Il crée un style nouveau qui incarne admirablement les principes de l'architecture organique, fondée sur une mystique de la nature : la « maison de la prairie ». Elle s'étend à l'horizontale pour se fondre dans la nature par l'intermédiaire de terrasses, d'auvents, et de fenêtres en bandeaux continus. L'espace intérieur n'est plus cloisonné. Il est Un,

centré autour de la cheminée, discrètement décoré de meubles encastrés, et modulable, grâce à l'existence de panneaux mobiles.

Pour ses bâtiments publics, Wright choisit au contraire une structure « introvertie » : presque aveugle sur l'extérieur, le bâtiment ouvre sur un espace intérieur qui lui donne son unité. C'est en 1903 qu'est construit, pour la première fois, un immeuble de ce type, le Larkin Building, à Buffalo. Tous les bureaux ouvrent par de larges balcons sur une cour intérieure rectangulaire couverte d'une verrière. On voit déjà, esquissée ici, la structure du musée Guggenheim, avec sa galerie entourant un vide central.

À partir des années 1925-1930, il est de plus en plus convaincu que la ligne droite, le rectangle et le cube sont des formes artificielles, contraires à la nature. Séduit par les formes dérivées du cercle, il multiplie les plans hexagonaux ou circulaires, les élévations cylindriques, coniques ou hélicoïdales. À Racine, Wisconsin, il construit un bâtiment administratif pour la Johnson Wax Company, pourvu d'une salle unique regroupant tous les bureaux : le plafond est soutenu par des colonnes s'épanouissant en ombelles, et laissant pénétrer la lumière naturelle.

Deux occasions d'appliquer totalement ses principes lui seront offertes. En 1948, il est chargé de remodeler l'intérieur d'un magasin de San Francisco, V.C. Morris Gift Shop. Il y introduit une rampe hélicoïdale, qui monte en une courbe élégante, jusqu'à un dôme de verre translucide. Puis le musée Guggenheim, qui constitue l'aboutissement de toutes ses recherches sur la notion d'espace, lui permet de faire entrer l'architecture organique à New York, pour la première fois. Pour Wright, c'est une victoire de la liberté et de l'imagination.

La Maison sur la cascade, à Bear Run, Pennsylvanie. Avec ses immenses balcons, elle semble avoir poussé à même le roc : un exemple parfait d'intégration au paysage, modèle de l'architecture organique.

Les musées modernes aux États-Unis

Les musées américains sont aujourd'hui parmi les plus beaux, les plus riches et les plus fréquentés du monde. Les grandes villes, comme New York, Boston, Philadelphie ou Chicago, avaient, à partir de 1870, créé des musées d'Art où le public se pressait. Parallèlement, des magnats de l'industrie, de la finance ou des chemins de fer ont rassemblé d'extraordinaires collections d'œuvres européennes qu'ils ont ensuite transformées en fondations. Cette double tradition de collections publiques et de fondations privées est à l'origine de la profusion des musées aux États-Unis.

Leur architecture est longtemps demeurée très académique : seuls y étaient admis les styles néo-classiques ou Renaissance. Récemment encore (en 1975), le milliardaire Paul Getty faisait construire en Californie un bâtiment en forme de villa romaine pour abriter ses collections. Dans le même temps, s'est développée une architecture muséologique moderne et originale, dont les premiers exemples sont le musée d'Art moderne de New York (1939) et surtout le musée Guggenheim.

Depuis 1960, les États-Unis ont connu un essor culturel et artistique extraordinaire. Le mouvement s'est amplifié au point que, par exemple, six nouveaux grands musées ont été ouverts à Washington entre 1976 et 1985, et qu'en Californie il y en a en moyenne un nouveau chaque mois !

Tous les anciens musées ont dû s'agrandir. On a ajouté de nouvelles ailes au Metropolitan Museum de New York, au musée des Beaux-Arts de Boston et à l'Art Institute de Chicago. Les transformations sont parfois spectaculaires, comme celles qu'ont subies le musée d'Art moderne de New York, augmenté d'un nouveau bâtiment surmonté d'une tour (1984), ou la National Gallery de Washington dotée d'une annexe sur un terrain adjacent. À Washington encore, la Collection Hirschorn

East Building (National Gallery of Art), à Washington D.C., œuvre de I.M. Pei (1978). La verrière, les niveaux, les plantes et les pièces d'eau, le mobile de Calder rendent le hall d'entrée particulièrement attrayant.

(peintures et sculptures modernes) a élu domicile sur le Mall, dans un élégant bâtiment de forme annulaire, dessiné par Gordon Bunschaft en 1976. Au Texas, où l'on aime innover, Philip Johnson a dessiné, dans un style dépouillé, qualifié par certains de « précisionniste », le Art Museum of South Texas à Corpus Christi ; tandis qu'à Fort Worth, le Kimball Art Museum, de Louis Kahn, est beaucoup plus chargé. À Berkeley, en Californie, le musée de l'Université a un plan en éventail très ouvert et des rampes d'accès aux différents niveaux d'exposition ; tandis qu'à Oakland, Kevin Roche a caché trois musées (d'Art, d'Histoire et de Science) sous un jardin public.

En effet, l'une des tendances actuelles est de créer de vastes complexes culturels, rassemblant musées, salles de spectacles, bibliothèques et ateliers : tel ce très ambitieux « pont culturel » de Michael Graves, d'un style coloré, qui relie les deux villes voisines de Fargo, dans le Nord Dakota, et Moorhead dans le Minnesota.

New York et, d'autre part, la peinture moderne, avait réalisé ici une monumentale mystification pour se moquer des deux à la fois. Mais comment expliquer alors que Wright se soit donné tant de peine pour justifier sa création, et pour en raffiner le dessin jusqu'à atteindre l'objectif qu'il s'était fixé ?

Au demeurant, le bâtiment n'est pas resté intact au cours des années qui ont suivi. L'architecte lui-même, on s'en souvient, avait souhaité qu'il demeure vivant, souple, ouvert aux transformations, et la vie du musée a imposé des modifications et des agrandissements de la structure initiale. La donation Justus Thannhauser, entrée au musée en 1965, composée de 75 toiles de maîtres, de Manet à Picasso, a été installée à la place de l'ancienne bibliothèque, dans le balcon qui relie les deux principaux bâtiments. En 1968, une annexe destinée à abriter les réserves a été construite par les successeurs de Wright, la Taliesin Fellowship. Situé en arrière de la rotonde de la Conservation, dans la 89e rue, c'est un bâtiment aux proportions assez étriquées, dont la décoration et les fenêtres octogonales évoquent maladroitement l'esprit du Maître, sans parvenir à donner la même impression d'éner-

gie et d'harmonie. D'autre part, on a récupéré certains espaces, qui se trouvaient mal utilisés, pour y aménager un nouveau restaurant, un nouveau magasin de vente, et surtout une nouvelle salle de lecture subtilement décorée par l'architecte Richard Meier en 1978 *(Aye Simon Reading Room)*.

Et pourtant, le musée Guggenheim manque encore de place ! De nouvelles acquisitions, le succès de grandes expositions temporaires auprès du public, des activités éducatives en plein développement, un personnel plus nombreux créent de nouveaux besoins. C'est pourquoi, au début de l'année 1986, un nouvel agrandissement était à l'étude. Dessiné par le cabinet d'architecture Gwathey, Siegel & Associés, ce bâtiment cubique se situerait en surplomb au-dessus de l'annexe construite par la Taliesin Fellowship. Conscient de l'exiguïté du terrain, Wright avait lui-même songé à cette extension verticale. Mais le projet de Gwathey et Siegel, beaucoup plus imposant que la mince dalle de béton et de verre prévue par Wright, remplirait de sa masse colorée de céramiques vert d'eau le vide sur lequel se détache la silhouette hélicoïdale de la galerie principale. Si nécessaire que puisse paraître ce

nouvel agrandissement, il est à craindre qu'il ne compromette l'harmonie subtile du monument de Wright.

En effet, on peut affirmer sans hésiter que le musée Guggenheim demeure une extraordinaire réussite. Même si son aspect extérieur choque certains, même si l'espace intérieur impose des exigences particulières, il reste une œuvre extrêmement stimulante et qui ne peut laisser personne indifférent. Après lui, l'architecture des musées ne pouvait plus être la même : le musée Guggenheim marque un véritable tournant de l'architecture publique dans ce domaine. Wright a rassemblé ici, dans cette seule œuvre, toutes les idées chères à son cœur : refus de la « boîte », unité et souplesse de l'espace intérieur, architecture organique, vivante et démocratique. Il a voulu transformer le traditionnel musée, temple de l'Art, orné de colonnes et de frontons imposants, où l'on pénètre rempli d'un respect presque religieux, en un lieu de paix et d'harmonie à l'échelle humaine, où le visiteur est invité à une « promenade » au milieu d'œuvres d'art contemporaines.

HÉLÈNE TROCMÉ

HALLES OLYMPIQUES DE TOKYO

Une architecture révolutionnaire
au service des sports

Certains édifices publics, par leur situation ou leur fonction, peuvent symboliser des nations entières, notamment aux yeux des étrangers. Tel fut le cas, au moins pendant un certain temps, des Halles olympiques construites à Tokyo par l'architecte japonais Kenzo Tangé. C'est au printemps de 1960 que Tangé a été choisi pour construire les principaux bâtiments prévus pour les Olympiades de 1964.

Né à Imabari, une petite ville au sud-ouest d'Osaka, en 1913, Tangé a fait ses études à l'université de Tokyo. L'un des trois architectes japonais les plus importants des années 60 avec Kunio Mayekawa et Jungo Sakakura, Tangé, comme ses collègues, a subi l'influence évidente de Le Corbusier. Il fut d'ailleurs le seul des trois à ne pas travailler directement avec le maître à Paris.

Le programme pour les édifices olympiques de Tokyo prévoyait un gymnase principal pouvant accueillir 15000 personnes, ainsi qu'un bâtiment moins important de 4000 places destiné, notamment, au concours de basket. Entre les deux, Tangé a choisi de placer des restaurants et des bureaux administratifs. Pour le gymnase principal, l'architecte a suspendu deux câbles en acier (de 33 cm de diamètre) entre deux tours en béton. À partir de là, il a fait relier de nombreux câbles destinés à soutenir les courbes subtiles du toit. La forme extérieure est parfaitement liée à l'intérieur,

où l'on retrouve une piscine pouvant être convertie en patinoire. Une ouverture au plus haut point de la structure laisse pénétrer la lumière du jour et donne à l'ensemble une impression de mouvement et d'unité. L'architecture en suspension est aussi clairement visible à l'entrée principale, ce qui renforce l'unité exceptionnelle de l'ensemble. Pour le moins grand des deux édifices, une seule tour en béton a été dressée, mais ici aussi il y a une structure suspendue d'un câble qui descend en spirale à partir du plus haut point de la tour. Toujours conscient de l'effet de son architecture sur les spectateurs, Tangé a disposé les sièges du gymnase de basket tout autour de la salle. La réussite de l'architecture est confirmée par sa flexibilité. Les gymnases peuvent être facilement utilisés pour d'autres sports et, dans le cas du bâtiment secondaire, des conférences peuvent être également accueillies. Et malgré la nature différente des structures des deux gymnases, elles partagent une forme spirale ou, pour reprendre les

Construites pour les jeux Olympiques de 1964, ces halles symbolisent la fin de la période de reconstruction qui a suivi la dernière guerre. Le bâtiment principal, conçu pour accueillir 15000 personnes, est relié au deuxième stade, qui compte 4000 places, par des passages à plusieurs niveaux afin d'éviter les encombrements.

Vue axonométrique de la couverture et de l'intérieur du centre nautique

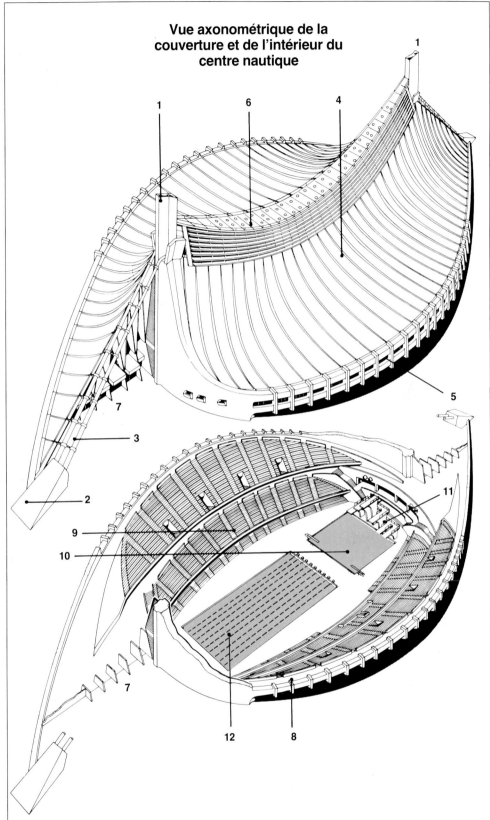

La base de l'ouvrage est une structure en béton composée de deux parties en forme de virgule. Aux extrémités de chaque virgule, un pilier en béton armé (1) et un massif d'ancrage (2). Deux câbles en acier (3) de 33 cm de diamètre, maintenus par les massifs d'ancrage, sont suspendus entre les piliers. La couverture métallique (4) repose sur une armature de filins, en acier eux aussi, tendus entre les câbles et la structure de base, et formant une sorte de filet. La lumière pénètre dans le gymnase par des ouvertures (5) percées dans la structure de base, mais surtout par le toit supérieur (6) posé au-dessus du filet métallique sur lequel il s'appuie. On pénètre dans le gymnase par de hautes et larges entrées (7). Des galeries (8) permettent aux spectateurs d'accéder facilement aux gradins (9). Au centre, le petit bassin (10) au bord duquel se dressent les tremplins (11) est réservé à la plongée; le grand bassin (12) est consacré à la natation; il peut être converti en patinoire.

Vue intérieure du centre nautique. Au premier plan, la piscine, au fond, les tremplins dominant le bassin de plongée. L'essentiel de l'éclairage vient d'en haut. L'architecte a voulu créer une ambiance propice à l'événement sportif, unissant spectateurs et athlètes, mais il a voulu aussi donner une impression d'ouverture vers le ciel pour éviter tout sentiment de claustrophobie.

termes de l'architecte, les bâtiments ressemblent à deux grandes « virgules ».

Le point de vue de l'architecte sur cet ensemble permet de mieux comprendre le résultat : « Mes idées sur l'architecture sont allées bien au-delà de la construction d'un grand espace couvert. Je souhaitais que l'espace puisse donner un élan aux sportifs et aux spectateurs. Il fallait encourager un sentiment d'unité entre les spectateurs et les sportifs. Il fallait créer un espace ouvert qui n'aurait rien d'oppressif. Je souhaitais permettre une libre circulation des spectateurs sans le moindre risque d'encombrement, même lors de la fréquentation maximale. L'espace entre les deux structures devait aussi engendrer une certaine tension et témoigner d'un rapport évident avec les bâtiments mêmes. Pendant de très longues périodes, j'ai pensé au rapport entre l'esprit humain et l'espace architectural. Ces pensées m'ont mené tout droit au problème du symbole en architecture, un problème qui avait été quelque peu occulté par les architectes modernes. La construction de ces gymnases m'a permis d'adopter directement la question de l'architecture comme symbole. »

Selon Tangé, vingt ou trente maquettes différentes ont été conçues avant d'en arriver à la formule retenue, et ce n'est pas pour autant que l'architecte est arrivé au bout de ses peines. D'après ses calculs, le coût total des édifices devait s'élever à quelque 3 milliards de yens, mais le ministère des Finances japonais lui a donné l'ordre de ne pas dépasser les deux tiers de ce chiffre. Si Tangé a eu raison des bureaucrates, c'est que le ministre Kakuei Tanaka figurait parmi ses amis. Le futur Premier ministre du Japon était conscient du fait que les Halles olympiques de Tokyo avaient valeur de symbole et il a donné l'ordre de prévoir le budget souhaité par Tangé. En effet, en 1964, pour la première fois depuis la guerre, le Japon devait être l'hôte de la Communauté internationale.

Les Halles olympiques de Tokyo s'inscrivent dans une série d'édifices publics conçus au courant de la décennie 1955-1965. Le style de ces édifices pourrait être défini en termes de formes sculpturales très emphatiques, qu'on constate aussi bien chez Tangé que chez Jørn Utzon (Opéra de Sydney, 1956-1973), chez Eero Saarinen (Terminal TWA, New York, 1958-1962) ou chez Hans Scharoun (Philharmonie de Berlin, 1956-1963).

Un projet non construit pourrait aussi être cité à propos du contexte architectural qui a permis à Tangé de trouver son inspiration. Il s'agit du centre culturel et sportif de Vienne dessiné en 1953 par l'architecte finlandais Alvar Aalto. On notera l'utilisation dans ce projet d'un toit concave suspendu qui donne à la maquette une certaine similarité visuelle avec les Halles olympiques de Tokyo. Cependant, pour Tangé, l'exemple le plus probant était sans doute la chapelle de Ronchamp construite par Le Corbusier (1950-1955). Là où Le Corbusier s'est inspiré de la chrétienté, Tangé a voulu symboliser la renaissance de la nation japonaise, et tout, de la forme des piliers employés à Tokyo jusqu'à l'angle d'inclinaison des toits, s'intègre dans une référence à la tradition nippone appliquée au contexte moderne. Une autre œuvre de la même époque, la cathédrale Sainte-Marie (Tokyo, 1964), montre aussi comment le Japonais a pu assimiler l'exemple de Ronchamp et l'appliquer à son propre pays. Le critique Sigfried Giedion signale aussi l'influence directe du pavillon Philips construit pour l'exposition de Bruxelles (1958) sur la structure de Tokyo.

D'après l'architecte, les Halles olympiques sont aussi nées d'une référence au Colisée de Rome, qui donne sous certains angles, en raison de sa destruction partielle, l'impression de constituer une sorte de spirale ascendante. Et les deux gymnases légèrement désaxés l'un par rapport à l'autre sont construits en forme de spirale. Tangé a rejeté l'idée d'un dôme comme forme de ses structures en raison des problèmes d'acoustique prévisibles, mais aussi pour éviter de créer une sensation de claustrophobie chez les spectateurs. Des ouvertures d'une hauteur considérable ont été prévues dans chaque gymnase, justement pour contourner ce problème.

Les stades olympiques de Munich

La construction des stades olympiques de Munich en 1972 a présenté quelques similitudes avec l'effort fait par les Japonais en 1964. Sur le plan politique, les deux pays ont ressenti le besoin de se tourner vers l'avenir et d'oublier définitivement la période difficile de la guerre.

Mais l'Allemagne, à la différence du Japon, était très consciente de vouloir éviter toute référence aux Jeux de 1936. Les architectures lourdes pouvant évoquer de près ou de loin la période fasciste étaient donc exclues d'office. Et les toits légers de Munich suspendus par une série de câbles en acier, évoquant des toiles d'araignée irrégulières et transparentes, ne rappellent-ils pas les toits des gymnases de Kenzo Tangé ?

Il existe, en effet, des analogies entre les deux structures. En particulier, les deux pays ont partagé un certain souci d'économie. L'utilisation d'une architecture légère pour recouvrir des surfaces très importantes s'est ainsi imposée. Mais à Munich, l'on ne trouve pas la forme très affirmée et sculpturale voulue par Kenzo Tangé pour le gymnase de Tokyo. Là où Tangé s'est inspiré de la tradition japonaise et de certaines réalisations de l'après-guerre, le professeur Frei Otto, qui a conçu l'essentiel des structures de Munich, a souhaité surtout faire référence aux formes de la nature. C'est dans ce sens qu'il a écrit que « Par l'action de l'homme, la nature vivante s'inclut de façon plus nette que jadis au monde spirituel et à l'art ». Mais, en fin de compte, il est à noter que, même si Frei Otto a voulu construire à Munich une structure ultra-légère évoquant l'ordre et les rythmes de la nature, il a fait appel à une forme que Kenzo Tangé a aussi employée à Tokyo, celle du paraboloïde hyperbolique.

Otto, comme d'autres visionnaires avant lui, s'est heurté aux équipes engagées pour terminer à temps les travaux considérables nécessaires pour l'accueil des jeux Olympiques. En effet,

il n'a pas pu avoir raison des architectes Günther Behnisch et Günther Grzimek, qui ont insisté sur le choix d'un acrylique rigide pour la couverture des stades à la place des membranes souples qu'il avait préconisées.

Les gymnases olympiques de Tokyo témoignent de la volonté japonaise d'entrer de plain-pied dans le monde moderne tout en restant fidèle à la tradition nippone. Les stades de Munich correspondent, il est vrai, à une certaine

mode, peut-être moins suivie aujourd'hui qu'au début des années 70 — c'est-à-dire une architecture légère et anti-monumentale. Mais d'un point de vue politique, ces structures semblent plutôt représenter une réaction contre le passé qu'un choix pour l'avenir. À Munich, Otto et Behnisch se sont insurgés contre l'architecture fasciste, contre les masses de béton « brutalistes » de l'après-guerre. Ce rejet a-t-il pu engendrer quelque espoir pour le futur ?

Ce toit en forme de tente, dont on n'a ici qu'une vue partielle, couvre les trois principaux stades du parc olympique de Munich. Avec une superficie de 85 000 m², c'est le plus grand toit du monde. L'idée d'une structure légère suspendue est ici portée à son aboutissement. Frei Otto, qui l'a conçue, aurait souhaité que l'on utilise des matériaux plus souples que les plastiques qui ont été choisis.

À partir de deux piliers massifs, dans le cas du gymnase principal, Tangé a fait suspendre deux câbles centraux et ensuite des toits concaves revêtus d'acier. La suspension des toits à partir d'une série de câbles était une solution élégante et légère qui, par la suite, a été choisie pour d'autres structures sportives, tels les stades olympiques de Munich. À cet égard, il est significatif que Tangé a collaboré au moins une fois, en 1971, avec Frei Otto, qui a conçu les structures de Munich. Aux côtés de l'ingénieur Ove Arup, l'Allemand et le Japonais ont envisagé la construction d'une ville arctique de 3 kilomètres carrés, à climat artificiel, sous coupole gonflable transparente.

Mais pour en revenir à Tokyo, où Tangé voulait « créer un espace qui aurait à la fois une influence stimulante sur les sportifs et sur les spectateurs », le pari a été largement gagné. Et cette réussite a été symbolisée par la remise au Japonais par Avery Brundage du diplôme olympique du Mérite, normalement réservé aux sportifs. Un autre élément non sans importance dans le contexte de l'architecture moderne, qui souvent a été conçue sur un plan esthétique et intellectuel sans tenir compte des besoins des usagers, c'est que la circulation des visiteurs à l'intérieur des Halles olympiques de

Tokyo se fait sans le moindre encombrement, même en période de grande affluence, ceci en raison des passages sur plusieurs niveaux voulus par l'architecte entre les deux corps de bâtiment. L'idée de la superposition de plusieurs passages horizontaux pour éviter tout encombrement avait déjà été étudiée de très près par Tangé lorsqu'en 1960 l'architecte avait soumis un projet pour une gigantesque structure destinée à être construite sur la baie de Tokyo.

L'envolée symbolique des Halles olympiques a certainement eu une influence positive sur la carrière de Kenzo Tangé qui a également construit le très surprenant gymnase préfectoral de Kagawa (1964) en forme de navire, le Centre de communication Yamamashi (1966) qui rappelle une gigantesque forteresse, des tours à Tokyo et à Shizuoka, l'ambassade de Turquie à Tokyo (1977) ou, plus récemment, l'immense hôtel Akasaka Prince (1983) à Tokyo. Depuis 1970, Tangé a travaillé de plus en plus en dehors du Japon, et il a conçu, par exemple, le palais présidentiel de Damas ou les palais du roi et du prince héritier à Djeddah, en Arabie Saoudite. Tangé est aussi responsable du schéma de reconstruction de la ville de Skoplje en You-

goslavie. Il est également probable que Tangé construira un ensemble de bureaux, de logements et une salle de concert de mille places à Paris à l'angle de la place d'Italie et de la rue Bobillot. Par cette activité internationale, Tangé montre que la synthèse entre modernité et tradition, qu'il a toujours défendue malgré la manière « brutaliste » d'une partie de son œuvre, est appréciée en dehors de son pays natal, et notamment en France, où il a été élu membre de l'Institut des beaux-arts. Notons également que Tangé a reçu les médailles d'or de l'Institut royal des architectes britanniques (RIBA), de l'Association des architectes américains (AIA) et, en 1973, la médaille d'or de l'Académie de l'architecture à Paris. Aujourd'hui, d'autres architectes japonais, tels Arata Isosaki, Kisho Kurokawa et Tadao Ando occupent plus le devant de la scène que Tangé, mais il est certain que les Halles olympiques de Tokyo demeurent comme le symbole le plus évident de l'émergence d'une architecture japonaise moderne, et si d'autres architectes nippons ont pu être acceptés en Occident, c'est en bonne partie grâce aux efforts de Kenzo Tangé.

PHILIP JODIDIO

265

L'OPÉRA DE SYDNEY

Une œuvre étonnante élevée
à la gloire d'une jeune nation

'opéra de Sydney, en Australie, œuvre maîtresse de l'architecte danois Jørn Utzon, est à bien des égards l'un des édifices publics les plus remarquables des années 1960. Il représente une étape essentielle dans l'histoire de l'architecture moderne, en raison de sa forme surprenante, d'une part, des multiples problèmes posés par sa construction et des débats passionnés qu'il a suscités, d'autre part.

Né au Danemark en 1918, Jørn Utzon fait ses études à l'académie des beaux-arts de Copenhague. Puis il voyage beaucoup et rencontre de nombreux artistes et architectes. Il

effectue un stage chez le Suédois Gunnar Asplund et, en 1945, séjourne un certain temps chez l'architecte finlandais Alvar Aalto. Si ces deux grands créateurs influencent la vision du jeune Utzon, ce sont ses rencontres avec Fernand Léger, Le Corbusier et surtout Henri Laurens, sculpteur et dessinateur français ami des cubistes, qui seront décisives : ne tient-il pas de Laurens son intérêt profond

pour la structure anthropomorphe ? Il s'intéresse aussi beaucoup à l'architecture organique de l'Américain Frank Lloyd Wright, à qui il rend visite également.

En 1956, lorsqu'il se présente au concours lancé par les administrateurs de Sydney, qui veulent doter leur ville d'un opéra, Jørn Utzon a donc beaucoup voyagé et peu construit. Parmi les 213 projets présentés, c'est néan-

L'opéra vu du port. Par son lyrisme architectural et sa monumentalité, il est en parfaite harmonie avec le paysage qui l'entoure : paysage naturel de la baie sur laquelle il est bâti en avancée, paysage urbain du front de mer.

moins le sien qui est retenu, grâce à l'intervention de l'un des membres du jury, l'architecte finlandais Eero Saarinen, qui attire l'attention de ses collègues sur ce projet. Par la suite, certains verront une frappante similitude entre la structure du fameux terminal TWA de l'aéroport Kennedy de New York, dû à Eero Saarinen, qui évoque un oiseau en vol, et les « coquilles » dessinées par Utzon à Sydney.

En fait, les formes de l'opéra de Sydney se prêtent à des interprétations variées : pour certains, elles rappellent les voiliers que l'on aperçoit dans la baie voisine ; pour d'autres, des carapaces de tortues ; pour Utzon enfin, il s'agit de coquilles *(shells)*, et l'effet recherché est celui d'immenses ailes d'oiseaux volant au ras des eaux du port de Sydney.

L'édifice, qui s'élève à 60 mètres de hauteur, est constitué de dix coques en béton posées sur un socle surélevé, lui-même reposant sur une immense plate-forme qui donne à l'ensemble son caractère monumental. Certains ont vu dans cette plate-forme une évocation des édifices mayas — tels les temples d'Uxmal dans le Yucatán —, qu'Utzon a beaucoup admirés au cours de ses voyages au Mexique.

La construction des coquilles, entièrement préfabriquées — conçues comme les sections d'une sphère, ou comme « des écorces d'orange découpées », selon l'image d'Utzon lui-même —, se révéla beaucoup plus compliquée que ne le laissait prévoir le projet au stade de sa conception. L'extrême complexité du travail découragea même le célèbre ingénieur Ove Arup, qui refusa de collaborer au

projet. Utzon dut alors concevoir lui-même le système de préfabrication des éléments prévus dans ses dessins ; mais, pour des raisons d'ordre technique, une partie de celle-ci dut être réalisée en Suède, ce qui entraîna des dépenses supplémentaires importantes.

Toutes ces difficultés, le retard coûteux apporté à la construction — qui ne commence véritablement qu'en 1963, alors que l'opéra est

L'opéra côté ouest. Les « coquilles », dont la plus haute s'élève à 60 m au-dessus de l'eau, sont en béton recouvert de grès cérame blanc brillant ou mat sur lequel joue la lumière. Vues sous cet angle, elles évoquent tout à fait les voiles des bateaux qui évoluent dans le port.

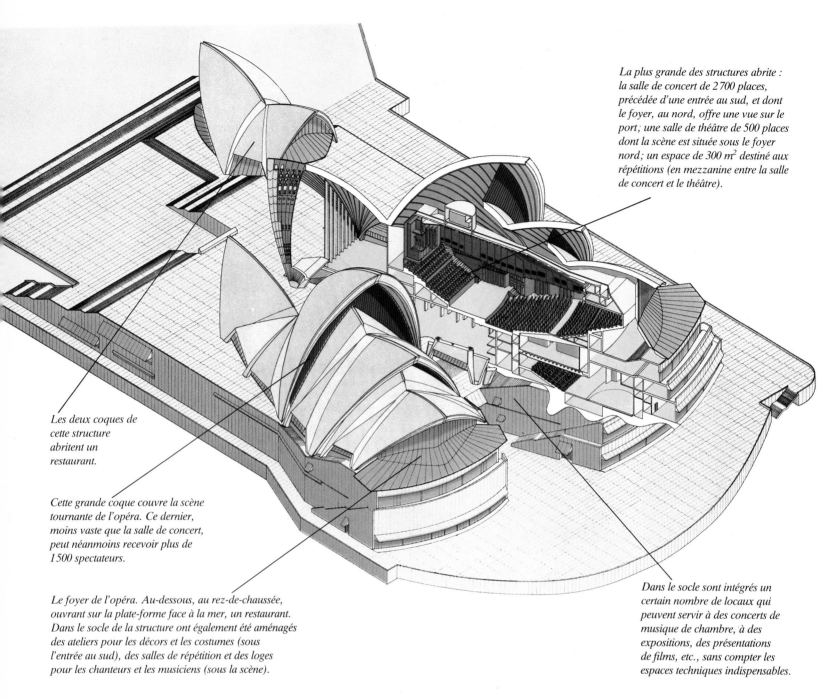

La plus grande des structures abrite : la salle de concert de 2 700 places, précédée d'une entrée au sud, et dont le foyer, au nord, offre une vue sur le port ; une salle de théâtre de 500 places dont la scène est située sous le foyer nord ; un espace de 300 m² destiné aux répétitions (en mezzanine entre la salle de concert et le théâtre).

Les deux coques de cette structure abritent un restaurant.

Cette grande coque couvre la scène tournante de l'opéra. Ce dernier, moins vaste que la salle de concert, peut néanmoins recevoir plus de 1 500 spectateurs.

Le foyer de l'opéra. Au-dessous, au rez-de-chaussée, ouvrant sur la plate-forme face à la mer, un restaurant. Dans le socle de la structure ont également été aménagés des ateliers pour les décors et les costumes (sous l'entrée au sud), des salles de répétition et des loges pour les chanteurs et les musiciens (sous la scène).

Dans le socle sont intégrés un certain nombre de locaux qui peuvent servir à des concerts de musique de chambre, à des expositions, des présentations de films, etc., sans compter les espaces techniques indispensables.

mis en chantier depuis 1960 — soulèvent les protestations des habitants de la ville. Une violente polémique s'engage. Faut-il permettre à Utzon de poursuivre un travail qui risque de coûter très cher aux contribuables australiens ? D'autre part, les détracteurs du projet lui reprochent les formes extravagantes de ses coquilles, inaccordées, selon eux, à la fonction présupposée de l'opéra. Car l'idée fonctionnaliste — née en Allemagne avant la dernière guerre — a déjà, en 1960, de nombreux adeptes, pour qui la fonction détermine la forme. Mais Utzon n'est pas de cet avis : « Si vous pensez à une église gothique, vous êtes plus proche de ce que je cherche. Quand vous la regardez, vous avez toujours quelque chose à découvrir. Les jeux de la lumière et le mouvement en font une chose vivante. »

D'autres font encore observer que, avant lui, l'architecte finlandais Alvar Aalto (1898-1976), l'un des illustrateurs du courant « orga-

Vue intérieure de la salle de concert avec la scène centrale entourée par les gradins. L'architecture intérieure des bâtiments n'a pas été réalisée selon le projet initial d'Utzon, qui fut renvoyé avant la fin de la construction. Cette salle, par exemple, était à l'origine réservée à l'opéra et non aux concerts. Aussi n'est-il pas surprenant de constater que le résultat final n'a qu'un très lointain rapport avec l'idée d'Utzon d'une forme inspirée par le mouvement des vagues.

La Philharmonie de Berlin

La Philharmonie de Berlin (1960-1963) a été conçue par Hans Scharoun. Scharoun, né en 1893, était déjà un architecte bien connu à la fin des années 1920. Il a participé, avec Mies Van der Rohe, Behrens, Le Corbusier, Gropius et Taut, à la construction du fameux Weissenhof, en 1927 à Stuttgart. Pour Scharoun et d'autres, comme Hermann Finsterlin, il était possible, en théorie, de concevoir une architecture « organique » où l'ensemble d'un immeuble participerait à sa fonction et à sa situation. Sans pour autant se limiter aux formes pures et rigides voulues par d'autres architectes allemands de l'époque, Scharoun a opté pour une architecture plutôt « expressionniste ».

C'est seulement à l'âge de soixante-trois ans, en 1956, qu'il a remporté le concours pour la Philharmonie de Berlin, terminée sept ans plus tard. Comme le Danois Jørn Utzon, qui a remporté en 1957 le concours pour l'opéra de Sydney, Scharoun a créé une forme nouvelle à Berlin, et il a démontré que l'idée d'Utzon n'était pas sans rapport avec les expériences expressionnistes de l'Allemagne des années 1920; mais, à la différence d'Utzon, il est allé jusqu'au bout de son entreprise.

Pour lui, la conception intérieure de la Philharmonie était primordiale, car tout le reste en dépendait. Et Scharoun a osé contrevenir aux règles habituelles des salles de concert, puisque le Philharmonique de Berlin est entouré par les spectateurs. Il n'y a pas une seule des 2218 places à plus de 35 mètres de la scène. Le système d'organisation des places par paliers devait correspondre à l'image des vignobles couvrant des coteaux. Mais on a procédé à des essais d'acoustique très poussés avant d'en arriver à la formule retenue.

Si les pouvoirs publics de Sydney avaient été aussi favorables à Utzon que l'ont été les Berlinois à Scharoun, peut-être l'opéra de Sydney

donnerait-il aujourd'hui moins l'impression d'un manque de cohésion entre son intérieur et son extérieur. Mais aussi l'ambition d'Utzon n'était-elle pas plus grande que celle de Scharoun? Utzon cherchait à Sydney, semble-t-il, une sorte de métaphore de la nature. Tout, des coquilles extérieures jusqu'aux dessins de l'intérieur inspirés par le mouvement des vagues, devait avoir un rapport intime avec la nature, alors que

Scharoun voulait surtout faire une « boîte à musique ». Finalement, cette boîte à musique a peut-être plus de liens avec la structure de la ville et avec des images familières, comme les vignobles, que le décor naturaliste voulu par son homologue australien, mais il est vrai que Scharoun a eu toute sa vie pour que mûrissent les idées exploitées à Berlin, alors qu'Utzon n'avait presque rien construit avant son opéra.

La salle de concert de la Philharmonie de Berlin est disposée comme celle de Sydney avec une scène centrale entourée de gradins. Mais ici la correspondance entre structure intérieure et structure extérieure est plus évidente qu'à Sydney, où l'architecte n'a pu réaliser l'ensemble de son projet.

nique » dans les pays nordiques, a réalisé des projets qui peuvent l'avoir inspiré et que Hermann Finsterlin, en Allemagne, a imaginé vers 1920 des architectures qui ressemblent étrangement à l'opéra de Sydney.

En fait, les formes qu'Utzon a proposées pour Sydney sont le produit de réflexions et de recherches menées depuis le début du siècle par tous les architectes qui voulaient rompre avec le rationalisme du siècle précédent; en faisant de la construction un geste technologique au service des valeurs culturelles, dont ils affirmaient la prééminence sur l'économie à travers la monumentalité de leurs bâtiments, ils voulaient réconcilier l'homme et la ville.

Cependant, ces diverses critiques amènent le gouvernement local à lui retirer la responsabilité du projet. En 1966, un comité d'architectes est nommé pour terminer le travail et surtout pour en réduire le coût, qui a dépassé d'environ vingt fois le budget initialement prévu. Les essais d'acoustique très complexes et très coûteux qu'Utzon avait demandés ont peut-être également motivé l'intervention du comité gouvernemental. En outre, il avait une idée trop imprécise, pour certains, d'une forme intérieure qui devait s'inspirer de l'action des vagues.

Ce n'est qu'en 1973 que peut avoir lieu l'inauguration de l'opéra de Sydney, doté d'une architecture intérieure entièrement conçue sans l'intervention d'Utzon. Ainsi les critiques de ceux qui ne voyaient aucune correspondance entre l'intérieur et l'extérieur du bâtiment se trouvaient justifiées.

L'opéra de Sydney pose plusieurs grandes questions architecturales : la conception et la réalisation d'un monument public peuvent-elles être livrées à l'imagination d'un seul homme, fût-il entouré de spécialistes compétents, ou bien doivent-elles être gérées par des comités, en raison des problèmes complexes que posent les techniques modernes de construction? Quels rapports doivent entretenir la forme et la fonction d'un bâtiment, et peut-on créer une forme symbolique qui dénonce par son lyrisme toute référence à cette fonction?

Pour Utzon, l'essentiel reste le contexte socioculturel. Il a conçu l'opéra de Sydney comme un monument à la gloire d'un continent jeune, plein d'audace et d'espoir en son avenir. Dans cet esprit, il a voulu créer une œuvre qui soit en harmonie avec son environnement urbain : « L'opéra de Sydney est un de ces bâtiments où le toit prend une très grande

importance, puisqu'il est visible sous plusieurs angles. L'opéra est situé sur une pointe dans un très beau port. Cette pointe est au milieu de la ville, donc l'opéra est le centre d'intérêt naturel. On ne pouvait construire sur ce site sans se préoccuper des toits... Au lieu de faire une forme carrée, j'ai fait une sculpture qui recouvre les salles; en d'autres termes, les salles s'expriment à travers ces sculptures. »

A Bagsvaerd, près de Copenhague, il a construit plus récemment (1969-1975) une église qui, vue de l'extérieur, évoque un entrepôt, mais dont l'architecture intérieure est remarquable, et qui est admirablement adaptée au site et au tempérament danois.

Les difficultés qu'il a rencontrées à Sydney ont valu à Jørn Utzon d'être quasiment oublié des critiques et des pouvoirs publics du monde entier. Et s'il a remporté, en 1964, le concours pour la création d'un théâtre à Zurich, il ne figure pas pour autant, aux yeux de l'opinion publique, parmi les grands architectes du XXᵉ siècle. Son ambition de synthèse entre un espace poétique et une forme dépouillée servie par une technologie audacieuse était sans doute trop hardie pour notre époque.

PHILIP JODIDIO

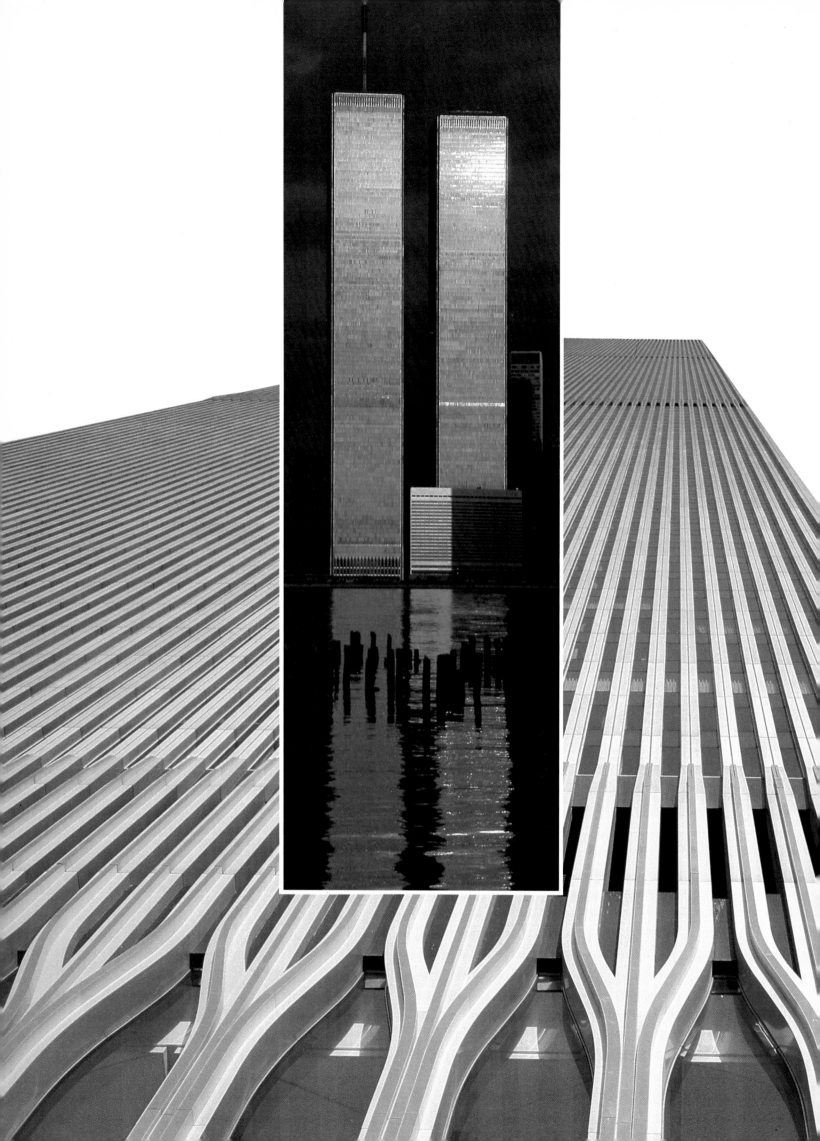

WORLD TRADE CENTER

La dernière génération des gratte-ciel américains

’horizon des villes américaines est en perpétuelle évolution. New York n'échappe pas à cette règle : en 1973 ont surgi dans le ciel de Manhattan les immenses tours jumelles du World Trade Center, qui ont détrôné le vénérable Empire State Building de son rang de plus haut gratte-ciel du monde.

Comme toutes les réalisations de cette importance, comme la tour Eiffel ou la tour Montparnasse à Paris, le World Trade Center a d'abord été vivement critiqué. L'implantation d'un tel complexe dans un quartier déjà très dense semblait contestable, et la nudité massive des deux tours choquait le regard. Aujourd'hui, ces tours ont fini par s'imposer à tous et sont devenues non seulement un spectacle familier, mais encore l'un des endroits de New York qui attire le plus grand nombre de visiteurs. Elles ont pris place dans le folklore new-yorkais : les équilibristes les plus audacieux s'amusent à passer du haut d'une tour à l'autre, et le cinéma en a fait ses délices dans la nouvelle version de *King Kong*...

Pour comprendre le pourquoi et le comment d'une telle entreprise, il faut se remettre en mémoire la topographie et l'histoire de New York. Fondée par les Européens au début du XVIIe siècle pour servir d'entrepôt, la ville fut dès l'origine implantée à l'extrémité sud de l'île de Manhattan. La fonction portuaire et commerciale a donc toujours été prédominante. Mais la topographie tourmentée de la baie et surtout les divisions politiques et administratives de la zone urbaine ont entraîné une extrême dispersion des activités sur les deux rives de l'Hudson et le long de l'East River, dispersion contre laquelle il a été nécessaire de réagir au XXe siècle afin de conserver au port son dynamisme.

Après la création dès 1921 de la Port Authority of New York & New Jersey, une société inter-États responsable du développement portuaire et des voies de communication de l'agglomération, l'idée de regrouper en un

Le World Trade Center : les deux tours, au coucher du soleil, et la façade, avec ses colonnes formant les éléments de la structure en cage. Les arcades évoquent l'architecture gothique, où les arcs seraient étirés jusqu'à l'absurde, puisqu'ils sont ouverts et s'élèvent jusqu'au sommet de l'édifice.

même lieu tous les services liés au commerce international a vu le jour au lendemain de la Seconde Guerre mondiale. Mais il a fallu attendre plus de vingt ans pour que la Port Authority puisse mettre ce projet à exécution. En effet, le quartier de Manhattan où devait s'élever ce centre était occupé par de nombreux immeubles de taille modeste, abritant des activités industrielles et commerciales, et il était difficile de convaincre les occupants de quitter les lieux. Après de longs débats, et grâce à l'appui de l'État de New York, qui s'engagea à y transférer une partie de ses services administratifs, les travaux purent enfin commencer en 1966.

La Port Authority fit appel à deux cabinets d'architectes : Minoru Yamasaki & Associates, de Troy, Michigan, et Emery Roth & Sons, de New York. Né à Seattle (Washington) en 1912, Yamasaki était déjà bien connu pour diverses réalisations sur le territoire américain : aérogares de Saint Louis et de Boston, bâtiments universitaires à Princeton et Detroit, centre culturel japonais à San Francisco, etc. Cherchant toujours à combiner fonctionnalisme et esthétique, il aime les formes simples et les beaux matériaux. Quant à Roth, c'était un architecte new-yorkais de l'entre-deux-guerres, dont les fils ont pris la succession et sont responsables de nombreux immeubles de bureaux prestigieux : le Pan Am Building, à l'extrémité de Park Avenue, ou, plus récemment, le Citicorp Center, avec son étrange sommet biseauté.

Pour l'observateur qui reste à distance, le W.T.C., comme on l'appelle couramment, consiste seulement en ces deux tours jumelles dressées dans le ciel de New York. En réalité, c'est un ensemble beaucoup plus complexe comprenant six bâtiments disposés autour d'une place. La superficie totale est un quadrilatère de 6,5 ha, délimité par la West Side Highway, du côté de l'Hudson, et par les streets Vesey, Church et Liberty, respectivement au nord, à l'est et au sud. Sur le plus long côté, à l'ouest, se dressent les deux tours de 110 étages, un hôtel de 22 étages, achevé en 1981, et le bâtiment des Douanes (U.S. Customs) qui n'a que 8 étages. La Plaza, qui couvre à elle seule plus de 2 hectares, est bordée à l'est par deux autres bâtiments de 9 étages. Au centre, une fontaine, des bancs et des bacs à fleurs animent cet espace ouvert au public. En sous-sol, un parking de 2 000 places sur 5 niveaux et une galerie marchande occupent la superficie entière. Le W. T. C. est ainsi à lui seul presque une ville dans la ville.

Les tours demeurent la partie la plus intéressante du point de vue technique. De prime abord, on n'en soupçonne pas l'originalité. Ce sont deux immenses parallélépipèdes de près de 412 mètres de haut, d'allure massive, les surfaces de métal et de béton l'emportant sur celles de verre, dont la hauteur est encore soulignée par les volumineuses colonnes des façades. Mais cette banalité n'est qu'apparente. En réalité, les tours jumelles sont construites selon un procédé rarement utilisé. Au lieu de la structure « classique » formée d'une ossature d'acier et de murs-écrans, les tours du W. T. C. reposent sur des parois extérieures constituées de colonnes d'acier reliées par des poutres horizontales. La grille ainsi formée est composée d'éléments préfabriqués larges de trois colonnes et hauts de trois étages. Les poteaux et traverses sont en outre recouverts d'une substance ignifuge et habillés d'une feuille d'aluminium. Les fenêtres sont étroites et hautes, car leurs dimensions sont déterminées par l'espacement des colonnes extérieures. L'avantage de ce système par rapport aux cages de verre et d'acier qu'étaient les gratte-ciel des années 60, c'est qu'il permet d'obtenir à chaque étage un espace intérieur continu, sans cloisons ni poteaux de soutènement. Au total, les deux tours offrent sept fois plus de superficie de bureaux que l'Empire State Building, soit 800 000 m^2 (plus de 3 700 m^2 par étage). Un noyau central rassemble toutes les installations (ascenseurs, climatisation, adductions d'eau, électricité, etc.).

La construction des tours a posé un certain nombre de problèmes techniques difficiles. Les fondations ont nécessité une excavation à plus de 20 mètres de profondeur pour atteindre la roche — 1 million de mètres cubes de déblais ont été déversés sur la rive de l'Hudson. Une sorte de caisson de béton baptisé « baignoire » a permis d'éviter les infiltrations.

De même, l'approvisionnement en eau, en courant électrique, la climatisation, le traitement et l'évacuation des ordures, la sécurité ont été étudiés avec une attention particulière.

Les tours sont conçues pour résister aux effets du vent, qui peuvent être redoutables sur des constructions d'une telle hauteur. L'oscillation maximale des étages supérieurs ne dépasse pas 30 centimètres, c'est-à-dire qu'elle reste dans des limites supportables même par grande tempête.

Chaque tour possède une centaine d'ascenseurs d'une rapidité et d'une efficacité remarquables. Certains sont « express » et atteignent le 110e étage à 36 kilomètres à l'heure. D'autres s'arrêtent aux étages intermédiaires et aux deux *skylobbies* des 44e et 78e étages.

La construction du World Trade Center (à l'exception de l'hôtel) a été achevée à la fin de l'année 1973. Le coût total a dépassé 900 millions de dollars. Les principaux occupants se sont installés au cours de l'année 1974, à un rythme plus lent que prévu, notamment en raison de la crise provoquée par le premier choc pétrolier.

Aujourd'hui, que peut-on dire du World Trade Center ? Est-ce une réussite esthétique ? Remplit-il le rôle qu'on lui avait assigné ? On doit noter en premier lieu qu'il est devenu une sorte de symbole, une porte de la ville (« New York commence au W. T. C. », nous dit une publicité), et que c'est avant tout en raison de sa taille impressionnante. L'énormité presque monolithique des tours, la majesté un peu raide des hautes arcades néogothiques à leur base, la Plaza qui se veut plus vaste que la place Saint-Marc à Venise, les sculptures du parvis, tout contribue à l'étonnement et à l'admiration du visiteur. Le spectacle le plus magnifique est toutefois celui qui s'étend à ses pieds lorsqu'il contemple New York du 110e étage de la tour sud.

Le W. T. C. regroupe un très grand nombre d'activités. Propriété de la Port Authority, qui gère l'ensemble et loue ses locaux à plus de 1 200 locataires, il abrite des bureaux du gouvernement de l'État de New York, le Service fédéral des douanes, la Bourse du commerce (en particulier la Bourse du coton, du café et du sucre), de nombreuses banques, les sièges de plusieurs compagnies maritimes, un institut d'enseignement du commerce international, sans parler des salles de conférences ou d'expositions, des boutiques, des 22 restaurants, des 250 chambres d'hôtel, etc. Chaque jour, environ 50 000 personnes viennent y travailler. Quant aux visiteurs (hommes d'affaires, clients, touristes), ils sont en moyenne 80 000 par jour.

Le World Trade Center est véritablement un monde à part. Sa présence a bouleversé la vie du Lower Manhattan. Le réseau de transport a dû être modifié pour en permettre l'accès. Des stations de métro ont été déplacées, et une nouvelle ligne en direction du New Jersey part du sous-sol du gratte-ciel.

Certains font encore des réserves sur l'opportunité et l'utilité de cet énorme ensemble. Quoi qu'il en soit, il symbolise cet âge du grand commerce mondial dans lequel nous vivons. Cependant, en dépit de leur taille, les tours jumelles ne feront peut-être pas date dans l'histoire de l'architecture. Massives, austères, banales, elles illustrent incomplètement la richesse et l'esprit novateur des constructions en hauteur des années 70 et 80 aux États-Unis.

En effet, depuis que les gratte-ciel ont vu le jour en Amérique, il y a environ un siècle, ils

Sans ascenseurs, point de gratte-ciel

Les hommes ne peuvent guère monter régulièrement plus de six étages ; quant aux marchandises, la limite au-delà de laquelle on ne peut plus les porter est encore plus basse. Transport vertical des hommes et des marchandises, l'ascenseur était donc indispensable au développement des gratte-ciel.

Comme toutes les grandes inventions techniques, l'ascenseur est le résultat d'une longue évolution plutôt que le produit d'un cerveau de génie. Selon Vitruve, les Romains utilisaient déjà au IIIe siècle av. J.-C. une sorte de monte-charge à traction manuelle ou animale. L'Angleterre du XVIIIe siècle connaissait également ce type d'engins. Mais c'est en Amérique, à partir de 1820, que les progrès techniques vont s'accélérer et transformer cet outil de travail rudimentaire en moyen de transport fiable.

L'inventeur, Elisha Otis, après avoir présenté au public son « ascenseur pour passagers » lors de la Foire internationale de New York en 1853, installe en 1857 le premier ascenseur dans le grand magasin Haughwout. Deux ans plus tard, l'hôtel de la Cinquième Avenue, où descendent tous les étrangers, en possède un à son tour. Il s'agit d'un appareil hydraulique mû par une pompe à vapeur et nécessitant un puits d'une profondeur égale à la hauteur du trajet demandé. On conçoit déjà les limites de ce système.

De nombreux perfectionnements sont apportés à cet engin encore peu sûr, jusqu'à ce qu'en 1889 le premier modèle électrique, avec câbles et contrepoids, soit expérimenté. Son succès est tel qu'en quelques années son emploi se généralise aux États-Unis, puis en Europe.

L'ascenseur a d'abord intrigué, amusé, puis enthousiasmé les contemporains. On ne se lasse pas de raconter des histoires de pannes, de rencontres, ni de louer l'efficacité des plus récents modèles. Au début du XXe siècle le journaliste français Jules Huret a décrit avec humour la somptueuse décoration Louis XV des ascenseurs de l'hôtel Waldorf Astoria, dont la rapidité effraie encore un peu les dames...

Présentation du premier ascenseur en 1853. L'inventeur fait lui-même la démonstration du fonctionnement de son « chemin de fer vertical à vis ». Quatre ans plus tard, Otis installait le premier ascenseur dans un grand magasin de New York.

Les premiers gratte-ciel

Né aux États-Unis il y a environ un siècle, le gratte-ciel a connu un formidable essor et s'est répandu ensuite dans toutes les régions du monde.

Qu'est-ce donc qu'un gratte-ciel? Les dictionnaires nous disent que c'est un immeuble d'une grande hauteur avec de nombreux étages. Les historiens de l'architecture, cherchant à mieux cerner l'objet de leur étude, ont retenu d'autres critères. Certes, la hauteur demeure un élément essentiel. Le nom anglais provient de celui de la plus haute voile des grands navires transatlantiques, et prend parfois la forme de « gratte-nuages » ou plus simplement de « haute maison ». Mais d'autres précisions semblent indispensables, concernant soit les techniques de construction, soit la fonction économique et sociale de ces bâtiments. Le gratte-ciel est construit sur une ossature métallique qui porte tout le poids des étages, les murs servant seulement d'écrans protecteurs. Il est équipé d'ascenseurs qui permettent d'accéder sans fatigue aux étages supérieurs. Quant à sa fonction, il est clair qu'à l'origine il est conçu pour servir de bureaux, puis accessoirement de magasin ou d'hôtel, mais pas de logement.

Ces critères de définition reflètent les circonstances qui ont contribué à la naissance des gratte-ciel. Dans les villes américaines de la fin du XIXe siècle, l'industrie, le commerce, la finance se développent de façon très spectaculaire. Il faut abriter toutes ces activités au centre des cités : la concentration économique aboutit ainsi à la concentration géographique, et comme le terrain est cher, la solution toute trouvée est de bâtir en hauteur.

Au même moment, le progrès technique et industriel met à la disposition des architectes des matériaux et des moyens particulièrement bien adaptés à ces nouvelles demandes. La production d'acier Bessemer fournit à partir de 1885 des éléments de charpente beaucoup plus résistants que les colonnes de fonte utilisées depuis le milieu du siècle dans les immeubles commerciaux de quatre ou cinq étages. Les ingénieurs mettent au point des systèmes anti-feu. En outre, les progrès des ascenseurs sont très rapides entre 1855 et 1885. Tous les éléments sont donc réunis pour la création, vers 1885, d'un nouveau type de constructions.

Reste la question du lieu d'origine des gratte-ciel. Les uns disent que c'est à New York qu'ont été construits vers 1870-1875 les premiers immeubles de bureaux d'une grande hauteur : 40 mètres. Les immeubles de l'Equitable Life Insurance Co. ou du journal *The Tribune*, aujourd'hui démolis, devaient avoir un aspect bien étrange avec leurs « beffrois » surmontant cinq étages de bureaux. Mais on y trouvait déjà des ascenseurs et des supports métalliques.

Pour d'autres, c'est à Chicago que revient l'honneur d'avoir « inventé » le gratte-ciel. La ville était en plein essor à partir du XIXe siècle, mais une catastrophe semble avoir précipité les choses. En 1871, un terrible incendie la détruit. Tout le centre est à reconstruire. Après une sévère dépression économique, Chicago est en proie à une extraordinaire fièvre de construction à partir de 1879. De jeunes architectes et ingénieurs, souvent originaires de l'est du pays, trouvent alors l'occasion d'exercer leurs talents. Cette équipe, appelée école de Chicago, comprend des hommes tels que Louis Sullivan, John W. Root, William Le Baron Jenney et Daniel Burnham. Leurs gratte-ciel sont appelés *Chicago constructions*. Le modèle, l'ancêtre de tous, c'est le bâtiment de la Home Life Insurance Company construit par Le Baron Jenney en 1885, car ses dix étages sont pour la première fois édifiés sur ossature d'acier. Dans les années suivantes, les gratte-ciel se multiplient. Certains deviennent célèbres et font l'admiration des contemporains, ainsi le temple maçonnique de Chicago (vingt-deux étages) ou le fameux Flatiron de New York, tous deux réalisés par Burnham. Sullivan ne se contente pas de travailler à Chicago (Auditorium, 1890; Stock Exchange, 1894), il édifie aussi de splendides spécimens du genre à Saint Louis et à Buffalo. Et c'est surtout lui qui, dans ses écrits, pose les principes d'une esthétique du gratte-ciel, cette forme architecturale qu'il qualifie de démocratique, et donc de purement américaine.

Après 1900, les gratte-ciel continuent de monter toujours plus haut, tout en se chargeant d'un décor qui semble vouloir masquer leur structure et leur rôle utilitaire. Mais leur succès est désormais assuré, et au lendemain de la Première Guerre mondiale, ils sont devenus le symbole de la prospérité américaine.

The Flatiron ou Fuller Building, New-York, par D.H. Burnham, 1902 (ci-dessus). Ce bâtiment, où les principes de l'architecture fonctionnelle sont associés au goût de Burnham pour le style néo-classique, constitue encore de nos jours une silhouette familière du paysage new yorkais.

The Stock Exchange Building, Chicago, par Adler & Sullivan, 1884 (à droite). C'est l'un des édifices les plus typiques de l'école de Chicago.

The Woolworth Building, New York, par Cass Gilbert, 1913 (à gauche). C'est l'un des plus beaux et des mieux conservés parmi les gratte-ciel historiques.

Penzoil Place, à Houston, Texas, par Johnson et Burgee, 1976. Les deux tours trapézoïdales, aux façades de verre foncé, sont réunies à leur base par une sorte d'atrium. Johnson s'est ici dégagé de l'emprise du style international.

ont revêtu des formes très diverses, chaque époque reflétant par son style les contraintes et le goût des contemporains. Ainsi, dans les années 20 et 30, New York et Chicago habillaient leurs tours d'un décor néogothique ou oriental et ménageaient des gradins aux étages supérieurs pour éviter de trop obscurcir les rues. L'influence du modernisme européen, déjà perceptible avant la guerre dans les formes plus géométriques et dépouillées du Rockefeller Center, aboutit à l'explosion du style dit « international » entre 1950 et 1965 environ. Lignes très pures, absence de décoration, façades de verre caractérisent les immeubles que construisent des architectes tels que Mies Van der Rohe, Philip Johnson et la firme Skidmore Owings & Merrill (à New York, la Lever House ou le Seagram Building ; à Chicago, les Lake Shore Drive Appartments, le Civic Center, et bien d'autres à travers tout le pays et le monde occidental). Le Secrétariat des Nations Unies, à New York, appartient lui aussi à cette génération de gratte-ciel sobres et élégants.

Mais dès le milieu des années 60, le public, comme les architectes, semble se lasser de la répétition à l'infini de ce modèle. Des efforts sont faits pour trouver un style plus expressif, moins strictement fonctionnel, et pour explorer les possibilités offertes par les matériaux nouveaux. Une certaine diversité régionale vient aussi rompre la monotonie de ce style international devenu trop impersonnel. En plein centre de Chicago, Bertram Goldberg construit en 1964 Marina City, deux tours cylindriques de 60 étages dont l'aspect côtelé évoque la forme d'épis de maïs, et donc la richesse agricole du Middle West.

Dans le foisonnement des constructions de ces années, on peut distinguer trois tendances principales qui renouvellent et modifient l'image du gratte-ciel traditionnel.

La première est une préférence pour les formes exubérantes, parfois même baroques, et l'emploi de matériaux richement colorés. À San Francisco, la pyramide blanche de la Transamerica, construite en 1972 par William Pereira, se voit de partout.

Marina City, Chicago, par Goldberg, 1967. Les 60 étages de ces tours sont ancrés sur une « âme » centrale cylindrique, autour de laquelle sont disposées des cellules formant des garages, des bureaux et des logements avec balcons.

Penzoil Place, à Houston, Citicorp Center, à New York, innovent avec leur sommet curieusement biseauté. La Trump Tower, achevée au début des années 80 à New York, éblouit par ses façades de verre doré. Le mouvement esthétique postmoderniste est d'abord un refus du dépouillement érigé en principe par les tenants du style international.

Une seconde tendance est également visible dans les gratte-ciel les plus récents : c'est le retour à l'éclectisme, c'est-à-dire à l'emploi de motifs décoratifs empruntés à différents styles historiques. L'exemple le plus surprenant a jailli sous la plume de Philip Johnson lui-même, lorsqu'il a dessiné la tour de l'American Telegraph and Telephone Co. à New York. Une tour monumentale revêtue de granit rose et coiffée d'un fronton rappelant le mobilier Chippendale. Michael Grave, lui aussi épris de « collages » d'éléments historiques, a dessiné pour la ville de Portland (Oregon) un bâtiment administratif associant un portique à l'égyptienne, des pilastres à l'antique, des clochetons Renaissance, le tout badigeonné de couleurs pastel.

La troisième tendance consiste à faire du gratte-ciel une composante dynamique et symbolique du renouveau des villes américaines. Au lieu d'être un élément isolé du paysage urbain, il devient un complexe groupant des activités très diverses, créant des emplois, attirant des foules de spectateurs, d'acheteurs,

peut-être même des habitants. Le World Trade Center appartient à cette catégorie, mais il n'est ni le premier ni le seul. Minneapolis, Detroit (Renaissance Center), Atlanta (Peachtree) et encore bien d'autres villes ont vu leur centre ranimé par la construction de ces ensembles. John Portman, l'architecte des deux derniers, comme aussi du Bonaventure Hotel à Los Angeles, s'est spécialisé dans ce type de projet. Ses tours sont groupées par quatre ou cinq, reliées par des passerelles de verre, animées par de vastes halls vitrés.

Le gratte-ciel, dont on a à maintes reprises prédit le déclin et même la mort, est donc plus vivant que jamais en Amérique du Nord, d'où il a gagné le reste du monde. La course à la hauteur, qui obsède l'humanité depuis la tour de Babel, a mis New York et Chicago en compétition depuis bientôt cent ans. L'Empire State Building est resté le plus haut édifice du monde pendant plus de quarante ans. Le W.T.C. l'a détrôné, mais il n'a pas conservé cet honneur, qui revient actuellement au Sears Building de Chicago, avec ses 109 étages et ses 442 mètres. Frank Lloyd Wright rêvait d'une ville imaginaire dont le centre serait un gratte-ciel haut d'un mile (1 609 m)... Cet exploit n'est sans doute pas pour demain, mais les gratte-ciel auront encore longtemps une place au cœur des cités modernes.

Hélène TROCMÉ

GRANDS TRAVAUX

PLAN DELTA
Un gigantesque défi à la mer du Nord

Dans la nuit du 31 janvier au 1er février 1953, les Pays-Bas vécurent quelques-unes des heures les plus tragiques de leur histoire. La tempête venue d'Islande qui s'était déchaînée en mer du Nord depuis la veille s'aggrava encore. Il faisait un temps d'enfer. Les bourrasques de pluie noyaient toute visibilité. Les vents glacés du nord-ouest soufflaient à 180 kilomètres à l'heure, avec des rafales à 200.

Alors, au sud-ouest du petit royaume, vers 4 heures du matin, des lames hautes de 8 mètres passèrent par-dessus les digues, puis celles-ci se rompirent en quelques secondes sous leurs coups de boutoir d'une extrême violence. Des dizaines de brèches s'ouvrirent. La mer en furie s'y engouffra et de véritables murailles d'eau s'abattirent sur le plat pays situé en contrebas, détruisant tout sur leur passage.

Le « raz de marée », dont on a comparé les effets à ceux d'un typhon ou d'un tsunami, balaya les îles de la Zélande et de la Hollande-Méridionale, remontant les bras de mer qui les séparent, dans ce vaste delta du Rhin, de la Meuse et de l'Escaut, jusqu'au-delà de Dordrecht. Le littoral belge et la côte orientale de l'Angleterre furent aussi durement touchés en cette zone où la cuvette de la mer du Nord, ouverte sur l'Arctique, se resserre en une sorte d'entonnoir vers le pas de Calais.

Ce fut une nuit de cauchemar. Personne n'eut vraiment le temps de donner l'alarme. Comme si des vannes gigantesques avaient été ouvertes, les vagues déferlèrent sur les villages endormis. Nombre d'insulaires furent surpris dans leur lit. Ceux qui le purent se réfugièrent en toute hâte sur leur toit. Certains, sur l'île de Schouwen notamment, très isolée et d'accès difficile, devaient y attendre deux ou trois jours les sauveteurs dépêchés sur les lieux avant d'être évacués par hélicoptère. Au lever du jour, la Zélande était transformée en une immense lagune, désert liquide gris et froid où flottaient des centaines de cadavres.

Une fois de plus, les Pays-Bas se réveillaient sous la mer. Et en plein hiver. L'ampleur de la catastrophe se révéla au fil des heures. Derrière les digues rompues, la liste des victimes s'allongeait. Partout, c'était le chaos. Images du déluge. Elles sont encore dans toutes les mémoires, telles que les diffusèrent les médias à l'époque. Villages et hameaux engloutis. Meubles à la dérive dans les tourbillons. Vaches crevées, moutons noyés, accrochés par leur toison aux barbelés. Autant d'épaves de l'archipel sinistré qui se multipliaient. L'eau recouvrait tout, sur des kilomètres carrés. Seuls, çà et là, émergeaient des toits, des clochers, des rangées d'arbres.

Les ouvrages du plan Delta : 1. Barrage mobile du Hollandse IJssel, à Krimpen, protégeant contre les inondations une grande partie de la région des polders de Hollande-Méridionale (point le plus bas : − 6,70 m), 1958. Cinq barrages principaux ferment les bras de mer du Delta : 2. Barrage de la Brielse Maas, 1950 (ouvrage construit avant les inondations de 1953). 3. Haringvlietdam, 1971. Longueur : 4,5 km. 4. Brouwersdam, 1972. Longueur : 6,2 km. 5. Oosterscheldedam (barrage anti-tempête de l'Escaut oriental), 1986. Longueur : 9 km. 6. Veersedam, 1961. Longueur : 2,8 km. Cinq barrages secondaires sont situés en amont sur les bras de mer, vers l'intérieur des terres : 7. Zandkreekdam, 1960. 8. Grevelingendam, 1965. 9. Volkerakdam, 1970. 10. Philipsdam, 1985. 11. Oesterdam, 1986. Le renforcement des digues a eu lieu surtout le long : 12. du Nieuwe Waterweg. 13. de l'Escaut occidental (Westerschelde) Deux grands ponts ont été construits : 14. Haringvlietbrug, 1964. 15. Zeelandbrug, 1965. Le plus long des Pays-Bas (6 km).

Le barrage du Haringvliet et ses écluses géantes. Construit sur pilotis, long de 1 km, ce grand ouvrage de protection est entièrement fermé en cas de tempête. En temps normal, il permet de moduler l'écoulement des eaux du Rhin et de la Meuse en mer du Nord. C'est cette fonction capitale qui lui a valu le surnom de « robinet des Pays-Bas ». Il comporte 17 écluses de décharge.

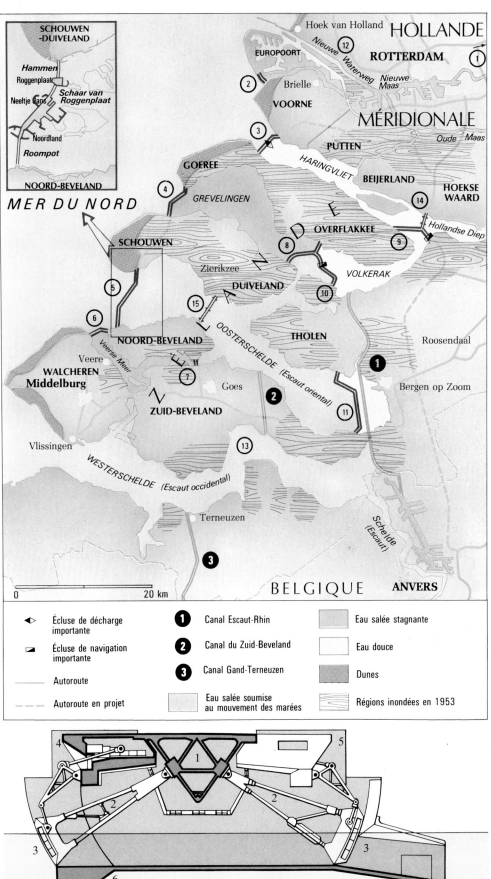

Coupe transversale des écluses du Haringvlietdam. 1. Lisse nabla, travée de béton triangulaire, large de 22 m, haute de 12 ; elle supporte la route-pont qui franchit le barrage. 2. Bras de levage en acier, longs de 25 m, permettant de lever ou d'abaisser les vannes ; ils sont fixés au milieu des côtés de la lisse nabla. 3. Vannes d'acier, dont la largeur varie de 56 à 58,50 m. 4. et 5. Machines actionnant les vannes par les bras de levage et manœuvrées à partir d'une salle de commande centrale. 6. Seuil en béton, épais de 0,90 m et reposant sur 22 000 pieux en béton armé.

Polders de l'IJsselmeer : le pays qui n'existait pas

Zuiderzee : le grand golfe poissonneux qui échancrait naguère la côte entre la Frise et la Hollande-Septentrionale s'était formé au XIIᵉ siècle, à la suite d'un effondrement géologique (avant, seul un lac, nommé Flevo, s'étendait là). Il était vite devenu une active petite mer intérieure, jalonnée de ports prospères, Enkhuizen, Hoorn, Edam, Volendam. Des patriciens menaient le négoce, certes, mais les pêcheurs régnaient en maîtres, et selon leurs coutumes. Marken aussi, l'île légendaire aux maisons sur pilotis, était leur fief.

Siècle après siècle, les riches Pays-Bas se sont peuplés. Et même surpeuplés. Leur territoire exigu n'a-t-il pas atteint aujourd'hui, avec une moyenne de 400 habitants au kilomètre carré et des pointes de 1000, une des plus fortes densités du monde ? Gagner de la place s'avéra impératif. Il fallut donc conquérir des terres nouvelles. Cas sans doute unique dans l'histoire, les Néerlandais ne les prirent pas à leurs voisins. Ils choisirent de les prendre sur la mer. Ainsi naquirent les polders.

La conquête commença un peu avant l'an 1000, en Frise et en Zélande. La florissante et urbaine Hollande prit bientôt le relais et poldérisa à grande échelle. Ses plus belles conquêtes eurent lieu au Siècle d'Or : au XVIᵉ siècle, avec les polders d'endiguement d'Andries Vierlingh, *dijkmeester* (maître des digues) de Guillaume le Taciturne ; au XVIIᵉ siècle, avec les polders d'assèchement de Jan Adriaenszoon, surnommé Leeghwater, le « Videur d'eau », illustre héros du plat pays. Travail de Sisyphe, mais collectif. Terres conquises sur la mer, de haute lutte, et continuellement défendues contre elle, car situées au-dessous de son niveau. Un match nul, à ce jour : du XIIIᵉ siècle au XXᵉ, les Néerlandais ont enlevé à la Noordzee quelque 550 000 hectares ; dans le même temps, celle-ci leur en a repris 560 000. Chiffres clefs si l'on veut comprendre ce pays « extensible », en création continue.

On commença à s'intéresser au Zuiderzee dans cette perspective dès le XVIIᵉ siècle, mais les techniques ne permettaient pas encore de maîtriser les problèmes hydrauliques de cette « mer du Sud » (pour les Frisons), souvent mauvaise et prompte aux tempêtes. Il fallut attendre la fin du XIXᵉ siècle et Cornelis Lely, ministre du Rijkwaterstaat. En 1891, ce grand ingénieur déposait les plans pour poldériser le golfe, associant les procédés d'endiguement et d'assèchement, créant ainsi un type de polder nouveau. Son projet, jugé ambitieux et surtout trop onéreux, fut mis de côté. Mais on devait le ressortir assez vite des tiroirs. En 1916 exactement, lorsqu'un terrible « raz de marée » faillit

La première épopée du XXᵉ siècle dans la lutte des Néerlandais contre la mer : la lente transformation du Zuiderzee en IJsselmeer et l'émergence de la 12ᵉ province du royaume, le Flevoland, née le 1ᵉʳ janvier 1986.

effacer à jamais Marken et tout le Waterland. Le projet se trouva relancé, le Parlement l'adopta en 1918, les travaux d'aménagement du Zuiderzee débutèrent en 1919. Dès 1924, l'île de Wieringen était rattachée à la terre ferme par une digue-barrage et la réalisation du premier des cinq polders projetés était entamée.

Le 28 mai 1932, à 13 h 2, dans le mugissement des sirènes des dragues et des remorqueurs, fût achevée la digue de fermeture, l'Afsluitdijk, entreprise en 1927. Longue de 30 kilomètres, large de 90 mètres, haute de 7 mètres au-dessus du niveau de la mer, la Grande Digue reliait Den Oever, tout au nord de Wieringen, à Kornwerd, sur la côte frisonne.

Ainsi disparut le Zuiderzee, remplacé par l'IJsselmeer, lac d'eau douce résiduel, alimenté par les fleuves côtiers, et devenu un énorme réservoir concernant la moitié du pays. Les côtes néerlandaises se trouvaient raccourcies de 650 kilomètres. Le réseau de digues, quant à

lui, tombait de 300 à 45 kilomètres. Aux deux extrémités de la Grande Digue, des écluses permettent toujours l'écoulement des eaux du lac dans la mer, ainsi que le passage des bateaux... et des anguilles.

La poldérisation est œuvre de longue haleine. Endiguement, assèchement par pompage — jadis, c'étaient les moulins qui effectuaient ce travail —, dessalinisation, mise en culture, peuplement, exploitation sont les étapes obligées et s'échelonnent sur des années. Les grands polders de l'IJsselmeer, commencés dans les années 20, ne sont pas tous achevés. On travaille toujours, en effet, sur le dernier, le Markerwaard, qui vient juste d'émerger. Quand celui-ci sera fini, vers 1995, les Néerlandais auront réussi à créer ici, au total, 220 000 hectares de nouvelles terres cultivables, dûment protégées des inondations. Ils y ont d'ores et déjà logé un demi-million d'habitants et créé une douzième province.

Le bilan fut un des plus lourds des grandes inondations périodiques qui dévastent les « bas pays » et qui jalonnent les siècles. 1853 morts, tous noyés ; plus de la moitié, emportés par les flots, ne devaient jamais être retrouvés. Quelque 70 000 sinistrés. 50 000 têtes de bétail perdues. 200 000 hectares submergés. D'énormes dégâts matériels. La sauvage invasion de la mer, cette nuit-là, s'avéra particulièrement dévastatrice. Frappée de plein fouet, la région dangereuse des bouches du Rhin, de la Meuse et de l'Escaut, juste au sud de Rotterdam, était à nouveau anéantie.

Il fallut d'abord parer au plus pressé : colmater les multiples brèches dans les digues, sur un front de 1200 kilomètres. En deux semaines se déroula ce qu'on a appelé la « bataille des digues ». Elle fut rudement gagnée. Avec des milliers d'hommes, des caissons et du sable. Ce fut une angoissante course contre la montre, les opérations devant être terminées avant la grande marée suivante, le 16 février. Empilés à la main, des milliers de sacs de sable constituèrent des remparts provisoires. Les digues purent ainsi être consolidées, les plus menacées étant surélevées. Le

16 février, elles ne cédèrent pas. Partout, les pompes fonctionnaient, jour et nuit, sans relâche. Les renforts affluaient de toute l'Europe. Deux mois plus tard, encore enlisés dans la boue, les Pays-Bas étaient sauvés des eaux.

La reconstruction fut ensuite menée avec une farouche énergie. Extrêmement coûteuse, elle devait requérir plus de trois années d'efforts. La ceinture de digues fut reconstituée, en béton, et exhaussée. Les champs furent remis en culture. Même si les premières semailles durent être des semailles de plâtre qui, pulvérisé dans les sillons, absorbe le sel.

Fidèle à sa devise ô combien éloquente — *Luctor et emergo* —, la Zélande se reconquit elle-même sur la mer du Nord.

Mais l'opinion avait été unanime : plus jamais pareil désastre ne devait se reproduire. Une commission spéciale, la commission du Delta, se mit immédiatement au travail. Elle plancha fébrilement sur un projet d'aménagement qui était déjà à l'étude depuis plusieurs années. Tout en en gardant les grandes lignes, elle en modifia les options : l'objectif primordial, qui était la constitution d'un énorme réservoir d'eau douce dans le sud-ouest du pays, devint la protection à tout prix. Il était impératif et urgent de mettre fin aux assauts répétés de la mer du Nord ; d'en faire disparaître la constante menace. C'est ainsi que fut élaboré le plan Delta.

L'idée de base en était simple : il s'agissait de fermer définitivement et hermétiquement, par des digues-barrages, les quatre plus grands bras de mer entre les îles de la Zélande et de la Hollande-Méridionale. C'est-à-dire, dans l'ordre chronologique prévu pour les travaux : le Veerse Gat, le Haringvliet, le Brouwershavense Gat et l'Escaut oriental (Oosterschelde). Seuls la Nieuwe Waterweg, au nord, voie d'accès à Rotterdam, et l'Escaut occidental (Westerschelde), au sud, voie d'accès à Anvers, resteraient ouverts à la navigation et à l'intense trafic maritime qui était le leur.

Au terme d'études extrêmement poussées et d'expérimentations en laboratoires, le plan fut soumis au Parlement de La Haye. Transformé en loi, la loi Delta (Deltawet), il fut adopté à la quasi-unanimité en 1957. Les travaux avaient démarré bien avant le vote. Selon le calendrier prévu, ils devaient s'échelonner sur plus de vingt ans et s'achever en 1978. Le coût en était évalué à 3 milliards de florins (10 milliards de francs d'aujourd'hui).

Les Pays-Bas ont derrière eux des siècles de savoir-faire hydraulique. Toutefois, le delta zélandais, outre sa taille, présentait dans les années 50 des caractères très particuliers, inconnus dans le reste du pays. Les bras de mer, qui pénétraient profondément dans les terres, se poursuivaient, en se rétrécissant, par les estuaires de trois fleuves aux multiples ramifications généralement canalisées et se confondaient avec eux. L'ensemble formait une zone humide et marécageuse, mi-marine, mi-fluviale, qui était longtemps restée un vaste marais — quelques vestiges subsistent, notamment le célèbre Biesboch, le Bois de Joncs, aujourd'hui transformé en parc national et qui doit son origine à la terrible inondation de la Sainte-Élisabeth, dans la nuit du 19 novembre 1421. C'était un dédale indécis, mouvant, modelé et remodelé pendant des siècles par l'action conjuguée du flux et du reflux marins, des crues et des décrues fluviales, et du vent.

Refouler la mer qui envahissait régulièrement ces étendues saumâtres était une tradition : les digues de Walcheren, à Westkapelle en particulier, ou celles de Tholen en témoignent encore. Mais mettre fin au va-et-vient des marées dans cet espace naturel d'une incroyable complexité, façonné dans le sable, la tourbe et l'argile, était une tout autre affaire. Le seul volume d'eau qui afflue et reflue à chaque marée à l'entrée des quatre bras de mer, sur le site même des digues-barrages, ne manque pas de laisser rêveur : 70 millions de mètres cubes au Veerse Gat, 120 millions au Haringvliet, 360 millions au Brouwershavense Gat, 1 milliard 100 millions au seuil de l'Escaut oriental ! Et les fleuves déversaient leurs propres millions de mètres cubes dans cet enchevêtrement sans fin. Et les fonds marins alluvionnaires étaient diaboliquement instables, ils montaient et descendaient au rythme des marées et des saisons.

Dès 1958, le premier barrage anti-raz de marée fut opérationnel. C'est un barrage mobile comportant deux vannes d'acier qui se lèvent ou s'abaissent et une écluse à sas. Construit dans le Hollandse IJssel, juste à l'est de Rotterdam, c'est le seul grand ouvrage du plan Delta à ne pas être implanté sur la côte. Sa raison d'être, aussi loin à l'intérieur des terres, sur une rivière qui est une voie navigable des plus importantes, est pourtant évidente : il protège la région de polders la plus basse du pays — 6,70 m au-dessous du niveau de la mer au polder du Prince-Alexandre. Région submersible, vulnérable.

Prototype sans pareil, ce barrage du Hollandse IJssel repose sur d'innombrables pieux en béton, qui n'ont pu être mis en place qu'après le dragage de la tourbe et de l'argile du sol spongieux et le remplacement de celles-ci par du sable. Deux seuils en béton ont alors été aménagés, l'un derrière l'autre, dans le fond de la rivière. Ils supportent les deux vannes, longues de 80 mètres, hautes de 12, qui pèsent chacune 670 tonnes. Pouvant résister à des pressions extrêmement élevées, ces vannes sont elles-mêmes suspendues à deux tours en béton hautes de 40 mètres. L'écluse à sas permet à l'intense navigation de continuer quand le barrage est fermé.

Le Veerse Gat, entre Walcheren et Noord Beveland, est le moins large des quatre bras de mer concernés par le plan Delta. Il fut fermé

Veerse Gat, avril 1961 : la délicate mise en place des derniers caissons en béton, à vannes, de la digue de fermeture. Le perfectionnement, à la hollandaise, d'une technique née en 1944 sur les plages de Normandie pour la construction des ports artificiels comme Arromanches.

au printemps 1961. Le 27 avril, la télévision néerlandaise retransmit en direct les dernières manœuvres, fort délicates, lorsque, traîné et poussé par des remorqueurs, le dernier des soixante et onze caissons en béton de la digue de fermeture fut immergé à l'étale et obtura la dernière ouverture, au centre, parmi les tourbillons. Ce fut une journée historique dans l'épopée hydraulique des Pays-Bas.

Le Veersedam, long de 2,8 km, séparait désormais l'étroit Veerse Meer du large. Dans le Zandkreek, à l'autre extrémité, vers l'amont de ce fjord plat qui ouvre sur l'Escaut oriental, un barrage dit secondaire, long de 830 mètres et pourvu d'une écluse à sas, avait été construit au préalable et terminé en 1960. Ce procédé technique devait être systématisé et appliqué pour chacun des autres bras de mer à fermer. Le barrage secondaire, en effet, était destiné à réduire les courants de marée qui, déjà violents en temps normal, s'amplifiaient encore lors des travaux de fermeture et érodaient les fonds. Le Zandkreekdam, comme ses homologues, fut implanté juste au point où les courants de marée montante se rejoignaient. C'est-à-dire là où ceux-ci étaient pratiquement nuls et où les fonds mouvants devenaient nettement plus stables.

Construit simultanément à partir de Noord Beveland et de Walcheren, le Veersedam prenait appui sur les bas-fonds qui s'étendaient de chaque côté de la passe. En son centre, cette passe profonde avait été comblée de façon à y aménager, à la profondeur de 14 mètres, un seuil large de 100 mètres. Ensuite, il avait fallu stabiliser les fonds. Un procédé tout nouveau avait été utilisé pour cela. Le seuil avait été pourvu d'un revêtement (200 × 320 m), constitué de grandes feuilles de nylon (80 × 15 m) lestées de sacs de sable afin de les maintenir en place. Une couche de pierraille, épaisse de 3 mètres et lourde de plusieurs centaines de kilos, lui avait été superposée, de même que sur les pentes de part et d'autre du seuil.

Le sol ayant été ainsi préparé, les caissons avaient pu être mis en place. Ils étaient 71, et ils mesuraient 45 × 20 × 18 mètres. Ils avaient été construits sur place, sur un petit polder aménagé à cet effet. Ils présentaient une singularité technique riche d'avenir. À l'avant et à l'arrière, ils comportaient des ouvertures munies de vannes, ce qui leur permettaient de se remplir d'eau et de couler. Toutes les vannes étaient fermées en même temps après l'immersion des caissons, qui étaient alors remplis de béton. Ils bloquaient ainsi hermétiquement la passe et servaient de « noyau », en quelque sorte, pour la finition ultérieure du barrage.

L'expérience du Veersedam servit de test pour la réalisation du deuxième barrage programmé sur la mer du Nord. Mais les problèmes à résoudre allaient y être plus difficiles, très particuliers de surcroît, ce barrage devant être implanté dans le Haringvliet. Celui-ci sépare Goeree-Overflakkee des anciennes îles de Voorne, Putten et Beijerland. Sur le site du barrage, il est large de 5 kilomètres. Donnée fondamentale : le Haringvliet évacue une grande partie (60 pour 100 environ) des eaux mêlées du Rhin (Lek et Waal) et de la Meuse.

Il n'était donc pas possible de fermer complètement ce bras de mer. Aussi les hydrauliciens ont-ils imaginé d'y construire un complexe d'écluses de décharge permettant aux eaux fluviales de continuer de s'écouler en mer du Nord — en fonction, évidemment, du débit du Haringvliet et du niveau des marées —, tout en ne laissant absolument pas pénétrer les eaux marines. En cas de tempête, les

écluses sont entièrement fermées. En temps normal, elles fonctionnent en barrage d'accumulation et de retenue. Lorsque le débit du Rhin, qui varie beaucoup au fil des saisons, est faible, les écluses restent fermées. Ce qui permet de stocker de l'eau douce : le Haringvliet constitue alors un grand bassin d'approvisionnement aux portes de Rotterdam. Ce qui permet aussi de refouler les fleuves et de les faire s'écouler vers la mer du Nord par la Nieuwe Waterweg, au sortir de Rotterdam — seule issue possible. Leurs eaux douces repoussent alors l'eau de mer, elles l'empêchent de remonter la Nieuwe Waterweg et de pénétrer dans l'intérieur des terres. Elles contribuent fortement ainsi à lutter contre la salinisation toujours menaçante de cette voie d'eau primordiale.

Lorsque le débit du Rhin est moyen (de 1700 à 6000 m³ par seconde), les écluses sont progressivement ouvertes. Lorsqu'il atteint ses plus hauts niveaux (plus de 6000 m³ par seconde), à la fin de l'hiver et au printemps, les écluses sont entièrement ouvertes, mais uniquement à marée basse. Ce complexe au programme modulable permet ainsi de maîtriser la répartition de l'écoulement des eaux du Rhin et de la Meuse.

Une des pièces maîtresses du plan Delta, d'importance nationale pour le problème de l'approvisionnement en eau, le Haringvlietdam fut achevé en 1971. Auparavant, un barrage secondaire avait été construit dans le Volkerak, au fond du bras de mer, là où le Haringvliet fait place au Hollands Diep.

La réalisation du Haringvlietdam avait duré quatorze ans. C'est ici qu'avaient commencé en grand ces surprenants chantiers « dans l'eau », ou plutôt « sous l'eau », c'est-à-dire en dessous du niveau de la mer, qui existeront jusqu'à la fin du plan Delta et qui en constituent la partie la plus spectaculaire. Pourtant, pouvoir construire à sec au milieu de la mer, est-ce vraiment une performance technologi-

que au pays des polders ? Les faits se résument ainsi. Un vaste bassin de construction, soit un petit polder (de 85 ha au Haringvliet), est aménagé dans une partie peu profonde de l'estuaire. Une digue de ceinture (faite d'argile, de sable, de pierraille) est construite tout autour, délimitant un rectangle arrondi. Ce bassin-polder est équipé de plates-formes où le matériel est regroupé et où sont montés les éléments de l'ouvrage, d'une centrale électrique et d'un port — tout le matériel flottant y est entreposé, à côté des bateaux de service. Après avoir été asséché, il est maintenu au sec durant toute la durée des travaux à l'aide de pompes qui fonctionnent de façon ininterrompue. À la fin des travaux, ce bassin est inondé, la digue détruite, l'île artificielle qui a abrité le chantier disparaît.

La construction du complexe d'écluses géantes, long de 1 kilomètre, démarra à la fin de 1957. Elle a demandé quelque 575000 mètres cubes de béton, qui furent entièrement fabriqués sur place. 22000 énormes pieux en béton armé dont la longueur varie de 6,30 à 24 mètres, selon la position des couches portantes, ont d'abord été plantés dans le sol, très serrés. Ils soutiennent l'ensemble du complexe. Sur ce pilotis a été posé le radier, chape de béton également, épais de 3 mètres et placé à 5,50 m au-dessous du niveau de la mer. Puis 16 piles ont été édifiées sur ce radier : larges de 5,50 m, elles s'élèvent jusqu'à 18 mètres au-dessus du niveau de la mer et sont espacées de 60 mètres — des conduits obturables permettant le passage des anguilles et d'autres poissons ont été aménagés dans six d'entre elles. Les ouvertures des 17 écluses de décharge reposent sur ces piles : elles sont constituées par des travées de béton triangulaires. Ces travées constituent l'épine dorsale de l'ouvrage. Les 34 vannes d'acier y sont fixées — chaque écluse étant équipée de 2 vannes, l'une côté mer, l'autre côté Haringvliet, maintenues par 4 bras de levage. Leur largeur a été calculée pour pouvoir évacuer de grandes masses d'eau lors des crues du Rhin et des blocs de glace au moment de la débâcle — elle permet même le passage des brise-glace. Leur hauteur passe de 11,50 m du côté Haringvliet à 9,50 m du côté mer. Leur poids, enfin, atteint 550 tonnes, bras de levage compris.

Le complexe d'écluses est relié à chaque rive du Haringvliet par une culée de béton large de 300 mètres et par les têtes du barrage. Au total, le Haringvlietdam couvre ainsi une longueur de 4,5 km. Il comporte en outre, juste au sud, une écluse à sas qui permet à la flotte de pêche de Stellendam d'avoir accès à la mer. Ce complexe unique au monde par sa technique est régi par un cerveau électronique.

Dans l'Escaut oriental, la pose, par le Cardium, *d'un tapis de sol géant. Destiné à empêcher leur affaissement, ce matelas de fondation est mis en place aux endroits où seront posées les piles du barrage anti-tempête. Filtrant, il est fait d'une toile de polypropylène stratifiée, remplie de trois couches de matériaux différents (sable, fin gravier, gravier), épaisse de 36 cm.*

Vue aérienne de l'estuaire de l'Escaut oriental et du puits de construction de Schaar, sur l'île de Neeltje Jans. Les 3 bassins-compartiments correspondant aux 3 stades de construction des piles du barrage anti-tempête sont bien visibles. Une fois terminées, ces piles en béton précontraint sont « mises en eau ». Intervient alors l'Ostrea (ci-contre), l'étonnant ponton-grue chargé de les acheminer, une par une, jusqu'à leur emplacement définitif. Chaque pile, creuse, pèse 18 000 t. L'Ostrea ayant une capacité de levage de 10 000 t, c'est le principe d'Archimède qui joue.

mouraient, les oiseaux aussi (de très nombreux migrateurs venaient nicher dans ces parages), de même que la riche flore de plantes halophiles. Bref, dessalinisés, ces espaces allaient mourir de leur mort biologique. Faire disparaître les vagues et le sel, c'était bon pour l'agriculture, pour l'élevage. Pour la vie sauvage en sursis dans ces entrelacs fluvio-marins où co-existaient une foule d'espèces, c'était la catastrophe assurée. Tout un écosystème, déjà gravement menacé par la pollution industrielle était en train de disparaître, ainsi qu'un paysage unique.

Les arguments mis en avant par les scientifiques ne se référaient pas uniquement à des principes ou à ces tentatives qu'effectuaient alors les naturalistes sur un plan international pour sauver les dernières « zones humides » de la planète. Les retombées des grandes réalisations du plan Delta — ces réalisations qui coupaient le delta du milieu marin, l'isolaient, le condamnaient — étaient visibles, parfaitement repérables, après les trois premières fermetures. La suppression du va-et-vient des marées avait d'ores et déjà provoqué maints dégâts : il suffisait d'aller faire un tour dans le Biesboch mis à mal, tout au fond du Haringvliet et du Hollands Diep, pour s'en rendre compte. La sécurité avait certes gagné du terrain, mais c'était au détriment de la nature.

Le delta n'allait plus communiquer avec le large. Ce fut une prise de conscience désagréable, qui en dit long sur la relation ambiguë que les Néerlandais entretiennent avec la mer, amie-ennemie. Militants indignés, naturalistes inquiets, sociétés de protection de l'environnement dénoncèrent avec un bel ensemble « le saccage d'une zone biologique sensible entre eaux douces et eaux salées ». Ce fameux plan Delta, dont les Néerlandais étaient si fiers et sur lequel ils travaillaient depuis une vingtaine d'années, fut alors largement contesté, remis en cause, mis en accusation. Il fit naître de virulentes campagnes de presse. Il eut désormais ses opposants farouches, ses détracteurs.

En 1974, la construction de la digue de fermeture de l'Escaut oriental — prévue fixe depuis les origines, sur le modèle de celle du Zuiderzee — fut arrêtée. Sous la pression des écologistes, le gouvernement céda : toutes les études furent reprises à la base. Après des mois de controverses, un compromis fut finalement trouvé. La protection de l'estuaire serait assurée — refouler les tempêtes demeurant l'objectif n° 1 —, mais on laisserait passer les marées — condition de survie du territoire sauvage restant. La solution fut élaborée sur les planches à dessin et sur les maquettes, au terme d'innombrables essais et simulations sur ordinateur : un grand barrage-portes, mobile, c'est-à-dire que l'on ouvrirait par beau temps et que l'on fermerait par mauvais temps. C'est le célèbre barrage anti-tempête, ouvrage capital, qui est venu couronner tout le plan Delta.

En 1976, le feu vert fut donné par le Parlement. La dernière phase du plan Delta redémarrait, revue et corrigée, la fin en étant programmée pour 1985. Mais la fermeture complète des estuaires était abandonnée. Et ce super barrage du quatrième type doublait tout

C'est un ordinateur, en effet, le Deltar, qui, après avoir analysé une multitude de données marines (force présumée de la marée, force et direction du vent, hauteur des vagues, teneur en sel de l'eau, etc.), fluviales et autres (ayant trait, par exemple, à la résistance des matériaux, à la protection des fonds ou à la sécurité de la navigation), décide de l'heure d'ouverture des vannes, de la hauteur à laquelle celles-ci doivent s'ouvrir et du temps pendant lequel elles doivent rester ouvertes. Il supervise toute la bonne marche du Haringvlietdam.

Ainsi les techniques ne cessaient de se diversifier, les performances de se multiplier, les formats d'augmenter. Le Brouwersdam, entre Schouwen-Duiveland et Goeree-Overflakkee, mesure 6,2 km de long ; les parties les plus basses de ses fondations se trouvent à 28 mètres au-dessous du niveau de la mer. Il fut achevé en 1972 — son barrage secondaire, le Grevelingendam, l'avait été en 1965. Mais le gigantisme devait être véritablement atteint avec le dernier des quatre grands barrages projetés : celui de l'Escaut oriental. À la suite d'un certain nombre de contretemps, l'Oos-

terscheldedam, qui aurait dû être terminé en 1978 selon le planning initial, n'a été achevé qu'en 1986. Mais il est vrai qu'il n'a pas été réalisé tel qu'il avait été projeté. Il a même donné lieu à une grande révision du plan Delta — sur la forme, non sur le fond. Et ce barrage anti-tempête pas comme les autres a une étrange et intéressante histoire, car il est né sous le signe de l'écologie.

Les années 50, en fait, n'avaient guère eu de préoccupations écologiques. La loi Delta de 1957 avait même donné carte blanche aux seuls techniciens. Au début des années 70, le mouvement écologiste battait son plein en Europe. Les Verts néerlandais étaient puissants et influents. Ils se mobilisèrent et montèrent en première ligne. L'Oosterscheldedam, qui était en construction, devint leur cheval de bataille.

Un vif débat s'instaura en effet aux Pays-Bas sur la sauvegarde du milieu naturel du delta. Le vieux problème des marées en était bien évidemment le cœur. Plus de marées, plus d'ostréiculture, plus de mytiliculture, mais surtout, plus de vie dans le delta. Les poissons

À 15,20 m au-dessous du niveau de la mer, au fond du puits de Schaar, polder de 1 km² entouré d'une digue de ceinture et asséché par pompage. Les 66 énormes piles du barrage anti-tempête ont été construites de 1979 à 1983 sur ce chantier pas comme les autres. À raison de dix-huit mois par pile, il a fallu quelque 450 000 m³ de béton.

simplement le coût du plan Delta. Du devis initial (3 milliards de florins), on sautait maintenant à 6,7 milliards de florins : plus de 20 milliards de francs.

Dans un pays en proie à la « crise », comme ses voisins, les polémiques ne tarirent plus au sujet de ce « gouffre à milliards de florins ». Monstre de technologie fin de siècle, l'Oosterscheldedam n'était-il pas, en définitive, « un luxe inutile » ? Fallait-il vraiment « paver la côte à prix d'or pour avoir les pieds au sec » et pour pouvoir dormir tranquille ?

Sur le terrain, pourtant, on se posa moins de problèmes. Les travaux reprirent dès 1977. Les infrastructures existaient, ces deux îles artificielles qui avaient été créées auparavant à partir de bancs de sable : Neeltje Jans et Roggenplaat, promues base logistique du chantier et maintenues au sec par un pompage ininterrompu. Efficacité, audace : avec ces mots d'ordre, on chercha à rattraper le retard. Les

deux barrages secondaires, le Philipsdam et l'Oesterdam, étaient en cours. La mise en œuvre put enfin commencer.

L'audace était réelle. Entre Noord Beveland et Schouwen, l'Oosterscheldedam allait s'étendre sur 9 kilomètres. Il lançait son complexe d'écluses par des fonds de 30 mètres. Ce complexe prenait appui sur les deux îles artificielles et s'articulait en trois tronçons correspondant aux trois passes.

L'efficacité ne l'était pas moins. Dès 1979, ce grand chantier de l'Escaut oriental, où travaillaient quelque 2000 personnes, était devenu un « must » touristique. Il faut dire que le coup d'œil en valait la peine. Du jamais vu ! Du gigantesque ! Neeltje Jans comportait plusieurs bassins de construction, d'environ 1 kilomètre carré chacun, qui avaient été aménagés à 15 mètres au-dessous du niveau de la mer. C'est là qu'avait lieu la fabrication des pièces détachées du barrage — rien que des éléments préfabriqués : piles, travées, vannes, matelas de fondations... Puisqu'on ne pouvait pas le faire sur place en raison des fonds et des risques de tempête. Ainsi les piles géantes, au nombre de 66, qui allaient constituer l'armature du barrage, y furent construites en série.

Avant de procéder à la mise en place des piles, il fut nécessaire de stabiliser les fonds marins, de compacter ce sol fait d'alluvions

ballottées par de violents courants. Ce fut l'occasion de créer de nouveaux équipements, sans précédents sur les chantiers de la mer : une armada hautement spécialisée. D'extraordinaires engins flottants furent conçus et mis à la disposition des techniciens. Les Néerlandais se dotèrent là d'un matériel unique au monde.

Un premier bateau spécialisé, le *Mytilus*, fut chargé des dragages et surtout des vibrages. Ceux-ci ont été exécutés à l'aide de quatre aiguilles « vibrantes » qui transpercent le sol et le compactent jusqu'à 15 mètres de profondeur. Un deuxième navire très particulier, le *Cardium*, déroula ensuite les matelas de fondations, épais de 36 centimètres et découpés par feuilles de 200 mètres sur 42, en les fixant à l'aide de blocs de béton. Ces matelas filtrants sont constitués de plusieurs strates de plastique renfermant des sables et des graviers calibrés. Une seconde couche, des matelas de 60 mètres sur 29, également épais de 36 centimètres, renforçait la première sous le socle des piles, afin de prévenir leur affaissement.

Ces opérations préparatoires achevées, il s'est alors agi de transporter les piles. Un troisième bateau ultra-spécial, l'*Ostrea,* entra en jeu. Ce ponton-grue en forme de U soulevait la pile d'environ 3 mètres, l'emportait partiellement immergée sur les quelques kilomètres la séparant de son emplacement défini-

varie de 5,90 à 11,90 m, leur poids de 300 à 500 tonnes. Du côté mer, elles sont renforcées de traverses tubulaires, de grilles brise-lames.

Le barrage est entièrement commandé par ordinateur à partir du centre de contrôle situé dans l'île de Neeltje Jans. Il doit commencer à fonctionner en octobre 1986. On n'en verra plus alors que la très petite partie émergée, sur laquelle court la route, mince ligne barrant l'horizon vers la mer. Les Pays-Bas ont mis le meilleur de leur technologie dans ce barrage anti-tempête hors du commun. Celui-ci est le plus onéreux des remparts qu'ils aient jamais dressés contre la mer du Nord — en 1986, on arrive à environ 8 milliards de florins. Mais est-il vraiment indestructible, comme l'assurent ses auteurs ? Tiendra-t-il face aux pires tempêtes ? Un second débat s'est ici branché sur celui de la note à payer. Et il est loin d'être clos. Les constructeurs de l'Oosterscheldedam le garantissent pour les deux siècles à venir. Nombre de techniciens et de spécialistes en doutent, pourtant : ce super-barrage, rétorquent-ils, est bâti sur du sable, compacté certes, mais la stabilité du sous-sol ne peut être garantie, elle. Il suffirait d'affouillements sous les piles pour déséquilibrer ces lourdes structures, coincer les vannes et empêcher leur fonctionnement. Une banale histoire de grains de sable, quoi ! Et chacun d'aller répétant que les bonnes vieilles digues, fixes, restent plus solides et en tout cas… infiniment plus économiques !

Il n'empêche : l'Oosterscheldedam se ferme en une heure à l'annonce d'une tempête. Il a été conçu pour arrêter des vagues de plus de 6 mètres. Il doit résister à des pressions de 3 à 7 tonnes au mètre carré. Et la fiabilité des systèmes mis en place, ici et sur les autres ouvrages du plan Delta, est la plus haute qui soit. Partout, dans cette région maintenant très protégée, les digues ont été renforcées et surélevées au niveau « Delta », c'est-à-dire avec une marge de sécurité de 1 mètre au-dessus du niveau des plus grandes marées. Et on a redoublé d'efforts le long des deux rives de l'Escaut oriental, de l'Escaut occidental et de la Nieuwe Waterweg surtout, par où les tempêtes peuvent toujours s'engouffrer. Mais la sécurité absolue est-elle possible ?

Le point de non-retour a été atteint. Tout a changé ici. Et la mutation est profonde. Les grands travaux hydrauliques ont bouleversé le paysage et la vie du delta. L'indécise et nébuleuse Zélande, ce «pays de la mer» qui somnolait naguère en marge du XXe siècle, a été une fois de plus remodelée. Asséchée, dessalée, gorgée d'eau douce, elle est devenue une terre encore plus artificielle. Grâce aux fermetures des bras de mer, les vieilles îles ont été fusionnées. La province isolée a été désenclavée. Rectilignes, des routes, des autoroutes surélevées, des ponts l'ont ouverte, l'ont reliée au reste du pays. Middelburg, la petite capitale, n'est plus qu'à une heure de voiture d'Amsterdam. La province agricole a été industrialisée.

L'emprise des vagues a cédé. Plus de trente ans après son début, la lente aventure du plan Delta se termine. Mais déjà les Néerlandais récidivent. Déjà un projet d'une rare ambition — le troisième du siècle — est mis en route dans la Waddenzee : n'y prévoit-on pas de rattacher les îles Frisonnes à la terre ferme, de refouler la mer, de conquérir des milliers et des milliers d'hectares ? Nouveau défi. Et un travail toujours recommencé, une lutte sans fin, contre vents et marées.

MAY VEBER

tif et l'y posait au centimètre près — grâce à l'aide d'un ponton d'amarrage compagnon, le *Macoma,* chargé de le maintenir en place ainsi que d'aspirer les derniers grains de sable entre le matelas et le socle. La pile creuse était ensuite remplie de sable. La première des soixante-six piles fut ainsi posée le 11 août 1983. Une à une, à 45 mètres d'intervalle, les suivantes devaient l'être dans les trois passes de fermeture les jours où le beau temps le permettait.

Entre les piles, ancrées dans un lit d'enrochements, furent ensuite fixés, fin 1984 et courant 1985, les éléments de tablier, les éléments supérieurs des piles, les poutres inférieures et supérieures — tous en béton précontraint —, ainsi que les soixante-deux énormes vannes d'acier qui coulissent verticalement — le formidable bouclier de l'Oosterscheldedam, levé en temps normal. Actionnées par des vérins hydrauliques, ces vannes sont larges de 42 mètres et épaisses de 5,50 m ; leur hauteur

La grue flottante Taklift IV (1 800 t) procédant à la mise en place d'une vanne sur le barrage anti-tempête. Coulissant verticalement entre les piles, les vannes restent levées en temps normal et sont baissées en cas de tempête ou de hautes eaux, fermant ainsi l'estuaire de l'Escaut oriental.

EKOFISK
Une grande première dans l'exploitation pétrolière en mer

C'est à partir de salles de contrôle semblables à celle-ci que s'effectue la surveillance des opérations de pompage et de traitement des hydrocarbures. Véritables « centres nerveux » des plates-formes d'exploitation, ces salles sont dotées d'un équipement électronique ultra-moderne.

Ekofisk Center. En principe, les plates-formes seront démontées lorsque l'exploitation des hydrocarbures sera terminée, à l'exception du réservoir central. Son installation, en effet, est définitive : c'est la première île artificielle jamais construite si loin des côtes.

A la suite de la création de l'OPEP en 1960, la hausse des prix du pétrole du Moyen-Orient devait stimuler la recherche de nouvelles sources d'approvisionnement par les grands consortiums internationaux. Les géologues avaient déjà établi la présence d'hydrocarbures le long des côtes de la Norvège, mais les recherches s'intensifièrent à partir de 1965, avec l'attribution dans cette zone de concessions au bénéfice de la compagnie Esso-Norvège, de la société française Pétronord et des firmes américaines Caltex et Phillips Petroleum.

La priorité de la découverte effective de pétrole en mer du Nord revient aux Britanniques, dans leurs eaux territoriales, en octobre 1966. Dès juin 1967, la prospection de Esso au large de la Norvège confirmait la présence de l'or noir à 100 milles des côtes. Il était encore prématuré de dire si cette découverte présentait un intérêt commercial, et de nombreux « puits secs » seront forés avant qu'une sonde de Phillips n'atteigne son but en avril 1970, après avoir percé, à 3 050 mètres de profondeur, une roche réservoir de 213 mètres d'épaisseur. C'était à Ekofisk, nom choisi en raison de l'écho transmis par les bancs de poissons (en norvégien, *fisk* signifie « poisson ») au sonar des géophysiciens qui explorèrent les premiers cette zone.

D'autres forages du plateau continental norvégien au sud-ouest de Stavanger confirmèrent les promesses de cette découverte, appelée à bouleverser les données du marché pétrolier international. À lui seul, le gisement d'Ekofisk recelait des réserves évaluées à près de 1 milliard de tonnes de pétrole brut de haute qualité, aisément raffinable, et permettait de fournir le double de la consommation norvégienne dès sa mise en exploitation. Celle-ci fut décidée par la Phillips Petroleum en 1972. Ce fut l'occasion d'une grande première mondiale particulièrement audacieuse, tant par l'éloignement de la côte (280 km environ) que par la profondeur de l'eau (71 m), qui exigea des investissements de 1 milliard et demi de dollars. Ce qui représente plus de trois fois le coût de la mission Apollo.

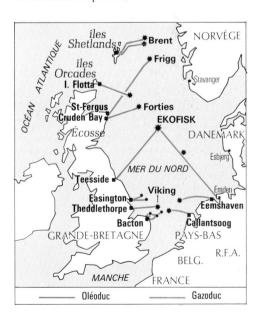

Cette carte permet de situer les principaux gisements en exploitation en mer du Nord. D'autres projets sont à l'étude ou en cours de réalisation dans cette zone. Des gisements ont également été repérés bien plus au nord, mais le prix de revient de leur exploitation par rapport au cours du brut étant excessivement élevé, aucune suite n'a été donnée à cette découverte.

L'évolution des installations de production d'hydrocarbures en mer

La nécessité de rechercher de nouveaux gisements plus éloignés des côtes, et donc souvent à une plus grande profondeur, a amené à concevoir des plates-formes géantes dont les fondations s'ancreraient jusqu'à 600 ou 1 000 mètres de fond. Or, au-delà de 400 mètres, les vibrations atteignent un seuil critique pour les treillis des installations classiques, et les coûts deviennent exorbitants. On a donc conçu des structures flexibles comme la tour Lena dans le golfe du Mexique, construite par Exxon. Son originalité consiste en un arrimage au moyen de haubans reliés à des plaques articulées de 200 tonnes, elles-mêmes fixées au sol sous-marin, ce qui permet de réduire les oscillations de la plate-forme en cas de tempête.

Un autre type d'installation, dit « à ancrage tendu », repose sur le principe du ludion : la plate-forme, flanquée de flotteurs, est maintenue immergée au-dessus de sa ligne de flottaison. C'est le cas, en mer du Nord, de la plate-forme de Hutton, qui fonctionne depuis 1984 et présente l'avantage de pouvoir être déplacée d'un site à l'autre.

En zone arctique, pour prévenir le danger de la dérive des icebergs, les chercheurs scandinaves ont déjà prévu des plates-formes massives, blocs cylindriques d'acier de 250 mètres de diamètre remplis de glace. La partie habitable de l'îlot serait réchauffée par un circuit de pétrole.

Mais ces mastodontes, qui impliquent des investissements prodigieux, n'ont peut-être qu'un avenir limité. En effet, la tendance récente est plutôt à la miniaturisation et même à la disparition des installations en surface, une large place étant accordée à l'informatique et à la robotique, ce qui permet l'exploitation de gisements jusque-là marginaux.

Pour les gisements inaccessibles aux plongeurs sous-marins, il existe désormais des systèmes du type U.M.C. (Underwater Manifold Center) qui peuvent, sans intervention humaine, pratiquer les opérations essentielles de l'exploitation pétrolière. Cette installation est en service depuis 1982 sur le site de Cormorant, en mer du Nord, où les ingénieurs de Shell et d'Esso ont même réalisé un robot permettant l'inspection et l'entretien de l'U.M.C. Dans la même optique, on envisage des stations sous-marines complètes, entièrement guidées depuis une base de surface, ne comportant guère plus qu'un robot et des caméras de télévision. Ce projet, baptisé Skuld (l'Avenir dans la mythologie scandinave), comporte des modules faciles à installer et à entretenir et permet des interventions rapides.

Plus audacieux encore, le projet Poséidon supprimerait toute structure fixe au voisinage du site : la station sous-marine serait directement reliée à la côte par un pipeline permettant d'acheminer le mélange pétrole-gaz naturel sans traitement préalable. Le pompage et le transport posent encore des problèmes aux scientifiques chargés d'étudier le projet. Un groupe franco-norvégien propose des solutions originales qui pourraient avoir des retombées dans le secteur de la production pétrolière.

Le gisement d'Ekofisk est un complexe de forage, de pompage et de traitement d'environ 13 kilomètres de long sur 6 de large. À ce complexe central s'ajoutent, sur sa périphérie, des installations construites sur des champs pétroliers de moindre importance : Cod, Tor, Albuskjell, West Ekofisk, Edda et Eldfisk.

Le complexe central Ekofisk 1 compte des plates-formes de forage et de production, notamment Alpha, Bravo, Charly, et une plate-forme « terminal » F.T.P. (Field Terminal Platform). C'est une avarie survenue sur la plate-forme Bravo qui sera à l'origine de l'accident d'avril 1977.

Deux plates-formes supportent les quartiers d'habitation et une autre sert de station de pompage. Des torchères et le fameux réservoir de stockage Doris, ceinturé du mur Jarlan (du nom de l'ingénieur qui l'a conçu), complètent les installations du champ. Toutes ces plates-formes, reliées entre elles par des passerelles (sauf Alpha et Bravo), acheminent leur production de brut et de gaz par des pipelines sous-marins de, respectivement, 85 centimètres et 1 mètre de diamètre.

Le champ d'Ekofisk en 1977. Les plates-formes sont montrées en entier avec leur jacket ; au fond, les bouées de chargement auxquelles s'approvisionnent les tankers. Les installations sont sans cesse en transformation : on a doté le réservoir de superstructures supplémentaires, on a bâti d'autres plates-formes et toutes seront rehaussées de 6 m suite à un affaissement de terrain.

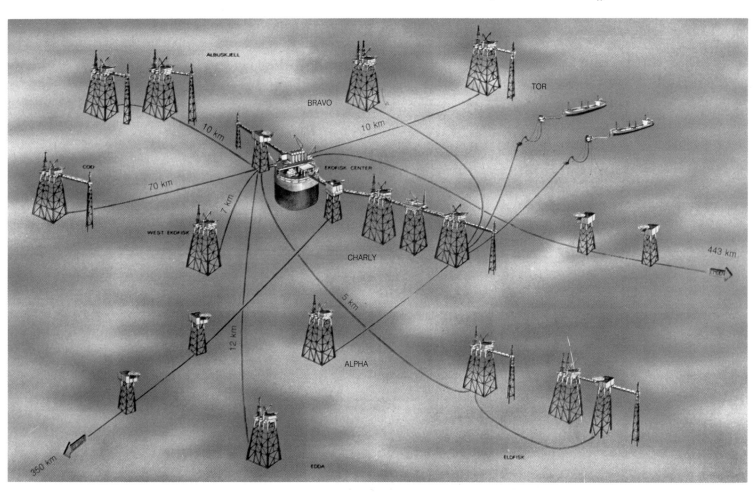

L'oléoduc servant à acheminer le pétrole s'étend sur une distance de 350 kilomètres jusqu'à Teesside (en Angleterre). Le gazoduc est encore plus long et aboutit, après un parcours sous-marin de 420 kilomètres, à Emden en République fédérale d'Allemagne. La pose de ces canalisations demanda plus de deux années d'ouvrage et coûta 850 millions de dollars environ. Ces pipelines sont la propriété en parts égales du groupe Phillips et du gouvernement norvégien, par l'intermédiaire de la société d'État Statoil. Il faut préciser en effet que la Norvège souhaitait contrôler les moyens d'évacuation de la production d'Ekofisk et eût volontiers préféré amener le pétrole découvert en mer du Nord en Norvège même. Mais cette option s'était révélée impossible en raison de la profonde fosse sous-marine connue des géologues sous l'appellation de « fosse norvégienne » qui existe près des côtes du royaume. Aujourd'hui, cette difficulté ne serait pas insurmontable.

Avant que soient posés les pipelines, la mise en production du gisement d'Ekofisk soulevait naturellement le problème de l'évacuation de l'or noir, celle-ci devant tout d'abord s'effectuer par tanker. L'opération de chargement demandait plusieurs jours, à condition que, dans ces eaux tourmentées, la tempête ne fasse pas rage. Car lorsque les creux dépassent 7 mètres, le pompage devient impossible. Quand ils dépassent 3 mètres, les pétroliers ne peuvent s'amarrer aux bouées de chargement pour des raisons de sécurité. Dans de telles conditions, il faut cesser toute activité en

Le réservoir géant. Commandé en 1971 par la Phillips Petroleum, on le voit ici en construction dans le fjord de Stavanger. Destiné à stocker le pétrole par gros temps avant la mise en service de l'oléoduc, il sert aujourd'hui à moduler la production du gisement d'Ekofisk.

Le convoyage du réservoir en 1973, depuis la côte norvégienne jusqu'au site d'Ekofisk. Cette délicate opération de navigation, minutieusement préparée, se fit en liaison permanente avec les services météorologiques de Londres et de Paris afin de parer à toute éventualité.

Vue du réservoir en construction, ceint du mur Jarlan. Ce mur percé de milliers de hublots et haut de 82 m est destiné à protéger le réservoir des effets de la houle en amortissant et en dissipant la majeure partie de l'énergie des vagues qui viennent frapper la structure.

attendant le retour d'un temps plus clément. Mais chaque jour perdu représentant évidemment une perte d'argent fabuleuse, il a fallu envisager de stocker le pétrole en mer.

C'est ainsi que la firme française C. G. Doris a conçu le plus formidable ouvrage en milieu maritime de l'époque : un gigantesque réservoir de stockage en béton. Commandé par la firme Phillips Petroleum, ce réservoir, de 92 mètres de diamètre et 90 mètres de haut (soit la hauteur d'un immeuble de trente étages), a une capacité de 1 million de barils, répartis en neuf compartiments. Il s'agit d'une véritable île artificielle en mer, posée sur le fond et dominant les flots d'une hauteur de 20 mètres. Il est surmonté d'un pont métallique de 8 000 mètres carrés, et un pont de béton moitié moins grand le surplombe de 10 mètres. Les effets de la houle sont amortis sur les structures par un mur extérieur perforé selon le procédé Jarlan. La fabrication de ce réservoir s'est effectuée en deux temps : tout d'abord on a construit l'embase, d'une hauteur de 6 mètres, près de la côte, en cale sèche, puis on l'a mise à la mer ; ensuite, on a monté, à flot, les superstructures de la construction en béton, dans le fjord de Stavanger.

C'est un groupement d'entreprises norvégien — F. Selmer et Hoyer-Ellefsen — qui assura la construction du réservoir en béton.

L'ensemble de cette structure de 220 000 tonnes fut remorqué jusqu'au champ d'Ekofisk, sur un trajet en haute mer de plusieurs centaines de kilomètres, en juin 1973. Cette opération, qui était des plus délicates, fut également l'occasion d'une véritable prouesse en matière de navigation. Elle nécessita le concours de six remorqueurs de haute mer. Il a fallu huit jours pour la mener à bien, une journée et demie pour sortir du fjord, puis deux jours de route avant de virer au sud, encore deux jours de navigation en direction d'Ekofisk, et enfin une journée de travail pour « positionner » et échouer le mastodonte. De plus, pendant la première journée, les six remorqueurs — deux à l'avant pour tirer, deux à l'arrière pour pousser et un de chaque côté pour maintenir une bonne orientation — ne purent dépasser la vitesse de 1 nœud et demi. Les différents obstacles à éviter durant le transport, tels que les hauts-fonds, un vent supérieur à 20 nœuds et des creux de plus de 2 mètres, accrurent encore la difficulté.

Lorsque le pétrole sort du gisement à travers un système de vannes et de conduites (par la pression de la nappe ou par pompage), il faut en séparer le gaz dissous et enlever les impuretés qu'il contient (soufre, chlorures, eau, etc.) avant son évacuation par oléoduc ou tanker. C'est, entre autres, le rôle des plates-formes Alpha, Bravo et Charly.

Ces plates-formes, en acier, sont fixées au fond de la mer, à 70 mètres, par des pieux constitués de cylindres métalliques creux enfoncés par battage au marteau mécanique dans le sol sous-marin à partir de la surface. Cette installation requit l'assistance d'hommes-grenouilles dans des eaux avoisinant 0 degré. Elles sont constituées d'un treillis métallique (*jacket*) qui supporte un pont sur lequel reposent les installations de traitement du pétrole, une aire d'atterrissage pour hélicoptères, ainsi qu'une centrale d'énergie, des ateliers et tous les postes de commande correspondants. Ce treillis se présente sous la forme d'une structure métallique qui a l'apparence d'une pyramide tronquée assez élancée, composée d'un assemblage de tubes en acier de différents diamètres, soudés et convenablement entretoisés.

Toutes ces installations, qui à terre eussent occupé plusieurs hectares, ont pu être concentrées, en plus du derrick de forage, sur ces plates-formes grâce à une véritable prouesse dans l'agencement de l'espace.

L'ampleur du gisement d'Ekofisk, qui s'étale sur plusieurs kilomètres carrés, a rendu nécessaire l'installation de plusieurs plates-formes. De même pour le gisement de Forties, en mer du Nord, mis en exploitation ultérieurement, où quatre plates-formes situées sur des réserves récupérables de 250 millions de tonnes extraient annuellement près de 25 mil-

lions de tonnes. Pour drainer l'ensemble de la nappe, il faut forer des puits déviés à partir des plates-formes. Ainsi, une déviation de 1 degré tous les 10 mètres permet de s'étendre, en surface, jusqu'à 1 500 mètres de l'axe vertical de la plate-forme.

Au début de la mise en exploitation d'un gisement, le débit du pétrole va en s'accroissant avant de se stabiliser, puis de décroître sur une durée moyenne de vingt ans. C'est pourquoi, du fait de la baisse des pressions internes, on n'extrait d'un gisement guère plus du quart des hydrocarbures qu'il renferme. Si l'on veut en retirer davantage de pétrole, on devra y injecter du gaz ou de l'eau afin de maintenir une pression constante. Ici, l'on a recours à l'eau de mer. Ce système nécessite des pompes, ainsi qu'une centrale d'énergie pour les entraîner.

Les *jackets*, quant à eux, ont requis une étude des plus minutieuses, car ce sont eux qui sont soumis à l'action des vagues et qui doivent supporter le pont pendant toute la durée de l'exploitation, soit plusieurs décennies. Le *jacket* doit non seulement résister à la houle des fortes tempêtes, mais aussi à l'action répétée des grandes vagues comme des petites, qui agissent quotidiennement sur l'ouvrage. Ainsi, en vingt ans, une plate-forme en mer du Nord voit passer 100 millions de vagues de toutes les

Plusieurs fois chaque hiver, des vagues de plus de 20 m balaient les installations pétrolières en mer du Nord, comme ici à Ekofisk Center. Les météorologues sont très intéressés par les observations que l'on peut faire à ce sujet. C'est pourquoi, outre les jauges placées sur les plates-formes, une bouée équipée d'un sonar a été mise au point pour mesurer les vagues.

Adair, le « pompier volant »

Le Texan Paul Neal Adair s'est acquis un surnom légendaire, Red. Ce n'est pas seulement à ses cheveux roux ni à son caractère haut en couleur qu'il le doit. En effet, tout chez lui est rouge — c'est devenu un label commercial pour la Red Adair Oilwell Fire & Blow-Out Co., de Houston —, des combinaisons d'amiante de ses équipiers aux murs de ses bureaux, de ses cravates à ses Cadillac. Rouge comme danger.

Pilote automobile depuis 1939, il fut recruté par Myron T. Kinley (qui inspira à G. Arnaud son célèbre roman *le Salaire de la peur*) à la suite d'un spectaculaire accident qui le lança à plusieurs mètres de son véhicule. Ce ne sera pas — loin de là — le dernier accident de Red Adair au cours de sa carrière, car ni lui ni ses compagnons (Boots Hansen, Toots Hatteberg et Coots Matthews, dont le salaire annuel dépasse celui du président des États-Unis) ne peuvent compter les brûlures et les fractures qu'ils ont accumulées en plus de mille interventions sur des puits en fuite ou en éruption. L'une des plus spectaculaires eut lieu en 1962 au Sahara, lorsque le puits de Gassi Touil brûla pendant près de six mois, avec une flamme de 150 mètres de haut, qui fut aperçue de l'espace par le cosmonaute John Glenn... L'explosion de 300 kilos de dynamite parvint à éteindre le brasier, qui sans cela, selon les experts, aurait pu durer cent ans.

L'intervention du « pompier volant » au puits d'Ekofisk, en 1977, ne fut pas la plus difficile ni la plus périlleuse de sa carrière, mais, pour avoir stoppé le déversement qui avait atteint 20 000 tonnes en une semaine (une nappe de 4 000 km²) dans une des zones les plus poissonneuses du monde, il fut considéré comme un sauveur par l'opinion internationale sensibilisée depuis plusieurs années aux problèmes d'environnement. D'autant plus qu'il avait, dans une interview accordée à la B.B.C., un mois auparavant, mis en garde les autorités riveraines sur les risques de pollution qu'entraînait la production pétrolière en haute mer. Il avait même proposé la construction de bateaux-pompes semi-submersibles pouvant atteindre les gisements en moins de vingt-quatre heures.

Presque septuagénaire, Red Adair fut chargé, en 1983, de coordonner la lutte contre la plus grande marée noire survenue à ce jour : celle du golfe Persique, où, à la suite du conflit entre l'Iran et l'Irak, 10 000 tonnes de brut s'échappaient chaque jour de huit puits (débit trois fois supérieur à celui de la fuite d'Ekofisk). Mais, faute de compromis entre les États belligérants, il ne put finalement intervenir.

Le secret de ses transactions avec les sociétés pétrolières, qui n'hésitaient pas, rapporte-t-on, à lui confier un chèque en blanc avant une opération, est également entré dans la légende. Il n'y eut jamais de réclamation, car, comme le disait son compagnon Coots Matthews, « lorsqu'on est frappé d'une attaque cardiaque, on ne négocie pas avec le médecin... »

Red Adair, le pompier volant, en pleine action.

L'accident d'Ekofisk en mai 1977. Suite à une avarie, le pétrole jaillit vers le ciel avec un débit journalier de 3 000 à 4 000 t. Le Seaway Falcon arrose la plate-forme Bravo afin de prévenir un éventuel incendie ou une explosion. Les remontées de boues utilisées pour colmater le puits en éruption pouvaient transporter de petits cailloux susceptibles de heurter des parties métalliques et provoquer une étincelle.

hauteurs et doit résister à leurs effets cumulés. La houle joue en effet un rôle déterminant dans la résistance de la plate-forme. Lorsque l'on observe le mouvement des vagues, celles-ci donnent l'impression d'avancer, or il n'en est rien ; la masse d'eau qu'elles mettent en branle suit une trajectoire circulaire (rouleau). Cette trajectoire exerce des poussées alternatives pouvant être dommageables aux éléments immergés. Comme les efforts dus aux vagues sont à leur maximum près de leurs crêtes, on a tout intérêt à diminuer le diamètre des éléments tubulaires dans leur partie supérieure. Par contre, le diamètre des entretoises augmente lorsqu'on se rapproche du fond.

D'autre part, il a fallu prévoir une hauteur suffisante pour le treillis afin que la vague centenaire ne vienne pas déferler sur le pont. C'est pourquoi le pont de chacune des plates-formes d'Ekofisk est bâti à 25 mètres environ au-dessus de l'eau par temps calme.

Sur d'autres sites de la mer du Nord, ce pont peut supporter plusieurs étages ; c'est le cas notamment lorsque la profondeur de l'eau ou la faible importance du gisement rendent onéreuses l'implantation de plusieurs plates-formes sur le même site et la séparation des quartiers d'habitation et des installations de traitement.

Ainsi, par exemple, pour le champ de Magnus, exploité par BP en mer du Nord, dans 186 mètres d'eau à partir d'une seule plate-forme, haute de 212 mètres, le total des charges sur le pont atteint 40 000 tonnes.

À Ekofisk, il n'a pas seulement fallu prémunir les plates-formes de l'effet de la houle, mais aussi de la fureur éolienne ; ainsi sont-elles conçues pour résister à des vents de 170 kilomètres à l'heure.

Chacun sait à quel point la mer du Nord compte parmi les plus inhospitalières du monde. Le mauvais temps y est une donnée quasi permanente, et tout particulièrement en hiver, où les tempêtes sont très fréquentes : les vents atteignent une vitesse de 150 à 200 kilomètres à l'heure et les vagues ont souvent des creux de 15 mètres.

La rigueur de ces conditions s'accroît plus on monte vers le nord. Dès lors que l'on a franchi l'archipel des Shetland, qui n'offre qu'une protection précaire, aucune terre ne vient faire obstacle au déchaînement des vents de l'Atlantique Nord. Le temps devient imprévisible, et les pétroliers doivent se préparer à essuyer de nombreux « coups de tabac ».

La multiplication des plates-formes en mer du Nord et leurs très nombreuses observations ont permis de faire avancer les connaissances sur cette partie du globe. De nombreux principes ont dû être révisés. Ainsi, le manuel de météorologie de l'amirauté britannique, sommité en la matière, considérait comme tout à fait exceptionnelle une vague de 14 mètres. Avant l'ouverture des chantiers pétrolifères, on avait homologué, dans l'Antarctique, le record absolu de 18 mètres. Or sur les plates-formes du gisement de Frigg on a pu mesurer lors d'une tempête, en novembre 1977, une vague de 25,70 m. Les météorologues ont donc dû recalculer complètement la « vague centenaire » : il s'agit de la houle qui doit statistiquement se produire une fois par siècle ; il y a donc chaque année une chance sur cent de la rencontrer. Pour le gisement de Frigg, par exemple, l'amplitude de cette vague atteint les 29 mètres. Ce n'est donc pas sans raison que l'on a pu dire qu'un équipement qui résiste en mer du Nord résistera partout !

Le degré de perfectionnement atteint par une installation du type de celle d'Ekofisk, comme toute grande réalisation humaine, marque une étape dans le progrès technique, où les procédés nouveaux s'appuient sur les résultats antérieurs pour ouvrir une voie nouvelle.

Serge FLEURY

ITAIPU

Le plus grand barrage du monde

Un chantier dont on ne voit jamais la fin, c'est un peu comme la pleine mer. Suivant les jours ou l'humeur, l'horizon éternellement perdu exalte ou épouvante ; l'immensité berce ou angoisse. Mais, de toute façon, cela vous marque l'âme. Y vivre pendant des années vous laisse à jamais différents.

Les hommes d'Itaipu sont ainsi marqués. Ils portent un nom prestigieux, en brésilien : *os barrageiros* — « ceux des barrages ». Certains ont bâti cinq, six, huit barrages depuis que le Brésil s'est lancé dans la quête acharnée de l' « énergie blanche ». Mais ceux d'Itaipu ont droit à un regard spécial, avec cette nuance de respect presque involontaire qu'on accorde aux hommes des exploits impossibles.

Car ils sont, eux, les plus grands *barrageiros* du monde : 28 000 hommes pendant neuf ans qui se sont battus de nuit comme de jour avec un défi : Itaipu, le plus grand barrage de tous les temps. 28 000 fourmis qui pendant un long moment de leur vie n'ont vu qu'un océan — à perte de vue — de fer et de béton, et d'autres fourmis. Le béton qu'ils ont fabriqué, coulé, lissé à la main, permettrait de reconstruire Rio de Janeiro, une ville de cinq millions d'âmes. 80 000 tonnes de fer leur sont passées entre les mains, mesuré, coupé, coudé, soudé au millimètre près. Le barrage, dans sa totalité, est long de 8 kilomètres. Et, avec sa capacité de 12 600 mégawatts, Itaipu est six fois plus puissant que le barrage d'Assouan...

Ce sont des chiffres qu'on cite, au Brésil, avec satisfaction — comme pour en finir, une bonne fois, avec l'imagerie lassante d'un Brésil tout entier peuplé de danseurs de samba et de figurants de carnaval.

L'idée d'Itaipu est née d'ailleurs (en pleine crise pétrolière) dans l'une de ces noires périodes que le Brésil traverse régulièrement sans que le reste du monde, irrémédiablement fasciné par le charme brésilien, paraisse jamais s'en douter. Car l'un des malheurs du Brésil est d'être dépourvu de pétrole et tout autant de dollars (comme on le sait, sa dette extérieure est l'une des plus fortes du monde). Pour ce pays presque vierge, largement

Chantier de nuit sur le barrage principal. Le travail ne s'arrête jamais. Au milieu d'une forêt de tiges d'acier, les entrailles ouvertes du monstre laissent entrevoir, tout au fond, les repaires des turbines géantes. L'usine construite autour d'elles atteint près de 1 km de longueur sur 100 m de large.

inexploité et aussi vaste qu'un continent, la crise du pétrole, durement ressentie partout ailleurs, fut un coup mortel. Ce que l'on sait sans doute moins, c'est que ce pays, vertigineux à force de contrastes, est le plus avancé du monde dans le domaine de la recherche des énergies de substitution. Dès 1932 — eh oui ! alors que le pétrole semblait devoir jaillir éternellement, et pour ainsi dire gratuitement, de puits sans fond —, les Brésiliens, avec près d'un demi-siècle d'avance, faisaient déjà rouler leurs premières voitures à alcool.

Dans leur esprit, Itaipu, devant permettre d'économiser 15 millions de tonnes de pétrole par an, n'était qu'un jalon parmi d'autres dans la course à l'énergie inépuisable. Ce qui a étonné, outre-frontières, c'est qu'il fût aussi immense. Il n'est, en fait, qu'à la mesure du pays. Pas même : à la mesure de la ville de São Paulo, la folle mégapole à 1 500 kilomètres de là, qu'il est principalement destiné à alimenter. São Paulo, l'exubérante « locomotive » du pays, aura 25 millions d'habitants d'ici la fin du siècle. On dit que c'est la seule ville au monde qui, toutes les vingt-quatre heures, possède 1 000 habitants, 300 voitures, 60 immeubles et 2 kilomètres d'asphalte de plus...

L'histoire d'Itaipu débute en 1973 par l'accord signé entre le Brésil et son petit voisin, le Paraguay — les deux pays se partageant justement l'atout principal de l'affaire : le fleuve Paraná, qui leur sert de frontière. Car Itaipu, on l'oublie facilement, est une entreprise binationale, même si la totalité de son ingénierie et 80 p. 100 de son matériel sont brésiliens. Sur le terrain, l'épopée commence deux ans plus tard par la mise à feu de quelque 8 millions de kilos d'explosif qui finissent à la longue — en trois ans — par excaver l'une des roches les plus dures qui soient, le basalte, sur 2 kilomètres de long, 150 mètres de large et 90 mètres de profondeur. C'est la première étape : la construction du canal de dérivation du Paraná. Est-il utile de préciser que c'est la plus importante dérivation d'eau jamais réalisée ? Mais ce n'est qu'un hors-d'œuvre.

En avril 1979, sur l'ancien lit asséché du fleuve, commence la mise en place des infrastructures du chantier principal, sur un espace décourageant : 100 kilomètres carrés... Mais « Patience ! le Brésil est grand ! » dit adéquatement un proverbe national. Le programme d'Itaipu, lui, n'a cure de la sagesse des nations : il s'est donné exactement quatre ans pour que toutes les structures soient achevées et que tourne la première de ses 18 turbines. Le Brésilien, par nature, n'est pas homme à

s'étonner d'une extravagance. Dans la localité, la construction des premières autoroutes, l'installation des câbles suspendus d'une rive à l'autre, l'arrivée des premières colossales machines, même les huit gigantesques grues capables de transporter 530 mètres carrés de matériaux à l'heure, le laissèrent assez froid. La construction de deux centrales de concassage de roches le surprit davantage, surtout quand il apprit qu'elles pouvaient fournir des quantités aussi inusitées que 2 000 tonnes de gravier à l'heure. Les six usines de bétonnage qui suivirent, capables de produire plus de 1 000 mètres cubes de béton à l'heure — de quoi construire plusieurs villes ! — le laissèrent incrédule. Mais l'installation finale de deux fabriques de glaçons, débitant 20 tonnes de glace toutes les 30 minutes... c'était trop, on en parle encore ! Des techniciens expliquèrent courtoisement que ce n'était pas une nouvelle inutile folie, mais au contraire la technologie la plus raffinée pour refroidir le béton à la température moyenne idéale de 20 °C... C'est alors qu'on sut, pour de bon, qu'il allait se passer ici un événement extraordinaire.

Rien de plus inquiétant, au premier regard, qu'un chantier aussi colossal : on dirait une ville morte. L'esprit s'ajuste lentement à des proportions jamais vues, cherchant en vain quelque point de repère familier. Il faut longtemps pour comprendre que quelques infimes têtes d'épingle, se mouvant avec des lenteurs de lémuriens, sont en fait des hommes. Il faut en avoir repéré un pour que d'un seul coup la grouillante fourmilière devienne visible, inimaginable, fantastique, dérisoire... Même les effrayants camions de 75 tonnes paraissent ici des miniatures essoufflées par des chargements d'allumettes. L'immensité du décor fige tout mouvement, absorbe tout bruit, comme dans une cité engloutie, mollement balancée par des courants sous-marins.

Et pourtant, les batteries de foreuses, les concasseuses, les bétonneuses, les grues géantes grinçant sans trêve sur leurs rails, le crissement des wagons de béton en éternel mouvement sur leurs câbles suspendus, tout envoie vers le ciel un vacarme que tout avion perçoit à 20 kilomètres à la ronde. Mais ici, au pied des murailles, ce qui vous atteint n'en est que l'écho mille fois assourdi, mille fois brisé par mille obstacles : une sorte de bruit de fond feutré, comme le ronronnement d'une énorme machine parfaitement huilée.

Il faut attendre la nuit pour que s'épaississe le mystère. Le soir tombe vite, ici. Le ciel s'embrase d'un seul coup, et jamais le barrage,

L'avant-garde des bâtisseurs travaille dans les nuages pour créer « l'âme » du barrage, fixant les armatures d'acier barre par barre. Chaque morceau de treillis est monté avec le soin d'une pièce unique, mais la cadence des hommes est vertigineuse. 80 000 t d'acier leur passeront entre les mains — de quoi construire trois tours Eiffel.

flanqué de sa bizarre machinerie, ne paraît alors aussi beau, aussi irréel, comme quelque citadelle extra-terrestre toute dorée, toute armée d'inconcevables outils brillants comme des soleils. C'est l'heure de la relève du soir. Des files d'hommes brusquement surgies des entrailles du monstre apparaissent de nulle part, formant de lentes colonnes harassées, en marche vers les seize cabines de pointage. La plupart s'arrêtent aux postes d'eau et boivent, à longues gorgées, le regard toujours tourné vers les murailles. Certains s'attardent encore, quand ils n'ont plus soif, avec une expression curieusement attentive. « C'est leur œuvre, et ils ne sont pas blasés, me dit doucement un jeune ingénieur. C'est ça, peut-être, qui vous manque le plus, dans vos pays d'Europe... »

Dans les étroites baraques de pointage défile ce soir le Brésil tout entier, un Brésil jeune et vieux, un Brésil blanc, noir, indien, métissé... Beaucoup ressemblent à de maigres paysans aux joues creuses, certains ont la blondeur scandinave, d'autres le sombre regard de Siciliens madrés, quelques garçons

Travail d'orfèvre pour artisans méticuleux. Centimètre par centimètre, le béton, lissé à la main, s'élèvera jusqu'à 195 m de haut au point culminant du barrage. Il faudra quatre ans pour monter ce mur, mais il est sans faille. La tâche est répartie entre de très petites équipes pour des raisons de perfection, et ces hommes se sentent tous solidairement responsables.

presque imberbes portent des cascades de mèches bouclées qui leur tombent jusque sur les épaules. Tous sont gris de fatigue et de poussière. *Os barrageiros...* 60 p. 100 d'entre eux sont brésiliens, les autres paraguayens, avec juste 1 p. 100 d'étrangers « venus d'ailleurs ».

Leurs mains encore crispées sur d'invisibles outils ont du mal à saisir leurs fiches de pointage. Deux ou trois hommes chancelants s'adossent au mur, allument une cigarette et contemplent la petite carte entre leurs doigts gourds comme s'ils y voyaient soudain la matérialisation de tous leurs rêves. Dans quelques instants, deux cents cars dépourvus de sièges, et baptisés pour cette raison les « sambas de Bahia » parce qu'on ne peut y voyager qu'en dansant, vont les ramasser pour les ramener chez eux.

L'équipe de nuit, elle, est déjà en place. Dans le ciel assombri le barrage illuminé par des milliers de projecteurs prend maintenant des allures fantomatiques. Les nouveaux hommes se sont engloutis dans le chantier blafard.

Haut dans le ciel, on ne voit d'eux que leurs ombres et, çà et là, les fulgurantes étoiles bleues de leurs soudures à l'arc. Pas une seconde le chantier ne s'est arrêté.

C'est l'heure aussi où, à tous les étages de la hiérarchie, ont lieu d'autres pointages dans des bureaux allumés tard dans la nuit. Des ordinateurs vomissent des flots de chiffres, additionnent, soustraient, comparent, jettent leurs oracles devant des cercles plus attentifs que n'en eut jamais la Pythie. Un seul retard de livraison peut prendre des allures de catastrophe, comme si brusquement tout un pan du barrage s'effaçait, avec deux ou trois mille hommes d'un seul coup au chômage. Mais les ingénieurs ont l'habitude : ce genre de catastrophe est quasi hebdomadaire. Ils ont appris à compenser, de quelques coups de crayon sur des schémas aussi compliqués que des plans de gares de triage : sur le papier, des armées d'hommes, des tonnes de matériel se déplacent en quelques secondes de plusieurs kilomètres, vers des secteurs disponibles. Puis les consignes descendent la filière, jusque tout au bas de l'échelle, jusqu'aux maçons Luís ou Maurício qui dorment dans leurs petites maisons préfabriquées et apprendront demain qu'ils iront travailler ailleurs, à l'autre bout du chantier, autant dire sur une autre planète. Et Luís ou Maurício hausseront les épaules : sur un barrage, on ne sait jamais, les chefs ont toujours des caprices imprévisibles. Mais le Programme, le Programme sacré, sera respecté, foi de Brésilien ! Car ils sont tous brésiliens, les ingénieurs d'Itaipu. Et tous en ont tant entendu sur la « fantaisie » brésilienne que le respect du programme, pour eux, est devenu une question d'honneur (de fait, le barrage a été terminé exactement à la date prévue, en 1983).

C'est Victorino, le maître des balises, qui en conçoit peut-être le plus de migraines. L'abord du chantier, littéralement sculpté de chemins qui se croisent et s'entrecroisent, et se dédoublent et se superposent, et parfois semblent tourner éternellement en rond, est son exclusif royaume, où lui seul ne semble pas totalement perdu. Armé d'un plan qui ressemble à une toile d'araignée, il est seul à savoir qu'à tel rond-point les cinq plus belles routes, larges et bien dessinées — celles qu'on a automatiquement envie de prendre —, n'aboutissent plus depuis deux jours qu'à des culs-de-sac. Pour rejoindre leur point de travail, les monstrueux camions-bennes de 75 tonnes doivent désormais emprunter une nouvelle piste, à peine visible.

C'est la nuit que cela devient un cauchemar : chaque piste doit être balisée par des tonneaux de pétrole enflammé, et certaines pistes

À perte de vue, les hommes aux prises avec une jungle de métal construisent leur défi à l'un des fleuves les plus capricieux du monde. Mais ils ne sous-estiment pas le Paraná. Pour ses colères soudaines, ils ont prévu une soupape de sûreté à sa mesure : un déversoir capable d'évacuer l'eau de ses crues au rythme de 58000 m³ par seconde.

changent chaque jour... C'est un étonnant spectacle, dès que le soir tombe, de voir ces armées de véhicules aussi hauts que des maisons rouler avec des prudences de scarabées, cherchant lentement leur chemin dans un fouillis de braseros. Victorino s'est forgé ici un tempérament inquiet : il suffirait de deux ou trois tonneaux mal placés pour qu'un conducteur tourne en rond toute la nuit...

Un barrage, même colossal, se monte par portions qui ont presque mesure humaine. À voir une quinzaine d'hommes à genoux sur des planches lisser le béton à la truelle, avec tout le soin artistique d'un pâtissier glaçant un gâteau, on pourrait les croire en train de parachever un court de tennis. Sauf que derrière eux, quinze hommes pareillement agenouillés s'affairent aux mêmes tâches, et quinze autres encore, ensuite, jusqu'à perte de vue. Sauf qu'au-dessus d'eux des milliers d'autres hommes s'occupent sans relâche à monter des treillis métalliques, comme des échelles vers le ciel. Et qu'un jour — quelques années plus tard — les petits terrassiers, le nez toujours sur leurs truelles, se retrouvent à 200 mètres dans les nuages.

Entre-temps, ils ont pris, parfois, le temps de déjeuner. À travers des jungles de barres métalliques, on leur apporte à domicile, par oscillantes piles de quinze, des plats chauds hermétiquement enrobés d'aluminium. Chacun contient exactement 2000 calories, calculées par des diététiciens. Usine dans l'usine,

l'immense cuisine du chantier emploie 180 personnes, cuit 480 kilos de riz en 20 minutes, produit 900000 repas par mois et peut servir 23 ouvriers à la minute... Rien n'est laissé au hasard : les ouvriers bien portants font les bons barrages.

Et si c'est au pied du mur qu'on mesure le maçon, c'est en haut de la digue qu'on mesure le *barrageiro*. L'œuvre doit être parfaite : c'est-à-dire sans une bulle d'air. Un homme comme Ramiro, contremaître en maçonnerie, se reconnaît instantanément à son regard qui balaie sans relâche l'espace. Ils sont plus d'une centaine comme lui sur le chantier, qui portent tous la même expression à la fois concentrée et mobile de chasseurs aux aguets. Sur les terrassements tout frais, tandis que sèche le béton aussi lisse que du marbre, eux déambulent lentement, méthodiquement, scrutant l'œuvre, soupesant la matière, sursautant à chaque ombre, cherchant le repli, la brisure, la faille, le fétu de paille... « Une fissure minuscule, une fissure de la taille d'un crayon, c'est bien assez pour faire s'écrouler un barrage », répète soucieusement Ramiro, chaque jour. Il a trente ans de métier. Il y a trente ans que, d'un barrage à l'autre, d'un bout du Brésil à l'autre, il guette la « fissure ». Longtemps encore, le soir, écroulé sur son lit et cherchant le sommeil, les yeux au plafond, il la cherche.

Car ceux des barrages connaissent la perversité des fleuves : s'il existe une faille, ces derniers la trouvent toujours. Et alors ils s'y

Le barrage en chantier, sur le lit asséché du Paraná. Toute la région est aujourd'hui inondée sur 170 km de longueur. À lui seul, Itaipu peut fournir les deux tiers de l'électricité produite par le Brésil avant sa construction. Ce n'est qu'une étape : 90% des ressources énergétiques du pays sont encore inexploitées.

engouffrent, vengeurs et fous de liberté retrouvée, pulvérisant tout sur leur passage. C'est pourquoi, à Itaipu, tout est contrôlé deux fois. Et le grand Paraná prisonnier ne passera plus nulle part ailleurs que par les dix-huit passages qu'on lui a ménagés, où l'attendent dix-huit turbines pour muer sa violence en force utile.

Fabriquées à 85 p. 100 au Brésil (sous licence Creusot-Loire et Neyrpic), ces dix-huit turbines se doivent, bien sûr, d'être les plus grandes jamais construites au monde. Chacune de leurs roues atteint presque 7 mètres de diamètre et pèse 300 tonnes. Elles ont été montrées, orgueilleusement, à tous les visiteurs, bien avant d'être enfin montées à leurs postes respectifs. Mais pour le profane, ces montagnes d'acier donnaient surtout l'impression d'être là, immobiles, pour l'éternité, car on n'imaginait pas quelle force au monde pourrait jamais les faire bouger. Mais la puissance de débit du Paraná est de 8500 mètres cubes à la seconde... Aujourd'hui, les turbines géantes d'Itaipu ne peuvent s'empêcher de

Les grands barrages

On compte aujourd'hui plus de 30 000 barrages dans le monde — dont 45 p. 100 en Chine. En Europe, environ 70 p. 100 des sites « équipables » (contre 5 p. 100 seulement en Afrique) ont été utilisés.

Les plus grands réservoirs artificiels sont ceux d'Owen Falls en Ouganda (205 milliards de mètres cubes, de Bratsk, en U.R.S.S. (169,2), d'Assouan, en Égypte (169). Pour fixer les idées, ces retenues gigantesques sont presque cent fois plus grandes que le plus vaste réservoir de France, celui de Serre-Ponçon (2,1 milliards de mètres cubes.

Parmi les barrages en béton, le barrage-voûte reste le fleuron de la plus fine technique. Exemple de stupéfiante légèreté où des parois minces — mais cintrées à la courbure exactement nécessaire — sont conçues pour résister à des pressions de trois à cinq fois supérieures à la poussée des eaux.

Le plus haut barrage du monde, Inguri en U.R.S.S. (272 m), appartient à ce type, considéré comme le plus sûr de tous.

Mais près des trois quarts des barrages actuels ne doivent rien au béton. Ce sont des barrages remblayés : barrages en enrochement, et surtout en terre, de construction moins onéreuse. Pour des hauteurs généralement modiques, ils permettent d'utiliser les matériaux locaux, ne nécessitent qu'un outillage relativement simple, et n'obligent pas, comme le béton, à de coûteuses précautions d'emploi.

Il serait pourtant faux de croire que ce type de construction n'autorise que des ouvrages modestes : Assouan, avec ses 111 mètres de hauteur et sa colossale retenue, est remblayé principalement en sable. Mais Assouan est exemplaire à tous les titres. D'abord à cause de la solidarité du monde entier, on s'en souvient, pour sauver, sous l'égide de l'UNESCO, l'un

des chefs-d'œuvre de l'humanité : les deux temples d'Abou Simbel construits sous Ramsès II, que le barrage condamnait à disparaître. Ensuite par ses conséquences imprévues, qui témoignent des difficultés que les grands barrages peuvent engendrer de par leur gigantisme même. Notamment, l'infiltration de gisements de sel non repérés a rendu stériles des régions entières jadis cultivées.

La retenue en amont des limons du Nil a causé la disparition des sardines qui s'en nourrissaient en Méditerranée, privé le pays d'une de ses sources essentielles pour la fabrication des briques, et tant appauvri les terres qu'il faut aujourd'hui 2 millions de tonnes d'engrais chimiques pour compenser.

Mais les crues jadis dramatiques se sont stabilisées et le barrage a augmenté de 317 000 hectares la superficie cultivable de l'Égypte.

---

tourner, en effet, car chacune d'elles reçoit à chaque seconde une poussée de 8 500 tonnes.

Parfois, sur le chantier, passe comme une vague invisible : il s'est « passé quelque chose ». Où ? Comment ? Nul ne le sait. Seule certitude, il s'est « passé quelque chose » (on ne dit jamais autrement) quelque part. Ce genre de nouvelle traverse tout le chantier en moins d'une heure. Rien, apparemment, ne change. Pas une machine ne s'arrête, pas un homme-oiseau perché sur son treillis ne dévie la précision de sa soudure. Là-bas, dans le quartier des habitations, la première femme à capter la nouvelle la hurlera aux autres, et ce sera dans l'instant la peur vidant les cœurs de leur sang. Qui ? Qui ne rentrera pas ce soir ? Mais sur le chantier, pas un homme ne bouge.

Les précisions viendront plus tard, laconiques. Parfois, c'est quelqu'un de connu : « Le petit Octavio, du bloc 8... tu sais ? Dévissé. » Inutile de rien ajouter, la suite est trop évidente. « Dévisser » d'une hauteur quelconque, sur ce chantier partout hérissé de pieux, c'est toujours atterrir sur une forêt de pals. La ceinture de sécurité, pourtant, est obligatoire. Mais les femmes elles-mêmes se sont lassées de répéter la consigne. C'est que, là-haut, sur leurs treillis, les funambules vont trop vite. Question de cadence. « Et puis, bah ! on ne va pas contre le destin... »

D'énormes panneaux sur le chantier affirment le contraire : « La sécurité n'est pas une plaisanterie. La vie qui peut être sauvée est la vôtre. » Vaines exhortations, pour qui vient tout droit de son Nordeste natal, le « polygone de la faim ». Le Brésilien des terres les plus pauvres a gardé quelques archaïsmes du portugais colonial qui en disent long. Il ne vit pas, par exemple : il « passe par la vie »...

Le bonheur, à Itaipu, c'est que le destin y soit infiniment plus clément. Et le miracle, sans doute plus subtil, est qu'une mentalité millénaire change, sur un barrage. *Os barrageiros* ne sont pas seulement les ouvriers les mieux payés de leur pays : ils sont ceux qui « font » leur pays. Ils en ont la fierté. Ils sont aussi, peut-être, les derniers aventuriers

légaux du monde, des hommes toujours en mouvement, amoureux de tous les espaces.

Il a fallu, bien sûr, construire une ville. Et deux hôpitaux, une maternité, des écoles (13 000 élèves par an), des centres de loisirs, des terrains de sport, des églises... 28 000 travailleurs, avec leurs familles, cela représente 150 000 personnes.

En fait, ce sont trois villes qu'on a bâties, car même le grand compagnonnage des *barrageiros* connaît des distinctions à respecter. Villes sans nom : *Conjunto habitacional* A, ou B, ou C. L'un est réservé aux dirigeants, ingénieurs, techniciens : villas spacieuses entourées de jardins, destinées à demeurer. Le deuxième est la ville ouvrière, temporaire, aussi dépourvue de joie que toutes les cités ouvrières du monde. Mais des gamins bruns et fesses nues s'y poursuivent en riant, toutes les couleurs du monde y sèchent aux fenêtres, et la « chasse à la Dame Meilleure » (la quête d'un meilleur sort) y anime tous les regards.

Peu de meubles dans ces logements aussi transitoires que tout ce qui touche à la vie des *barrageiros,* mais la télévision presque toujours. La seule distraction, vous dira-t-on. La seule lucarne sur le pays, en tout cas, pour ces hommes qui ne connaissent du Brésil qu'un incessant corps-à-corps avec la violence de ses fleuves. Et l'on peut se demander comment ils le voient, leur pays inconnu, à travers leur petite lucarne, où l'on voit des familles brésiliennes moyennes évoluer à longueur de vie dans des décors volés à Cléopâtre, sans souci plus grave, apparemment, que de décider s'il faut ou non repeindre la Rolls... De quoi faire rêver, assurément, la jeune campagnarde à peine débarquée dans quelque enfer urbain — mais *os barrageiros ?*

« Images pour rire ! » dit Celsio, soudeur à ses heures — c'est-à-dire pendant onze heures d'affilée, perché tout là-haut dans la jungle des treillis. « Le rêve vrai, il est là », ajoute-t-il en sortant du fond de sa poche un bulletin de salaire tout froissé. S'y aligne une liste impressionnante d'heures supplémentaires (quand cet homme trouve-t-il le temps de dormir ?).

Et le rêve « vrai », pour tous, est le même : la maison qu'ils vont construire. *Leur* maison. Ils ont tous *leur* maison dans la poche. Encore deux ou trois, ou quatre barrages...

Entre-temps, la vie s'est organisée dans la ville sans nom, la vie à la brésilienne, où le *jeito* (l'astuce, la combine) est généralement synonyme de survie. Des cars poussiéreux y déversent régulièrement leur quota de bonnes épouses revenant de mission avec cinq ou six sacs plus hauts qu'elles, qui attirent immédiatement les foules joyeuses du voisinage. Les sacs contiennent les commandes de chacun : quelques dizaines de kilos de pommes de terre, de sucre, d'huile ou de lessive — le tout acheté, pour quelques *cruzeiros* de moins de l'autre côté de la frontière, au Paraguay, qui n'est qu'à deux pas : il suffit de traverser le pont... Attendrissant butin, en vérité. N'empêche. Quelques *cruzeiros* gagnés sur un kilo de haricots, c'est à la longue quelques tuiles de plus sur le toit de la maison qui est au fond de la poche.

Le dernier *conjunto habitacional* est réservé, lui, aux célibataires. On s'attendrait à y voir l'un de ces lugubres agglomérats de baraquements qui jalonnent si souvent les migrations des travailleurs. Mais la ville des hommes seuls, composée de chambrées de deux, trois ou quatre, comprend sa discothèque, ses salles de jeu, de billard, de télévision... Et — on vous les montre presque aussi fièrement que le barrage lui-même — des douches autant dire individuelles : une douche pour deux habitants. Visiblement, aucun nouveau venu n'imaginait même qu'un tel luxe fût possible.

Mais d'autres luxes sont infiniment plus impressionnants, comme l'assistance médicale ou l'école gratuite — dans un pays où des classes désertées à 70 p. 100 n'ont rien pour surprendre, où le taux d'analphabétisme fluctue aux alentours de 33 p. 100. Nombre de *barrageiros* ont ici appris à lire et à écrire. C'est de mille façons qu'un barrage comme Itaipu construit l'avenir.

ALINE DE NANXE

En 1967, il y avait un petit campement d'exploration au cœur de la sauvagerie du Moyen Nord québécois, à 1500 kilomètres de Montréal. C'était LG 2 avec ses 18 hommes, ses 9 tentes, sa maison en bois, son groupe électrogène, son hélicoptère et ses trottoirs de bois.

Ces ingénieurs, arpenteurs, géologues, techniciens et journaliers avaient pour mission de mesurer l'espace, d'ausculter la terre, d'interroger l'horizon, de fouiller le lit des rivières du territoire de la Baie James. Ils préparaient l'une des plus grandes aventures du monde moderne : la réalisation du complexe La Grande, au milieu de nulle part et dans un environnement hostile, permettant à Hydro-Québec de doubler sa capacité de production en 1985, soit 10 282 mégawatts de plus.

C'était au cœur de la taïga, au pays des Cris et des Inuit, des castors, des caribous, des poissons « longs comme ça », des épinettes noires rabougries, des aurores boréales, du froid franc comme une lame d'acier, et des millions de moustiques qui arrachent la peau.

La Grande Rivière coulait d'est en ouest, sur une distance de 800 kilomètres, pour se jeter dans la baie James. La rivière Caniapiscau prenait elle aussi sa source à l'est, mais allait rejoindre la baie d'Ungava au nord. Au sud-ouest du territoire de la Baie James, les eaux de trois autres rivières, l'Eastmain, l'Opinaca et la Petite Rivière Opinaca descendaient paisiblement vers la baie James.

Aujourd'hui, trois grands barrages bloquent les eaux de La Grande Rivière pour alimenter trois immenses réservoirs et faire tourner les turbines de trois gigantesques centrales, LG 2, LG 3 et LG 4 (LG pour La Grande). La rivière Caniapiscau ne coule plus vers le nord. Les hommes l'ont détournée vers l'ouest en canalisant ses eaux vers LG 4. La Caniapiscau emprunte maintenant la route de La Grande Rivière, tout comme les rivières Eastmain, Opinaca, et la Petite Rivière Opinaca.

L'aménagement du complexe La Grande, phase 1, a représenté un défi de tous les instants : arracher 1500 kilomètres de route à la taïga, construire 5 villages et 5 aéroports, 14 campements pour héberger les travailleurs, ériger 215 digues et barrages, déplacer un volume de matériaux suffisant pour construire quatre-vingts fois la pyramide de Chéops.

Tout a commencé en 1971, alors que la centrale de Churchill Falls, au Labrador, et celles du complexe Manic-Outardes, sur la côte Nord du Québec, permettaient de répondre aux besoins des Québécois jusqu'à la fin des années 70. Déjà, il fallait faire de nouveaux choix pour les années 80. Depuis 1965, une poignée de spécialistes sillonnaient la région de la baie James pour effectuer des études géologiques, topographiques et hydrologiques. Ces pionniers déterminèrent avec précision les possibilités d'aménagement hydroélectrique des cinq principaux cours d'eau, soit les rivières Nottaway, Broadback, de Rupert, Eastmain et La Grande Rivière.

C'est dans ce contexte qu'Hydro-Québec, puissante société d'État produisant 81 pour 100 de l'électricité du Québec, obtient du gouvernement le feu vert pour entreprendre des travaux dans cette région inconnue. Le 23 juin 1971, le Premier ministre Robert Bourassa dépose à l'Assemblée nationale un projet de loi créant la Société de développement de la Baie James (S.D.B.J.). Cet organisme a le mandat de mettre en valeur les richesses d'un territoire de 350 000 kilomètres carrés.

BAIE JAMES

L'épopée des derniers pionniers du Québec

Le territoire de la Baie James représente un quart de la superficie du Québec. Il équivaut à la Belgique, la Hollande, l'Allemagne de l'Ouest et la Suisse réunies. On pourrait y loger tous les États de la Nouvelle-Angleterre, et il resterait de la place pour le Maryland et Hawaii. C'est plus de la moitié de la France ! Il fait partie du Bouclier canadien, vaste socle

La Grande Rivière s'étire d'est en ouest, à quelque 1000 km de Montréal, sur une distance de 800 km, drainant un bassin de 97 400 km² avant de se jeter dans la baie James. Son débit est de 1700 m³/s et sa dénivelée de 548 m : deux atouts majeurs pour un aménagement hydroélectrique.

constituant un plateau et caractérisé par des formations géologiques très complexes qui remontent à la période du précambrien, il y a 2 500 millions d'années. Cette région a été sculptée par de nombreuses glaciations.

L'année 1971 n'est pas terminée que le gouvernement du Québec annonce la formation de la Société d'énergie de la Baie James (S.E.B.J.), qui deviendra une filiale d'Hydro-Québec. Sa mission est de développer le potentiel hydroélectrique des rivières du versant québécois de la baie James. Le choix des rivières à aménager n'est pas encore déterminé. Une chose est cependant certaine, c'est vers le nord qu'on ira chercher l'énergie.

Un premier grand défi se pose : comment se rendre dans ce territoire farouche et isolé autrement qu'en hélicoptères et en petits avions ? Car la route et le chemin de fer venant de Montréal s'arrêtent à Matagami, petite ville minière située à 630 kilomètres au sud de La Grande Rivière. Or, pour commencer les travaux, il faut des hommes. Et pour avoir des

hommes, il faut les loger, les nourrir, leur fournir les équipements nécessaires. Les petits avions ne peuvent transporter des milliers de tonnes de carburant, de ciment, d'acier, d'explosifs. L'unique solution est de construire une route de Matagami vers le nord.

Hydro-Québec profite du froid automnal qui engourdit déjà cette région pour tracer une première route d'hiver. C'est l'époque où les défricheurs, accompagnés de spécialistes, envahissent un territoire que l'homme blanc ne connaît pas. Le ciel est subitement sillonné par des dizaines d'hélicoptères et des hydravions. Sur terre, 83 hommes travaillent de 12 à 14 heures par jour, 7 jours par semaine, dans un désert blanc, immobile, majestueux et angoissant : aucun signe de vie, pas un animal. Certains jours, les rafales de vent jettent dans les yeux des flocons de neige durs comme des glaçons. Les hommes du Sud font l'apprentissage de la vie au Moyen Nord québécois.

Des difficultés de taille se présentent : les sols sont friables à cause de la haute teneur en argile, ou terriblement durs à cause du roc métallique ; douze rivières croisent le tracé de la route et des tourbières occupent 10 pour 100 du corridor.

Pour franchir les rivières, l'homme redécouvre ce qui était autrefois fréquent au Québec : le pont de glace. Une dizaine d'hommes courageux travaillant 18 heures par jour à une température de −30 à −40 °C peuvent créer une surface de roulement de 160 centimètres d'épaisseur, capable de supporter une masse en mouvement de 80 tonnes.

Peu à peu, le tracé fait son chemin... vers le nord. Ce sera presque le même tracé qui servira à la route permanente. Celle-ci, d'une longueur de 450 milles (735 km) sera construite par la S.D.B.J. en 450 jours ! Elle reliera Matagami à LG 2 et Fort George, municipalité indienne située sur une île à l'embouchure de La Grande Rivière.

Comparable aux meilleures autoroutes d'Amérique, cette route peut résister à des charges de 500 tonnes. Douze ponts, dont plusieurs sont impressionnants, franchissent les rivières. Coût total : 348 millions de dollars.

Entre-temps, Hydro-Québec a décidé d'aménager d'abord La Grande Rivière plutôt que les rivières du sud du territoire de la Baie James. C'est la naissance du complexe La Grande. La responsabilité de ce « projet du siècle » est confiée à la Société d'énergie de la Baie James qui ne compte à son siège social qu'une douzaine d'employés... Dès lors, le petit campement des explorateurs à LG 2, sur les bords de La Grande Rivière, devient la cible n° 1. C'est le site de la plus puissante centrale hydroélectrique de la Baie James.

Une lutte quotidienne, vingt-quatre heures sur vingt-quatre, sept jours sur sept, s'amorce pour mobiliser les travailleurs et, surtout, pour acheminer matériaux et victuailles au premier chantier du complexe La Grande. En 1972-1973, la route est en pleine construction et ressemble parfois, lors des périodes de dégel, à un véritable bourbier. Les routiers font preuve de ténacité car, à 15 ou 25 kilomètres à l'heure, l'aller-retour exige une semaine.

La centrale LG2. Deux ponts roulants, d'une capacité de 405 t chacun, ont permis l'installation des équipements et assurent leur maintenance. La photo (prise en 1979) montre les bâches spirales, baptisées « colimaçons » par les ouvriers du chantier. Les générateurs fournissent 5 328 000 kW, soit la moitié de la production annuelle du complexe. Celle de LG 2, environ 36 milliards de kW/h, équivaut à la consommation d'une ville de 4 millions d'habitants.

Vue du chantier de LG 4 (sans doute en 1980). La centrale a été aménagée à 463 km de l'embouchure du fleuve, dans le site d'un goulet d'étranglement où La Grande Rivière, grossie des eaux de la rivière Laforge, tombait en cascade. Le creusement a été réalisé par paliers, ce qui explique la présence de trois gigantesques gradins sur les parois de l'excavation. LG 4 est équipée de neuf groupes turbine-alternateur. Les travaux, commencés en 1978, ont pris fin en 1983. La mise en service a eu lieu en 1984.

À LG2, le nombre des tentes est passé de 9 à 50. C'est l'époque du camping d'hiver dans le froid vif, l'éloignement et la solitude. La population se gonflant rapidement, la construction d'un vaste campement, sur un autre site plus propice, commence. Cinq ans plus tard, il hébergera plus de 6000 travailleurs. À la fin de 1973, les hommes passent des tentes aux dortoirs constitués d'éléments préfabriqués et transportés par la route.

Tout au long de 1974, la vie s'organise : une taverne, le téléphone public, un médecin, un prêtre, un bureau de poste, une succursale bancaire, des policiers, bref la société du Sud est reconstituée dans le Nord. La télévision de Radio-Canada est captée en direct.

La naissance de LG 2 est un miracle. Les constructeurs doivent constamment trouver des solutions à des problèmes inédits. Dans ce

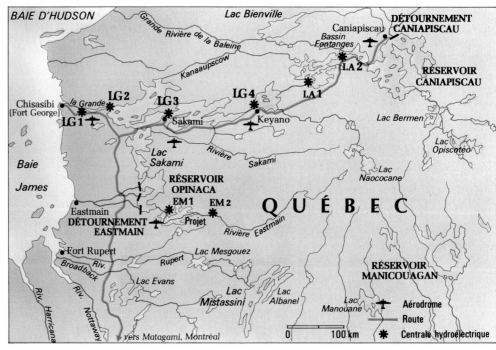

Après treize années de travaux, la phase 1 de l'aménagement du complexe La Grande est aujourd'hui achevée. Il comprend trois immenses centrales hydroélectriques implantées sur La Grande Rivière, LG2, LG3 et LG4, et le détournement de la Rivière Caniapiscau, qui constitue le plus grand lac artificiel du Québec. L'Eastmain, l'Opinaca et La Petite Rivière Opinaca furent également détournées vers La Grande Rivière afin d'alimenter les turbines de LG2. Pour la phase 2, les projets de nouvelles centrales sont à l'étude, notamment LG1, LA1, LA2 et EM1 (sur l'Eastmain).

pays constellé de lacs et de rivières, une usine de traitement de l'eau s'impose. Il est aussi d'une importance capitale d'avoir d'abord et avant tout... de l'électricité. Une centrale diesel est donc mise sur pied. Comme le sol est gelé en permanence et que le froid est sibérien, les tuyaux du réseau d'égouts et d'aqueducs sont installés en surface et entourés de câbles chauffants. Ces tuyaux sont placés dans des caniveaux de bois qu'on appelle utilidors. Ils deviennent très pratiques pour les travailleurs qui les utilisent comme trottoirs. Les Montréalais disent : « C'est notre métro hors terre. »

Un autre miracle se produit. Radisson, c'est le nom du célèbre explorateur français qui se rendit à la baie James en 1668 en compagnie de Chouart des Groseilliers. C'est aussi le nom du premier village à surgir à la Baie James. Situé à 5 kilomètres du campement de LG 2, ce village ultra-moderne héberge les familles des cadres et des entrepreneurs. Ses rues sont bordées de maisons et de roulottes mobiles. En période de pointe, il accueillera 620 familles et comptera 2 000 habitants. On y trouve une école, un supermarché, une auberge très confortable, un restaurant presque gastronomique et des installations récréatives et communautaires supérieures à celles de plusieurs centres urbains moyens du Canada.

Les années 1973 et 1974 sont aussi fertiles en émotions pour la S.E.B.J. L'été de 1973 est exceptionnel et surprend tout le monde. Durant trente-deux jours consécutifs, le mercure grimpe à 28 ou 30 °C sans jamais redescendre en-dessous de 22. C'est dangereusement trop beau : il n'y a plus aucune trace d'eau en forêt. La mousse à caribou est sèche comme du papier. Trois foyers d'incendie éclatent et encerclent le campement de LG 2. La fumée a 100 mètres d'épaisseur dans le ciel. L'évacuation est nécessaire. Pour la première fois, un Boeing 737 se pose à l'aéroport permanent dont la piste vient tout juste d'être terminée. Quelque 250 travailleurs sont évacués vers le sud tandis qu'autant d'hommes combattent les feux. Pendant six jours, c'est une lutte de tous les instants. Les hommes ont peur d'être pris au piège. La situation devient si critique que le chef de chantier ordonne à 125 combattants d'aller coucher à la belle étoile à l'aéroport situé à 30 kilomètres de là. Puis la pluie commence enfin à tomber. Tous les travailleurs sont rappelés.

Le 15 novembre suivant, le juge Albert Malouf ordonne, comme l'ont demandé dix-huit mois auparavant les 7 000 Cris et Inuit, de cesser immédiatement tous les travaux à la Baie James. C'est la stupéfaction. Personne n'avait prévu un tel dénouement. La S.E.B.J., la S.D.J.B. et Hydro-Québec portent immédiatement la décision en appel. Sept jours plus tard, la Cour d'appel suspend l'injonction et permet la reprise des travaux. Durant les mois qui suivent, de longues négociations sont entreprises entre les différentes parties, y compris les gouvernements du Québec et du Canada. Ces négociations déboucheront sur l'acceptation de la convention de la Baie James et du Nord québécois en novembre 1975. Ce document de 640 pages constitue

La vie dans la Baie James

Au moins 150 000 Québécois ont choisi de vivre pendant des mois, souvent des années, dans le Moyen Nord du Québec. Pourquoi ont-ils quitté le confort des villes et des villages du Sud pour aller travailler comme des forçats dans cette immense étendue grisâtre, dans cet univers inconnu, sec, hostile ? Bien entendu, les motifs qui ont amené les uns et les autres à s'exiler sont variés. Tel opérateur de machinerie lourde, avec une famille à charge, n'hésita pas : il était en chômage. Telle secrétaire, qui bénéficiait d'un bon emploi dans un bureau d'avocats à Montréal, en démissionna par goût de l'aventure, par curiosité, pour faire l'expérience d'une activité hors de l'ordinaire. Les professionnels — médecins, ingénieurs, gestionnaires — y trouvaient une occasion unique de mettre leurs connaissances à profit, de relever un défi. Il y avait aussi, bien sûr, ceux qui n'avaient jamais travaillé que sur des chantiers, depuis tant d'années qu'il leur était impossible de vivre « en bas », au sud. Et puis, dans de tels chantiers de construction — comme partout ailleurs —, il faut de tout pour faire un monde ! Il y avait donc aussi des repris de justice, des commerçants malchanceux, des hommes d'affaires en faillite, des personnes fuyant la séparation ou le divorce, des aventuriers, des rêveurs, sans compter de nombreux jeunes cherchant à se constituer une réserve d'argent pour voyager ou se lancer dans la vie. Ces hommes et ces femmes — celles-ci représentaient 10 pour 100 de la main-d'œuvre — faisaient preuve de courage et de détermination. Ce sont, aujourd'hui, les derniers pionniers du Nord québécois.

Mais le grand dénominateur commun, c'était de pouvoir gagner de l'argent rapidement. Pourtant, le complexe La Grande n'avait rien à voir avec une loterie. Chaque dollar devait être gagné à la sueur de son front. Les salaires étant les mêmes dans l'ensemble du Québec, comment faire fortune ? En accumulant des heures supplémentaires. La semaine de travail normale était de 60 heures, réparties sur six jours. Des milliers de travailleurs, surtout durant les grandes périodes de construction (de mai à octobre), n'hésitaient pas à tenir leur poste 14 heures par jour, même le dimanche. Certains allaient jusqu'à refuser de prendre le congé auquel ils avaient droit tous les 54 jours — avec billet d'avion aller-retour gratuit vers Montréal et Québec —, afin d'avoir « le temps de... travailler ! »

Au plus fort des travaux dans les différents chantiers du complexe La Grande, en 1978 et en 1979, on comptait 20 000 employés (ouvriers, cadres, etc.) ; ils étaient logés dans les six campements principaux (celui de LG 2 comptait 6 000 travailleurs) et les cinq villages familiaux, comme celui de Radisson, à quelques kilomètres de LG 2. Ce village de maisons préfabriquées et

L'un des cinq villages destinés au logement des cadres et de leur famille qui vivaient toute l'année (et pour plusieurs années) au complexe La Grande. Cependant, la majorité des travailleurs ne séjournaient que de mai à octobre et étaient logés dans des campements de construction. Seul le village de Radisson subsiste : il sert aujourd'hui de plaque tournante pour le Moyen Nord québécois. Les autres villages ont été démantelés.

de roulottes mobiles abritait 500 familles.

C'est ainsi que, durant dix ans, de 1973 à 1983, les chantiers de la Baie James furent, pour la plupart de ceux qui avaient pris le risque d'y participer, une véritable planche de salut leur permettant de traverser les périodes de chômage et de crise, d'accumuler argent et expérience, de réaliser leur rêve : faire le tour du monde, s'acheter une maison, acquérir une ferme ou un commerce, lancer une petite entreprise. D'autres, cependant, n'ont pas pu s'adapter à ce mode de vie, à l'éloignement, à la solitude et à la promiscuité. Quelques-uns ont vieilli prématurément, d'autres sont morts d'épuisement.

De nos jours, les employés d'Hydro-Québec — société chargée d'exploiter les centrales de la Baie James — ont des conditions de travail particulières. C'est le régime « 8-6 », comportant le même nombre d'heures de travail qu'un horaire traditionnel, mais réparties différemment : ils travaillent 80 heures concentrées sur huit jours, puis prennent un repos de six jours dans le Sud, aux frais d'Hydro-Québec qui assure leur transport par avion.

la première entente moderne depuis les traités ancestraux. Elle établit les droits et obligations des autochtones, favorisant l'autogestion. Elle s'accompagne d'une compensation de 225 millions de dollars répartie sur vingt ans.

Un dernier coup dur marque les débuts de ce chantier. Le 21 mars 1974, à la suite d'un affrontement intersyndical, LG 2 est mis à sac : ses génératrices sont renversées, son système d'alimentation en eau potable brisé, des réservoirs d'huile sont percés, des dortoirs sont

incendiés. Les dommages s'élèvent à 2 millions de dollars. Il faut évacuer d'urgence le chantier, car il est impossible d'y vivre. Les travaux sont interrompus cinquante et un jours afin de remettre le campement en bon état.

À la fin de juillet, la vie prend une nouvelle tournure avec l'arrivée des premières femmes. Elles ne sont qu'une poignée, 40 parmi 1 400 hommes. Elles possèdent un bon métier et ont quitté un excellent emploi pour participer à l'épopée de la Baie James. Ces secrétaires,

Un laboratoire écologique

La réalisation du projet de la Baie James a été amorcée au moment où un raz de marée écologique déferlait sur les États-Unis. Or, quand ceux-ci ont la grippe, le Canada éternue! Les mots « environnement » et « écologie » firent donc leur apparition au Québec. C'était au début des années 70. On dénonçait uniquement la pollution urbaine et celle des lacs et des rivières du Sud. Le Nord, c'était l'inconnu. La Baie James était une énigme.

Le défi posé à la S.D.B.J. et à la S.E.B.J. était de taille : faire en sorte que des milliers d'hommes, armés de machineries lourdes les plus modernes, puissent modifier le moins possible l'équilibre instable d'un environnement fragile, mal connu.

Deux événements marquèrent 1972. D'abord, un accord entre la S.D.B.J. et Environnement-Canada fut signé. C'était l'Entente biophysique, qui déclencha une vaste campagne de recherches et d'inventaires écologiques. Après sept années de travaux, 200 scientifiques

et chercheurs produisirent environ 500 rapports et près de 3 000 cartes originales.

C'est aussi en 1972 qu'un Service de l'environnement fut créé à la S.E.B.J. Il relevait directement de la haute direction. La protection de l'environnement « devait être une préoccupation majeure de tous et être intégrée à la gestion des projets ». La S.E.B.J. intervint à toutes les phases de la réalisation du complexe La Grande. De la conception aux plans et devis de construction, des spécialistes examinèrent tous les documents d'ingénierie relatifs aux barrages, digues, centrales, routes, campements, villages, etc.

Des directives de protection de l'environnement furent incorporées aux documents contractuels de toutes les entreprises œuvrant sous la surveillance de la S.E.B.J. À la fin de leurs travaux, les entrepreneurs étaient tenus, par contrat, de nettoyer et de niveler le terrain, d'adoucir les pentes fortes et d'ameublir le sol trop compacté pour que les végétaux puissent

s'y réinstaller naturellement. Ensuite, ils devaient répandre sur le terrain la terre végétale qu'ils avaient dû mettre de côté au début des chantiers.

Durant toute la période des travaux, pas moins de soixante-dix biologistes, archéologues, géographes, sociologues et bien d'autres spécialistes explorèrent le territoire pour inventorier les ressources et identifier les zones privilégiées ou sensibles tant pour la végétation que pour la faune : le castor, le caribou, l'orignal, le rat musqué, les poissons, les planctons, les oiseaux et la sauvagine.

Dès la fin de l'aménagement de LG 2, la S.E.B.J. passa à l'étape du retour à la nature. Dix millions de jeunes arbres furent transplantés sur l'ensemble du territoire. La plantation des semis et des boutures fut effectuée manuellement par les « rhabilleurs », à un rythme de 600 à 2 000 plants par jour. Plus de 250 millions de dollars ont ainsi été investis pour recréer un nouvel équilibre écologique sur le territoire du complexe La Grande.

Dans le but d'évaluer scientifiquement les modifications du milieu par les grands réservoirs, la S.E.B.J. mit sur pied un réseau de stations de surveillance écologique unique en son genre. Établies à des endroits stratégiques, elles permettent encore aujourd'hui d'obtenir une foule de données concernant l'évolution des nouveaux écosystèmes et de vérifier l'efficacité des aménagements correctifs. Ceux-ci serviront d'exemples pour les projets futurs.

Grâce aux efforts de la S.E.B.J., de la S.D.B.J., d'Hydro-Québec et des gouvernements, le territoire de la Baie James a été sondé, photographié, mesuré et analysé par les écologistes comme ne l'a été aucune autre région canadienne. La réalisation du complexe La Grande a ouvert l'ère de l'environnement au Québec et fait progresser la connaissance des milieux arctiques. La Baie James fut aussi un vaste laboratoire écologique !

Après la construction des centrales, dans le cadre de la restauration de l'environnement naturel, près de dix millions d'arbres ont été plantés. Le choix des spécialistes s'est porté sur le pin gris, le saule et l'aulne crispé, essences qui s'adaptent bien aux sols très pauvres du territoire de la Baie James.

LG 3 : vue partielle du barrage (ci-contre). Haut de 93 m, il est scindé en deux sections au niveau de la rivière, mais forme une crête continue sur ses 3,8 km de longueur. On aperçoit, à gauche, l'évacuateur de crues destiné à l'écoulement des excédents d'eau du réservoir et, à droite, la centrale en construction. Après dix années d'exploration, de recherche, de conception et de travaux, le premier groupe turbine-alternateur fut mis en service le 20 juin 1982.

infirmières et employées de la cafétéria suscitent une vive curiosité chez les hommes. Elles engagent le dialogue avec eux et réussissent à se faire respecter, aidées en cela par des règlements très sévères imposés par la S.E.B.J. Les deux sexes font dortoir à part, sinon c'est l'expulsion immédiate du chantier.

Pendant que des centaines de travailleurs s'occupent des infrastructures, d'autres percent le roc des deux galeries de dérivation longues de 790 mètres chacune. C'est par ces galeries que, le 29 juin 1975, La Grande Rivière est détournée de son cours naturel. En août, le lit de la rivière est asséché : la construction du barrage peut commencer.

Pour ériger cet ouvrage de retenue long de près de 3 kilomètres et d'une hauteur équivalente à un gratte-ciel de cinquante-cinq étages, il faudra déplacer 23 millions de mètres cubes de matériaux de remblai. Ces travaux se font entre avril et octobre, car le froid est impitoyable pour cette technique de construction. En effet, tous les barrages et toutes les digues du complexe La Grande sont des ouvrages remblayés : ils ne sont pas formés de béton, mais de roc et de matériaux meubles disponibles sur place. Le roc vient du percement des galeries de dérivation et de la centrale, de l'excavation de l'évacuateur de crues, et de carrières avoisinantes. Pour assurer l'étanchéité des ouvrages, un matériau fin, argileux et imperméable, est utilisé : c'est la moraine laissée par les glaciers. Frileuse, elle doit être chauffée l'été et bien recouverte l'hiver.

Un autre ouvrage colossal prend forme : l'évacuateur de crues. Voici un escalier géant descendant du ciel, dirait-on, sculpté dans le roc et dont les marches ont chacune 120 mètres de largeur. Cet ouvrage jouera le rôle d'une soupape de sécurité pouvant évacuer le surplus d'eau du réservoir.

À 5 kilomètres du barrage, des hommes-taupes procèdent à l'excavation de la centrale à 137 mètres sous terre, et à celle de la chambre d'équilibre destinée à recevoir l'eau sortant des turbines avant son retour à la rivière. Ce sont deux véritables cathédrales souterraines. Cette centrale, la plus importante du genre au monde, a 483 mètres de longueur, 23 de largeur et 47 de hauteur. C'est l'équivalent de 90 kilomètres de tunnels de métro creusés pendant trois ans dans le granit. De 1977 à 1979, un fleuve de béton y coule. Il reste ensuite à réaliser l'assemblage des 16 puissants groupes turbine-alternateur. Usinées dans la région de Montréal, les pièces sont transportées par train jusqu'à Matagami, puis par camion à la centrale.

Derrière le barrage, l'eau s'accumule pour former une véritable mer intérieure couvrant 2 836 kilomètres carrés. C'est près de cinq fois la superficie du lac Léman. Le 27 octobre 1979, LG 2 est en fête. Plus de 3 000 personnes, dont des invités de nombreux pays, assistent à la mise en service du premier groupe turbine-alternateur. Tout le Canada est témoin de cet événement historique, puisque Radio-Canada diffuse cette cérémonie en direct à la télévision.

Les hommes ont travaillé fort et efficacement à LG 2. Mais depuis 1976, des travaux de même nature sont menés à LG 3 et à LG 4, tandis que trois rivières sont détournées au sud du complexe, et la Caniapiscau à l'est.

À LG 3, le barrage s'appuie sur une île au milieu de La Grande Rivière. Il fait près de 4 kilomètres. L'évacuateur de crues est implanté au sommet de l'île, tandis que la centrale est aménagée en surface, dans une tranchée. La réserve d'eau suffirait aux besoins des Montréalais pendant un siècle !

La centrale de LG 4 est installée dans une niche en plein cœur d'une montagne qui borde la rivière du côté sud. Le barrage de 3,8 km de longueur est situé immédiatement en amont

Pour grossir le débit de l'eau turbinée à LG 2, trois rivières furent détournées de leurs cours : l'Eastmain, l'Opinaca et la Petite Rivière Opinaca. Le barrage qui ferme le lit de l'Eastmain a été le plus difficile à construire. Il a fallu recourir à des techniques complexes mettant à l'épreuve l'ingéniosité et l'habileté des constructeurs.

On devait aussi s'organiser pour transporter l'énergie du Nord vers le Sud. Dès 1976, Hydro-Québec entreprend la construction du Réseau de transport de la Baie James (R.T.B.J.), le plus long réseau à 735 kilovolts en Amérique du Nord : cinq lignes totalisant 5 562 kilomètres et reposant sur 11 650 pylônes. La mise en place du R.T.B.J. a exigé près de 4 milliards de dollars.

L'évacuateur de crues de LG 2. Situé à l'extrémité nord du barrage de LG 2, il est destiné à l'écoulement des eaux excédentaires, notamment à la fonte des neiges et lors des pluies d'automne. Il se prolonge par un « escalier de géant », comportant 13 marches de 135 m de large et de 20 de haut, pour éviter une trop forte érosion du lit de la rivière. Sa construction a duré de 1975 à 1978.

de la centrale, tandis que l'évacuateur de crues est à l'extrême sud.

Le détournement de la rivière Caniapiscau n'a pas été une sinécure. Ce fut le plus vaste chantier du complexe La Grande, car le théâtre des travaux était dispersé sur 10 000 kilomètres carrés. Pas moins de 22 000 personnes ont contribué à façonner les 2 barrages et les 91 digues, créant ainsi un réservoir qui est devenu le plus grand lac du Québec. Coupé du réseau routier du complexe jusqu'en 1979, ce chantier dépendait du transport aérien et d'une route d'hiver le reliant à LG 4.

L'inauguration de la centrale de LG 4 en mai 1984 pose le dernier jalon de la route de l'énergie qu'est devenue La Grande Rivière. Les Québécois ont investi 10,8 milliards de dollars, en plus du coût du R.T.B.J., pour la réalisation d'une œuvre monumentale, le complexe La Grande. Après treize années de travaux intenses, les 150 000 artisans de cette métamorphose du Nord québécois pouvaient déclarer : « Mission accomplie. » Le rêve est devenu réalité.

ROGER LACASSE

Dictionnaire

Abou Simbel, temple, Égypte.

Les deux temples d'Abou Simbel furent érigés et creusés dans la falaise, sur la rive du Nil, au XIIe siècle av. J.-C., sous le règne du pharaon Ramsès II. La construction du deuxième barrage d'Assouan les menaçant de submersion, un gigantesque travail de déplacement fut alors entrepris de 1964 à 1970, grâce à l'aide internationale. La grande façade, haute de 30 m et large de 38, avec ses 4 colosses assis de 20 m de haut, les 6 colosses debout du spéos, ainsi que les 6 colosses debout du temple d'Hathor, furent déplacés par bloc de 20 à 30 t, et reconstitués à 180 m de la rive, 64 m plus haut.

Abou Simbel. La grande façade du temple de Ramsès II avec les quatre colosses de 20 m de haut. A leurs pieds, les statues de la femme et du fils du pharaon.

Agrigente, temple de Jupiter Olympien, Sicile, Italie.

Commencé en 470 av. J.-C., ce temple, de style dorique, qui ne fut jamais achevé, était le second du monde grec par la taille (112,70 × 56,30 m). Son entablement était supporté par des atlantes colossaux, dont l'un, le Gigante, ne mesure pas moins de 7,75 m de hauteur.

Ajanta, sanctuaires, Inde.

Les vingt-huit grottes qui composent le site sont des temples et des monastères bouddhiques excavés dans la roche entre le IIe siècle av. J.-C. et le VIe siècle de notre ère. L'ensemble, de style Gupta, est orné de très nombreuses sculptures ciselées dans la roche, alors que les murs sont recouverts de peintures représentant des images du Bouddha, des scènes de la vie domestique et des batailles. Le plafond à caissons est décoré en trompe-l'œil. Les sanctuaires sont éclairés par de grandes baies percées dans la roche.

Avila, l'enceinte fortifiée. Elle fut élevée par le roi de Castille pour protéger la ville durant les luttes contre les Arabes.

Albi, cathédrale, France.

La cathédrale Sainte-Cécile est l'exemple le plus achevé de l'église-forteresse. Bâtie de 1282 à 1390, son énorme vaisseau de briques rouges est large de 17 m et haut de 28. Il est hérissé de chapelles latérales, semblables à des tourelles, logées entre les contreforts de plan semi-circulaire qui épaulent la nef. Cette dernière est éclairée par d'étroites baies qui s'ouvrent à une grande hauteur au fond des chapelles latérales. Le clocher est un donjon flanqué de tours rondes.

Amiens, cathédrale, France.

Notre-Dame, de style gothique, construite de 1220 à 1288, est la plus vaste et sans doute la plus harmonieuse cathédrale de France (145 × 42 × 65 m) ; elle couvre une surface de 7 700 m². Sur sa façade occidentale s'ouvrent trois profonds portails ornés de statues où la vie quotidienne est représentée par des centaines de bas-reliefs. Au-dessus du portail principal, entre les deux tours latérales, s'insère une rose de 11 m de diamètre. À l'intérieur, le plan, typiquement français, comporte un transept réduit et un large chevet dans lequel s'ouvrent sept chapelles. On y remarquera également les 110 stalles flamboyantes en chêne sculpté, de 1508 à 1519, portant 3 650 figures.

Baalbek. Détail de la frise du temple de Jupiter Héliopolitain.

Amsterdam, ville, Pays-Bas.

La capitale des Pays-Bas tire son nom de la rivière Amstel, qui fut creusée pour former un port maritime. La cité repose sur 90 îles et îlots, délimités par 80 km de canaux créés artificiellement par les urbanistes du XVIIIe siècle. Ces canaux, enjambés par plus de 300 ponts, forment un demi-cercle autour du centre de la ville, où les bâtiments sont supportés par des pilotis plantés dans la vase (il en a fallu, par exemple, 34 000 pour former l'assise de la Bourse construite de 1897 à 1903). Un système de digues et de canaux, coupés d'écluses et de pompes, permet d'évacuer le trop-plein des eaux.

Aspendos (Belkisköyü), théâtre romain, Turquie.

C'est l'ouvrage antique le mieux conservé de l'Asie Mineure. Construit au IIe siècle apr. J.-C., il est extérieurement à peu près intact. Son aménagement intérieur non endommagé, hormis la disparition de l'ornementation de la scène, montre 39 rangs de gradins, compris dans une enceinte de 95,48 m, desservis par 31 escaliers et couronnés par une galerie circulaire voûtée.

Ávila, fortifications, Espagne.

L'enceinte (XIe-XIIe siècle), qui forme un trapèze irrégulier, compte 88 tours crénelées identiques, en granit et reliées entre elles par des murs hauts de 12 m et d'une épaisseur de 3. Neuf portes fortifiées percent la muraille. La cathédrale elle-même est rattachée au système de défense. À l'intérieur des fortifications, qui sont sans doute les plus belles de l'époque, de nombreuses églises rappellent le long passé religieux de la cité : saint Segond y aurait fondé la première église chrétienne en 65, saint Vincent y fut martyrisé (IVe siècle) et sainte Thérèse y naquit en 1515. Aussi Avila est-elle surnommée la « ville des saints et des pierres ».

Baalbek, temples, Liban.

Cette ancienne cité phénicienne, grecque, puis romaine impressionne par le gigantisme de ses vestiges. Ainsi le mur cyclopéen est constitué par l'assemblage de pierres taillées dont certaines sont longues de 20 m et pèsent 750 000 kg. Le temple de Jupiter Héliopolitain, qui fut l'un des monuments les plus grandioses de l'Antiquité, avec une superficie de 4 300 m², n'a plus aujourd'hui que 6 colonnes de 20 m de haut. Par contre, le temple de Bacchus (68 × 36 m), mieux conservé, possède encore 46 magnifiques colonnes de 18 m de hauteur. Enfin, le lieu dit la Carrière abrite la plus grande pierre taillée au monde, la Pierre du Sud, dont le volume est de 453 m³ et le poids de 2 000 tonnes.

Babylone, ville, Irak.

De la splendide cité, mentionnée dès le XXIVe siècle av. J.-C., il ne reste que des ruines, parmi lesquelles on distingue encore l'énorme base carrée de la tour de Babel, les substructures des terrasses des jardins suspendus (une des sept merveilles du monde) ainsi que des panneaux de briques émaillées aux chatoyantes couleurs qui ornaient notamment la salle du trône et la porte d'Ishtar. Cette dernière était la principale porte de l'enceinte intérieure de la ville, qui était longue de 8 km et était formée d'un premier mur de 6, 60 m de large, doublé d'un deuxième mur de 3 m de large.

Bamiyan, sanctuaire, Afghanistan.
Le site bouddhique de la vallée de Bamiyan regroupe de nombreuses chapelles, niches, cellules et habitations, excavées dans le roc et ornées de peintures, qui pouvaient abriter jusqu'à 70 000 moines. Cependant, ce sont les deux bouddhas géants, creusés eux aussi dans le roc, qui rendent ce lieu unique. Le plus grand, chef-d'œuvre des IVe-Ve siècles apr. J.-C., est, avec ses 53 m de haut, la plus importante statue du Bouddha existant au monde.

Banaue, cultures en terrasses, Philippines.
Encore en exploitation, les rizières en terrasses de Banaue (au nord de Luçon), ont été modelées sur les versants escarpés de la montagne il y a deux mille à trois mille ans par la tribu des Ifugaos. Ressemblant à des marches d'escalier qui épousent les courbes de la montagne, elles s'élèvent à plus de 1 500 m au-dessus du fond de la vallée. Placées bout à bout, elles couvriraient une longueur de 22 000 km. Les Ifugaos ont aussi construit un réseau de canaux pour l'irrigation, de telle sorte que chaque terrasse retienne l'eau et irrigue celle d'en dessous sans dommage pour la couche arable.

Batalha, monastère, Portugal.
Le monastère de Sainte-Marie-de-la-Victoire (XIVe-XVe siècle) forme un ensemble architectural exceptionnel dont les plus beaux éléments sont : la chapelle du Fondateur, qui abrite la tombe de Jean Ier et de son épouse, les sept chapelles Imparfaites, inscrites dans un octogone, et surtout le cloître royal (XVIe siècle), magnifique exemple de la fusion harmonieuse des influences gothique et islamique dans le style manuélin.

Borobudur, stoûpa bouddhique, Indonésie.
Ce sanctuaire (VIIIe-IXe siècle), chef-d'œuvre de l'art indonésien, consiste en un étagement pyramidal de 50 m de haut, comprenant 6 galeries à plan carré de 152 m de côté à la base, surmontées de 3 terrasses circulaires portant chacune 72 petits stoûpas creux et ajourés. Au sommet se dresse un dôme hémisphérique d'où s'élève un pilier de pierre qui supportait autrefois des parasols. Le long des parois de chaque étage et sur près de 6 km de longueur, 1 460 bas-reliefs évoquent la vie du Bouddha. Menacé d'effondrement, le monument a été restauré grâce à une campagne internationale (1972-1983) qui a nécessité le déplacement de 1 million de blocs de pierre, le travail de 600 personnes originaires de dix pays, et un investissement de 17,2 millions de dollars.

Bratton, sculpture, Grande-Bretagne.
La sculpture de Bratton représente un cheval géant de 80 m de long, taillé au flanc d'une colline crayeuse non loin de l'emplacement d'un camp celtique. La taille de ce cheval est telle qu'il n'est possible de le voir en entier que d'avion. Par ailleurs, il n'existe aucune explication quant à ses auteurs ou à son objet.

Bruxelles, Grand-Place, Belgique.
La Grand-Place est le cœur de la capitale belge. De forme rectangulaire, elle est entourée par les maisons des corporations (XVIIe siècle), expression typique de l'art baroque brabançon où abonde l'ornementation. Mais le plus beau monument est l'hôtel de ville que son beffroi de 96 m (1499) sépare en deux parties. Après l'incendie de 1695, les bâtiments furent restaurés et l'aile arrière ajoutée en style Louis XIV. Les sculptures de la façade sont du XIXe siècle.

Carnac, monuments mégalithiques, France.
Ces extraordinaires alignements de mégalithes ont été dressés entre 5000 et 2500 avant notre ère. Les plus impressionnants sont ceux du Ménec (1 169 menhirs sur 10 rangs parallèles, alignés sur 1 167 m), Kermario (982 menhirs sur 10 files, s'étendant sur 1 120 m), Kerlescan (579 menhirs sur 13 rangs, alignés sur 880 m). À quelles fins ces pierres ont-elles été ainsi dressées ? Le mystère reste entier.

Carrare, carrières de marbre, Italie.
La ville de Carrare est célèbre pour ses marbres exportés dans le monde entier. Le site, connu depuis plus de deux mille ans, conserve encore des traces d'exploitation par les Romains. L'extraction du marbre se fait dans plus de 400 carrières et les pierres provenant de Carrare représentent les 3/4 de la production de l'Italie.

Cerveteri, nécropole étrusque, Italie.
Le site de Cerveteri (VIIe siècle av. J.-C.-IIe siècle apr. J.-C.), qui s'étend sur 300 ha, était accessible par une voie dallée et était aménagé comme une ville, avec des rues et des places. Les morts étaient placés dans des tholos, ou tombes circulaires voûtées. Les plus grands tumuli atteignent 40 m de haut et ont un diamètre de 60 m ; ils renferment des chambres funéraires pouvant contenir jusqu'à 12 personnes. Les tholos étaient souvent meublées avec luxe (mobilier, bijoux, ustensiles) et abritaient de magnifiques sarcophages, tel celui dit des Époux (1,40 × 1,20 m), daté du VIe siècle av. J.-C., sculpté à l'effigie des défunts.

Chanchán, ville, Pérou.
D'une superficie de 20 km², Chanchán, la capitale des Chimús, était l'une des plus grandes cités précolombiennes ; environ 40 000 personnes y résidaient. En son centre, elle comprenait 9 enceintes rectangulaires dont les murs de clôture atteignaient 7,50 et 9 m de hauteur. Chanchán était pourvue de rues tracées au cordeau, de vastes places, de jardins et de réservoirs d'eau. Elle était bâtie en grande partie en adobe, mais aussi avec des blocs d'argile et des galets.

Chesapeake Bay, pont-tunnel, États-Unis.
Cet ouvrage extraordinaire, réalisé en 1964, relie le Cape Charles à Virginia Beach. Le pont à haut tablier partant du Cape Charles s'appuie, au bout de quelques kilomètres, sur Fishermans Island, puis, tel un serpent de mer, plonge deux fois sous les eaux de la baie en deux tunnels sous-marins afin de ne pas gêner le trafic des navires. Chacun des tunnels est relié à ses extrémités à deux îles artificielles (soit quatre en tout) de 450 m de long et 70 m de large chacune, faites de sable, de pierre et de béton. Les tunnels sont

Bamiyan. Cette statue du grand Bouddha n'a pas été placée dans la niche, mais taillée directement dans le roc.

Borobudur. Le temple construit entre 800 et 850 par les rois javanais de la dynastie des Sailendra.

Batalha. Détail du cloître du monastère de Sainte-Marie-de-la-Victoire.

Chichén-Itzá. Le Caracol, observatoire astronomique, est un des plus beaux exemples de l'art maya-toltèque.

Le pont de Coalbrookdale qui franchit la Severn est le premier pont métallique. Il fut construit en 1779.

Le château de Coca, bâti au XVᵉ s., est fort bien conservé, sans doute parce qu'il n'eut jamais à subir de sièges ?

formés de tubes d'acier préfabriqués à double revêtement, qui furent immergés et encastrés dans des tranchées creusées à la drague. L'ouvrage entier a 28,5 km de long.

Chichén-Itzá, observatoire maya, Mexique.
Le Caracol, un des édifices les plus notables de Chichén-Itzá, est un observatoire dont les terrasses et les plates-formes de base sont orientées en fonction d'événements astronomiques précis. Elles sont surmontées d'une tour cylindrique de 13 m de hauteur et de 11 m de diamètre, qui renferme une chambre haute à laquelle on accède par un escalier en colimaçon. Cette pièce d'observation présente des meurtrières de visée permettant des calculs d'angle d'une grande exactitude.

Cincinnati, tumulus, Ohio, États-Unis.
Le tumulus du Grand Serpent, près de Cincinnati, est un chef-d'œuvre de technique dû aux Indiens Adenas. Vieux de mille ans, il mesure 400 m de long, 30 m de large et 1,50 m de haut. D'autres tumuli zoomorphes représentent des alligators, des oiseaux et des ours. Ils étaient peut-être liés à des cérémonies d'inhumation.

Coalbrookdale, pont, Grande-Bretagne.
En 1779, Abraham Darby construisit, près de Coalbrookdale, sur la rivière Severn, le premier pont en fonte du monde. Il a une portée de 33 m et est constitué de 5 nervures longues de 21 m qui forment une arche semi-circulaire. Cet ouvrage devint un modèle pour la construction des ponts au XIXᵉ s.

Coca, forteresse, Espagne.
Le château de Coca, près de Ségovie, est le plus bel exemple d'architecture militaire mudéjar. Construit en briques, il comprend trois enceintes concentriques symétriques dominées par un donjon monumental. Une douve vide le ceinture, tandis que des sabords pratiqués dans les sections extérieures de la muraille assurent sa protection.

Cologne, cathédrale, Allemagne.
La plus grande cathédrale (XIIIᵉ-XIVᵉ siècle) de l'Europe du Nord, chef-d'œuvre du gothique allemand. Les chantiers ayant été fermés en 1559, elle ne fut achevée qu'en 1880, selon le projet initial. Elle présente une impressionnante façade flanquée de deux tours hautes de 152 m. Le vaste intérieur, qui occupe 6 166 m², avec une hauteur de 43 m, accueille de nombreuses œuvres d'art : vitraux de 1320, 104 stalles sculptées et le reliquaire des Rois mages (XIIᵉ siècle).

Copán, jeu de pelote, Honduras.
Ce site (460-801) est l'un des plus importants de la civilisation maya. Outre 38 stèles colossales ornées à profusion, il abrite notamment un jeu de pelote composé d'une cour centrale rectangulaire (26 × 7 m), limitée par deux talus parallèles, du sommet desquels partent deux banquettes inclinées de 6,75 m de large, qui se terminent au pied des murs verticaux des plates-formes latérales. Trois jalons de pierre sont fixés au haut de ces murs. Les joueurs devaient toucher l'un de ces « buts » avec une lourde balle de caoutchouc lancée par un mouvement des hanches, sans l'aide des mains.

Cracovie, citadelle, Pologne.
Le Wawel (XIᵉ-XVIᵉ siècle) est à la fois une citadelle aux murs crénelés, un château royal et une cathédrale ; il se dresse sur une butte rocheuse dominant la Vistule. C'est dans le palais que résidaient le roi et la cour ; c'est dans la cathédrale que les souverains étaient couronnés et inhumés, jusqu'en 1596, lorsque la capitale fut transférée à Varsovie. Malgré les guerres, le Wawel fut sans cesse restauré, car pour les Polonais c'est un symbole et un lieu de pèlerinage national.

Cyrène, cité grecque, Libye.
La plus importante cité grecque de l'Afrique septentrionale fut fondée en 613 av. J.-C., face à la mer, en bordure d'un plateau calcaire de 600 m d'altitude. Les monuments les plus marquants en sont le temple d'Apollon, le sanctuaire de Jupiter et le forum romain, long de 100 m, avec sa colonnade dorique. Son cimetière compte 12 000 tombes creusées dans la roche, qui abritaient plusieurs milliers de sarcophages individuels.

Délos, ville sanctuaire, Grèce.
C'est sur cet îlot rocheux de la mer Égée, où il était interdit de naître ou de mourir, que se dresse la ville dédiée à Apollon. Les ruines couvrent presque toute l'île et comprennent de nombreux monuments : le temple d'Apollon, dont il subsiste les soubassements en gneiss ; l'acropole des Italiens (100 × 70 m), qui est le plus vaste ensemble monumental de Délos ; le portique d'Antigone (125 m) et des maisons ornées de magnifiques mosaïques. Le site le plus célèbre est l'allée des Lions naxiens (VIIIᵉ siècle av. J.-C.), bordée de neuf statues de ces animaux.

Dunhuang, grottes peintes, Chine.
Aux confins du désert de Gobi, les grottes de Magao Ku, près de Dunhuang, ont constitué une importante étape sur la Route de la soie ; leur aménagement et leur décoration ont duré du IVᵉ au XIVᵉ siècle. 496 d'entre elles ont résisté au temps ; elles contiennent 45 000 m² de peintures murales d'une grande richesse et 2 415 statues.

Edfou, temple d'Horus, Égypte.
Ce temple (237-57 av. J.-C.), le mieux conservé d'Égypte, est demeuré presque intact. On accède au sanctuaire par un portail ouvrant sur le pylône (haut de 35 m, long de 79) qui constitue la façade du temple ; vient ensuite la cour où se dressent deux statues colossales du dieu Horus. De là, on pénètre dans le pronaos, vestibule à colonnes florales dont la façade est fermée à mi-hauteur ; puis dans la salle hypostyle et le saint des saints. L'ensemble est enfermé dans une enceinte dont les parois extérieures sont décorées sur toute leur longueur de scènes religieuses et mythologiques gravées dans la pierre.

El-Djem, amphithéâtre romain, Tunisie.
À l'emplacement d'el-Djem, s'élevait au IIIᵉ siècle une des plus riches cités de l'Afrique. Là, l'empereur Gordien fit construire cet amphithéâtre qui est, après le Colisée, le plus grand du monde. Il mesure 200 m dans son grand axe et 122 dans son petit. Plus de 50 000 spectateurs pouvaient y prendre place.

El Tajín, pyramide des Niches, Mexique.
La pyramide érigée par les Totonaques (VIIIe siècle) est unique en son genre. Haute de 25 m, elle est bâtie sur une base carrée de 35 m de côté ; un escalier frontal mène au sommet, où s'élevait un temple, aujourd'hui disparu. 365 niches, consacrées aux jours de l'année et ornant ses sept degrés, font son originalité.

Elche, palmeraie, Espagne.
Unique en Europe, cette palmeraie fut plantée par les Carthaginois, agrandie par les Romains, puis par les Arabes, grâce à une savante irrigation réalisée en utilisant les ressources du Vinalopo. Elle compte plus de 100 000 palmiers, atteignant 20 m de haut.

Ellora, temple Kailāsa, Inde.
Du VIIe au Xe siècle, les moines brahmaniques, jaïnistes et bouddhistes créèrent un formidable sanctuaire creusé dans la roche. Le Kailāsa, qui en est le joyau, constitue le plus grand édifice monolithe de l'Inde. Entouré d'une enceinte rectangulaire, le temple (100 × 75 m), excavé et sculpté dans la roche, possède une salle hypostyle carrée ; une tour à étages de 30 m de haut lui fait suite. Sur la base du temple court une magnifique frise d'éléphants. Sa construction a requis l'enlèvement de 400 000 tonnes de pierres.

Escurial, château-monastère, Espagne.
À la fois palais et monastère, l'Escurial est la plus haute expression de l'esprit religieux espagnol. Ce sévère édifice de granit érigé sur un plateau présente la forme d'un gril, dont le manche est figuré par l'habitation royale qui se détache à angle droit du côté est, et les pieds par les tours à clochetons dressées aux quatre angles. Car c'est en l'honneur de saint Laurent, supplicié sur un gril, que Philippe II donna ce plan à l'Escurial, en commémoration de la victoire de Saint-Quentin remportée le jour de la Saint-Laurent. Les bâtiments forment un quadrilatère et sont séparés par des cours intérieures. Au centre s'élève la basilique, qui comprend le panthéon de Los Reyes où sont inhumés les rois et les reines d'Espagne.

Fatehpūr Sīkrī, ville moghole, Inde.
Cette ville abandonnée est un des complexes urbains les plus imposants de l'Inde, et par son unité de style un des plus beaux exemples de l'architecture moghole. Elle fut construite de 1569 à 1579 par Akbar, qui en fit sa capitale. Tous les édifices sont orientés vers La Mecque et sont séparés par des jardins et des esplanades, ce qui explique l'absence de rues. Les palais sont dominés par les 53 m de la porte de la Victoire, en grès rose et en marbre, qui dresse son grand iwan au sommet d'un escalier de 11 m de dénivelée. Le Diwan-i-Khas, salle d'audience privée, donnant à l'extérieur l'impression d'un édifice à deux niveaux, abrite en réalité un volume unique au centre duquel se dresse une colonne ouvragée supportant un chapiteau plateforme en marbre. Sur ce dernier, relié par quatre balcons à la galerie courant autour de la pièce, trônait le Grand Moghol. Parmi les autres édifices importants de la ville, il faut citer la tour du Cerf, dont le corps est orné de défenses en pierre faisant saillie à l'extérieur, et surtout la Grande Mosquée.

Florence, Ponte Vecchio, Italie.
Édifié en 1345 sur l'Arno, c'est le plus vieux pont de la ville et l'un des plus célèbres du monde. Il présente trois arches reposant sur deux piliers massifs, et supporte une double rangée de petites maisons, principalement des boutiques d'orfèvres. Surmontant les maisons, une galerie relie le palais des Offices au palais Pitti.

Göreme, ville troglodytique byzantine, Turquie.
L'un des plus grands centres du monachisme byzantin a trouvé gîte à Göreme, dans les cônes de tuf érodés par centaines, dont certains culminent à 30 m. Dès le VIIe siècle, les moines byzantins creusèrent des habitations et des chapelles, qu'ils ornèrent de multiples peintures. Parmi ces églises excavées, celle du Pommier, décorée à profusion, rassemble un très bel ensemble de fresques polychromes. L'église Sombre a des peintures illustrant la vie du Christ et l'église Tokali, qui est la plus vaste, possède un transept à trois absides.

Hal Saflieni, hypogée mégalithique, Malte.
L'hypogée de Hal Saflieni, dans l'île de Malte, qui forme un labyrinthe creusé dans le calcaire, comprend notamment une chambre dont le plafond taillé dans la pierre imite une voûte en encorbellement ; cette pièce communique avec une petite salle baptisée saint des saints. Sur le site on retrouva plus de 7 000 corps.

Hidelsheim, cathédrale, Allemagne.
La cathédrale (XIe siècle), de style roman primitif, a un vaisseau en forme de parallélépipède dont le plafond forme le couvercle. La sévérité des murs nus est tempérée par l'alternance des grandes arcades supportées par des piliers carrés suivis de deux colonnes coiffées de chapiteaux cubiques.

Ispahan, mosquée royale, Iran.
Un des plus beaux monuments de la ville nouvelle que fit bâtir, au sud-ouest de l'ancienne, le shah Abbas Ier. Achevée en 1629 après dix-huit ans de travaux, cette mosquée, dont le plan est parfaitement symétrique, est décorée de céramiques de couleurs d'une élégance exceptionnelle. Inquiet de ne pouvoir achever à temps son œuvre, le souverain obligea les architectes à utiliser, à la place des délicates céramiques assemblées à la façon de mosaïques, des briques peintes et vernissées plus faciles et plus rapides à fabriquer. Les panneaux à décorer étaient réalisés sur un fond blanc formé de plusieurs carreaux de 23 cm de côté et 2 cm d'épaisseur. Un dessinateur y traçait au pinceau noir les motifs à arabesques que décoraient les coloristes. Les briques étaient cuites au four. Il fallait au moins deux cuissons, une pour les surfaces blanches, une seconde pour les autres couleurs. Le shah mourut peu de temps après l'achèvement de la mosquée.

Jaipur, observatoire, Inde.
L'observatoire astronomique construit au XVIIIe siècle présente une série d'appareils de mesures célestes en grès rouge et en marbre, qui sont les agrandissements à cent fois d'instruments manuels comme les astrolabes, les sextants et les théodolites. Ces monuments permettent des mesures d'une grande précision.

El-Djem, l'amphithéâtre romain le plus grand après le Colisée de Rome.

El Tajín. La pyramide doit son nom aux 365 niches qui ornent ses étages.

Ellora. Le Kailāsa, temple gigantesque taillé dans la roche de la montagne.

Jaipur. Les instruments colossaux en grès rouge et en marbre de l'observatoire.

Lalibela. L'église monolithique Saint-Georges taillée dans le tuf.

Lhassa, le Potala un jour de cérémonie. Le grand Tanla, la plus grande tapisserie du monde, est exposé sur la façade.

Machu Picchu, cité inca du XVᵉ siècle.

Jéricho, ville, Israël.

À Jéricho, les premiers établissements humains remontent au VIIIᵉ millénaire. On a retrouvé, à 17 m sous terre, les vestiges de murailles de pierre de 7 m de hauteur et une tour massive haute de 10 m dont le centre est occupé par un escalier. C'est la plus ancienne ville connue.

Karnak, temple d'Amon, Égypte.

Karnak abrite le plus grand temple d'Égypte, le temple d'Amon, qui est entouré d'un mur de briques d'une épaisseur de 10 m dans lequel s'ouvrent quatre portes. De plan rectangulaire, il mesure 2 400 m de pourtour ; le premier pylône, ou façade principale (113 × 15 m), ouvre sur une vaste cour large de 103 m et profonde de 84. Devant le deuxième pylône, haut de 29,50 m, se dressent deux statues colossales en granit rose. Quant à la grande salle hypostyle (102 × 53 m), elle comprend 134 colonnes sculptées, hautes de 23 m.

Khajuràho, temples, Inde.

Les 25 temples de cette cité, construits entre le Xᵉ et le XIIᵉ siècle, constituent un des sites les plus intéressants de l'hindouisme. Tous les sanctuaires, répartis sur une aire de plus de 4 km, sont dressés sur une plate-forme et sont entièrement ornés, tant à l'extérieur qu'à l'intérieur, de bas-reliefs représentant plusieurs milliers de scènes d'accouplement amoureux qui figurent le symbole de l'union mystique de la divinité avec l'humanité. Parmi ces temples, celui de Kandariya (1050) est le plus important ; il mesure 30 m de long et un faisceau de pinacles viennent contrebuter sa flèche principale, haute de 31 m.

Konya, Sultan Han, Turquie.

L'organisation traditionnelle des routes au Moyen-Orient a laissé de nombreux vestiges tels que le caravansérail (gîte d'étape pour les caravanes et centre d'accueil pour les négociants) Sultan Han (1229), qui est le plus grand de l'époque seldjoukide. Il comporte une partie estivale et une partie hivernale, sur une superficie totale de 4 866 m². Il comprend des boxes pour les animaux et les véhicules, des chambres d'habitation, des salons, des dépôts et des salles de bains. Au centre de la cour s'élève une élégante mosquée carrée de 7,85 m de côté, reposant sur quatre arcades brisées.

La Ferrière, citadelle, Haïti.

C'est l'une des plus formidables forteresses de l'Amérique. Située à 1 000 m d'altitude, elle couvre une superficie de 8 000 m². Elle fut érigée en forme de quadrilatère et renforcée au nord-ouest et au sud-est par deux bastions. La citadelle était équipée de 365 canons en bronze et pouvait abriter une garnison de 1 000 hommes. Commandée par le roi Christophe, l'édification de cette forteresse exigea quinze ans de travaux et 20 000 ouvriers. Elle fut achevée en 1817.

Lalibela, églises, Éthiopie.

Ce village abrite les monuments les plus grandioses de l'art éthiopien : des églises entièrement excavées dans le roc aux XIIᵉ-XIIIᵉ siècles. Certaines sont ornées de figures en bas-relief, mais toutes traduisent une riche fantaisie décorative dans le dessin des fenêtres. L'intérieur est décoré de belles fresques d'inspiration religieuse.

Lascaux, grottes préhistoriques, France.

Les grottes de Lascaux, découvertes en 1940, sont un exemple unique de l'art paléolithique du magdalénien moyen (environ 50 000 ans avant notre ère). Les nombreuses peintures d'animaux : taureaux, chevaux « chinois », vaches, bisons, cerfs, ainsi que les scènes de chasse, sont de toute beauté. Cependant, pour enrayer le processus d'altération consécutif aux visites, il a fallu fermer le site au public en 1963.

Le Caire, madrassa du Sultan Hassan, Égypte.

Cette école coranique est le chef-d'œuvre de l'architecture mamelouke (1356-1363). L'immense édifice (150 × 70 m), clos de murs élevés, est dominé par le plus haut minaret (84 m) du Caire. Au centre de la cour à quatre iwans, dont les arcs ont plus de 26 m de haut, se dresse une fontaine à ablutions octogonale. La salle funéraire est couronnée d'une coupole de 22 m de diamètre.

Lhassa, palais du Potala, Tibet, Chine.

C'est en 1642 que le cinquième dalaï lama ordonna de bâtir ce monastère-forteresse, qui domine la ville de Lhassa à 3 630 m d'altitude. Long de 300 m, haut de 150, ses 11 étages élèvent leurs toits dorés à 100 m au-dessus de l'esplanade sacrée, cœur de la ville. Durant des années des milliers de personnes transportèrent à dos d'homme les pierres et les troncs d'arbres nécessaires à la construction. Cette dernière n'étant pas achevée lorsque le dalaï lama s'éteignit, pendant dix ans on cacha sa mort de peur que les ouvriers ne quittent le chantier. Le palais compte 1 000 pièces qui permettent d'accueillir 10 000 moines ; il renferme 200 000 statues, des dizaines de milliers de livres. C'est là également que se trouvent les sépultures de huit dalaï lamas embaumés.

Lisbonne, tour de Belém, Portugal.

À l'origine elle se dressait au milieu du Tage, mais l'invasion des sables l'a rapprochée de la rive. Bâtie au XVIᵉ siècle dans le style manuélin, elle est, avec le couvent des hiéronymites tout proche, un des rares bâtiments de cette partie de Lisbonne qui échappèrent à la destruction lors du terrible tremblement de terre de 1755. Elle a un aspect exotique qui évoque l'Orient, mais sa grâce est trompeuse, car c'est une véritable forteresse qui fut construite pour servir de tour de guet et pour garder l'estuaire.

Londres, Crystal Palace, Grande-Bretagne.

Le premier grand bâtiment modulaire préfabriqué fut le Crystal Palace (1851). Dessiné et réalisé en neuf mois, il avait en tout 3 300 colonnes de fonte et poutrelles de fer forgé identiques. Le montage se fit à l'aide de grues et de chariots spécialement aménagés. En une semaine, 80 ouvriers posèrent les 18 000 vitres de la verrière. Cet édifice fut détruit par un incendie en 1936.

Londres, abbaye de Westminster, Grande-Bretagne.

Cette église médiévale, la plus fameuse d'Angleterre, fut fondée au VIIᵉ siècle, mais l'édifice actuel fut érigé de 1245 à 1740. Conçue sur un plan à déambulatoire et à chapelles rayonnantes, son élévation, de 34 m, fait apparaître la nef étroite. L'intérieur renferme des centaines de tombes de personnages célèbres. Dans la chapelle Henri VII, bel exemple d'architecture perpendiculaire avec ses voûtes à clefs pendantes, les murs sont ornés de 95 niches occupées par des statues de saints et la chapelle d'Édouard le Confesseur abrite le trône du couronnement.

Machu Picchu, ville forte, Pérou.

À 2 400 m d'altitude, sur un éperon rocheux qui domine le fleuve Urubamba, cette ville inca fortifiée reste mystérieuse. Ignorée des conquistadores espagnols, elle ne fut découverte qu'en 1911 par un Américain professeur à l'université de Yale, Hiram Bingham. Cultures en terrasses, adduction d'eau, tombes, maisons, temples, murailles cyclopéennes aux blocs de pierres parfaitement ajustés sans aucun mortier, sont un témoignage de la magnifique organisation inca.

Madoura, temple Minaksi, Inde.

Ce temple hindouiste édifié de 1560 à 1680 comporte un énorme ensemble de halles et de galeries enfermées dans une muraille rectangulaire (250 × 240 m). Quatre autres enceintes s'inscrivent dans la première ; le centre étant constitué par une piscine de 50 m de long. On franchit ces murailles par des portes surmontées de tours, ou gopura, dont la plus grande dépasse 45 m et compte 10 étages. Ces tours sont surchargées de sculptures polychromes représentant des dieux et des déesses. L'ensemble du sanctuaire renfermerait 30 millions de sculptures en pierre ou en stuc.

Main, pont cantilever, Allemagne.

Le premier pont moderne de ce genre date de 1867. Il fut l'œuvre de Heinrich Gerber qui l'édifia sur le Main. Dans un pont cantilever, deux membrures s'étendent de part et d'autre d'un pilier central et s'équilibrent mutuellement. Le pont de Gerber avait trois travées ; celle du centre mesurait 41 m de long.

Massada, forteresse, Israël.

Cette forteresse, tenue par les zélotes, et où 960 d'entre eux (hommes, femmes et enfants) se suicidèrent plutôt que de se rendre aux légions romaines de Flavius Silva, se situe sur un haut rocher escarpé. Elle abrite des citernes géantes, des entrepôts, des synagogues et des bains. Au bas du piton rocheux subsistent les fortifications du camp romain dressé par les assiégeants.

Mazār-i Charīf, mausolée, Afghanistan.

Le mausolée de Mazār-i Charīf serait bâti à l'endroit où fut enterré Ali, gendre du Prophète et quatrième calife de l'islam. Cet immense monument, couronné de coupoles, d'aspect massif, construit en argile battue, est recouvert de tuiles émaillées polychromes aux merveilleux coloris.

Melk, abbaye bénédictine, Autriche.

Installée, dans un site grandiose, sur un promontoire au bord du Danube, l'abbaye (XVIIIe siècle) est un monumental complexe baroque. La nef de l'église majestueuse, qui domine l'ensemble, est surmontée d'une haute coupole et bordée de petites chapelles contenues dans les contreforts. La bibliothèque de l'abbaye renferme plus de 80 000 volumes, 2 000 manuscrits et 750 incunables.

Mesa Verde, village de Cliff Palace, États-Unis.

Mesa Verde est une formation rocheuse tabulaire de 32 km de long, qui s'élève de 300 à 600 m au-dessus de la campagne du Colorado. Ses cavernes et ses terrasses furent aménagées (VIIIe-XIIIe siècle) par les indiens Anasazis. La population atteignit jusqu'à 7 000 personnes. Cliff Palace était le plus grand des villages : l'agglomération comptait 200 pièces d'habitation. Les greniers occupaient le fond des cavernes, et les pièces d'habitation mitoyennes, aux toits de boue, à la charpente en bois et aux parois de clayonnage, le devant. Dans le sol de la terrasse inférieure s'ouvrent les entrées de 23 chambres de cérémonie (kivas) auxquelles on accédait par des échelles, car la circulation se faisait par les toits ou les terrasses.

Météores, monastères, Grèce.

Ces monastères, situés en Thessalie, sont installés sur des pitons rocheux. Les religieux en commencèrent l'édification dès le XIVe siècle, et à l'origine on ne pouvait y accéder que par des monte-charge constitués par des filets, ou par des échelles placées sur 20 ou 40 m de hauteur. Sur les 25 monastères construits, 4 sont encore habités, et l'on y parvient aujourd'hui par des escaliers taillés dans la roche.

Miyajima, sanctuaire d'Itsukushima, Japon.

Dans l'île de Miyajima, le sanctuaire shintoïste d'Itsukushima, construit dès le XIIe siècle, est baigné par les eaux de la baie d'Hiroshima sur laquelle il semble flotter à marée haute. Les salles du rituel, flanquées de galeries qui constituent les ailes du bâtiment, sont précédées de plates-formes de danse sacrée. À 200 m en avant du sanctuaire, dans la baie, se dresse un des plus grands torii du Japon, en bois écarlate.

Mont Palomar, observatoire, États-Unis.

Le mont Palomar porte le plus grand observatoire du monde. Le miroir de son télescope, le plus grand existant actuellement, mesure 5,10 m. Entré en fonction en 1948, il a permis de photographier des astres distants de 400 millions d'années-lumière, doublant le rayon de l'univers connu et révélant d'innombrables galaxies.

Mount Rushmore, montagne sculptée, États-Unis.

Le Mount Rushmore National Memorial, dans les Black Hills du Dakota du Sud, est une sculpture gigantesque réalisée de 1925 à 1941 par John G. Borglum. Les quatre têtes colossales, taillées à même le granit de la falaise, de 18 m de haut chacune, sont les portraits de célèbres présidents américains.

Mont-Saint-Michel, abbaye, France.

Jadis régulièrement isolé à marée haute (seulement aux grandes marées à l'heure actuelle à cause de l'envasement de la baie), le Mont-Saint-Michel est une colline granitique de 900 m de haut et 80 m de tour. Au faîte se dresse l'abbaye, lieu de pèlerinage, dont la construction a duré du VIIIe au XVIe siècle. Les édifices tels qu'ils apparaissent sont, pour l'essentiel, de style roman et gothique. Leur construction fut un véritable tour de force. Il fallut d'abord aménager le sommet du mont, qui était trop étroit, et bien souvent prendre appui sur le rocher à pic.

Melk. Cette grandiose abbaye de style baroque est l'œuvre de Jacob Prandtauer.

Mount Rushmore. Les visages de Washington, Jefferson, Th. Roosevelt et Lincoln.

Le Mont-Saint-Michel dominé par l'église abbatiale et sa flèche de 152 m de haut.

Moscou. C'est le tsar Ivan le Terrible qui commanda la construction de la cathédrale dédiée à saint Basile.

Naqsh-i-Roustem. Tombeau de Xerxès Ier. Cet empereur perse mourut assassiné en 465 av. J.-C. après vingt ans de règne.

La liberté éclairant le monde. Cérémonie de remise de la statue à l'ambassadeur des États-Unis. Paris, 4 juillet 1884.

Il fut sans doute très difficile également de hisser les pierres, que l'on fit venir de Bretagne et même des îles Chausey. De solides remparts entourent le mont, grâce auxquels l'abbaye, souvent assiégée, ne fut jamais prise. Des travaux vont être entrepris pour désensabler la baie afin que la mer revienne comme autrefois jusqu'au pied de la forteresse.

Moscou, cathédrale Saint-Basile-le-Bien-Heureux, Union soviétique.
Cette cathédrale orthodoxe construite de 1554 à 1560 comprend neuf chapelles, initialement en bois, surmontées de coupoles de grandeur et de forme différentes, aux bulbes taillés à facettes, gaufrés ou côtelés, qui lui donnent un aspect unique. Le revêtement de feuilles de métal a été remplacé par une décoration en carreaux de faïence polychromes, plats ou en relief, et par un badigeon multicolore.

Najran, ville, Arabie saoudite.
Depuis des temps immémoriaux, toutes les maisons de cette ville, qui s'étage au pied d'un rempart montagneux, sont construites en briques crues séchées et peintes. La simplicité linéaire des constructions est rendue plus vivante par de petites tours et par des couronnements aux arcatures brutes dans leur facture, mais d'une extraordinaire expressivité. Déjà, les Romains, dans leurs chroniques, louaient la beauté de cette oasis qu'ils atteignirent peu avant le début de notre ère. De 500 à 636, Najran fut le siège d'une importante colonie chrétienne avant d'être convertie à l'islam. C'est de nos jours un centre agricole très actif.

Naqsh-i-Roustem, tombeaux, Iran.
Naqsh-i-Roustem, près de Persépolis, est la nécropole (VIe-Ve siècle av. J.-C.) des empereurs perses achéménides. Elle comprend quatre hypogées creusés dans la falaise à pic. Chacun présente une façade cruciforme d'une vingtaine de mètres, ornée de bas-reliefs, et percée d'une porte ouvrant sur une chambre funéraire placée à 15 m au-dessus du sol. Le souverain reposait dans une cuve creusée dans la roche.

Nazca, « lignes », Pérou.
Ces « lignes », tracées par les Nazcas sur le sable en amoncelant des cailloux ferreux, dessinent un fantastique enchevêtrement de rectangles, de carrés, de spirales, mais aussi d'oiseaux gigantesques, d'araignées ou de personnages, sur une superficie de 500 km². Ces figures et ces traits, dont certains sont longs de plusieurs kilomètres, sont parfaitement conservés depuis leur élaboration, datée de 550 apr. J.-C. Que signifient ces étranges dessins ? Jusqu'à présent le mystère demeure entier.

Néguev, lutte contre le désert, Israël.
La plupart des terres arables d'Israël se situent au sud du pays dans la région aride du Néguev, où les précipitations moyennes annuelles ne sont que de 50 mm environ. Cependant, les terres y sont propices à la culture, et déjà dans l'Antiquité une partie avait été exploitée (on y a retrouvé plus de 300 sites archéologiques). Depuis près de quarante ans, les Israéliens s'efforcent de redonner vie à ces terres, ce qui demande des efforts considérables : exploitation et dessalement des eaux souterraines et de la mer

Morte, aménagement d'un système de canalisations géantes, aqueducs, tunnels, lacs artificiels et barrages pour amener les eaux du Jourdain jusqu'au Néguev, reboisement. Aujourd'hui, le désert est devenu une région agricole.

Nemrut Dag, mausolée d'Antiochos Ier, Turquie.
Le mausolée du roi de Commagène (69-34 av. J.-C.), à 2 150 m d'altitude, au sommet du Nemrut Dag, est formé d'un tumulus (170 × 50 m) de galets ronds, gardé par des lions et des aigles de pierre gigantesques. Sur la terrasse se dressaient cinq statues colossales de 9 m de hauteur, dont les têtes (3 m × 2,50 m)) gisent sur le sol.

New York, Empire State Building, États-Unis.
Construit en quinze mois, il élève ses 112 étages à 381 m de hauteur (448 m depuis l'installation à son sommet, en 1951, d'une antenne de télévision de 67 m de haut). Comme il était impossible de stocker les éléments de la construction sans interrompre la circulation, les poutres d'acier étaient rivées en plein ciel en moins de quatre jours après leur expédition ; 14 étages et demi furent montés en dix jours. 73 ascenseurs circulent dans 11 km de cages, permettant aux 16 000 personnes qui y travaillent et aux 35 000 personnes qui visitent quotidiennement le building de circuler rapidement. On avait prédit l'effondrement de cette moderne tour de Babel, mais, malgré sa hauteur, ce gratte-ciel n'oscille à son sommet que de 3,8 cm avec des vents de 180 km/h. Bien qu'il ait perdu sa place de plus haut gratte-ciel du monde, il reste le symbole des prouesses techniques de l'Amérique du XXe siècle.

New York, statue de la Liberté, États-Unis.
Sur l'île de Bedloe, à l'entrée du port de New York, *la Liberté éclairant le monde* dresse son flambeau à 100 m de hauteur. Elle fut offerte par la France aux États-Unis pour commémorer la déclaration d'indépendance de ce pays. Œuvre du sculpteur Bartholdi, elle est faite de feuilles de cuivre (80 t) montées sur un « squelette » de fer (20 t) conçu par Eiffel. Inaugurée le 28 octobre 1886, elle avait coûté 2 250 000 francs or, fonds réunis par souscription sans aucune aide de l'État. Après une sérieuse restauration, on a fêté en 1986, avec le faste qui convenait, le centenaire de cette « huitième merveille du monde ».

Olympie, complexe sportif, Grèce.
C'est dans ce site, qui abritait la statue de Zeus, l'une des sept merveilles du monde, que furent créés les jeux Olympiques (776 av. J.-C.). Cérémonie religieuse à l'origine, ils prirent rapidement de l'ampleur ; tous les quatre ans, des milliers de pèlerins assistaient aux épreuves pour lesquelles les athlètes s'entraînaient durant des mois. Ils disposaient pour cela du gymnase, de la palestre, école des lutteurs formée d'une construction carrée de 66 m de côté, et du stade long de 192,27 m, le plus grand de Grèce. Sur sa barre de départ 20 coureurs pouvaient prendre place en même temps.

Oxford, ville universitaire, Grande-Bretagne.
L'université d'Oxford est née d'une migration d'étudiants chassés de Paris ou rappelés par le roi Henri II en 1167. L'University College fut créé le premier en 1249 (les bâtiments actuels

datent presque tous du XVIIᵉ siècle) et, peu à peu, le nombre d'établissements d'enseignement s'accrut. Dès lors, Oxford devint un des plus célèbres centres universitaires d'Europe où les plus grands maîtres enseignèrent. Parmi tous ces établissements, d'intérêt à la fois historique et artistique, les plus remarquables sont sans doute : le Merton College (1378), dont la bibliothèque est la plus ancienne d'Angleterre ; le New College (1386), qui possède une chapelle et un cloître gothique de toute beauté ; et le Magdalen College, dominé par sa tour (fin XVᵉ siècle), le plus célèbre monument de la ville.

Palmyre, ville, Syrie.
Au cœur du désert de Syrie, Tadmor (1900 av. J.-C.) fut la capitale du royaume de la reine Zénobie avant de devenir Palmyre, cité romaine, en 273. Les ruines couvrent 2 km² et comprennent de nombreux édifices comme la grande colonnade de la principale avenue et le temple de Bêl. Celui-ci est situé sur une vaste esplanade entourée d'un portique carré de 225 m de long. Près de la ville sont érigées des tours-tombeaux quadrangulaires de couleur ocre, dont la plus imposante est la tour Jamblique, à cinq étages. Ces tombes sont ornées de fresques somptueuses et abritent des chambres funéraires d'une grande richesse.

Panamá, canal, Panamá.
Les travaux entrepris par le Français de Lesseps en 1881 furent achevés par les Américains en 1914. Long de 67 km, large de 80 m, le canal est coupé par trois écluses avant d'atteindre le lac artificiel de Gatún, à 26 m d'altitude. Puis il traverse par une tranchée le seuil de la Culebra avant de redescendre vers le Pacifique. Le niveau est rattrapé par les écluses de Miraflores, longues de 305 m et larges de 33,50 m. Au cours de sa construction, 8 910 000 t de terre furent déplacées par plus de 43 000 hommes.

Pâques (île de), statues monolithiques, Chili.
Près de 500 statues gigantesques (moai) peuplent l'île. Elles représentent des têtes aux grandes oreilles et des torses humains dont certains sont ornés de tatouages. Ces blocs de pierre grossièrement équarris mesurent environ 10 m et pèsent plusieurs tonnes ; quelques-uns sont coiffés d'un cylindre de tuf rouge pesant de 4 à 5 t. La plus grande statue découverte, non dressée, mesure 21 m de long et son poids avoisine les 150 t. Le plus célèbre site de l'île, l'ahu Akivi, forme un alignement de sept géants érigés sur un socle de pierre.

Paris, tour Eiffel, France.
Construite pour l'Exposition universelle de 1889, par Gustave Eiffel, elle mesurait lors de son inauguration, le 31 mars 1889, 300,51 m de haut. L'entreprise avait nécessité plus de 5 000 feuilles de dessin d'atelier, 40 dessinateurs pendant deux ans, 15 000 pièces métalliques environ, assemblées par 2 500 000 rivets. L'ensemble ne pesait pas moins de 7 175 t. Aujourd'hui, après la pose d'équipements de radio-télévision, la tour mesure 320,75 m.

Pékin, palais impérial, Chine.
Le palais impérial, ou Cité interdite, couvre une superficie de 720 000 m². Il est composé d'un ensemble de bâtiments dont la plupart ne sont guère antérieurs au XVIIIᵉ siècle. Ces bâtiments, aux toits caractéristiques de l'architecture chinoise, aux bois laqués, sont richement décorés de meubles, de soieries, de porcelaines et d'une multitude d'objets précieux. Ils sont entourés par un fossé plein d'eau large de 50 m et par une muraille continue haute de 10 m, dont les quatre angles sont renforcés par des bastions surmontés chacun d'un pavillon à toit jaune. Le palais s'ouvrit peu à peu au public après l'avènement de la république en 1912, mais la famille impériale continua d'en occuper une partie jusqu'en 1924.

Pendjikent, ville sogdienne, Union soviétique.
Cette ville d'Asie centrale, abandonnée après la conquête arabe (VIIIᵉ s.), est un bel exemple de la civilisation sogdienne. Elle regroupe une forteresse, la cité (shâhrestân), un faubourg et une nécropole. Datée du Vᵉ-VIᵉ siècle, Pendjikent était construite en adobe et en argile battue avec des toits voûtés en briques. Les maisons à étages, dont les plus grandes occupaient jusqu'à 80 m² de surface, étaient décorées de fresques murales peintes dont certaines atteignaient 50 m². Ces peintures polychromes retrouvées dans plus de cinquante maisons, illustraient l'épopée iranienne. Des sculptures en bois, presque de grandeur nature, décoraient l'intérieur des habitations et des temples, lesquels étaient organisés autour d'un complexe de bâtiments distincts reliés par de larges couloirs.

Persépolis, cité impériale, Iran.
Construite par Darius Iᵉʳ (VIᵉ siècle av. J.-C.), et agrandie par ses successeurs, la cité, qui se dressait sur une esplanade (450 × 300 m) haute de 18 m, incluait de nombreux édifices. L'Apadana, palais principal, où 10 000 personnes pouvaient se tenir, abritait une immense salle carrée de 75 m de côté, haute d'une vingtaine de mètres. On y accédait par de grands escaliers doubles sur les parois desquels des bas-reliefs représentaient le défilé des vingt-trois nations sujettes de l'empire. Non loin était érigé le palais aux Cent Colonnes ainsi que la trésorerie.

Petra, cité nabatéenne, Jordanie.
La capitale des Nabatéens (IVᵉ siècle) est la seule ville hypogée du monde. Après avoir franchi le défilé de Siq, on pénètre dans un univers de palais, de tombeaux et d'habitations creusés dans le roc avec des façades partiellement excavées. Les plus beaux monuments sont : le tombeau dit Khazneh Firaoun, dont la façade haute de 32 m, taillée dans le grès rose, s'agrémente de colonnes et de chapiteaux de style grec ; le théâtre aux 34 rangs de gradins qui pouvait contenir 3 000 spectateurs ; ainsi que le tombeau du Deir (46 × 42 m), le plus grand monument de Petra.

Pise, place du dôme, Italie.
Sur une immense pelouse, quatre édifices en marbre offrent un ensemble unique par son ampleur, son unité et son élégance : la cathédrale, le campanile, le baptistère et le cimetière. Commencés aux XIᵉ et XIIᵉ siècles, les travaux ne s'achevèrent qu'au XVᵉ, car ils furent interrompus par les guerres qui entraînèrent peu à peu la décadence de la ville. La cathédrale, en forme de croix, mesure 100 m de long ; la largeur de sa façade est de 35 m. Le baptistère est un édifice

Ile de Pâques. L'alignement des moai de l'ahu Akivi. Les géants furent redressés en 1960 par l'archéologue W. Mulloy.

Pékin. Dans la cour d'honneur de la Cité interdite, le palais de l'Harmonie suprême, salle des audiences.

Persépolis, nobles Mèdes et Perses. Détail des bas-reliefs qui ornaient l'escalier conduisant à la salle du trône.

Rangoon. Le Shwe Dagon bâti au XVᵉ s. fut agrandi aux XVIIIᵉ et XIXᵉ s.

San Augustin, dolmen à couloir. Devant, un dieu de la pêche et de la chasse.

Sânchî. Le grand stoûpa (IIIᵉ s. av. J.-C.) et son torana (Iᵉʳ s. apr. J.-C.).

San Gimignano. Chacune de ces tours était la place forte d'une famille.

circulaire, dont la coupole ne fut terminée qu'au XIVᵉ siècle, sa hauteur totale est de 55 m et son diamètre intérieur de 35,50 m. Le cimetière est entouré de galeries gothiques. Mais le plus célèbre de ces monuments est le campanile (la Tour penchée), qui renferme les cloches de l'église, auxquelles on accède par un escalier de 292 marches. Haute de 55 m environ, elle pèse 14 500 tonnes et son inclinaison, due à un affaissement du sol, est de 4,31 m par rapport à la verticale.

Pompéi, ville romaine, Italie.

Détruite en quelques heures par l'éruption du Vésuve en 79, Pompéi, qui abrita 20 000 habitants, couvrait 64 ha et dessinait un ovale de 3 km de circonférence. Elle était entourée de remparts percés de huit portes. Intra-muros, on retrouve aujourd'hui, miraculeusement intacts, tous les édifices : maisons plébéiennes aux façades sévères ; demeures patriciennes plus vastes, avec des bassins et des statues, des mosaïques et de magnifiques peintures (maison des Vettii, maison de Ménandre, villa des Mystères) ; des échoppes (boulangeries, foulonneries, restaurants) ; des édifices publics (thermes, palestre, théâtres). De multiples objets de la vie des Pompéiens, y compris des affiches murales, ainsi que l'empreinte des corps des victimes du cataclysme ont été conservés dans la lave.

Rangoon, temple Shwe Dagon, Birmanie.

Édifiée, semble-t-il, au XVᵉ siècle, c'est la plus grande pagode bouddhiste de ce type au monde. Sur son soubassement quadrangulaire se dressent quatre chapelles et l'énorme temple en forme de cloche, haut de 100 m, dont le périmètre à la base est de 433 m. Dénommée également pagode d'or à cause de son revêtement de feuilles d'or incrustées de diamants, elle est gardée par Manoktiha, sorte d'animal fabuleux mi-homme mi-lion, haut de 18 m.

Rome, château Saint-Ange, Italie.

Construit en 135-139 sous l'empereur Hadrien pour servir de mausolée, le monument comprend une tour cylindrique de 64 m de diamètre, bâtie en blocs de travertin plaqués de marbre, reposant sur une assise carrée de 80 m de côté et d'une hauteur de 50 m. En 1493, le mausolée fut transformé en une citadelle à laquelle on ajouta quatre bastions à orillons aux angles.

Saint-Laurent, voie maritime, Canada/États-Unis.

Elle relie l'océan Atlantique à Duluth, au Minnesota, à 3 768 km à l'intérieur des terres. Cet aménagement, qui donne aux Grands Lacs un débouché maritime, a nécessité la construction de 304 km de voies navigables artificielles suffisamment profondes pour accueillir les navires de haute mer (comme le canal Welland qui contourne les chutes du Niagara et compte huit écluses) et la canalisation du Saint-Laurent jusqu'à Montréal. Ces travaux furent réalisés conjointement par le Canada et les États-Unis de 1954 à 1959.

Salisbury, cathédrale, Grande-Bretagne.

Cette cathédrale est remarquable par son unité de style (gothique primitif), car elle fut construite d'un seul élan entre 1220 et 1258, excepté le clocher et la flèche de 122 m de haut qui sont du XIVᵉ siècle. De nombreux personnages qui participèrent à l'histoire de l'Angleterre y ont leur tombeau, comme sir John Montacute, qui fut à la bataille de Crécy, Guillaume Longuespée, premier comte de Salisbury, l'évêque Richard Poore, fondateur de la cathédrale... Font également partie de la cathédrale un cloître et une très belle salle capitulaire de la même époque.

San Augustin, site mégalithique, Colombie.

À 1 500 m d'altitude, le site de San Augustin (VIᵉ siècle av. J.-C.) regroupe plus de 300 statues monolithiques dont certaines atteignent 4 m de hauteur. Elles représentent des visages humains aux traits terrifiants et sont associées à des temples mégalithiques ainsi qu'à des dolmens à couloir. Toutefois, le monument le plus étrange est le Lavapatas, dalle (10 × 10 m) en pente douce, creusée de méandres communiquant avec des cavités. Lorsque l'eau captée d'un río voisin s'insinue dans tous les conduits, la dalle semble se mettre à vivre.

Sânchî, stoûpas, Inde.

Les stoûpas de Sânchî sont parmi les plus anciens et les mieux conservés de l'Inde. Le plus grand d'entre eux est une construction hémisphérique symbolisant la tombe du Bouddha. Elle est constituée d'un dôme de pierre de 15 m de diamètre sur 9 m de haut, et était autrefois recouverte de stuc. Le stoûpa est entouré d'une balustrade de pierre dont les montants et les entretoises sont ornés de motifs archaïques. Le torana (portique) est décoré de scènes de la vie du Bouddha.

San Gimignano, tours fortifiées, Italie.

Aujourd'hui, au-dessus de la triple enceinte des murailles, ne se dressent plus que 13 des 70 tours, de plan carré, construites aux XIIIᵉ et XIVᵉ siècles pour défendre les grandes familles durant les guerres civiles entre les guelfes et les gibelins.

Saqqarah, nécropole, Égypte.

Le centre de cette nécropole, la plus vaste de l'Égypte antique, qui s'étend sur plusieurs kilomètres carrés, est occupé par une sorte de citadelle. À l'intérieur de l'enceinte rectangulaire (550 × 275 m), haute de 9 à 11 m, se dresse une pyramide de pierre à 6 degrés et de 61 m de hauteur, renfermant le tombeau du roi Djoser. C'est la première de ce type construite dans le monde (XXVIIᵉ siècle av. J.-C.) dont s'inspirèrent Chéops et ses successeurs. Dans cette nécropole se trouvent aussi divers mastabas (tombes de hauts personnages), aux magnifiques bas-reliefs et peintures polychromes illustrant la vie sociale et la vie privée des Égyptiens.

Ségovie, aqueduc, Espagne.

Ce monument bien conservé représente le plus grand témoignage de la présence de Rome en Espagne. Bâti sous l'empereur Trajan (Iᵉʳ siècle apr. J.-C.), il a 128 arches en deux étages d'arcades s'étendant sur une longueur de 818 m. Sa direction et son élévation varient suivant les dispositions du terrain ; au point le plus profond, il atteint 28,50 m de haut. Cet aqueduc, dont la pente des eaux est de 1 %, fut en service jusqu'en 1974.

Sens, cathédrale Saint-Étienne, France.
Elle est la plus ancienne cathédrale gothique de France. Commencée au XIIe siècle, elle est flanquée de deux tours, dont l'une est inachevée, et s'ouvre par un magnifique portail sculpté. A l'intérieur, l'élévation est à trois niveaux avec de grandes arcades, contrastant avec la dimension du triforium et celle des hautes fenêtres. Les vitraux (XIIe-XIIIe siècle) sont remarquables, et le trésor est l'un des plus riches de France.

Split, palais, Yougoslavie.
L'empereur Dioclétien fit construire (295-305) ce palais, où il se retira en 305 après son abdication. En forme de quadrilatère, il était entouré de remparts délimitant une enceinte de 30 000 m², renforcée de tours quadrangulaires et octogonales. Deux grandes artères se croisaient à angle droit au centre de l'enceinte, la voie nord-sud aboutissant au nord à un péristyle bordé par des temples, au mausolée de l'empereur, et, au sud, au palais lui-même adossé à la mer. Au nord était la zone réservée aux fonctionnaires, aux serviteurs et aux soldats. À l'époque des grandes invasions, les populations s'installèrent à l'abri des remparts ; des bâtiments furent détruits, on en construisit d'autres, et aujourd'hui, le palais fait partie de l'agglomération. Cependant, les éléments conservés — remparts, mausolée (transformé en cathédrale), péristyle, temple de Jupiter — sont encore assez importants pour en faire l'un des vestiges les plus précieux de l'Antiquité romaine.

Tassili-n-Ajjer, art rupestre, Algérie-Libye.
C'est dans le massif montagneux du Hoggar, au Sahara, que furent découverts en 1932 les vestiges d'une civilisation qui dura plus de quatre mille ans. Témoignant d'un climat et d'une faune aujourd'hui disparus, des hommes ont couvert les parois des abris sous-roche de gravures et de peintures (plus de 10 000), dont certaines datent de 6000 avant Jésus-Christ. Les plus anciennes sont ocre rouge bordées de blanc, puis apparaissent les tracés polychromes d'où le vert est absent. Parmi les plus belles œuvres, il faut mentionner les bœufs, girafes, antilopes et oryx d'Ihéren, les scènes de chasse de Jabaren, les personnages dans un village de Takédédoutamine ou le char de Tin-n-Anneuin.

Torralba, nuraghe, Sardaigne, Italie.
La Sardaigne compte 7 000 nuraghi ou fortins puissants et sévères construits en pierre il y a environ trois mille ans par les premiers habitants de l'île. Le plus important est celui situé près de Torralba ; il mesure 16 m de hauteur.

Transamazonienne, route, Brésil.
La construction de cette grande artère de 5 500 km, de 7 m de large, dans une trouée forestière de 77 m, a duré de 1969 à 1973. Traversant l'Amazonie d'est en ouest, elle relie l'Atlantique, de Recife, à la frontière du Pérou, à partir de laquelle un tronçon de voie de 800 km mène au Pacifique. C'est la première partie d'un réseau qui devrait atteindre 15 000 km et sillonnera l'immense bassin de l'Amazone. La transamazonienne franchit un nombre incalculable de cours d'eau. L'éloignement de tout centre civilisé, l'épaisseur de la forêt, le climat insalubre, etc., ont rendu les conditions de travail extrêmement difficiles. L'irruption brutale de la civilisa-

tion chez les tribus indiennes eut des conséquences dramatiques, si bien que les Brésiliens lui donnèrent le nom de Transamargura : route de l'amertume.

Uxmal, palais du Gouverneur, Mexique.
Dans cette cité du Yucatán qui fut un des centres les plus importants de la civilisation maya, se dresse le fameux palais du Gouverneur. Le bâtiment est construit sur une esplanade artificielle de 180 m de long sur 154 m de large et de 12 m de hauteur, qui totalise 350 000 m³ de matériaux. Sur ce soubassement, une autre terrasse de 120 m de long sur 25 m de large et de 4 m de hauteur supporte l'édifice (couronné par une superbe frise de style Puuc), qui atteint 98 m de long pour 12 m de profondeur et 9 m de hauteur. L'ensemble représente 900 000 tonnes de matériaux.

Vézelay, basilique, France.
La basilique Sainte-Madeleine est un chef-d'œuvre de l'art roman du XIIe siècle. Au tympan du portail central du narthex, un immense Christ en majesté étend les bras et, de ses mains ouvertes, des rayons tombent sur les apôtres. Sur le linteau et la première voussure sont représentés les peuples de la Terre. La nef est remarquable par la beauté de sa voûte en berceau, aux arcs doubleaux noirs et blancs, et par ses chapiteaux historiés.

Vienne, château de Schönbrunn, Autriche.
Ce palais impérial était la résidence d'été des Habsbourg. C'est le dernier d'une série d'édifices dont le premier fut brûlé au XVIe siècle. Reconstruit à plusieurs reprises, le château que l'on voit aujourd'hui fut commencé en 1696 et achevé en 1749 par Marie-Thérèse d'Autriche. L'ensemble s'étend sur 6,7 ha et comprend 1 400 pièces, dont 300 pour le château lui-même. Son style, sa décoration et ses jardins en font un bon exemple du goût du XVIIIe siècle.

Wieliczka, mines de sel, Pologne.
Ces mines de sel, situées près de Cracovie, ont été exploitées dès le XIe siècle. Leur profondeur atteint par endroit 315 m ; la longueur totale des galeries réparties sur 8 niveaux est de 150 km environ. Ces mines comportent en outre plusieurs chapelles creusées dans le sel gemme : chapelle Saint-Antoine (XVIIe siècle), chapelle Sainte-Croix, chapelle Sainte-Cunégonde ; un musée du sel et de l'histoire des procédés d'extraction, plusieurs grottes, et surtout l'énorme salle Staszic, à 127 m au-dessous du sol. Plus bas, dans une autre salle, située à 211 m de profondeur, un sanatorium a été aménagé à titre expérimental en 1966, car le microclimat de la mine est réputé pour soulager les affections des bronches.

Zimbabwe, temple fortifié, Zimbabwe.
Les murs énigmatiques de cet ancien temple-palais (XIe-XVe siècle) se dressent à environ 1 000 m d'altitude. Malgré des allures de forteresse, l'enceinte de pierres sèches soigneusement équarries ne servait qu'à dérober au regard la vie secrète du souverain. Haute de 10 m, une tour pleine surplombe la muraille. À l'intérieur de l'enceinte qui a près de 100 m de long et 70 m de large se trouvaient les anciens quartiers composés de cases en torchis.

Ségovie, l'acqueduc romain. Construit au Ier s. apr. J.-C., il fut en service jusqu'en 1974.

Wieliczka. Autel latéral de la chapelle Sainte-Cunégonde, entièrement sculptée dans le sel par des mineurs en 1896.

Zimbabwe. La grande tour du temple était sans doute un symbole religieux plutôt qu'une tour de guet.

GLOSSAIRE

Abréviations

Fortif.	= Fortifications
Archit.	= Architecture
Bx-arts	= Beaux-arts
Géol.	= Géologie
Relig.	= Religion
Mus.	= Musique
Céram.	= Céramique
Spéc.	= Spécialement
Math.	= Mathématiques
Par ext.	= Par extension
Syn.	= Synonyme
Techn.	= Technologie
Milit.	= Militaire
Mar.	= Marine
Archéol.	= Archéologie
Bot.	= Botanique

A

abaque n. m. *Archit. relig.* Partie supérieure du chapiteau. Sa proportion, sa forme et son décor varient selon les ordres : simple et carré pour le dorique, mouluré pour l'ionique, incurvé pour le corinthien.

abside n. f. (du grec *hapsis,* cercle). Extrémité circulaire d'une église, derrière le chœur (à l'origine, sorte de niche circulaire à l'extrémité des basiliques de la Rome antique). Son orientation vers l'est est en rapport étroit avec le symbolisme du soleil.

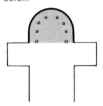

acrotère n. m. *Archit.* Socle pour des ornements en pierre ou en terre cuite décorant les extrémités ou le sommet des frontons. — *Par ext.* Ces ornements eux-mêmes.

adobe n. m. Brique de terre, cuite au soleil, utilisée dans la construction par les Amérindiens. Construction faite avec cette brique.

adret n. m. Dans une vallée, versant exposé au soleil. S'oppose à ubac.

agora n. f. En Grèce, c'était la place publique, centre vital de la cité, où se tenait un marché et où l'on se réunissait pour traiter les affaires publiques et pri-vées. Autour de l'agora étaient bâtis quelques-uns des temples principaux et les monuments officiels.

ambon n. m. Petite tribune à prêcher placée aux extrémités de la clôture du chœur d'une église.

antiphonaire n. m. Dans la liturgie catholique médiévale, livre contenant les parties chantées des offices religieux.

appareil n. m. *Archit.* Assemblage de pierres formant un mur. Ces pierres peuvent être soit en blocage, c'est-à-dire disposées sans ordre — dans ce cas, elles sont bloquées ensemble par des assises régulières de pierre ou de brique (construction romaine) —, soit en assises régulières contrariées, assemblées avec des agrafes (construction grecque). L'assemblage peut être consolidé par un mortier (construction actuelle). On parle de petit ou de grand appareil selon la dimension des pierres. L'**appareil cyclopéen** a été utilisé à Mycènes : il s'agit de très gros blocs de pierre taillés irrégulièrement, mais très exactement ajustés.

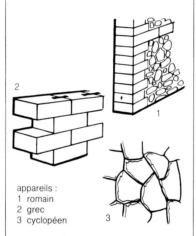

appareils :
1 romain
2 grec
3 cyclopéen

arc n. m. Élément de construction de forme courbe, reposant sur deux points d'appui. Les pierres qui le composent s'appellent des claveaux ; celle du centre, la clef. L'extérieur de l'arc se nomme l'extrados ; la partie intérieure, l'intrados. La courbure varie selon les époques. Arc **en plein cintre :** arc en demi cercle parfait.

clef
claveaux
arc

arc-boutant n. m. Arc enjambant le bas-côté, destiné, dans la construction gothique, à reporter sur la culée la poussée de la voûte.

arc doubleau n. m. Arc en saillie soutenant une voûte.

archère n. f. Ouverture étroite et ébrasée vers l'intérieur pratiquée dans un mur de défense pour le tir à l'arc.

archimandrite n. m. Titre attribué au supérieur de certains monastères grecs.

architrave n. f. Partie inférieure de l'entablement, reposant directement sur l'abaque (voir ce mot) du chapiteau.

assommoir n. m. *Archit. milit.* Ouverture pratiquée dans une voûte au-dessus d'une porte fortifiée, par laquelle les assiégés jetaient des blocs de pierre pour assommer l'assaillant.

astragale n. m. À la partie inférieure du chapiteau, bourrelet intermédiaire entre la corbeille et le fût de la colonne.

astrolabe n. m. Instrument qui servait à évaluer la hauteur des astres au-dessus de l'horizon, et qui sert aujourd'hui au calcul des heures et des latitudes.

atlante n. m. (du dieu grec *Atlas,* qui soutenait la voûte du ciel sur ses épaules). Statue masculine supportant un entablement.

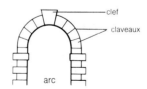

atrium n. m. Salle de réception dans les demeures romaines. Une ouverture carrée, aménagée dans le toit, lui donnait l'air et la lumière ; au centre était creusé un bassin, l'impluvium, en général de forme rectangulaire, qui recueillait les eaux de pluie tombées de l'ouverture supérieure (compluvium). Autour de l'atrium s'articulaient les autres pièces de la maison.

azulejo n. m. Carreau de faïence émaillée, de couleur bleue, utilisé pour le revêtement des murs en Espagne et au Portugal.

B

bail emphytéotique. Bail à long terme (18 à 99 ans), susceptible d'hypothèque, dont le preneur bénéficie d'un faible loyer en contrepartie des travaux qu'il s'engage à effectuer.

baille n. f. *Fortif.* Avant-cour, cour des ouvrages extérieurs, associée avec le monticule fortifié ou motte ; plus tard, elle deviendra la cour intérieure commune à tous les châteaux forts du Moyen Âge.

baliveau n. m. Lors d'une coupe de taillis, arbre épargné pour le laisser croître en futaie. — *Par ext.* Longue perche utilisée, à la verticale, dans la construction des échafaudages.

barbacane n. f. Ouvrage fortifié avancé, destiné à défendre une porte, un pont, etc. — Ouverture étroite et longue permettant l'aération, l'éclairement ou l'écoulement des eaux. — Dans une construction militaire, meurtrière.

baroque (art). Historiquement, l'art baroque se situe en Italie au XVIIe s., et dans le reste de l'Europe au XVIIIe ; mais l'analyse infirme cette classification, et il faut définir le baroque plus largement. À l'opposé de la stabilité et de la rigueur classiques, le caractérisent l'animation des formes (diagonales, courbes et contre-courbes, asymétrie) et le goût très marqué de l'effet d'ombre et de lumière, de couleur. Enfin, une œuvre baroque ne se laisse pas analyser élément par élément comme une œuvre classique, mais s'appréhende globalement dans un mouvement continu de l'esprit.

béhourd n. m. Au Moyen Âge, exercice d'entraînement au combat pratiqué par les chevaliers, au cours duquel les cavaliers s'efforçaient de se désarçonner.

berceau n. m. Voûte en berceau : *Archit.* Voir VOÛTE.

bestiaire n. m. Au Moyen Âge, traité tirant de l'étude des animaux des interprétations allégoriques et moralisatrices. Aujourd'hui, ensemble de l'imagerie animalière d'un auteur, d'une œuvre.

bossage n. m. Revêtement de façade en pierre formant un relief. Les bosses peuvent être arrondies, taillées en pointes de diamant, vermiculées ou laissées brutes (bossage rustique). Le bossage permet d'animer des surfaces par le jeu de l'ombre et de la lumière.

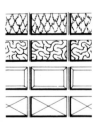

bretèche n. f. Petite loge rectangulaire en encorbellement, plaquée sur un mur. Au Moyen Âge, munie de mâchicoulis, elle est d'abord proprement militaire. Elle devient ensuite, dans l'architecture civile (en particulier celle des hôtels de ville), une petite loggia à balcon richement décoré d'où l'on peut se montrer à la foule.

C

calame n. m. Dans l'Antiquité, roseau taillé utilisé pour écrire.

calfat n. m. *Mar.* Ouvrier chargé de remplir d'étoupe les fentes de la coque d'un navire pour la rendre étanche.

cariatide n. f. Colonne en forme de statue féminine. Ce sens est quelquefois élargi à la statue-colonne masculine. Voir ATLANTE.

car-sharing (« voiture en partage »). Aux États-Unis, transport automobile en commun pratiqué par des particuliers.

cartouche n. m. (de l'italien *cartoccio*, cornet en papier). Ornement destiné à recevoir une inscription. À l'origine, était en forme de carte à demi déroulée.

casbah n. f. (mot arabe). Surtout en Afrique du Nord, palais ou citadelle, ainsi que le quartier qui l'entoure.

castrum (du latin, camp). Mot employé pour désigner les camps romains, ou leur ancien emplacement.

cella n. f. (du latin, loge). Dans l'Antiquité, lieu du temple où était placée la statue du dieu. Désignait aussi, dans les thermes romains, une cabine de bain, et dans les maisons, les celliers.

cénotaphe n. m. Monument funéraire élevé à la mémoire d'un ou de plusieurs morts, mais ne contenant pas de corps.

chapiteau n. m. Partie supérieure de la colonne ou du pilastre supportant l'entablement ou le départ d'un arc. Il est composé de plusieurs parties : l'abaque, la corbeille (ou l'échine, pour l'ordre dorique), l'astragale. Ces éléments changent de proportions, de forme et de décor selon les ordres (voir ce mot).

chasse-pierres n. m. inv. Dispositif placé à l'avant d'une locomotive, destiné à débarrasser les rails des pierres et autres obstacles qui pourraient s'y trouver.

châtelet n. m. Petit château fort destiné à défendre un pont, une entrée, une voie de communication, etc.

chevet n. m. *Archit.* Chœur d'une église, vu de l'extérieur.

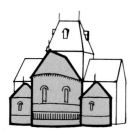

chicane n. f. Système défensif destiné à contrarier la progression des assaillants par une série d'obstacles généralement disposés en zigzag.

chryséléphantin, ine adj. (du grec *khrusos,* or, et *elephas,* ivoire). Qui est fait d'or et d'ivoire.

churrigueresque adj. (de Churriguerra, architecte et décorateur espagnol). Qualifie l'architecture baroque espagnole à son apogée, dans la première moitié du XVIIIe siècle.

ciborium n. m. (au pl. : ciboria). Baldaquin soutenu par des colonnes au-dessus de l'autel des basiliques chrétiennes.

cinabre n. m. Sulfure rouge de mercure employé par les dames de l'Antiquité comme rouge à lèvres. Sa belle couleur rouge et brillante a été utilisée sous les marqueteries en écaille pour produire des reflets par transparence.

cintre n. m. *Archit.* Courbure intérieure d'une voûte ou d'un arc. Échafaudage en arc de cercle utilisé pour la construction des voûtes. Voir aussi : ARC EN PLEIN CINTRE.

cipolin n. m. (de l'italien *cipollino,* petit oignon). Variété de marbre dont le dessin souvent concentrique des veines évoque l'aspect d'un oignon coupé.

claustra n. m. pl. inv. *Archit.* Fenêtre ou cloison en pierre ajourée, souvent utilisée dans les édifices du Moyen Âge.

clàveau n. m. Voir ARC.

clef n. f. Claveau central d'un arc, parfois plus grand que les autres et décoré. — Clef de voûte : point de rencontre des sections de voûtes. Plus l'ogive (voir ce mot) s'élèvera, plus la clef devra faire contrepoids. Les clefs pendantes, outre leur fonction architectonique, deviennent un élément décoratif très soigné du gothique flamboyant (voir ce mot).

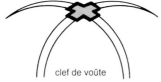
clef de voûte

collage n. m. Procédé artistique consistant à mêler dans une même œuvre des éléments disparates.

collatéral n. m. *Archit.* Bas-côté parallèle à la nef principale d'une église.

collectaire n. m. Livre de prières contenant les « collectes » (oraisons prononcées par le prêtre pendant la messe) d'une année.

coniques n. m. Courbes (cercle, ellipse, hyperbole, parabole) obtenues en coupant un cône par des plans diversement orientés.

console n. f. *Archit.* Pierre saillante (ou pièce de bois ou de métal) soutenant un balcon.

corbeau n. m. Élément de pierre ou de bois soutenant les corniches, les poutres et les encorbellements. Au Moyen Âge, les corbeaux étaient souvent

sculptés de personnages humoristiques ou d'animaux fabuleux.

corcyréen adj. De l'ancienne île de Corcyre, l'actuelle Corfou, dans la mer Ionienne.

corinthien adj. Voir ORDRE.

coule n. f. Robe à capuchon et larges manches portée par certains moines.

courtine n. f. *Archit.* Façade d'un édifice terminée par deux pavillons. — *Fortif.* Partie du bastion reliant deux ailes.

crémaillère n. f. Un système de fortifications est dit « en crémaillère » lorsque son tracé, sa configuration ou sa forme rappelle le dessin des dents d'une crémaillère.

cul-de-lampe n. m. *Archit.* Petit support en encorbellement (voir ce mot) destiné à recevoir la retombée d'un arc ou à soutenir une statue ; les culs-de-lampe sont sculptés de feuillages ou de motifs allégoriques.

culot n. m. Ornement architectural, en forme de calice, d'où partent des volutes et des rinceaux (voir ce mot).

cunéiforme adj. et n. m. C'est le nom donné par les assyriologues à l'écriture qui couvre les tablettes de terre cuite recueillies en Mésopotamie, en Syrie et en Anatolie. Cette écriture, dont les caractères sont « en forme de coin » ou de clou, a été inventée par les Sumériens à partir d'une écriture idéographique, et perfectionnée par les Akkadiens et les Babyloniens. Les scribes la traçaient sur des tablettes d'argile crue, à l'aide de stylets à pointe triangulaire qu'ils enfonçaient dans la glaise, ce qui formait un triangle, souvent prolongé par un trait.

cyclopéen. Voir APPAREIL.

D

daimyô n. m. Dans le Japon médiéval, chef de guerre.

déambulatoire n. m. Dans l'architecture gothique, bas-côté entourant l'abside d'une église.

dégourdissage n. m. *Céram.* Désigne la pré-cuisson lente (dégourdi) dans un four, qui facilite la manipulation des pièces trop friables.

dendrochronologie n. f. Méthode de datation à partir du décompte des anneaux des arbres.

derrick n. m. Bâti métallique en forme de pylône qui supporte l'appareil de forage d'un puits de pétrole.

doloire n. f. Outil tranchant utilisé par les charpentiers et les tonneliers pour égaliser et aplanir (« doler ») le bois, ou par le maçon pour gâcher les matériaux.

donatisme n. m. *Relig.* (du nom de l'évêque de Carthage Donat). Au IVe s., schisme qui divisa les Églises africaines.

dorique adj. Voir ORDRE.

doubleau n. m. Voir ARC DOUBLEAU.

dumper (anglais, « qui jette bas »). Camion à benne basculante, équipé de vérins hydrauliques, utilisé pour le transport et le déchargement des matériaux.

EF

échansonnerie n. f. Dans les palais, lieu où se faisait la distribution du vin. L'échansonnerie était placée sous la direction d'un « chef du gobelet ».

échauguette n. f. Petite tourelle de guet en encorbellement (voir ce mot) sur une tour ou un mur. D'abord construite en bois, puis en pierre à partir du XIIe s.

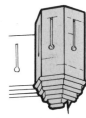

écoinçon n. m. Partie de maçonnerie comprise entre deux arcs tangents et limitée en haut par un bandeau plat.

écosystème n. m. Ensemble formé par des plantes et des animaux vivant dans un milieu auquel ils sont adaptés. L'écosystème comprend, en outre, le cadre physique dans lequel vit cette communauté : air, eau, sol, climat, altitude.

embase n. f. *Techn.* Surface d'appui qui supporte la charge d'un édifice.

encorbellement n. m. Construction établie en porte-à-faux, et soutenue par des consoles ou des corbeaux (voir ces mots). Le béton armé a permis des encorbellements sans soutien.

entablement n. m. Partie de l'édifice classique au-dessus des colonnes. L'entablement complet comprend l'architrave, la frise et la corniche ; ces éléments varient selon les ordres (voir ce mot). Si deux étages d'ordres sont superposés, l'entablement ne comprend que l'architrave et la frise.

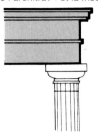

épigraphie n. f. Science qui a pour objet l'étude des inscriptions, gravées ou peintes.

évergétisme (d'après évergète, du grec *euergétès,* bienfaisant). Pratique, courante dans l'Antiquité, consistant, pour un roi, un empereur, à combler ses sujets de cadeaux de toute sorte, pour en faire ses « obligés ».

exarque n. m. *Relig.* Au IVe s., gouverneur militaire byzantin en Italie et en Afrique. Représentant direct de l'empereur, il était commandant en chef des troupes et avait aussi un droit de regard sur les affaires ecclésiastiques.

flèche n. f. Partie supérieure d'un clocher, de forme pyramidale ou conique. Les flèches, par mesure d'économie, furent souvent reconstruites en charpentes recouvertes de plomb, mais il existe des flèches de pierre d'une très grande audace.

fondouk n. m. Dans les pays arabes, lieu où se tient le marché, entrepôt de marchandises, auberge.

foulon n. m. Ouvrier qui apprête les étoffes de laine en les foulant aux pieds.

freeway (américain, « route libre »). Autoroute.

fût n. m. Partie de la colonne comprise entre la base et le chapiteau. Le fût peut être, selon les ordres, lisse ou cannelé, annelé, sculpté, etc. voir ORDRE.

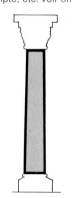

G

géminé adj. Ce qui est double ou couplé, particulièrement en architecture (colonnes, fenêtres).

glacis n. m. Dans un dispositif défensif, terrain en pente, à découvert, partant des fortifications vers l'extérieur.

glyphe n. m. Trait gravé en creux, dans un ornement de la frise dorique en particulier.

gnomon n. m. « Cadran solaire » constitué d'une tige verticale dont l'ombre portée sur une surface horizontale permet, d'après la longueur et l'orientation de l'ombre, de calculer l'heure.

gothique adj. Ce terme a été employé à la Renaissance d'une manière péjorative pour qualifier l'architecture de la période précédente, qui semblait un art de barbares (celui des Goths). Malgré son impropriété, il est utilisé par la critique moderne pour désigner la période s'étendant, en gros, de la seconde moitié du XIIe s. à la fin du XVe. L'art gothique est caractérisé par l'élan vers le haut des édifices, grâce à l'invention de la croisée d'ogives. On y distingue trois périodes : le gothique **primaire** voit s'établir les nouvelles formules (fin du XIIe s.) ; le gothique **rayonnant,** qui allie les audaces à la mesure, est le point d'épanouissement (XIIIe s.) ; enfin, le gothique tardif ou **flamboyant** (XIVe et XVe s.), exaspérant toutes les données précédentes, cultive les formes animées comme des flammes (courbes et contre-courbes des arcs, décor poussé à l'extrême).

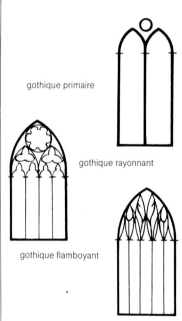

gothique primaire

gothique rayonnant

gothique flamboyant

graduel n. m. Dans la liturgie catholique, livre contenant les parties chantées de la messe. — *Spéc.* Versets chantés qui suivent l'épître.

grecque n. f. Motif formé de lignes décomposant à angles droits un mouvement d'enroulement.

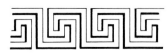

grisaille n. f. Dans l'art du vitrail, la grisaille (peinture vitrifiable à base de peroxyde de fer) appliquée à l'envers du verre coloré souligne les traits (visage, draperie, etc.) ; elle a aussi pour rôle d'amortir certains fonds trop intenses (le bleu, par exemple). Cette grisaille doit être cuite à faible température pour se fixer dans le verre sans qu'il risque de fondre.

H I

halophile (plante) adj. et n. f. *Bot.* se dit d'une plante qui croît dans les terrains imprégnés de sel marin.

hourd n. m. Galerie de bois en encorbellement au niveau des créneaux des tours ou des murs de défense des châteaux forts, remplacée à la fin du XIIe s. par les mâchicoulis de pierre.

hydrie n. f. Grand vase grec à eau, à deux petites anses latérales et une grande anse verticale. — Urne utilisée pour les votes ou les tirages au sort. — Urne funéraire.

hypogée n. m. En archéologie, tout ce qui est souterrain, spécialement les sépultures : caveaux étrusques, tombeaux grecs, nécropoles égyptiennes, catacombes chrétiennes, etc.

hypostyle adj. *Archéol.* Salle, portique ou temple dont le plafond est soutenu par des colonnes.

imposte n. f. *Archit.* Pierre saillante au-dessus du piédroit d'un portail, sur laquelle repose le départ des premières voussures (voir ce mot).

incunable n. m. et adj. Nom donné aux livres qui datent de l'origine de l'imprimerie (antérieurs à 1500).

international (style). Fixé par les écrits de Le Corbusier, ce mouvement a imposé l'architecture moderne dans de nombreux pays au cours des années 1925-1935. Il se caractérise par un parti pris fonctionnaliste, la disparition de l'ornement et l'emploi du béton et du verre.

intrados n. m. *Archit.* Partie intérieure et concave d'un arc, d'une voûte.

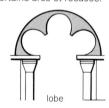

ionique adj. Voir ORDRE.

L

lagune n. f. Étendue d'eau de mer comprise entre la terre ferme et un cordon littoral (lido).

lancette n. f. Ogive de forme très allongée. Les fenêtres, à l'époque gothique, sont souvent à double ou triple lancette.

lanterne n. f. *Archit.* Petit édifice vitré ou ajouré, placé au sommet d'un dôme afin d'éclairer l'intérieur de la coupole (on dit aussi « lanternon »). — Intérieur de la tour construite à l'intersection du transept et de la nef d'une église, lorsqu'il n'y a ni voûtes ni coupole.

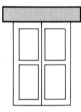

linteau n. m. Traverse de bois, de pierre ou de métal soutenant la construction au-dessus d'une ouverture. Le linteau de pierre peut être fait de plusieurs claveaux (voir ce mot) disposés en plate-bande, ou établi d'une seule portée ; dans ce cas, si la porte est large, le linteau est soutenu par un trumeau (voir ce mot).

lobe n. m. *Archit.* Découpure en arc de cercle employée comme ornement dans certains arcs et rosaces.

lobe

ludion n. m. Petite figurine suspendue à une sphère creuse contenant de l'air, qui monte et descend dans un bocal, suivant la pression qu'on exerce sur la membrane élastique qui le ferme.

M

mâchicoulis n. m. Galerie de pierre, établie en encorbellement au sommet des tours ou des murs de défense d'un château fort, et percée d'ouvertures d'où l'on pouvait arroser les assaillants d'huile bouillante ou de projectiles.

mailloche n. f. Maillet en bois du tailleur de pierre, composé d'un cylindre emmanché sur son axe.

mandorle n. f. Grande auréole en forme d'amande entourant le Christ dans les représentations du Jugement dernier ou de la Transfiguration.

mangonneau. Voir encadré p. 29.

maniérisme n. m. *Bx-arts.* Courant artistique à l'honneur en Italie aux XVIe et XVIIe s. entre la Renaissance et le baroque. Il se distingue par un goût du raffinement, de la fantaisie et du paradoxe, confinant parfois à l'affectation et même à la bizarrerie.

manuélin adj. (de Manuel Ier, roi de Portugal). Style architectural et décoratif qui se développa au Portugal autour de 1500. Proche du style platéresque espagnol (voir ce mot), il se caractérise par des sculptures ornementales plaquées sur des structures gothiques et marquées d'influences romanes, mauresques ou orientales.

maqsura n. f. (mot arabe). À l'intérieur des mosquées, enceinte, voisine du mihrāb (voir ce mot), réservée au souverain.

mastaba n. m. Dans l'ancienne Égypte, tombeau de forme trapézoïdale (pyramide tronquée).

mégaron n. m. Dans l'architecture mycénienne, grande salle à toit sans doute ouvert soutenu par des colonnes et pourvue, en son centre, d'un foyer ; elle donnait sur un vestibule constituant une sorte de porche.

merlon n. m. Partie pleine séparant deux créneaux.

métope n. f. Partie plate, généralement sculptée, comprise entre deux triglyphes (voir ce mot) dans la frise dorique.

métropolite n. m. *Relig.* Titre donné aux dignitaires de l'Église orthodoxe, entre le patriarche et les archevêques.

mihrāb n. m. invar. (mot arabe). Voir encadré p. 109.

minbar n. m. (mot arabe). Dans les mosquées principales, chaire — adossée au mur du fond de l'oratoire et voisine du mihrāb (voir ce mot) — sur laquelle se tient le prédicateur.

motet n. m. *Mus.* Pièce de musique vocale religieuse, à une ou plusieurs voix, soutenue ou non par des instruments, et ne faisant pas partie de l'office divin.

N O

narthex n. m. Sorte de vestibule de la basilique chrétienne, réservé aux catéchumènes. Il servait aussi d'abri de nuit pour les pèlerins. D'origine carolingienne, le narthex existe encore dans le plan des églises romanes. Mais, les baptêmes d'adultes se faisant plus rares, son utilité décrut peu à peu, et il disparut à l'époque gothique.

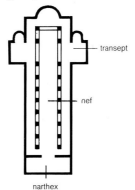

- transept
- nef
- narthex

ogive n. f. *Archit.* Arcade formée de deux arcs qui se croisent et forment au sommet un angle aigu. La croisée d'ogives — partie de la voûte où se croisent les deux ogives — est une caractéristique du style gothique (voir ce mot).

ombelle n. f. *Bot.* Mode de groupement des fleurs d'une plante caractérisé par des axes secondaires, les rayons, qui partent d'un même point de l'axe principal.

ordre n. m. L'art grec comprend trois ordres : l'ordre dorique, l'ordre ionique et l'ordre corinthien. L'ordre **dorique** est le plus ancien et le plus simple. Dépourvu de tout ornement, il doit sa beauté à la perfection de ses proportions. Il se caractérise d'abord par l'absence de base de la colonne : celle-ci repose directement sur le stylobate (voir ce mot). Les cannelures de son fût (voir ce mot), sont à arêtes vives. Le fût est parfois monolithe, mais le plus souvent composé de tambours superposés. Entre le fût et le chapiteau, il n'y a pas d'astragale (voir ce mot), mais des filets qui marquent le départ de l'échine, simple renflement sur lequel repose l'abaque (voir ce mot), appelé aussi tailloir. L'architrave est lisse. La frise est discontinue, formée de l'alternance des triglyphes (voir ce mot) et des métopes (voir ce mot). Sous la corniche qui surplombe la frise, l'ordre dorique comprend des modillons plats, ou mutules, ornés de gouttes (souvenir, sans doute, des chevilles de bois qui tenaient les anciennes charpentes). L'ordre **ionique** est, dans l'ensemble, plus raffiné et plus décoré que l'ordre dorique, mais moins pur. La colonne, plus élancée, prend son départ d'une base où s'oppo-

sent les scoties et les tores, parfois très ornées (volutes, palmettes). Le fût est à cannelures profondes, séparées par des méplats. Dans certains cas, le tambour inférieur de la colonne est sculpté (souvenir de plaques protectrices des colonnes en bois des temples primitifs). Le chapiteau ionique s'épanouit en volutes. L'architrave est formée de la superposition de trois bandeaux plats. La frise est un bandeau continu, sculpté de bas-reliefs ; en revanche, la corniche est toujours surmontée d'un larmier à denticules. L'ordre **corinthien** est dérivé de l'ordre ionique, mais il est encore plus ornemental. C'est à la période hellénistique qu'il trouvera son plein épanouissement. Base, fût et entablement sont sensiblement les mêmes que dans l'ordre ionique : seul le chapiteau est différent. Les Romains utilisèrent un ordre composite dont la base était dorique, et le chapiteau un compromis de l'ionique et du corinthien. L'ordre toscan est aussi une interprétation romaine de l'ordre dorique abâtardi aux proportions plus trapues.

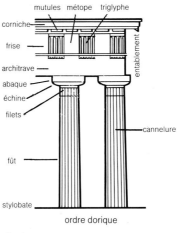

- mutules — métope — triglyphe
- corniche
- frise
- architrave
- abaque
- échine
- filets
- fût
- stylobate
- entablement
- cannelure

ordre dorique

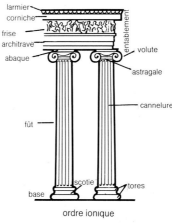

- larmier
- corniche
- frise
- architrave
- abaque
- fût
- scotie
- base
- entablement
- volute
- astragale
- cannelure
- tores

ordre ionique

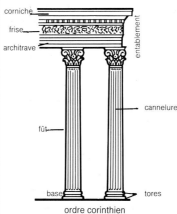

- corniche
- frise
- architrave
- fût
- base
- entablement
- cannelure
- tores

ordre corinthien

P Q

palanque n. f. Dispositif de défense constitué par un assemblage de troncs d'arbres dressés côte à côte, reliés entre eux et enfoncés en terre, de manière à former une muraille. La palanque pouvait être précédée d'un fossé et percée de guichets de tir.

palestre n. f. Terrain où l'on s'entraînait aux exercices physiques. La palestre était souvent rattachée au gymnase ou aux thermes.

paneterie n. f. Endroit où l'on conserve et distribue le pain, dans les communautés.

pantocrator (Christ) adj. et n. m. Nom donné, dans l'art byzantin, aux représentations du Christ en buste aux absides (voir ce mot) ou aux coupoles des églises.

paraboloïde hyperbolique n. m. *Math.* Surface dépourvue de centre et ne possédant qu'un seul axe de symétrie (paraboloïde), dont la courbe (hyperbole) est formée par les points d'un plan dont la différence des distances à deux points fixes de ce plan est constante. La réalisation de voiles de béton, notamment pour la couverture des édifices, est l'une des nombreuses applications technologiques de cette figure géométrique.

parèdre adj. et n. m. Dans la mythologie grecque, dieu subalterne dont les fonctions et le culte sont associés à ceux d'un autre dieu, plus puissant.

pelte n. f. Petit bouclier échancré en forme de croissant.

pendentif n. m. *Archit.* Surfaces concaves triangulaires qui raccordent une coupole circulaire à un plan carré.

coupole sur pendentif

péperin n. m. *Géol.* Roche basaltique légère, granuleuse, de couleur gris cendré, que l'on trouve dans la région de Rome.

péristyle n. m. Galerie à colonnes entourant un édifice. Lorsque cette galerie est accolée à un mur extérieur, on parle aussi de colonnade.

pilastre n. m. *Archit.* Pilier de mêmes proportions et de même ornementation que les colonnes, mais plus ou moins inclus en saillie dans un mur.

pile n. f. Gros pilier soutenant les voûtes des édifices, les arches des ponts, etc.

pinacle n. m. Clocheton pointu, très décoré à l'époque gothique, servant d'amortissement au contrefort ou à la butée d'un arc-boutant (voir ce mot).

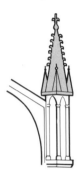

pisé n. m. Matériau de maçonnerie obtenu en comprimant de la terre argileuse entre des planches, au fur et à mesure de la construction. Surtout utilisé dans les régions où la pierre et le bois sont rares, le pisé peut être « armé » avec de la paille.

plane n. f. Outil tranchant à deux poignées utilisé par les menuisiers et les charpentiers pour aplanir et lisser les planches.

plateresque adj. Se dit d'un style d'architecture et de décoration propre à la Renaissance espagnole, caractérisé par une exubérance baroque et des influences mauresques ou orientales.

polder n. m. (mot néerlandais, « terre endiguée »). Étendue conquise sur la mer par l'homme.

portique n. m. Galerie de rez-de-chaussée couverte, dont les voûtes ou le plafond sont soutenus par des colonnes.

poterne n. f. *Fortif.* Porte secrète faisant communiquer l'intérieur d'un ouvrage fortifié avec l'extérieur, généralement un fossé.

pouzzolane n. f. Roche volcanique utilisée en construction.

propylée n. m. Dans l'Antiquité grecque, entrée, porte monumentale ornée de colonnes, d'un temple, d'une citadelle ou d'un palais. Au pluriel : édifice à plusieurs portes, également à colonnes, servant d'entrée à un monument public.

propylon. Voir PROPYLÉE.

puna n. f. Dans les Andes du Pérou, en Bolivie, en Argentine et au Chili, désigne une formation végétale d'altitude, basse et clairsemée, de type steppique.

quadrige n. m. Dans l'Antiquité, char à deux roues attelé de quatre chevaux de front. Les courses de quadrige figuraient au programme des jeux Olympiques.

quattrocento n. m. (italien, quatre cents). Désigne le xve siècle italien à propos de l'art, de la culture et de la civilisation.

quintaine n. f. Au Moyen Âge, mannequin servant aux exercices militaires. Monté sur pivot et muni d'une arme (épée, fouet, bâton), il se retournait et frappait les chevaliers dans le dos lorsque ceux-ci l'avaient touché maladroitement avec leur lance.

quipu n. m. Cordelette à nœuds que les Incas utilisaient pour les comptes, les statistiques, etc. Leur couleur, la grosseur, le nombre et l'espacement des nœuds avaient des significations très précises.

R

radier n. m. Couche de pierre ou de maçonnerie servant de fondation aux édifices, routes, etc.

redent ou **redan** n. m. *Archit.* Ciselures ornementales de pierre en forme de dents. — *Fortif.* Ouvrage défensif formant un angle obtus dont le sommet est dirigé vers l'ennemi.

pignon
à redents

refend (ligne de) Ligne creuse dans le parement d'une façade. Mur de refend : mur intérieur d'un édifice.

reliquaire n. m. Objet destiné à recevoir des reliques. Il peut affecter des formes très variées : châsse, coffret ou statue. Certains reliquaires épousent la forme de la relique qu'ils contiennent, comme la main-reliquaire.

relique n. f. Ce qui est supposé subsister du corps d'un saint, d'un martyr, ou d'objets ayant eu un rapport avec lui. Voir RELIQUAIRE.

répons n. m. *Relig.* Parties de la messe et des offices chantées alternativement par le chœur et par un soliste.

retable n. m. Tableau peint ou sculpté appuyé au mur sur lequel s'adosse l'autel d'une église.

rhapsode n. m. Dans l'Antiquité grecque, chanteur itinérant qui récitait des poèmes, notamment ceux d'Homère.

rinceau n. m. Motif ornemental, peint ou sculpté, qui emprunte sa forme aux tiges des plantes s'enroulant en volutes.

rocaille n. f. Motif décoratif rappelant les coquillages qui décoraient les fausses grottes depuis la Renaissance. Ce motif, animé de courbes, remporta un tel succès au début du XVIIIe s. qu'on a pu parler d'un style rocaille (jusqu'en 1760 environ).

rococo n. m. et adj. (de *rocaille*). Nom donné d'abord par plaisanterie à un style qui abusait de la rocaille (voir ce mot) ; il fut surtout à la mode en Allemagne et en Autriche, où le baroque prit une forme très poussée, particulièrement dans la décoration.

S

salle capitulaire (du latin *capitulum*, chapitre). Dans les monastères, salle où se réunissaient les chanoines pour délibérer de leurs affaires, et où ils entendaient la lecture du chapitre (de la règle propre à leur ordre).

sigillé, e adj. Se dit d'une céramique gallo-romaine décorée ou signée à l'aide de poinçons ou de sceaux.

skylobby n. m. (américain, néologisme). Dans les étages supérieurs (sky), hall (lobby) où l'on change d'ascenseur.

stoûpa n. m. (mot hindi). Édifice funéraire ou commémoratif où sont conservées les reliques du Bouddha ou les cendres de chefs religieux. Il est constitué d'une base circulaire en pierrée ou en brique surmontée d'un dôme hémisphérique.

stucateur n. m. Ouvrier qui prépare et applique le stuc.

stylobate n. m. Soubassement mouluré supportant des colonnes.

suspente n. f. Dans un pont suspendu, câbles ou tiges reliant les câbles porteurs au tablier (voir ce mot).

T

tablier n. m. *Techn.* Pour un pont, partie horizontale qui supporte la chaussée ou la voie ferrée.

tambour n. m. *Archit.* Élément de pierre cylindrique, superposé à d'autres pour constituer le fût d'une colonne. Dans l'architecture grecque, les tambours étaient assemblés à chevilles (bois ou bronze) et à mortaises. Le lit supérieur du tambour n'était poli que sur le bord pour assurer le jointoiement, et le centre était légèrement piqueté pour éviter les glissements. Les cannelures de la colonne n'étaient exécutées qu'une fois le fût monté. — Partie d'architecture cylindrique ou octogonale qui supporte la coupole afin de la hausser au-dessus de l'édifice.

térem n. m. Dans la Russie impériale, partie haute d'une demeure où les femmes vivaient isolées.

thébaïde n. f. Région désertique d'Égypte où certains ascètes chrétiens faisaient retraite.

tholos n. f. (grec). Temple rond entouré d'une colonnade, qu'on peut traduire par rotonde. Les plus célèbres sont celles d'Épidaure et de Delphes.

tirant n. m. Pièce utilisée pour empêcher deux éléments d'une construction de s'écarter l'un de l'autre.

tire-fond n. m. En technologie ferroviaire, grosse vis permettant de fixer le rail à la traverse.

torii n. m. invar. Au Japon, portique de bois ou de pierre, parfois de bronze, précédant l'entrée des temples shintoïques.

transept n. m. Partie de l'église formant une croix avec la nef principale.

travertin n. m. Roche calcaire compacte, de couleur crème, utilisée en construction.

tribune n. f. *Archit. relig.* Galerie élevée au-dessus des bas-côtés d'une église. Réservée aux femmes, cette galerie permettait de rassembler une assistance plus nombreuse lors des pèlerinages. Elle a l'inconvénient de supprimer la possibilité d'éclairage de la nef autrement que par des fenêtres hautes et de créer une horizontalité en contradiction avec l'effort des architectes gothiques pour lancer la cathédrale vers le ciel, Aussi a-t-elle disparu au XIIIᵉ s.

triforium n. m. *Archit. relig.* Petite galerie de circulation, ménagée au-dessus des bas-côtés d'une église gothique en remplacement des tribunes.

triglyphe n. m. Élément décoratif de la frise dorique, formé de trois cannelures verticales alternant avec les métopes (voir ce mot).

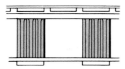

trompe n. f. Petite voûte tronquée, établie en porte-à-faux à l'angle d'un bâtiment : coupole sur trompes.

coupole sur trompes

trumeau n. m. Pile de pierre supportant le linteau (voir ce mot) d'une porte en son milieu. Ceux des portails d'églises sont souvent sculptés.

tympan n. m. *Archit. antique et class.* Partie plate et sculptée, de forme triangulaire, comprise entre les deux rampants du fronton. — *Archit. médiév.* Partie plate et sculptée d'un portail,

comprise entre le linteau et les voussures. Si le tympan est de grande dimension, il peut être à registres.

tympan antique

tympan médiéval

typicon n. m. Dans l'empire byzantin, règlement qui fixait la liturgie d'une église ou d'un monastère.

UVZ

ukase n. m. Dans la Russie impériale, ordonnance, édit du tsar. — *Par ext.* Décision arbitraire.

vaisseau n. m. *Archit.* Grand espace couvert d'un édifice (temple, église, mosquée).

venatio (mot latin ; pl. venationes). Dans l'Antiquité romaine, jeux du cirque au cours desquels combattaient des animaux, entre eux ou contre des hommes.

voussoir n. m. *Archit.* Pièce taillée en forme de coin entrant dans la constitution des cintres des voûtes et arcades. Syn. CLAVEAU.

voussure n. f. Épaisseur de l'intrados (voir ce mot) de plusieurs arcs accolés en voûte au-dessus d'un portail.

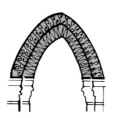

voûte n. f. Maçonnerie en forme de cintre couvrant un édifice, et constituée d'arcs de pierre s'appuyant les uns sur les autres. On distingue plusieurs sortes de voûtes : la voûte **en plein cintre :** faite d'arcs en plein cintre, d'une demi-circonférence ; la voûte **en berceau :** voûte en plein cintre, mais au moins deux fois plus longue que large, souvent soutenue à intervalles réguliers par des arcs doubleaux (voir ce mot) ; la voûte **d'arêtes :** formée du croisement de deux voûtes en berceau ; la voûte **d'ogives :** construite par l'intersection de deux arcs, l'intervalle étant rempli par un matériau léger ; la voûte **en cul-de-four :** sa section est égale au quart d'une sphère ; la voûte **rampante :** voûte dont les deux naissances ne sont pas au même niveau.

voûte en plein cintre

voûte en berceau

voûte d'arêtes

voûte d'ogives

voûte en cul-de-four

voûte rampante

ziggourat n. f. Nom akkadien des tours à étages de Mésopotamie, au sommet desquelles était bâti un sanctuaire.

PHOTOGRAPHIES ET DESSINS

Les chiffres en romain désignent la page du livre. L'emplacement des illustrations est indiqué par les abréviations suivantes : b, bas; h, haut; m, milieu; d, droite; g, gauche.

COUVERTURE : C.C.I./J.C. Planchet; Jim PURCELL/E.P.M.O.; 8-9 : SCOPE/J. Guillard; 9 : RAPHO/Yamashita; 10-11 : RAPHO/G. Gerster; 12 h : IMAGINE/Y. Layma; 12 b : R. HARDING-/Corrigan; 13 : ANA/M. Freeman; 14-15 : SCOPE/J. Guillard; 16 : Bibl. Nat.; 17 : G. DAGLI-ORTI; 20 : Éd. ZODIAQUE; 21 : GIRAUDON; 22 : G. MATHIEU; 23 : S.R.D./G. Mathieu; 24 : PIX/Ch. Bastin & J. Évrard; 25 hg : BULLOZ; 25 d : Bibl. Nat./Arch. S.R.D.; 25 b : BULLOZ; 26 g : EXPLORER/J. Dupont; 26-27 : Bibl. de la Direction du Patrimoine, photo S.R.D./Germain, Nouri; 28 : S. CHIROL; 27 : d'après *Forteresses de la France médiévale* de J.F. Fino, éd. J. Picard; 29 : d'après *Dictionnaire raisonné de l'architecture* de E. Viollet-le-Duc; 30-31 : MARCO-POLO/F. Bouillot; 31 b : Bibl. Nat./Photo S.R.D./J.-P. Germain; 32 h : M. BRUGGMANN; 32 b : Bibl. Nat./Photo S.R.D./J.-P. Germain; 31 h : d'après *l'Art inca et ses origines,* par Henri Stierlin, Office du Livre, Fribourg; 33 : M. BRUGGMANN; 34, 35 : H. STIERLIN; 36 : Ch. LENARS; 37 : The Tokugawa Art Museum; 38-39 : PIX/de Zorzi; 39, 40 : J. VERROUST; 41 : SCOPE/J.D. Sudres; 42-43 : IMAGE-BANK/D.W. Hamilton; 43 : EXPLORER/ph. Roy; 44 : EXPLORER/L.Y. Loirat; 45 : DIAF/Pratt-Pries; 46 : MAGNUM/E. Lessin; 47 h : J. VERROUST; 47 b : MAGNUM/F. Scianna; 48 : M. BRUGGMANN; 49 h : Bibl. Nat./Photo S.R.D./J.-P. Germain; 49 b : M. BRUGGMANN; 50 h : Loren Mc INTYRE; 50 b : Bibl. Nat./Photo S.R.D./ J.-P. Germain; 51 : Loren Mc INTYRE; 52 h : M. BRUGGMANN; 52 b : Bibl. Nat./Photo S.R.D./J.-P. Germain; 53 : M. BRUGGMANN; 54-55 : Coll. VIOLLET; 56 h : Oakland Museum, A.J. Russel collection; 56 m : Southern Pacific Photo; 56 b, 57 : THE BETTMANN ARCHIVE; 58 : Photo TRENDS/Union Pacific; 59 : VAUTIER/de NANXE; 60 h : THE BETTMANN ARCHIVE; 60 b : VAUTIER/de NANXE; 61 h : I.P.S.; 61 b : B. GYSEMBERGH; 62-63 : COSMOS/D. Burnett; 64 h : ROGER-VIOLLET; 64 m : Musée de la Marine; 64 b : BOYER-VIOLLET; 65 : BULLOZ; 66-67 : Walter IMBER; 67 hd : Collection VIOLLET; 67 hg : Fonds anciens, École nationale des ponts et chaussées; 68 h : *La Vie du Rail.* Coll. LVDR; 68 b : Coll. établissements MONTABERT; 69 h : Coll. Centre d'études des tunnels/P. Tairraz; 69 b : Photo BORIE-SAE; 70 : GAMMA/Magubane; 72 : Museum of the City of New York; 72-73 : New York Public Library, Picture Collection; 73 : THE BETTMANN ARCHIVE; 74 : The Brooklyn Museum; 75 hg : SIPA-PRESS/ph. Boulat; 75 hd : TOP/Ch. Février; 75 bg : IMAGE-BANK/P. Frank; 75 bd : FREEMAN FOX and PARTNERS; 76-77 : MAGNUM/R. Burri; 77, 78 : VAUTIER/de NANXE; 79 : GRAZIA NERI/Mairani; 80-81 : E. BRISSAUD; 81 : RAPHO/Everts; 82-83 : ANA/M. Durazzo; 83 h : d'après *les Origines de l'Europe* de Colin Renfrew, éd. Flammarion; 83 : Corpus Christi College, Cambridge; 84-85 : PIX/G. Castillo; 84 : Bodleian Library, Oxford; 85 : d'après *Atlas culturel de la préhistoire et de l'Antiquité* de J. Hawkes, éd. Dorling Kindersley; 86 : Metropolitan Museum of Art; 86-87 : PIX/Revault; 88 : d'après *l'Architecture universelle : l'Égypte,* Office du Livre, Fribourg, 1964; 89 : J. VERTUT; 90-91, 91 : H. STIERLIN; 92 b : ANA/M. Riboud; 93 : d'après *Ziggurats et tour de Babel* d'André Parrot, éd. Albin Michel; 94-95 : S. HELD; 95 : d'après *Promenades dans la Grèce antique* de J. Lacarrière, éd. Hachette; 96 : ANA/A. Schliack; 97, 100 : EKDOTIKE ATHENON; 101 : British Museum; 102-103 : RAPHO/R. et S. Michaud; 103 : d'après *Die Kunst der Spätantike in West- und Ostrom,* Hirmer Verlag, Munich; 103 : d'après *Archaeology*; 104 h : SIPA/Ara Güler; 104 b : EXPLORER/L.Y. Loirat; 105 h : GIRAUDON; 105 m, b : SCALA; 106 : H. STIERLIN; 107 : CEDRI/G. Sioen; 108 h : Ch. LENARS; 108 b : MAGNUM/F. Mayer; 109 : S. HELD; 111 hg : RAPHO/R. Michaud; 111 hd, b : R. et S. MICHAUD; 112 : VLOO/Kanus; 113, 114 g, d : d'après *Temples et Sanctuaires du Japon,* de D. Buisson, éd. du Moniteur, 1980; 114 b : SCOPE/J. Marthelot; 115 : IMAGE-BANK/Taikrichi Irié; 115 : d'après *la Civilisation Japonaise* de D. & V. Elisseeff., éd. Arthaud; 116 : Bibl. publique de Dijon; 117 : B. BEAUJARD; 118 : d'après *l'Art cistercien* de G. Duby, éd. Arts et Métiers graphiques; 119, 120 : MARCO-POLO/F. Bouillot; 121 hg : LANDESBILDSTELLE RHEINLAND-PFALZ; 121 hd : MARCO-POLO/F. Bouillot; 121 m : EXPLORER/J.-Cl. Cochet; 121 b : AEROFILMS; 122 : MARCO-POLO/F. Bouillot; 123 h : Bibl. publique de Dijon; 123 b : VU DU CIEL par A. Perceval; 124, 125, 126 : S.R.D./R. Mazin; 127 g : MAGNUM/E. Lessing; 127 m, hd : RAPHO/P. Belzeaux; 128 d : YAN; 127 bd, 128 g, 129 : E. FIÉVET; 130-131 : LAROUSSE/G.D.E.L.; 132 h : d'après *Architecture in Italy, 1400 à 1600* de L.H. Heydenreich et W. Lotz, Penguin Books; 132 b : d'après *Carolingian and Romanesque Architecture, 800-1200,* dessin de Kenneth J. Conant; 133 h : AFE/L. Canali; 133 b : Musée des Beaux-Arts de Lille; 134 : MAGNUM/E. Lessing; 134-135 : DIAF/J.P. Lescourret; 135 : MAGNUM/F. Mayer; 136-137 : M. SCHNEIDERS; 137 : W. KIENBERGER; 138 : ZEFA/U. Striemann; 139 : W. KIENBERGER; 140 : d'après *le Grand Atlas de l'Architecture mondiale,* Encyclopaedia Universalis; 141 : W. NEUMEISTER; 142-143 : DIAF/J.C. Lamontagne; 143 : DIAF/J. Cabanou; 144-145 : IMAGE-BANK/F. IHRT; 146 h : G. DAGLI-ORTI; 146 b : RAPHO/J.G. Ross; 146 : d'après *l'Art de l'ancienne Égypte* de Kazimierz, éd. Mazenod, dessin de Jadwiga Lipinska; 147 : VLOO/Kanus; 148, 149, 150 h : C.M. DIXON; 150 b : R. JOUSSAUME; 151 : AEROFILMS; 151 : d'après *Concise Guide to Newgrange* de Claire O'Kelly, éd. John English & Co.; 152 : d'après *Antiques Civilisations égéennes,* éd. Time Life; 152 b : d'après *la Civilisation grecque* de F. Chamoux, éd. Arthaud/Flammarion; 153 : G. DAGLI-ORTI; 154 : Courtesy, Museum of Fine Arts, Boston; 155 h : G. DAGLI-ORTI; 155 b : Bibl. Nat./Photo S.R.D./J.-P. Germain; 156 : Michael Kelly, d'après *The First Emperor of China,* The Rainbird Publishing Group Ltd; 156-157 : SYGMA/J.L. Atlan; 157 : RAPHO/P.P.S.; 158 : R. HARDING; 159 h : Cultural Relics Publishing House; 159 b : RAPHO/P.P.S.; 160, 161, 162 : H. STIERLIN; 163 h : S.R.D./J.-P. Germain; 163 b, 164, 165 : H. STIERLIN; 165 : d'après *l'Art maya* de H. Stierlin, Office du Livre, Fribourg; 166-167 : R. MICHAUD; 168 h : Musée Guimet/Photo H. Stierlin; 168 b, 169, 170 : R. et S. MICHAUD; 171 h, b : CHESTER BEATTY LIBRARY/Pieterse Davison Intern.; 171 mg : Musée de Leningrad/Photo R. et S. Michaud; 171 md : Musée de Lahore/photo R. Michaud; 172 h : IMAGE-BANK/B. Froomer; 172 m : R. et S. MICHAUD; 172 b : S. HELD; 173 : RAPHO/R. Michaud; 174-175 : MARCO-POLO/F. Bouillot; 175 : PIX/F. Peuriot; 176, 177, 179 : G. DAGLI-ORTI; 178 : EKDOTIKE ATHENON; 180, 181, 182 : H. STIERLIN; 182-183 : AFE/Zeno Occhibelli; 183 m : The Metropolitan Museum of Art; 183 b : d'après *Hadrien et l'architecture romaine* de H. Stierlin, Office du Livre, Fribourg; 186 : Musée du Vatican; 186-187 : H. STIERLIN; 187 : Prof. Alberto Carpiceci; 188-189 : ARTEPHOT/Oronoz; 189 h : MITCHELL BEAZLEY; 189 b : MAGNUM/G. Peress; 190 h : R. et S. MICHAUD; 190 b : VLOO/L. Pélissier; 191 hg : H. STIERLIN; 191 hd : S. MARMOUNIER; 191 b : VLOO/L. Pélissier; 192 h : PIX/J. Bénazet; 192 b : CEDRI/G. Sioen; 193 : VLOO/S. Dupille; 194, 195, 196 h : G. NIMATALLAH/ARTEPHOT; 196 b : SCALA; 195 : d'après *le Grand Atlas de l'architecture mondiale,* Encyclopaedia Universalis; 197 : T. SCHNEIDERS; 198-199 : M. GARANGER; 199 : S. GRIGGS Agency/J. Calder; 200, 201 h : Bibl. Nat./S.R.D./J.-P. Germain; 201 b, 202 h : A.P.N.; 202 b : LAROUSSE/G.D.E.L.; 203 : MAGNUM/E. Lessing; 204-205 : TOP/R. Mazin; 205 h : S.R.D.; 205 b : G. DAGLI-ORTI; 206 : Copyright reserved to Her Majesty Queen Elizabeth II; 207 h : PIX/La Goélette; 207 b, 208 h : PIX/P. Miriski; 208 b : TOP/R. Mazin; 209 h : EXPLORER/L.Y. Loirat; 209 m, 209 bg : LÖBL/SCHREYER; 209 bd : Rijksmuseum; 210 : TOP/R. Mazin; 211 h : GIRAUDON; 211 b : TOP/R. Mazin; 212-213 : H. MUNZIG; 213 : S. HELD; 214 : COSMOS/D. Mehta; 215 b : R. ZAMORA; 215 h, 216 h : ANA/J.G. Jules; 216 bg : COSMOS/D. Mehta; 217 h : E. BRIGHT; 217 b : R. ZAMORA; 216 bd: BORROMEO; 218-219 : EXPLORER/J. Valentin; 219 h : d'après *Histoire de la ville* de Leonardo Benevolo; 219 b : d'après *Cités antiques d'Algérie, art et culture* de Mounir Bouchenaki; 220 h : A. ABBÉ; 220 b : VLOO/A. Abbé; 221 : C.N.R.S., Centre de recherche sur la mosaïque; 222 : Ch. LENARS; 223 : d'après *Architecture mésoaméricaine,* éd. Electa, Milan; 224 h : G. DAGLI-ORTI; 224 b : VAUTIER-DECOOL; 225 g : VAUTIER/de NANXE; 225 d : Museum für Volkerkunde, Bâle; 226 : B. GROSLIER; 227 b : H. STIERLIN; 228 h : TOP/L. Ionesco; 227 h : d'après *Angkor* d'Henri Stierlin, Fribourg, 1970; 228 b, 229 : H. STIERLIN; 230-231 : EXPLORER/C. D'Hôtel; 231 : Bodleian Library, Oxford; 232 : S. HELD; 233 : MAGNUM/E. Lessing; 234 h : RAPHO/J. Pasquier; 234 b : d'après *Une cité, une république, un empire : Venise,* de A. Zorzi, éd. Mondadori; 235 h : ANA/M. Durazzo; 235 m : TOP/P. Hinous; 235 b : TOP/G. Marineau; 236 h : TOP/L. Roques; 236 b : CEDRI/G. Sioen; 237 : Ch. LENARS; 238-239 h : CHINA Photo LIBRARY/J. Yip; 238-239 b : Hong Kong Museum of History, Urban Council, Hong Kong; 240 g : J.L. PEYROMAURE; 240 d : RAPHO/B. Brake; 241 h : COSMOS/G. Buthaud; 241 b : J.L. PEYROMAURE; 242-243, 244 h : VAUTIER/de NANXE; 244 b : d'après *États-Unis/Brésil,* Grands Monuments n° 27, éd. Hachette; 245 hg : RAPHO/C. Pick; 245 hd : Bibl. Nat.; 245 bd : RAPHO/Sarramon; 245 bg : EXPLORER/Lausat; 246, 247 : VAUTIER-de NANXE; 248-249 : RAPHO/G. Gerster; 249 : PIX/Photographers; 250-251 : G. DAGLI-ORTI; 252 d : GRAZIA NERI/G. Mairani; 253 : Staatliche Museen zu Berlin; 250 : d'après *Theatre of Dionysus in Athens* de Pickard-Campbell, Oxford, University Press; 252 g : Bibliothèque Forney, Paris; 254 : RAPHO/G. Gerster; 255, 257 : dessins du professeur Alberto Carpiceci; 256 : MAGNUM/D. Hurn; 258-259 : IMAGE BANK/F. Fontana; 259 : P. MICHAUD; 260 h : IMAPRESS/S. Visalli; 260 b : MAGNUM/E. Erwitt; 261 : RAPHO/M. Yamashita; 262-263 : Photo Kenzo Tange; 265 : Münchner Olympiapark; 263 : d'après Weidenfeld and Nicolson Ltd/Mitchell Beazley Ltd; 266-267 : PIX/Le Danois; 267 : S. HELD : 268 h : MITCHELL BEAZLEY LTD; 268 b : Ambassade d'Australie; 269 : Archiv für Kunst und Geschichte, Berlin; 270-271 : MAGNUM/R. Kalvar; 270 : RAPHO/M. Bertinetti; 272 h : IMAGE-BANK/G. Thompson; 272-273 : RAPHO/L. Goldman; 272 b : COSMOS/D. Budnik; 273 : MAGNUM/R. Burri; 274 : d'après *Espace, temps, architecture* de S. Giedion, éd. Denoël; 275 g, m : Museum of the City of New York; 275 d : Chicago Historical Society; 276-277 : VAUTIER/de NANXE; 277 : SYGMA; 278-279 : MAGNUM/I. Berry; 281 : AEROCAMERA/Bart Hofmeester; 282, 283 b : Rijkswaterstaat; 283 h, 284-285 : SYGMA; 285 : AEROCAMERA/-Bart Hofmeester; 286-287 : Compagnie Générale DORIS. D.R.; 287 : HUSMO-FOTO; 288 : d'après *les Gisements de la mer du Nord,* présentés par TOTAL; 289, 290 : Compagnie Générale DORIS; 291 g : SYGMA/A. Dejean; 291 d : RAPHO/M. St.Gil; 292, 294, 295, 296 : VAUTIER/de NANXE; 298-299 : FOUR BY FIVE; 299, 300, 301, 302 h : MILLER SERVICES/O. Bierwagen; 302 b : HYDRO-QUÉBEC; 303 : GAMMA/Ponomareff; 304 h : RAPHO/G. Gerster; 304 m : TOP/Réalités; 304 b : RAPHO/G. Viollon; 305 h : RAPHO/P.Koch; 305 m : ROGER-VIOLLET; 305 b : RAPHO/W. Braga; 306 h : MAGNUM/I. Morath; 306 m : The British Tourist Authority; 306 b : MAGNUM/I. Morath; 307 h : ROGER-VIOLLET; 307 mh : TOP/P. Hinous; 307 mb : ROGER-VIOLLET; 307 b, 308 h : RAPHO/G. Gerster; 308 m : ROGER-VIOLLET; 308 b : RAPHO/M. Serraillier; 309 h : J. KEINKELIN; 309 m : W. PETITTEVILLE; 309 b : Éts. J. RICHARD; 310 h : RAPHO/E. Hooykaas; 310 m : ROGER-VIOLLET; 310 b : Collection VIOLLET; 311 h, b : RAPHO/G. Gerster; 311 m : MAGNUM/R. Burri; 312 h : RAPHO/E. Scheidegger; 312 mh : RAPHO/G. Gerster; 312 mb : SAN-VIOLLET; 312 b : RAPHO/G. Viollon; 313 h : RAPHO/M. Foucault; 313 m : RAPHO/K. Burri; 313 b : RAPHO/G. Gerster.

Dessins spécialement réalisés pour Sélection du Reader's Digest : 18-19, 98-99, 184-185 : Gérald Eveno; 92, 93 : Guy Loriot; 27 hd, 29 bg, 47, 107, 115, 146, 152, 161, 279 : Dominique Roussel; 314 à 319 : Pierre Brochard, Maurice Espérance et Yves Le Pape.

Les cartes ont été réalisées par le service cartographique de Sélection du Reader's Digest.

CHEFS-D'ŒUVRE DU GÉNIE HUMAIN
publié par
Sélection du Reader's Digest

Photocomposition : Coupé S.A., Sautron.
Photogravure : Offset 94, Créteil.
Impression et reliure : Pizzi, Milan.

PREMIÈRE ÉDITION
Deuxième tirage

Achevé d'imprimer : novembre 1987.
Dépôt légal en France : décembre 1987.
Dépôt légal en Belgique : D. 1986.0621.30.

IMPRIMÉ EN ITALIE
Printed in Italy